福建统计年鉴

FUJIAN STATISTICAL YEARBOOK

2009

福建省统计局/国家统计局福建调查总队 编

中国统计出版社
China Statistics Press

（京）新登字041号

图书在版编目（CIP）数据

福建统计年鉴. 2009/福建省统计局，国家统计局福建调查总队编.—北京：中国统计出版社，2009.7
ISBN 978-7-5037-5665-8

Ⅰ.福… Ⅱ.①福…②国… Ⅲ.统计资料-福建省-2009-年鉴 Ⅳ.C832.57-54

中国版本图书馆CIP数据核字(2009)第049445号

福建统计年鉴-2009

作　　者/ 福建省统计局、国家统计局福建调查总队
责任编辑/ 郑淼淼　罗　浩
E-mail / yearbook@stats.gov.cn
责任校对/ 余　波　陈进明
封面设计/ 张义滨
出版发行/ 中国统计出版社
通信地址/ 北京市西城区三里河月坛南街57号　中国统计出版社
邮　　编/ 100826
电　　话/ (010)63376907
印　　刷/ 福州市青盟印刷有限公司
经　　销/ 新华书店
开　　本/ 890×1240毫米 1/16
字　　数/ 178万字
印　　张/ 40
印　　数/ 1-2500册
版　　别/ 2009 年 7 月第 1 版
版　　次/ 2009 年 7 月第 1 次印刷
书　　号/ ISBN 978-7-5037-5665-8/C•2192
定　　价/ 270.00元

编委会及编辑人员

一、编委会

二、编辑部

编者说明

一、《福建统计年鉴—2009》(中英文对照)，是一部信息高度密集的统计资料书。全书系统收录了2008年福建省全省及各地区、各部门经济和社会发展等各方面的统计数据，以及重要年份福建国民经济主要指标的统计数据，是一部全面反映福建经济和社会发展情况的资料性年刊。

二、全书内容分为22个部分：1.综合；2.国民经济核算；3.人口、就业与职工工资；4.固定资产投资；5.能源；6.人民生活；7.价格指数；8.城市概况；9.财政金融；10.农业；11.工业；12.建筑业；13.交通运输与邮电通信业；14.批发零售与住宿餐饮业；15.对外贸易与旅游；16.科学与教育；17.文化、出版、体育与卫生；18.环境保护与其他社会活动；19.企业集团与企业景气指数；20.市县国民经济主要指标；21.企业概况；22.海峡西岸经济区主要经济指标等，各篇末均附有《主要统计指标解释》。

三、与2008年版《福建统计年鉴》相比较，在统计内容和编辑上主要做了如下修订：

1．对篇章内容进行了规范化调整。增加了城市概况，企业集团及企业景气指数、海峡西岸经济区各设区的市的主要经济社会统计指标等三个篇章，将“科技教育文化及出版”、“体育卫生与其他”等二篇调整成“科学与教育”、“文化、出版、体育与卫生”、“环境保护和其他社会活动”等三篇。

2．在篇章内容的安排上，每篇都增加反映本篇概貌的统计表。综合篇的编辑体系有较大的调整，与《国家统计年鉴-2008》基本衔接。“职工劳动报酬”由“人民生活篇”调整到“人口、就业与职工工资”。

3．为了体现新中国成立60年、改革开放30年以及海峡西岸经济区建设以来福建经济建设和社会发展取得的突出成就，在各篇中都列示了相关年份的数据，并在《综合》篇中进行了相应的计算和比较。

四、金门县统计资料除另有注明外，暂未列入本年鉴。

五、本年鉴重要统计数据的资料来源、计算口径等均在各篇另有注明。

六、本年鉴使用的度量衡单位均采用国家统一标准计量单位。

七、本年鉴部分数据由于单位取舍不同而产生的误差均未作调整。

八、本《年鉴》使用符号说明：

“＃”表示其中项；

“…”表示不足小数位的数据；

“空”表示没有或未掌握该指标数据。

九、本年鉴工业部分“规模以上”工业企业系指年主营业务收入（或产品销售收入）500万元以上的法人工业企业；批发零售与住宿餐饮业部分“限额以上”批发零售与住宿餐饮业指年销售额2000万元及以上的批发企业(含外贸企业)、年销售额500万元及以上的零售企业、星级住宿企业和年营业额200万元及以上的餐饮企业。

十、本年鉴中GDP、农林牧渔业总产值、工业总产值等总量指标按当年价格计算，增长速度和产值指数按可比价格计算。

十一、本年鉴计算增长速度、指数均采用“水平法”。

十二、本《年鉴》在编辑过程中得到省内外许多单位和同志们的大力支持，在此深表谢意。限于我们的水平，加之时间仓促，不足之处，敬请各级领导、各界人士和统计战线的同仁批评指正。

Editor's Explanatory Notes

Ⅰ.*Fujian Statistical Yearbook-2009* (in both Chinese and English) is an annual statistic publication of comprehensive information with highly density. The yearbook covers very comprehensive data in 2008 and some selected data series in important years and the data since 1949 of provincial and regional levels and in different departments , reflects various aspects of Fujian social and economic development.

Ⅱ.The yearbook comprises twenty-two sections such as: 1.General Survey ; 2.National Economy Accounting; 3. Population,Employment and Wages; 4.Investment in Fixed Assets; 5. Energy; 6. People's Living Conditions; 7.Price Indices; 8.General Survey of Cities; 9.Finance; 10.Agriculture; 11.Industry; 12.Construction ; 13. Transportation, Postal and Telecommunication Services ; 14.Wholesale,Retail Trades, Hotels and Catering Services; 15 Foreign Trade and International Tourism ; 16.Science and Education17.Culture,Publishing,Sports,and Public Health; 18. Environment Protection and Others; 19. Enterprise Groups and Enterprise Climate Index ; 20.Main Economic Indicators of City Prefecture and County; 21. General Situation of Enterprises; 22.The Main Economy and Social Indicators of the region in the West Side of the Straits Economic Area etc. Each section is equipped with Explanatory Notes on Main Statistical Indicators at the end.

Ⅲ.Compared with the Fujian Statistical Yearbook 2008,some changes are made in contents and in editing mode, including the following:

1) The chapter in this yearbook have been adjusted.There are three chapters were increased such as chapter of General Survey of Cities, Enterprise Groups and Enterprise Climate Index and The main Economy and Social indicators of the Region In the West Side of the Straits Economic Area etc. two chapters such as chapter Science and Technology and chapter Education, Culture and Publishing and chapter Sports, Public Health and Others have split to three chapters such as chapter Science and Education, chapter Culture,Publishing,Sports,and Public Health and chapter Environment Protection and Others.

2) One or more table was increased to reflect the General survey in chapter. Table in chapter General survey were substantial adjustment to China Statistical Yearbook-2008.Data on divisions of People's Livelihood concluded in the chapter of Population,Employment and Wages.

3) In order to reflect economic and social development since The New China was founded 60 years and the Reform and Opening of Fujian 30 years and the building of the West Side of the Straits Economic Area, in the chapter of General Survey, there are new tables of calculation and compare data on 1978 & 2008.

Ⅳ.The data of Jinmen county are not included in this yearbook except for some additional notes on it.

Ⅴ.Data source, calculation scope for important statistical data in this yearbook are noted in each part.

Ⅵ.The units of measurement used in this yearbook are internationally standard measurement units.

Ⅶ.Statistical discrepancies due to rounding are not adjusted in this yearbook.

Ⅷ.Description of signs or symbols in the yearbook:

"# "stands for interim item; "..." for data with insufficient decimal place; "blank" for absence of data indicators or ignorance of them.

Ⅸ.Chapter Industrial enterprises above designated size in this yearbook refer to all corporative industrial enterprises with an annual major business income (or product sale income) of over 5 million yuan; chapter Enterprises above designated size in wholesale, retail sale, hotels and catering services refer to the wholesale enterprises (including foreign trade enterprises) with annual sales of over 20 million yuan, the retail enterprises with annual sales of over 5 million yuan, star-ranking hotels and the catering enterprises with annual turnover of over 2 million yuan respectively.

Ⅹ.The indicator of GDP, gross output value of farming, forest, animal husbandry and fishery and industry in this yearbook is calculated according to prices of current year. Growth rate and indices of production value is calculated according to comparable prices.

Ⅺ.Growth rates and indices in this yearbook are calculated by"level approach".

Ⅻ.In the course of compilation, the yearbook has received great support from many units and comrades in and out of Fujian Province , we acknowledge their help to the book. Mistakes and faults are inevitable to take place for inadequate proficiency and limited time. Leaders, personnel from all walks of life and colleagues from statistical sector are welcome to make their critical comments and suggestions.

目　　录

Contents

第一篇　综合
General Survey

第二篇　国民经济核算
National Economy Accounting

第三篇 人口、就业与职工工资
Population,Employment and Wages

第四篇 固定资产投资
Investment in Fixed Assets

第五篇 能源
Energy

第六篇　人民生活
People's Living Conditions

第七篇 价格指数
Price Indices

第八篇 城市概况
General Survey of Cities

第九篇 财政金融
Finance

第十篇　农业
Agriculture

第十一篇 工业
Industry

第十二篇 建筑业
Construction

第十三篇 交通运输与邮电通信业
Transportation, Postal and Telecommunication Services

第十四篇　批发零售与住宿餐饮业
Wholesales,Retail Sales,Hotels and Catering Service

第十五篇　对外贸易与旅游
Foreign Trade and International Tourism

第十六篇 科学与教育
Science and Education

第十七篇 文化、出版、体育与卫生
Culture,Publishing,Sports,and Public Health

第十八篇　环境保护与其他社会活动
Environment Protection and Others

第十九篇 企业集团和企业景气指数
Enterprise Groups and Enterprise Climate Index

第二十篇 市县国民经济主要指标
Main Economic Indicators of City Prefecture and County

第二十一篇 企业概况
General Situation of Enterprises

第二十二篇 海峡西岸经济区主要经济指标
The Main Economy and Social Indicators of the region in the West Side of the Straits Economic Area

综合

1

General Survey

简要说明

本篇资料的主要内容及来源

本篇包括全省行政区划及国民经济和社会发展综合资料二部分。

行政区划划分资料由福建省民政厅提供。国民经济和社会发展综合部分来源于本年鉴各篇章中的资料，由省统计局综合统计处加工整理。

Brief Introduction

Main Content and Source of Data

This chapter mainly covers two parts: the data of divisions of administrative areas and general survey of economy and society development.

Data on divisions of administrative areas are provided by the Bureau of Civil Affairs of Fujian Provincial Department. Data on general survey of economy and society development are compiled and processed by the Division of Comprehensive Statistics of the Fujian Provincial Bureau of Statistics.

1–1 全省行政区划(2008年底)

Divisions of Administrative Areas in Fujian(End of 2008)

设区市名称 Cities	县级行政单位数(个) Number of Administrative Units at County Lever(unit)				县级行政单位名称 Name of Administrative Units at County Level
	合计 Total	县 County	县级市 Cities at County Level	市辖区 District	
总计 Total	**85**	**45**	**14**	**26**	
福州市 Fuzhou	13	6	2	5	鼓楼区 仓山区 台江区 马尾区 晋安区 福清市 长乐市 闽侯县 连江县 罗源县 闽清县 永泰县 平潭县 Gulou Cangshan Taijiang Mawei Jin'an Fuqing Changle Minhou Lianjiang Luoyuan Minqing Yongtai Pintan
厦门市 Xiamen	6			6	思明区 海沧区 湖里区 集美区 同安区 翔安区 Siming Haicang Huli Jimei Tongan Xiang'an
莆田市 Putian	5	1		4	城厢区 涵江区 荔城区 秀屿区 仙游县 Chengxiang Hanjiang Licheng Xiuyu Xianyou
三明市 Sanming	12	9	1	2	三元区 梅列区 永安市 明溪县 清流县 宁化县 大田县 尤溪县 沙县 将乐县 泰宁县 建宁县 Sanyuan Meilie Yongan Mingxi Qingliu Ninghua Datian Youxi Shaxian Jiangle Taining Jianning
泉州市 Quanzhou	12	5	3	4	鲤城区 丰泽区 洛江区 泉港区 石狮市 晋江市 南安市 惠安县 安溪县 永春县 德化县 金门县 Licheng Fengze Luojiang Quangang Shishi Jinjiang Nan'an Huian Anxi Yongchun Dehua Jinmen
漳州市 Zhangzhou	11	8	1	2	芗城区 龙文区 龙海市 云霄县 诏安县 漳浦县 长泰县 东山县 南靖县 平和县 华安县 Xiangcheng Longwen Longhai Yunxiao Zhao'an Zhangpu Changtai Dongshan Nanjing Pinghe Hua'an
南平市 Nanping	10	5	4	1	延平区 邵武市 武夷山市 建瓯市 建阳市 顺昌县 浦城县 光泽县 松溪县 政和县 Yanping Shaowu Wuyishan Jian'ou Jianyang Shunchang Pucheng Guangze Songxi Zhenghe
龙岩市 Longyan	7	5	1	1	新罗区 漳平市 长汀县 永定县 上杭县 武平县 连城县 Xinluo Zhangping Changting Yongding Shanghang Wuping Liancheng
宁德市 Ningde	9	6	2	1	蕉城区 福安市 福鼎市 霞浦县 古田县 屏南县 寿宁县 周宁县 柘荣县 Jiaocheng Fu'an Fuding Xiapu Gutian Pingnan Shouning Zhouning Zherong

1–2 国民经济和社会发展总量和速度指标

项目 Item	总量指标 Aggregate Data				
	1978	2000	2003	2007	2008
人口与就业 Population and Employment					
年末总人口（万人） Population at Year-end(10000 persons)	**2446**	**3410**	**3488**	**3581**	**3604**
#城镇人口 Urban		1431	1573	1744	1798
年末从业人员（万人） Employment at Year-end(10000 persons)	**924.41**	**1660.19**	**1756.71**	**2015.33**	**2079.78**
城镇登记失业人员（万人） Number of Registered Unemployed Persons in Urban Areas (10000 persons)	20.82	9.10	14.60	14.85	14.95
城镇单位在岗职工平均工资（元） Average Wage of Staff and Workers on the Job(yuan)	**567**	**10584**	**14310**	**22283**	**25702**
国民经济核算 National Accounts					
地区生产总值（亿元） Gross Domestic Product(100 million yuan)	**66.37**	**3764.54**	**4983.67**	**9249.13**	**10823.11**
第一产业 Primary Industry	23.93	640.57	692.94	1002.11	1157.75
第二产业 Secondary Industry	28.19	1628.45	2340.82	4549.42	5415.77
工业 Industry	23.85	1422.34	2061.31	4018.42	4755.45
建筑业 Construction	4.34	206.11	279.51	531.00	660.32
第三产业 Tertiary Industry	14.25	1495.52	1949.91	3697.60	4249.59
支出法国内生产总值(亿元) Gross Domestic Product by Expenditure Approach (100 million yuan)	**66.37**	**3764.54**	**4983.67**	**9339.51**	**11431.86**
最终消费 Final Consumption Expenditure	53.02	2049.66	2651.77	4269.36	5053.95
居民消费 Household Consumption Expenditures	44.52	1539.58	1920.99	3131.13	3722.10
政府消费 Government Consumption Expenditure	8.50	510.09	730.79	1138.23	1331.85
资本形成总额 Gross Capital Formation	22.59	1601.29	2077.08	4704.56	5975.76

Principal Aggregate Indicators on National Econmic and Social Development and Growth Rates

2008年为以下各年(%) 2008 as Percentage of the Following Years(%)				平均增长速度（%） Average Annual Growth Rate(%)		
1978	2000	2003	2007	1979–2008	2001–2008	2004–2008
147.3	**105.7**	**103.3**	**100.6**	**1.3**	**0.7**	**0.7**
	125.6	114.3	103.1		2.9	2.7
225.0	**125.3**	**118.4**	**103.2**	**2.7**	**2.9**	**3.4**
71.8	164.3	102.4	100.7	-1.1	6.4	0.5
4533.0	**242.8**	**179.6**	**115.3**	**13.6**	**11.7**	**12.4**
3670.4	**248.9**	**186.6**	**113.0**	**12.8**	**12.1**	**13.3**
619.4	133.3	121.3	104.8	6.3	3.7	3.9
7999.5	301.0	207.7	115.2	15.7	14.8	15.7
9420.1	310.2	210.8	115.2	16.4	15.2	16.1
796.7	238.4	184.0	114.6	7.2	11.5	13.0
4484.2	241.7	184.6	112.1	13.5	11.7	13.0

1–2 续表1

项目 Item	总量指标 Aggregate Data				
	1978	2000	2003	2007	2008
固定资本形成总额 Gross Fixed Capital Formation	13.25	1216.91	1672.63	4344.88	5601.36
存货增加 Changes in Inventories	9.34	384.38	404.45	359.68	374.40
货物和服务净出口 Net Export of Goods and Services	-9.24	113.59	254.82	365.59	402.15
固定资产投资 Investment in Fixed Assets					
全社会固定资产投资总额（亿元） Total Investment in Fixed Assets(100 million yuan)	**13.35**	**1082.47**	**1507.87**	**4321.74**	**5301.69**
按登记注册类型分 By Status of Registration and Region					
#国有经济 State-owned	8.66	436.49	574.95	1522.96	1914.63
集体经济 Collective-owned	2.22	43.58	61.25	117.18	190.41
私营个体经济 Private	2.47	160.75	232.80	1059.61	1294.82
港澳台商及外商投资 Funds from HongKong, Macao, TaiWan and Foreign Enterprises		262.27	341.29	731.93	837.87
按城乡分 By Urban and Rural					
城镇 Urban	9.45	863.21	1240.78	3863.01	4695.51
#房地产开发 Real Estate Development		207.37	362.07	1132.49	1129.09
农村 Rural	3.90	219.26	267.09	458.74	606.18
全社会施工房屋建筑面积（万平方米） Floor Space of Buildings under Construction(10000 sq.m)		**10118.93**	**4891.04**	**23712.10**	**26034.89**
全社会竣工房屋建筑面积（万平方米） Floor Space of Buildings Completed(10000 sq.m)		4806.13	1362.95	7216.14	7719.52
能源生产与消费 Production and Consumption of Energy					
能源生产总量（万吨标准煤） Total Energy Production(10000 tons of SCE)	461.00	1654.17	1816.80	2579.78	2940.54
能源消费总量（万吨标准煤） Total Energy Consumption(10000 tons of SCE)	688.00	2942.60	4062.60	7574.20	8238.40
财政（亿元） Revenue(100 million yuan)					

Continued

2008年为以下各年(%) 2008 as Percentage of the Following Years(%)				平均增长速度（%） Average Annual Growth Rate(%)		
1978	2000	2003	2007	1979–2008	2001–2008	2004–2008
39713.1	**489.8**	**351.6**	**122.7**	**22.1**	**22.0**	**28.6**
22108.8	438.6	333.0	125.7	19.7	20.3	27.2
8577.0	436.9	310.9	162.5	16.0	20.2	25.5
52421.9	805.5	556.2	122.2	23.2	29.8	40.9
	319.5	245.5	114.5		15.6	19.7
49687.9	544.0	378.4	121.6	23.0	23.6	30.5
	544.5	311.8	99.7		23.6	25.5
15543.2	276.5	227.0	132.1	18.3	13.6	17.8
	257.3	**532.3**	**109.8**		**12.5**	**39.7**
	160.6	566.4	107.0		6.1	41.5
637.9	177.8	161.9	114.0	6.4	7.5	10.1
1197.4	280.0	202.8	108.8	8.6	13.7	15.2

1-2 续表2

项目 Item	总量指标 Aggregate Data				
	1978	2000	2003	2007	2008
财政总收入 Government Revenue	15.13	369.67	551.00	1282.84	1516.51
地方财政一般预算收入 Budgtary Revenue of Local Government		234.11	304.71	699.46	833.40
财政支出 Government Expenditure	15.14	324.18	452.30	910.64	1137.72
金融 **Finace**					
金融机构人民币各项存款余额（亿元） **Deposits RMB of Financial System(100 million yuan)**	**25.95**	**3114.32**	**5178.29**	**10040.15**	**11804.40**
#企业存款 Deposits by Enterprises		1002.17	1561.01	3222.76	3494.62
财政存款 Fiscal Deposits		39.59	51.74	328.32	457.26
农业存款 Agricultural Deposits		54.87	84.94	219.63	243.43
储蓄存款 Savings Deposits		1767.59	2924.65	4711.23	5861.17
金融机构人民币各项贷款余额（亿元） **Loans RMB of Financial System(100 million yuan)**	**31.43**	**2438.82**	**3837.51**	**8065.67**	**9585.92**
#工业贷款 Loans to Industrial Sector		405.56	595.35	1278.04	1340.80
农业贷款 Loans to Agricultural Sector		140.12	243.51	484.40	559.55
商业贷款 Loans to Commercial Sector		328.68	329.18	347.60	379.75
基建贷款 Loans to Construction Sector		309.74	672.62	1991.32	2365.79
保险公司赔款及给付金额（亿元） **Payment of Insurance Companies(100 million yuan)**		**17.76**	**27.33**	**68.91**	**90.18**
价格指数（上年=100） **Price Indices(preceding year=100)**					
居民消费价格指数 Consumer Price Index	100.2	102.1	100.8	105.2	104.6
工业品出厂价格指数 Producer Price Index		100.5	100.7	100.8	102.7
原材料、燃料、动力购进价格指数 Purchasing Price Index forRaw Material,Fuel and Power		112.4	106.3	104.3	110.2
固定资产投资价格指数 Price Index for Investment in Fixed Assets		100.2	101.4	105.9	105.9

Continued

2008年为以下各年(%) 2008 as Percentage of the Following Years(%)				平均增长速度（%） Average Annual Growth Rate(%)		
1978	2000	2003	2007	1979–2008	2001–2008	2004–2008
10023.2	410.2	275.2	118.2	16.6	19.3	22.4
	356.0	273.5	119.1		17.2	22.3
7514.6	350.9	251.5	124.9	15.5	17.0	20.3
45489.0	**379.0**	**228.0**	**117.6**	**22.6**	**18.1**	**17.9**
	348.7	223.9	108.4		16.9	17.5
	1155.0	883.8	139.3		35.8	54.6
	443.6	286.6	110.8		20.5	23.4
	331.6	200.4	124.4		16.2	14.9
30499.3	**393.1**	**249.8**	**118.8**	**21.0**	**18.7**	**20.1**
	330.6	225.2	104.9		16.1	17.6
	399.3	229.8	115.5		18.9	18.1
	115.5	115.4	109.2		1.8	2.9
	763.8	351.7	118.8		28.9	28.6
	507.9	**330.0**	**130.9**		**22.5**	**27.0**
533.0	116.7	117.9	104.6	5.7	1.9	3.3
	101.8	105.6	102.7		0.2	1.1
	146.7	146.3	110.2		4.9	7.9
	119.8	119.1	105.9		2.3	3.6

1-2 续表3

项目 Item	总量指标 Aggregate Data				
	1978	2000	2003	2007	2008
农业 **Agriculture**					
主要农产品产量（万吨） **Output of Major Farm Products(10000 tons)**					
粮食 Grain	744.89	854.68	695.04	635.06	652.21
油料 Oil-bearing Crops	13.80	25.79	26.03	23.30	25.40
甘蔗 Sugar Cane	288.03	82.71	118.12	56.36	70.90
烤烟 Tobacco	1.23	9.14	10.13	12.41	13.85
黄红麻 Jute and Ambary Hemp	2.53	0.05	0.03	0.03	0.03
茶叶 Tea	2.03	12.60	15.02	22.39	24.73
水果 Fruits	10.10	356.44	441.68	517.29	553.37
肉类 Meat		145.92	161.96	150.65	169.42
奶类 Milk	0.93	9.91	19.28	15.85	15.23
水产品 Aquatic Products	54.44	527.89	553.13	532.00	554.20
食用菌 Edible Fungus		46.25	49.01	64.61	71.10
造林面积（万亩） **Areas of Afforestation(10000 Mu)**	**292.07**	**36.75**	**36.33**	**53.18**	**49.21**
工业 **Industry**					
主要工业产品产量 **Output of Major Industrial Products**					
原煤(万吨) Coal(10000 tons)	423.05	375.03	778.22	1991.74	2306.07
原盐(万吨) Salt(10000 tons)	94.67	28.37	41.18	33.40	35.59
糖(万吨) Sugar(10000 tons)	28.92	6.11	8.68	5.36	7.53
罐头(万吨) Canned Food(10000 tons)	4.10	26.78	47.74	111.03	165.38

Continued

2008年为以下各年(%) 2008 as Percentage of the Following Years(%)				平均增长速度（%） Average Annual Growth Rate(%)		
1978	2000	2003	2007	1979-2008	2001-2008	2004-2008
87.6	76.3	93.8	102.7	-0.4	-3.3	-1.3
184.0	98.5	97.6	109.0	2.1	-0.2	-0.5
24.6	85.7	60.0	125.8	-4.6	-1.9	-9.7
1126.3	151.6	136.7	111.6	8.4	5.3	6.5
1.2	62.8	102.8	104.3	-13.7	-5.7	0.6
1218.1	196.2	164.6	110.4	8.7	8.8	10.5
5478.9	155.2	125.3	107.0	14.3	5.7	4.6
	116.1	104.6	112.5		1.9	0.9
1638.7	153.8	79.0	96.1	9.8	5.5	-4.6
1018.0	105.0	100.2	104.2	8.0	0.6	
	153.7	145.1	110.1		5.5	7.7
16.9	**133.9**	**135.5**	**92.5**	**-5.8**	**3.7**	**6.3**
545.1	614.9	296.3	115.8	5.8	25.5	24.3
37.6	125.4	86.4	106.6	-3.2	2.9	-2.9
26.0	123.3	86.8	140.5	-4.4	2.7	-2.8
4033.6	617.5	346.4	148.9	13.1	25.6	28.2

1-2 续表4

项目 Item	总量指标 Aggregate Data				
	1978	2000	2003	2007	2008
布(亿米) Cloth(100 million m)	1.12	5.59	10.37	24.24	31.68
纱(万吨) Yarn(10000 tons)	1.84	14.36	39.65	109.81	147.54
机制纸及纸板(万吨) Machine-made Paper and Paperboard(10000 tons)	20.08	85.07	143.84	237.85	371.87
农用化肥(万吨) Chemical Fertilizers(10000 tons)	16.40	61.38	56.69	62.95	69.60
烧碱(万吨) Caustic Soda(10000 tons)	4.32	15.64	24.67	31.36	29.14
水泥(万吨) Cement(10000 tons)	120.45	1513.64	2116.27	4449.69	4593.36
平板玻璃(万重量箱) Plain Glass(10000 weight cases)	43.59	479.87	511.85	1867.12	1637.81
生铁(万吨) Pig Iron(10000 tons)	26.57	149.37	214.83	471.83	525.71
钢材(万吨) Rolled Steel(10000 tons)	13.82	283.79	452.94	1046.40	1078.02
彩色电视机(万台) Color TV(10000 sets)		204.19	252.66	513.63	620.81
发电量(亿千瓦小时) Electricity(100 million kwh)	40.69	403.73	610.70	1038.28	999.14
规模以上工业企业主要经济指标（亿元） Principal Indicators of Industrial Enterprises above Designated Size(100 million yuan)					
资产总计 Original Value of Fixed Assets		3368.64	4902.48	10157.20	11694.91
主营业务收入 Revenue from Principal Business		2468.69	4822.24	12227.31	14816.17
利润总额 Total Profits	6.75	110.80	314.40	894.51	896.11
建筑业 Construction					
建筑业企业从业人员（万人） Number of Employed Persons(10000 persons)	4.54	41.37	59.99	124.97	153.90
施工面积（万平方米） Under Construction(10000 sq.m)	416.57	4085.40	6440.08	17743.89	20028.29

Continued

2008年为以下各年(%) 2008 as Percentage of the Following Years(%)				平均增长速度（%） Average Annual Growth Rate(%)		
1978	2000	2003	2007	1979–2008	2001–2008	2004–2008
2828.6	567.1	305.5	130.7	11.8	24.2	25.0
8018.5	1027.1	372.1	134.4	15.7	33.8	30.1
1851.9	437.1	258.5	156.3	10.2	20.2	20.9
424.4	113.4	122.8	110.6	4.9	1.6	4.2
674.6	186.3	118.1	92.9	6.6	8.1	3.4
3813.5	303.5	217.0	103.2	12.9	14.9	16.8
3757.3	341.3	320.0	87.7	12.8	16.6	26.2
1978.6	352.0	244.7	111.4	10.5	17.0	19.6
7800.4	379.9	238.0	103.0	15.6	18.2	18.9
	304.0	245.7	120.9		14.9	19.7
2455.5	247.5	163.6	96.2	11.3	12.0	10.3
	347.2	238.6	115.1		16.8	19.0
	600.2	307.2	121.2		25.1	25.2
13275.7	808.8	285.0	100.2	17.7	29.9	23.3
3389.9	372.0	256.5	123.1	12.5	17.8	20.7
4807.9	490.2	311.0	112.9	13.8	22.0	25.5

1-2 续表5

项目 Item	总量指标 Aggregate Data 1978	2000	2003	2007	2008
竣工面积（万平方米） Completed Construction(10000 sq.m)	183.40	1729.00	2952.12	6010.26	7637.76
交通运输邮电 **Transportation,Postal and Telecommunication**					
铁路营业里程（公里） **Length of Railways in Operation(km)**	**1009**	**1454**	**1467**	**1616**	**1618**
公路通车里程（公里） Length of Highways in Operation(km)	29109	51073	54876	86926	88607
高速公路 Expressway		351	727	1366	1767
内河航道里程（公里） Length of Navigable Inland Waterways in Operation(km)	3629	3701	3955	3955	3955
客运量（万人） **Passenger Traffic(10000 persons)**	**7928**	**44203**	**48097**	**64244**	**72742**
铁路 Railways	718	1428	1417	1911	2066
公路 Highways	6285	41696	45483	60088	68409
水运 Waterways	924	726	707	1320	1305
民航 Civil Aviation	1.15	353.25	490.61	924.92	961.89
货运量（万吨） **Freight Traffic(10000 tons)**	**4871**	**29483**	**33422**	**50500**	**57254**
铁路 Railways	1261	2475	3206	3595	3681
公路 Highways	2671	22924	23884	34829	38367
水运 Waterways	929	4078	6324	12130	15193
民航 Civil Aviation	0.02	5.84	7.84	12.15	12.41
沿海主要港口货物吞吐量（万吨） **Volume of Freight Handled at Major Coastal Ports (10000 tons)**	**408.13**	**6944.17**	**12495.48**	**23602.90**	**27070.06**
邮电业务 **Business Volume of Postal and Telecommunication Services**					
函件（万件） Number of Letters Delivered(10000 pieces)	8790	24163	28166	25445	26671
报刊期发数（万份） Number of Newspapers and Magazines Distributed (10000 pieces)	258	650	539	499	516

Continued

2008年为以下各年(%) 2008 as Percentage of the Following Years(%)				平均增长速度（%） Average Annual Growth Rate(%)		
1978	2000	2003	2007	1979-2008	2001-2008	2004-2008
4164.5	441.7	258.7	127.1	13.2	20.4	20.9
160.4	**111.3**	**110.3**	**100.1**	**1.6**	**1.3**	**2.0**
304.4	173.5	161.5	101.9	3.8	7.1	10.1
	503.4	243.1	129.4		22.4	19.4
109.0	106.9	100.0	100.0	0.3	0.8	
917.5	**164.6**	**151.2**	**113.2**	**7.7**	**6.4**	**8.6**
287.7	144.7	145.8	108.1	3.6	4.7	7.8
1088.4	164.1	150.4	113.8	8.3	6.4	8.5
141.2	179.8	184.6	98.9	1.2	7.6	13.0
83642.6	272.3	196.1	104.0	25.1	13.3	14.4
1175.4	**194.2**	**171.3**	**113.4**	**8.6**	**8.6**	**11.4**
291.9	148.7	114.8	102.4	3.6	5.1	2.8
1436.4	167.4	160.6	110.2	9.3	6.6	9.9
1635.4	372.6	240.2	125.3	9.8	17.9	19.2
62050.0	212.5	158.3	102.1	23.9	9.9	9.6
6632.7	**389.8**	**216.6**	**114.7**	**15.0**	**18.5**	**16.7**
303.4	110.4	94.7	104.8	3.8	1.2	-1.1
200.1	79.4	95.8	103.4	2.3	-2.8	-0.9

1–2 续表6

项目 Item	总量指标 Aggregate Data 1978	2000	2003	2007	2008
移动电话年末用户（万户） Number of Mobile Telephone Subscribers at Year-end (10000 households)		441.00	965.00	1809.00	2368.00
固定电话年末用户（万户） Number of Fixed Telephone Subscribers at Year-end (10000 households)	5.88	562.70	1124.87	1482.00	1431.00
国内贸易 **Domestic Trade**					
社会消费品零售总额（亿元） Total Retail Sales of Consumer Goods(100 million yuan)	30.56	1320.80	1797.76	3187.85	3828.04
按市县分 By Location of Establishments					
市 City		748.31	1085.27	2102.46	2581.13
县 County		159.11	214.84	354.95	393.46
县以下 Under County Level		413.39	497.65	730.45	853.15
按行业分 By Sector					
#批零和零售业 Wholesale and Retail Trades	27.14	1104.69	1534.80	2733.75	3275.95
住宿和餐饮业 Hotels and Catering Services	0.97	152.54	201.21	398.25	487.24
进出口 **Exports and Imports**					
海关进出口总额（亿美元） Total Exports and Imports(100 million USD)	2.03	212.23	353.26	744.51	848.21
出口总额 Total Exports	1.90	129.08	211.32	499.40	569.92
进口总额 Total Imports	0.13	83.15	141.94	245.10	278.29
旅游 **Tourism**					
接待入境游客人数（万人次） **Number of Tourists (10000 person-time)**		**161.33**	**149.72**	**268.75**	**293.19**
#外国人 Foreigner		42.89	45.94	100.80	98.64
台湾同胞 Compatriots from Taiwan		47.79	35.46	80.16	98.48
港澳同胞 Compatriots from Hong Kong,Macao		56.80	49.81	87.79	96.07

Continued

2008年为以下各年(%) 2008 as Percentage of the Following Years(%)				平均增长速度（%） Average Annual Growth Rate(%)		
1978	2000	2003	2007	1979-2008	2001-2008	2004-2008
	537.0	245.4	130.9		23.4	19.7
24336.7	254.3	127.2	96.6	20.1	12.4	4.9
12526.3	289.8	212.9	120.1	17.5	14.2	16.3
	344.9	237.8	122.8		16.7	18.9
	247.3	183.1	110.9		12.0	12.9
	206.4	171.4	116.8		9.5	11.4
12070.6	296.5	213.4	119.8	17.3	14.6	16.4
50230.9	319.4	242.2	122.3	23.0	15.6	19.3
41783.7	399.7	240.1	113.9	22.3	18.9	19.1
29995.7	441.5	269.7	114.1	20.9	20.4	21.9
214070.0	334.7	196.1	113.5	29.1	16.3	14.4
	181.7	**195.8**	**109.1**		**7.8**	**14.4**
	230.0	214.7	97.9		11.0	16.5
	206.1	277.7	122.9		9.5	22.7
	169.1	192.9	109.4		6.8	14.0

1–2 续表7

项目 Item	总量指标 Aggregate Data				
	1978	2000	2003	2007	2008
旅游外汇收入（亿美元） Foreign Exchange Earnings from International Tourism (100 million USD)		**8.94**	**9.15**	**21.69**	**23.94**
教育 Education					
在校学生数（万人） Students Enrollment(10000 persons)					
普通高等学校 Regular Institutions of Higher Education	2.06	13.14	25.74	50.95	56.26
普通中等学校 Regular Secondary Schools	119.98	269.46	291.62	291.76	284.82
小学 Primary Schools	370.23	369.10	311.98	258.29	247.15
科技 Science and Technology					
从事科技活动人员（万人） Number of Scientists and Engineers(10000 persons)		**6.82**	**7.15**	**11.28**	**13.15**
研究与试验发展经费内部支出（亿元） Expenditures on Research and Development (100 million yuan)		21.19	37.50	82.17	102.13
技术市场成交额（亿元） Volume of Transaction in Technical Markets (100 million yuan)		**17.26**	**16.68**	**16.87**	**19.12**
专利情况（项） Patent(unit)					
申请量 Number of Applicated		4211	7236	11341	13181
授权量 Number of Granted		3003	5377	7761	7937
文化 Culture					
图书出版总印数（万份） Number of Books Published(10000 copies)	6818	20298	15595	8463	7793
杂志出版总印数（万份） Number of Magazines Issued(10000 copies)	388	4463	3937	2870	2935
报纸出版总印数（万份） Number of Newspaper Issued(10000 copies)	14784	68897	79809	99836	103791
电视节目制作时间（小时） Time for TV Programs Production(hour)		**16519**	**40601**	**50250**	**52814**
艺术表演团体（个） Art Performance Troupes(unit)	101	96	94	92	90
公共图书馆（座） Libraries(set)	23	81	82	85	85

Continued

2008年为以下各年(%) 2008 as Percentage of the Following Years(%)				平均增长速度（%） Average Annual Growth Rate(%)		
1978	2000	2003	2007	1979-2008	2001-2008	2004-2008
	267.8	**261.6**	**110.3**		**13.1**	**21.2**
2737.7	428.3	218.6	110.4	11.7	19.9	16.9
237.4	105.7	97.7	97.6	2.9	0.7	-0.5
66.8	67.0	79.2	95.7	-1.3	-4.9	-4.6
	192.8	**183.8**	**116.6**		**8.6**	**13.0**
	482.0	272.3	124.3		21.7	22.2
	110.8	**114.7**	**113.4**		**1.3**	**2.8**
	313.0	182.2	116.2		15.3	12.7
	264.3	147.6	102.3		12.9	8.1
114.3	38.4	50.0	92.1	0.4	-11.3	-13.0
756.5	65.8	74.6	102.3	7.0	-5.1	-5.7
702.1	150.6	130.0	104.0	6.7	5.3	5.4
	319.7	**130.1**	**105.1**		**15.6**	**5.4**
89.1	93.8	95.7	97.8	-0.4	-0.8	-0.9
369.6	104.9	103.7	100.0	4.5	0.6	0.7

1-2 续表8

项目 Item	总量指标 Aggregate Data 1978	2000	2003	2007	2008
博物馆（个） Museums(unit)	13	81	79	85	89
居民生活 **People's Living Conditions**					
城镇居民人均可支配收入（元） **Per Capita Annual Disposable Income of Urban Households (yuan)**	**371**	**7432**	**10000**	**15505**	**17961**
城镇居民人均消费支出（元/人） Per Capita Consumption in Urban Areas(yuan/person)	285	5639	7356	11055	12501
城镇居民人均住房建筑面积（平方米） Per Capita Floor Space of Residential Buildings(sq.m)		28.0	29.8	33.5	37.5
农民人均纯收入（元） **Per Capita Net Income of Rural Residents(yuan)**	**137.5**	**3230.5**	**3733.9**	**5467.1**	**6196.1**
农民人均生活消费支出（元） Peasants'per Capita Living Consumption Expenditure(yuan)	112.7	2409.7	2717.9	4053.5	4661.9
农村居民人均住房使用面积（平方米） Per Capita Floor Space of House(sq.m)		32.1	36.0	44.5	46.1
城乡居民储蓄存款余额（亿元） Outstanding Amount of Saving Deposits in Urban and Rural Areas(100 million yuan)		1767.59	2924.65	4711.23	5861.17
卫生 **Health Care**					
卫生机构数（个） **Number of Health Institutions(unit)**	**3809**	**9807**	**8525**	**9230**	**7773**

#医院、卫生院（个）
Hospitals(unit)
	1111	1323	1323	1307	1302

卫生技人员数（人） **Medical Technical Personnel(person)**	**54855**	**97569**	**96902**	**111192**	**119250**
医生 Doctor	22097	41461	41252	46628	50659
卫生机构床位数（张） **Number of Hospital Beds(set)**	**51505**	**90091**	**86634**	**89366**	**98437**
#医院、卫生院 Hospitals	45331	82389	79503	82603	90833

Continued

2008年为以下各年(%) 2008 as Percentage of the Following Years(%)				平均增长速度（%） Average Annual Growth Rate(%)		
1978	2000	2003	2007	1979–2008	2001–2008	2004–2008
684.6	109.9	112.7	104.7	6.6	1.2	2.4
4841.4	**241.7**	**179.6**	**115.8**	**13.8**	**11.7**	**12.4**
4386.4	221.7	169.9	113.1	13.4	10.5	11.2
	133.9	125.8	111.9		3.7	4.7
4504.9	**191.8**	**165.9**	**113.3**	**13.5**	**8.5**	**10.7**
4135.5	193.5	171.5	115.0	13.2	8.6	11.4
	143.5	128.3	103.7		4.6	5.1
	331.6	200.4	124.4		16.2	14.9
204.1	**79.3**	**91.2**	**84.2**	**2.4**	**-2.9**	**-1.8**
117.2	98.4	98.4	99.6	0.5	-0.2	-0.3
217.4	**122.2**	**123.1**	**107.2**	**2.6**	**2.5**	**4.2**
229.3	122.2	122.8	108.6	2.8	2.5	4.2
191.1	**109.3**	**113.6**	**110.2**	**2.2**	**1.1**	**2.6**
200.4	110.2	114.3	110.0	2.3	1.2	2.7

1-3 国民经济和社会发展结构指标

The Index of National Economic and Social Development

单位：%　　(%)

项目 Item	1978	2000	2003	2007	2008
一、人口 Population					
（一）性别结构 Sexual Composition					
男 Male	51.7	51.5	51.5	50.5	50.3
女 Female	48.3	48.5	48.5	49.5	49.7
（二）城乡结构 Urban and Rural Composition					
城镇 Urban		42.0	45.1	48.7	49.9
乡村 Rural		58.0	54.9	51.3	50.1
二、就业产业结构 EmploymentIndustrial Composition					
第一产业 Primary Industry	75.1	46.8	42.4	32.7	31.1
第二产业 Secondary Industry	13.4	24.5	27.8	35.1	35.6
第三产业 Tertiary Industry	11.4	28.7	29.8	32.2	33.3
三、国民经济核算 National Accounting					
（一）地区生产总值产业结构 Industrial Composition					
第一产业 Primary Industry	36.0	17.0	13.9	10.8	10.7
第二产业 Secondary Industry	42.5	43.3	47.0	49.2	50.0
第三产业 Tertiary Industry	21.5	39.7	39.1	40.0	39.3
（二）地区生产总值需求结构 Demand Composition					
最终消费 Final Consumption Expenditure	79.9	54.4	53.2	45.7	44.2
资本形成总额 Gross Capital Formation	34.0	42.5	41.7	50.4	52.3
货物和服务净出口 Net Exports of Goods and Services	-13.9	3.1	5.1	3.9	3.5
四、固定资产投资 Investment in Fixed Assets					
（一）产业结构 Industrial Composition					
第一产业 Primary Industry		1.8	2.7	1.7	1.9

1-3 续表1

Continued

单位：% (%)

项目 Item	1978	2000	2003	2007	2008
第二产业 Secondary Industry		44.5	35.5	36.2	38.4
第三产业 Tertiary Industry		53.7	61.8	62.2	59.7
（二）经济类型结构 Economic type Composition					
#国有经济 Stated-owned	64.9	40.3	38.1	35.2	36.1
集体经济 Collective-owned	16.6	4.0	4.1	2.7	3.6
私营个体经济 Private and individual economy	18.5	14.9	15.4	24.5	24.4
外商及港澳台 Enterprises with Funds from HongKong,Macao,TaiWan and Foreign		24.2	22.6	16.9	15.8
五、能源 Energy					
能源消费结构 Composition of Total Energy Consumption					
煤炭 Coal	63.7	54.4	61.4	65.4	64.8
石油 Petroleum	12.9	23.3	24.5	21.2	18.9
天然气 Natural Gas				0.1	0.3
水力发电 Hydro power	23.4	22.3	14.1	13.2	15.8
风力发电 Wind power				0.1	0.2
六、农业 Agriculture					
农林牧渔业产值结构 Composition of Gross Output Value of Agriculture					
农业 Farming	77.7	40.6	39.4	40.5	38.8
林业 Forestry	6.4	7.9	6.8	7.1	7.6
牧业 Animal Husbandry	10.5	20.1	20.0	20.1	21.7
渔业 Fishery	5.5	31.4	29.2	28.0	28.0
农林牧渔服务业 Services of Agriculture , Forestry , Animal Husbandry and Fishery			4.6	4.2	3.9
七、工业 Industry					
工业企业资产结构 Composition of Capital of Industrial Enterprises					

1-3 续表2

Continued

单位：%　　(%)

项目 Item	1978	2000	2003	2007	2008
大型企业 Large Enterprises			17.1	20.5	21.9
中型企业 Medium-sized Enterprises			45.7	42.8	41.2
小型企业 Small Enterprises			37.2	36.7	36.9
八、建筑业 Construction					
建筑业总产值经济类型结构 Composition of Gross Output Value ofConstruction Industry					
国有企业 State-owned Enterprise	56.8	48.6	28.4	15.2	14.7
集体企业 Collective-owned Enterprises	39.9	33.0	19.3	5.7	4.4
港澳台商投资企业 Enterprises with Funds from Hong Kong, Macao & Taiwan				1.7	1.5
外商投资企业 Foreign Funded Enterprises				0.3	0.3
其他 Other Enterprises				77.1	79.1
九、交通运输业 Transportation					
（一）货运量结构 Composition ofPassenger Traffic					
铁路 Railways	25.9	8.4	9.6	7.1	6.4
公路 Highways	54.8	77.8	71.5	69.0	67.0
水运 Waterways	19.1	13.8	18.9	24.0	26.5
民航 Civil Aviation		0.020	0.023	0.024	0.022
（二）客运量结构 Composition of Freight Traffic					
铁路 Railways	9.1	3.2	2.9	3.0	2.8
公路 Highways	79.3	94.3	94.6	93.5	94.0
水运 Waterways	11.7	1.6	1.5	2.1	1.8
民航 Civil Aviation		0.8	1.0	1.4	1.3
十、国内贸易 Domestic Trade					
社会消费品零售总额结构 Composition of Retail Sales of Consumer Goods					

1–3 续表3

Continued

单位：% (%)

项目 Item	1978	2000	2003	2007	2008
市 Cities		56.7	60.4	66.0	67.4
县 Counties		12.0	12.0	11.1	10.3
县以下 Below Counties		31.3	27.7	22.9	22.3
十一、货物进出口 **Imports and Exports of Goods**					
（一）出口货物结构 **Composition of Exports**					
初级产品 Primary Goods		12.3	11.8	20.1	23.3
工业制成品 Manufactured Goods		87.7	88.2	79.9	76.7
（二）进口货物结构 **Composition of Imports**					
初级产品 Primary Goods		10.6	6.5	5.9	5.7
工业制成品 Manufactured Goods		89.4	93.5	94.1	94.3
十二、国际旅游 **International Tourism**					
来华旅游人数结构 **Composition of Tourists Visiting China**					
#外国人 Foreigners		26.6	30.7	37.5	33.6
港澳同胞 Hong Kong and Macao Compatriots		35.2	33.3	32.7	32.8
台湾同胞 Taiwan Compatriots		29.6	23.7	29.8	33.6
十三、科技 **Science and Technology**					
（一）科技经费结构 **Composition of Funds for Scientific andTechnological Activities**					
#政府资金 Government Funds		12.6	10.8	11.4	10.1
企业资金 Enterprises Funds		71.2	72.3	74.7	78.2
金融机构贷款 Loans from Banks		8.3	12.4	10.3	8.1
（二）研究与试验发展经费结构 **Composition of Expenditure onR&D**					
基础研究 Basic Research		3.2	1.9	2.1	2.2
应用研究 Applied Research		6.9	9.8	8.8	7.0

1-3 续表4

Continued

单位：% (%)

项目 Item	1978	2000	2003	2007	2008
试验发展 Experimental Development		89.8	88.3	89.1	90.8
十四、居民消费 People's Consumption Conditions					
（一）城镇居民消费结构 Consumption Composition of Urban Residents					
食品 Food		44.7	42.2	38.9	40.6
衣着 Clothing		8.7	7.8	8.5	8.8
家庭设备用品及服务 Household Appliances and Service		8.6	6.0	5.8	5.8
医疗保健 Health Care and Medical Services		4.7	4.7	4.5	4.3
交通通信 Transport and Communications		8.6	11.8	14.5	14.2
教育文化娱乐服务 Education, Cultural and Recreation Services		10.4	12.2	12.9	11.6
居住 Residence		9.4	11.9	11.4	10.4
杂项商品与服务 Miscellaneous Goods and Services		4.9	3.3	3.4	4.2
（二）农村居民消费结构 Consumption Composition of Rural Residents					
食品 Food		48.7	45.1	46.1	46.4
衣着 Clothing		4.9	5.3	5.8	5.7
居住 Residence		14.6	14.6	16.3	16.7
家庭设备用品及服务 Household Appliances and Services		4.6	5.4	4.5	4.8
交通通讯 Transport and Telecommunications		8.6	10.2	11.5	11.5
文教娱乐用品及服务 Education, Cultural and Recreation and Services		10.6	10.9	8.8	8.4
医疗保健 Health Care and Medical Services		3.6	4.7	4.3	4.2
其他商品及服务 Other Goods and Services		4.6	3.7	2.6	2.4

1-4 国民经济和社会发展比例和效益指标

The Proportion and Efficiency Index of National Economic and Social Development

项目 Item	1978	2000	2003	2007	2008
一、人口与就业 **Population and Employment**					
出生率（‰） Birth Rate(‰)	25.4	11.6	11.4	12.0	12.2
死亡率（‰） Death Rate(‰)	6.3	5.9	5.6	5.9	5.9
自然增长率（‰） Natural Growth Rate(‰)	19.0	5.8	5.9	6.1	6.3
城镇登记失业率（%） Registered Unemployment Rate in Urban Areas(%)	9.1	2.6	4.1	3.9	3.9
二、国民经济核算 **National Accounting**					
工业增加值占地区生产总值比重(%) Proportion of Value added of Industry to GDP(%)	35.9	37.8	41.4	43.4	43.9
人均地区生产总值（元） Per Capita GDP(yuan)	273	11194	14333	25908	30123
三、固定资产投资 **Investment in Fixed Assets**					
全社会固定资产投资相当于地区生产总值比例（%） Proportion of Investment in Fixed Assets to GDP(%)	20.1	28.8	30.3	46.7	49.0
全社会房屋建筑面积竣工率（%） Rate of Total Floor Space of BuildingsCompleted in Construction(%)		47.5	41.7	30.4	29.7
房地产投资占全部固定资产投资比重（%） Proportion of Investment in Real Estate toFixed Assets(%)		19.2	24.0	26.2	21.3
四、财政金融（万元） **Finance(10000 yuan)**					
财政收入相当于地区生产总值比例（%） Proportion of Government Revenue to GDP(%)	22.8	9.8	11.1	13.9	14.0
财政支出相当于地区生产总值比例（%） Proportion of Government Expenditures to GDP(%)	22.8	8.6	9.1	9.8	10.5
金融机构年末人民币存款余额相当于地区生产总值比例（%） Bank Deposits as Percentage of GDP(%)	39.1	82.7	103.9	108.6	109.1
金融机构年末人民币贷款余额相当于地区生产总值比例（%） Bank Loans as Percentage of GDP(%)	47.4	64.8	77.0	87.2	88.6

1–4 续表1
Continued

项目　Item	1978	2000	2003	2007	2008
金融机构现金支出相当于收入比例（%） Proportion of Cash Outlay to Cash Receiptin Bank（%）	100.9	100.3	100.3	100.2	100.0
五、能源 **Energy**					
能源消费弹性系数 Elasticity Ratio of Energy Consumption		0.66	1.08	0.73	0.68
电力消费弹性系数 Elasticity Ratio of Electricity Consumption		1.45	1.54	1.01	1.20
单位地区生产总值能耗（吨标准煤/万元） Energy Consumption per Unit of GDP（ton of SCE/ 10 000 yuan)				0.875	0.843
规模以上工业增加值单位能耗（吨标准煤/万元） Energy Consumption per Unit ofIndustrial Enterprises above Designated Size（ton of SCE/ 10 000 yuan)				1.32	1.18
六、农业 **Agriculture**					
每亩农产品产量（千克） Output of Farm Crops per Hectare of Sown Area(kg)					
粮食 Grain	219	312	322	353	362
油料 Oil-bearing Crops	85	138	141	153	158
七、工业 **Industry**					
规模以上工业 Industrial Enterprises above Designated Size					
工业增加值率（%） Ratio of Industrial Value-added to Gross IndustrialOutput Value(%)		27.5	26.4	28.0	27.9
总资产贡献率（%） Ratio of Total Assets to Industrial Output Value(%)		9.3	12.7	16.3	14.9
资产负债率（%） Assets-LiabilityRatio(%)		57.5	54.3	55.5	53.7
流动资产周转次数（次） Number of Times of Annual of TurnoverCirculating Funds (time)		1.9	2.3	2.6	2.7

1-4 续表2
Continued

项目 Item	1978	2000	2003	2007	2008
成本费用利润率（%） Ratio of Profits to Industrial Cost（%）		4.8	7.1	8.1	6.4
产品销售率（%） Proportion of Products Sold（%）		97.0	97.6	97.7	97.5
八、建筑业 **Construction**					
建筑业劳动生产率(按增加值计算)（元/人） Overall Labor Productivity(in terms of value-added per employee(yuan/person)		20402	20379	34065	36874
技术装备率（元/人） Value of machines per laborer(yuan/person)					
按全部职工计算 In terms of total staff & worker		7503	9170	6673	5205
产值利税率（%） Ratio of Pre-tax Profit to Gross Output Value（%）		5.2	5.5	6.0	6.5
九、交通运输 **Transportation**					
铁路网密度（公里/万平方公里） Railway Density(km/10000 sq.km)		117.26	118.31	130.32	130.48
公路网密度（公里/万平方公里） Highway Density(km/10000 sq.km)		4315.00	4425.48	7010.16	7145.73
十、对外贸易 **Trade**					
进出口总额相当于地区生产总值比例（%） Proportion of Total Value of Imports & Exports to GDP		46.7	58.7	61.2	54.4
#出口总额相当于地区生产总值比例（%） Proportion of Total Value of Exports to GDP（%）		28.4	35.1	41.1	36.6
机电产品出口占出口总额的比重（%） Proportion of Total Value of Mechanical and Electrical Products to GDP（%）			43.4	45.0	47.2
高新技术产品出口占出口总额的比重（%） Proportion of Total Value of High and New-tech Products to GDP（%）			21.9	19.6	22.2
十一、自然资源 **Natural Resources**					

1–4 续表3

Continued

项目　Item	1978	2000	2003	2007	2008
工业废水排放达标率（%） Percentage of Industrial Waste Water Meeting Discharge Standards(%)		80.83	97.20	98.27	98.40
森林覆盖率（%） Forest Coverage(%)				62.96	63.11
十二、居民生活 **People's Living Conditions**					
城镇基尼系数 Gini Coefficient of Urban		0.31	0.33	0.32	0.36
农村基尼系数 Gini Coefficient of Rural		0.295	0.326	0.361	0.363
城镇恩格尔系数（%） Engle Coefficient of Urban(%)		44.7	42.1	38.9	40.6
农村恩格尔系数（%） Engle Coefficient of Rural(%)		48.7	45.1	46.1	46.4
城镇居民人均可支配收入与农民人均纯收入之比（以农民人均纯收入为1） Proportion of Income in Urban Areas to in Rural Areas (Rural=1)	2.7	2.3	2.7	2.8	2.9
十三、科技教育卫生 **Science and Technology ,Education,Health Care**					
研究与试验发展经费（R&D）支出相当于地区生产总值比例（%） R&D Expenditures as Percentage of GDP		0.6	0.8	0.9	0.9
学龄前儿童毛入学率（%） Rough Enrollment Rate of Pre-primary Schools(%)		99.86	99.65	99.93	99.97
小学毕业生升学率（%） Graduation Rate of Primary Schools(%)		97.27	98.03	98.59	98.20
初中毕业生升学率（%） Graduation Rate of Junior high schools(%)		49.97	65.60	87.80	94.14
每千人口拥有卫生技术人员数（人） Number of Licensed(Assistant) Doctors per 1000 Population (person)					
#医生 Doctor	0.9	1.2	1.2	1.3	1.4
每千人口拥有卫生机构床位数（张） Number of Hospital Beds per 1000 Population(set)	2.1	2.6	2.5	2.5	2.7

1–5 平均每天主要社会经济活动

Selected Indicators on Average Daily Social and Economic Activities

项目 Item	1978	2000	2003	2007	2008
一、全省每天创造的财富 Daily Provice Production					
地区生产总值（亿元） Gross Domestic Product(100 million yuan)	0.18	10.29	13.65	25.34	29.57
农林牧渔业总产值（亿元） Gross Output Value of Farming,Forestry, AnimalHusbandry and Fishery(100 million yuan)	0.10	2.83	3.21	4.64	5.37
工业总产值（亿元） Gross Output Value of Industry(100 million yuan)	0.17	10.91	18.13	39.52	46.83
财政总收入（亿元） Government Revenue(100 million yuan)	0.04	1.01	1.51	3.51	4.14
#地方财政一般预算收入（亿元） Local Government Revenue(100 million yuan)		0.64	0.83	1.92	2.28
财政一般预算支出（亿元） Government Expenditure(100 million yuan)	0.04	0.89	1.24	2.49	3.11
原煤(吨) Coal(ton)	11590.41	10246.72	21321.10	54568.29	63007.26
原盐(吨) Salt(ton)	2593.70	775.14	1128.22	914.98	972.34
发电量(万千瓦小时) Electricity(10000 kwh)	1114.79	11030.87	16731.51	28446.03	27298.80
粗钢(吨) Crude Steel(ton)	442.74	3413.66	7014.79	16121.37	19871.07
钢材(吨) Rolled Steel(ton)	378.63	7753.83	12409.32	28668.47	29454.00
生铁(吨) Pig Iron(ton)	727.95	4081.15	5885.75	12926.97	14363.67
水泥(吨) Cement(ton)	3300.00	41356.28	57980.00	121909.45	125501.64
平板玻璃(重量箱) Plain Glass(weigh case)	1194.25	13111.20	14023.29	51154.04	44748.95
布(万米) Cloth(10000 m)	30.68	152.64	284.11	664.01	865.58
纱(吨) Yarn(ton)	50.41	392.46	1086.30	3008.52	4031.15
服装(万件) Clothes(10000 pcs)		108.95	120.85	356.87	750.46
机制纸及纸板(吨) Machine-made Paper and Paperboard(ton)	550.14	2324.32	3940.82	6516.44	10160.33
农用化肥(吨) Chemical Fertilizers(ton)	449.32	1677.05	1553.15	1724.68	1901.58
烧碱(吨) Caustic Soda(ton)	118.36	427.32	675.89	859.10	796.21

1-5 续表1

Continued

项目　Item	1978	2000	2003	2007	2008
彩色电视机(万台) Color TV(10000 sets)		0.56	0.69	1.41	1.70
糖(吨) Sugar(ton)	792.33	166.94	237.81	146.94	205.83
卷烟(万箱) Tobacco(10000 cases)	0.06	0.27	0.30	0.39	0.41
罐头(吨) Canned Food(ton)	112.33	731.69	1307.95	3041.91	4518.50
粮食(吨) Grain(ton)	20407.95	23351.91	19042.19	17398.82	17819.95
油料(吨) Oil-bearing Crops(ton)	378.07	704.61	713.15	638.39	693.93
甘蔗(吨) Sugar Cane(ton)	7891.30	2259.83	3236.16	1543.98	1937.29
茶叶(吨) Tea(ton)	0.01	0.03	0.04	0.06	0.07
水果(吨) Fruits(ton)	0.03	0.97	1.21	1.42	1.51
肉类（吨） Meat(ton)		3986.89	4437.26	4127.33	4628.96
水产品（吨） Aquatic Products(ton)	1491.51	14423.22	15154.25	14575.34	15142.08
食用菌（吨） Edible Fungus(ton)		1263.62	1342.64	1770.05	1942.75
二、全省每天消费量 **Daily Provice Consumption**					
最终消费支出（亿元） Final Consumption Expenditure(100 million yuan)	0.15	5.60	7.27	11.70	13.81
居民消费支出（亿元） Household Consumption Expenditure(100 million yuan)	0.12	4.21	5.26	8.58	10.17
政府消费支出（亿元） Government Consumption Expenditure(100 million yuan)	0.02	1.39	2.00	3.12	3.64
能源消费量（万吨标准煤） Energy Consumption	1.88	8.04	11.13	20.75	22.51
社会消费品零售总额（亿元） Total Retail Sales of Consumer Goods(100 million yuan)	0.08	3.61	4.93	8.73	10.46
三、每天其他经济活动（万元） **Other Daily Economic Activities(10000 yuan)**					
资本形成总额（亿元） Gross Capital Formation(100 million yuan)	0.06	4.38	5.69	12.89	16.33
固定资产形成总额（亿元） Gross Fixed Capital Formation(100 million yuan)	0.04	3.32	4.58	11.90	15.30
存货增加（亿元） Changes in Inventories(100 million yuan)	0.03	1.05	1.11	0.99	1.02

1–5 续表2

Continued

项目 Item	1978	2000	2003	2007	2008
全社会固定资产投资总额（万元） Total Investment in Fixed Assets(10000 yuan)	365.75	29575.68	41311.51	118403.85	144855.02
城镇 Urban	258.90	23584.97	33993.90	105835.76	128292.62
农村 Rural	106.85	5990.71	7317.53	12568.09	16562.40
住宅竣工面积（平方米） Floor Space of Completed Building(sq.m)	1889.00	93795.36	86030.96	133750.91	141257.50
国际旅游外汇收入（万美元） Foreign Exchange Earnings from International Tourism (10000 USD)		244.21	250.65	594.30	653.97
能源生产总量（万吨标准煤） Total Energy Production(10000 tons of SCE)	1.26	4.52	4.98	7.07	8.03
货运量（亿吨公里） Freight Traffic(100 million ton-km)	0.20	1.88	3.35	5.71	6.56
客运量（万人公里） Passenger Traffic(10000 person-km)	978.90	9124.86	10580.55	16106.85	15348.91
货物进出口总额（万美元） Total Value of Imports and Exports(10000 USD)	55.62	5798.72	9678.22	20397.48	23175.12
出口总额（万美元） Total Exports(10000 USD)	52.05	3526.85	5789.52	13682.30	15571.54
进口总额（万美元） Total Imports(10000 USD)	3.56	2271.87	3888.71	6715.18	7603.58
主要港口货物吞吐量（万吨） Freight Handled at Principal Seaports(10000 tons)	1.12	18.97	34.23	64.67	73.96
邮电业务总量（万元） Business Volume of Postal and Telecommunication Services (10000 yuan)	27.67	6730.60	8718.90	21583.29	24137.43
邮寄函件（万件） Number of Letters(10000 pieces)	24.08	66.02	77.17	69.71	72.87
长途电话（万次） Number of Long Distance Calls(10000 times)	1.45	226.26	429.22	295.02	253.53
图书出版总印数（万份） Books(10000 copies)	18.68	55.46	42.73	23.19	21.29
杂志出版总印数（万份） Magazines(10000 copies)	1.06	12.19	10.79	7.86	8.02
报纸出版总印数（万份） Newspapers(10000 copies)	40.50	188.24	218.65	273.52	283.58
四、全省每天婚姻变动 **Daily Marriages Changes**					
结婚对数（对） Marriages(couples)		714	769	961	997
离婚对数（对） Divorces(couples)		33	59	89	91

1–6 人均主要工农业产品产量(2008年)

年份 Year	粮食(千克) Grain(kg)	油料(千克) Oil-bearing Crops(kg)	甘蔗(千克) Sugarcane(kg)	烤烟(千克) Flue-cured Tobacco(kg)	水果(千克) Fruits(kg)	茶叶(千克) Tea(kg)	肉类(千克) Meat(kg)
1978	306.72	5.68	118.60	0.51	4.16	0.84	
1979	306.29	5.45	131.95	0.63	5.02	0.92	
1980	320.38	5.38	140.31	0.52	5.06	1.03	
1981	318.71	7.28	152.74	0.87	7.73	1.16	
1982	327.34	7.74	153.74	1.31	6.60	1.26	
1983	324.43	5.45	130.19	0.47	7.36	1.25	
1984	315.61	5.88	175.70	0.91	8.96	1.31	
1985	289.45	6.34	195.54	1.24	10.72	1.48	18.11
1986	268.92	6.15	169.23	0.85	12.42	1.58	19.41
1987	294.75	6.14	145.20	0.92	16.04	1.75	20.83
1988	282.06	5.13	133.48	1.24	18.45	1.91	22.42
1989	299.19	5.48	114.55	1.21	23.64	1.87	23.49
1990	292.19	5.87	114.36	1.42	25.17	1.93	23.86
1991	290.93	5.11	126.04	1.79	36.14	2.14	24.55
1992	289.65	6.43	117.79	2.77	37.83	2.28	25.48
1993	277.37	6.59	89.16	3.97	49.07	2.46	26.84
1994	280.25	6.82	87.41	1.91	62.57	2.60	29.13
1995	287.03	7.26	77.57	1.79	74.67	2.95	32.03
1996	293.53	7.09	78.28	2.33	87.49	3.14	33.14
1997	293.99	7.45	76.39	3.77	102.20	3.36	38.21
1998	291.17	7.48	66.66	2.18	104.25	3.61	41.10
1999	284.86	7.80	41.95	2.59	119.15	3.73	41.98
2000	254.14	7.67	24.59	2.72	105.99	3.75	43.39
2001	238.62	7.61	27.89	2.88	117.14	3.91	44.94
2002	221.03	7.49	34.15	3.11	123.06	4.15	46.94
2003	199.90	7.49	33.97	2.91	127.03	4.32	46.58
2004	199.89	7.95	29.02	3.23	133.99	4.70	46.84
2005	176.57	7.78	26.49	3.27	136.07	5.25	46.79
2006	178.46	6.66	16.38	3.58	139.69	5.64	45.62
2007	177.91	6.53	15.79	3.48	144.92	6.27	42.20
2008	181.55	7.07	19.74	3.85	154.03	6.88	47.16

Per Capita Output of Major Industrial and Agricultural Products

奶类（千克） Milk (kg)	水产品（千克） Aquatic Products (kg)	食用菌（千克） Edible Fungus (kg)	造林面积（平方米） Afforested Area (sq.m)	原煤(千克) Coal(kg)	发电量（千瓦小时） Electricity (kwh)	机制纸及纸板（千克） Machine-made Paper and Paperboard(kg)	水泥(千克) Cement(kg)	化肥(千克) Chemical Fertilizers(kg)
0.38	22.42		80.17	174.20	167.55	8.27	49.60	6.75
0.56	18.36		78.68	194.22	180.01	8.93	56.70	7.91
0.59	23.89		69.97	184.97	197.64	9.21	62.05	9.72
0.68	19.06		54.26	163.93	206.45	9.41	63.60	9.79
0.75	20.11		57.57	169.87	220.64	9.72	63.17	10.50
0.91	22.93		85.63	198.28	232.79	10.22	78.16	10.64
1.31	24.70		107.28	213.79	250.67	11.37	86.87	12.02
1.53	36.53		103.05	221.00	281.29	13.42	105.92	11.98
1.65	37.66		75.03	242.81	308.50	15.04	115.14	11.77
1.77	44.33		58.34	276.45	346.06	16.45	133.27	14.02
1.75	45.71		66.30	297.85	393.31	17.43	156.09	14.00
1.63	46.67		82.17	319.58	438.22	17.70	168.99	14.30
1.62	48.36	6.06	100.95	307.38	453.91	17.30	179.39	14.50
1.67	54.36		100.07	280.31	496.27	18.01	211.53	14.42
1.85	64.75		72.00	293.68	569.98	21.63	241.36	15.27
1.90	75.66		20.35	313.60	623.27	24.21	288.03	14.17
1.91	88.04		14.39	308.66	722.97	27.70	348.71	14.95
1.97	99.08	11.93	13.02	353.88	816.07	32.55	471.50	15.93
2.00	110.43		10.62	360.04	875.77	29.28	463.79	17.47
1.86	131.23		9.17	237.21	948.13	27.49	465.36	16.73
2.04	144.63	11.06	7.63	220.99	980.70	21.90	484.56	19.30
2.40	151.87	12.35	7.24	174.49	1076.34	30.38	552.02	18.49
2.95	156.97	13.75	7.29	111.52	1200.51	25.30	450.09	18.25
3.33	158.39	12.80	6.13	149.59	1303.12	30.07	445.41	16.30
4.10	161.80	13.41	5.07	186.65	1543.82	35.81	491.95	17.58
5.55	159.08	14.09	6.97	223.82	1756.40	41.37	608.65	16.30
5.91	157.55	14.86	4.66	307.49	1884.95	47.40	641.62	17.22
5.42	153.95	15.90	6.87	378.01	2209.05	53.11	770.26	17.11
4.70	147.64	16.56	6.54	496.03	2549.70	54.48	942.88	18.26
4.44	149.04	18.10	9.93	557.99	2908.75	66.63	1246.59	17.64
4.24	154.27	19.79	9.13	641.91	2781.17	103.51	1278.60	19.37

主要统计指标解释

行政区划　指国家对行政区域的划分.根据宪法规定,我国的行政区域划分如下:(1)全国分为省、自治区、直辖市;(2)省、自治区分为自治州、县、自治县、市;(3)自治州分为县、自治县、市;(4)县、自治县分为乡、民族乡、镇;(5)直辖市和较大的市分为区、县;(6)国家在必要时设立的特别行政区。

平均增长速度　我国计算平均增长速度有两种方法:一种是习惯上经常使用的"水平法",又称几何平均法,是以间隔期最后一年的水平同基期水平对比来计算平均每年增长(或下降)速度;另一种是"累计法",又称代数平均法或方程法,是以间隔期内各年水平的总和同基期水平对比来计算平均每年增长(或下降)速度。在一般正常情况下,两种方法计算的平均每年增长速度比较接近;但在经济发展不平衡、出现大起大落时,两种方法计算的结果差别较大。

本《年鉴》内所列的平均增长速度,均用"水平法"计算。从某年到某年平均增长速度的年份,均不包括基期年在内。如建国四十三年的平均增长速度是以1949年为基期计算的,则写为1950-1992年平均增长速度,其余类推。

国民经济行业分类　自2003年定期报表开始使用新的《国民经济行业分类》(GB/T4754-2002),该分类是由国家统计局组织修订,经国家质量监督检验检疫总局批准,于2002年5月10日发布实施。这次修订是在1994年分类标准的基础上,参照联合国《全部经济活动的国际标准产业分类》(ISIC/Rev.3)进行的。修订后的《国民经济行业分类》(GB/T4754-2002)共有门类20个,大类95个,中类396个,小类913个。新增门类4个,大类增加3个,中类增加28个,小类增加67个。

企业(单位)登记注册类型　是以在工商行政管理机关登记注册的各类企业为划分对象,以工商行政管理部门对企业登记注册的类型为依据,将企业登记注册类型分为内资企业、港澳台商投资企业和外商投资企业三大类。内资企业包括国有企业、集体企业、股份合作企业、联营企业、有限责任公司、股份有限公司、私营公司和其他企业;港澳台商投资企业和外商投资企业分别包括合资经营企业、合作经营企业、独资经营企业和股份有限公司。对不在工商行政管理部门进行登记注册的行政机关、事业单位和社会团体,主要按其经费来源和管理方式进行划分。

国有企业　指企业全部资产归国家所有,并按《中华人民共和国企业法人登记管理条例》规定登记注册的非公司制的经济组织。不包括有限责任公司中的国有独资公司。

集体企业　指企业资产归集体所有,并按《中华人民共和国企业法人登记管理条例》规定登记注册的经济组织。

股份合作企业　指以合作制为基础,由企业职工共同出资入股,吸收一定比例的社会资产投资组建,实行自主经营,自负盈亏,共同劳动,民主管理,按劳分配与按股分红相结合的一种集体经济组织。

联营企业　指两个及两个以上相同或不同所有制性质的企业法人或事业单位法人,按自愿、平等、互利的原则,共同投资组成的经济组织。联营企业包括国有联营企业、集体联营企业、国有与集体联营企业和其他联营企业。

有限责任公司　指根据《中华人民共和国公司登记管理条例》规定登记注册,由两个以上、五十个以下的股东共同出资,每个股东以其所认缴的出资额对公司承担有限责任,公司以其全部资产对其债务承担责任的经济组织。有限责任公司包括国有独资公司以及其他有限责任公司。

股份有限公司　指根据《中华人民共和国公司登记管理条例》规定登记注册,其全部注册资本由等额股份构成并通过发行股票筹集资本,股东以其认购的股份对公司承担有限责任,公司以其全部资产对其债务承担责任的经济组织。

私营企业　指由自然人投资设立或由自然人控股,以雇佣劳动为基础的营利性经济组织。包括按照《公司法》、《合伙企业法》、《私营企业暂行条例》规定登记注册的私营有限责任公司、私营股份有限公司、私营合伙企业和私营独资企业。

其他内资企业　指上述企业之外的其他内资经济组织。

与港澳台商合资经营企业　指港澳台地区投资

者与内地企业依照《中华人民共和国中外合资经营企业法》及有关法律的规定，按合同规定的比例投资设立、分享利润和分担风险的企业。

与港澳台商合作经营企业 指港澳台地区投资者与内地企业依照《中华人民共和国中外合作经营企业法》及有关法律的规定，依照合作合同的约定进行投资或提供条件设立、分配利润和分担风险的企业。

港澳台商独资经营企业 指依照《中华人民共和国外资企业法》及有关法律的规定，在内地由港澳台地区投资者全额投资设立的企业。

港澳台商投资股份有限公司 指根据国家有关规定，经外经贸部依法批准设立，其中港、澳、台商的股本占公司注册资本的比例达25% 以上的股份有限公司。凡其中港、澳、台商的股本占公司注册资本的比例小于 25%的，属于内资企业中的股份有限公司。

中外合资经营企业 指外国企业或外国人与中国内地企业依照《中华人民共和国中外合资经营企业法》及有关法律的规定，按合同规定的比例投资设立、分享利润和分担风险的企业。

中外合作经营企业 指外国企业或外国人与中国内地企业依照《中华人民共和国中外合作经营企业法》及有关法律的规定，依照合作合同的约定进行投资或提供条件设立、分配利润和分担风险的企业。

外资企业 指依照《中华人民共和国外资企业法》及有关法律的规定，在中国内地由外国投资者全额投资设立的企业。

外商投资股份有限公司 指根据国家有关规定，经外经贸部依法批准设立，其中外资的股本占公司注册资本的比例达25% 以上的股份有限公司。凡其中外资股本占公司注册资本的比例小于25%的，属于内资企业中的股份有限公司。

行政机关、事业单位和社会团体 参照企业登记注册类型，主要按其经费来源和管理方式划分。具体规定如下：

(1)行政机关：包括国家机关和政党机关，原则上均列为“国有”。但有特殊规定的，如供销社等，则列为“集体”。

(2)事业单位：包括经国家机构编制部门和有关业务主管部门批准成立的各类事业单位，不包括实行企业化管理的事业单位。事业单位的划分办法如下：

①由国家财政预算拨款或列入财政预算外资金管理以及经费主要来源于国有主管部门或国有上级单位的事业单位，列为“国有”。

②经费主要来源于集体单位的事业单位，列为“集体”。

③公民个人(或个人合伙)开办的事业单位，列为“私营”。

④上述以外的其他事业单位，如果其经费来源不明确，按管理方式进行归类。

(3)社会团体：包括经民政部门批准成立以及未纳入社会团体管理条例范围的工会、妇联等各类社会团体。社会团体的划分办法如下：

①未纳入民政部社会团体管理条例范围的工会、妇联、共青团、青联、工商联、科协、侨联等社会团体，国家拨款设立的基金会或基金管理组织以及经费主要来源于国有业务主管部门或国有上级单位的社会团体，列为“国有”。

②经费主要来源于集体单位的社会团体，列为“集体”。

③公民个人(或个人合伙)开办的社会团体，划为“私营”。

④上述以外的其他社会团体，如果其经费来源不明确，改按管理方式进行归类。

Explanatory Notes on Main Statistical Indicators

Administrative Division refers to the division of administrative areas by the state. The Constitution of the People's Republic of China stipulates that the administrative areas in China are divided as:1) The whole Country is divided into provinces, autonomous regions and municipalities directly under the central government; 2) Provinces and autonomous regions are divided into autonomous prefectures, counties, autonomous counties and cities; 3) Autonomous prefectures are divided into counties, autonomous counties and cities; 4) Counties and autonomous counties are divided into townships, nationality townships and towns; 5) Municipalities and large cities are divided into districts and counties, 6) The state shall, when necessary, establish special administrative regions.

Average Annual Growth Rate Two methods for calculating average annual growth rate are applied in China,one is often called level approachor the method of calculating geometric average,which is derived by comparing the level of the last year of the interval with that of the beginning year;the other is calledaccumulative approach or algebraic average or equation method,which is derived by the summation of the actual figure of each year in the interval divided by the figure in the base year.Usually the results calculated by the two methods are fairly close, but they differed sharply when uneven economic development occurred with striking fluctuations in growth.

The average annual growth rates listed in this statistical yearbook are calculated by level approach except for the growth rate of investment in fixed assets. The base years are not listed when the years are listed for average annual growth rates. For instance,the average annual growth rate of 43 years since 1949 is listed as average annual growth rate of 1950-1992 without listing the base year 1949.And the analogy of this is also the same for the rest of the years.

Industrial Classification of the National Economy The new *Industrial Classification of the National Economy* (GB/T 4754-2002) is introduced starting from the compilation of 2003 annual statistics. The new revision was based on the 1994 classification and organized by the National Bureau of Statistics taking into consideration of the *International Standards of the Industrial Classification of All Economic Activities* (ISIC/Rev.3) of the United Nations, and the new Classification was promulgated by the National Administration of Quality Supervision, Inspection and Quarantine on May 10, 2002. The revised version of the *Industrial Classification of the National Economy* (GB/T 4754-2002) is composed of 20 major divisions, 95 divisions, 396 major groups and 913 groups, including 4 new major divisions, 3 new divisions, 28 major groups and 67 groups.

Registration Status of Enterprises Enterprises are classified into 3 categories, namely domestic-funded enterprises, enterprises with investment from Hong Kong, Macau and Taiwan, and enterprises with foreign investment, in the light of the registration status of an enterprise in industrial and commercial administration agencies. Domestic-funded enterprises include state-owned enterprises, collective-owned enterprises, cooperative enterprises, joint ownership enterprises, limited liability corporations, share-holding corporations Ltd., private enterprises and other enterprises. Included in the enterprises with investment from Hong Kong, Macau and Taiwan and enterprises with foreign investment are joint-venture enterprises, cooperative enterprises, sole investment enterprises and share-holding corporations Ltd. For government agencies, institutions and social organizations which are not requested to be registered in industrial and commercial administration agencies, they are classified mainly by their sources of funds and way of management.

State-owned Enterprises refer to non-corporation economic units where the entire assets are owned by the state and which have registered in accordance with the *Regulation of the Peoples Republic of China on the Management of Registration of Corporate Enterprises*. Excluded from this category are sole state-funded corporations in the limited liability corporations.

Collective-owned Enterprises refer to economic units where the assets are owned collectively and which have registered in accordance with the *Regulation of the Peoples Republic of China on the Management of Registration of Corporate Enterprises.*

Cooperative Enterprises refer to a form of collective economic units (enterprises) where capitals come mainly from employees as their shares, with certain proportion of capital from the outside, where production is organized on the basis of independent operation, independent accounting for profits and losses, joint work, democratic management, and a distribution system that integrates remuneration according to work with dividend according to capital share.

Joint Ownership Enterprises refer to economic units established by two or more corporate enterprises or corporate institutions of the same or different ownership, through joint investment on the basis of equality, voluntary participation and mutual benefits. They include state joint ownership enterprises, collective joint ownership enterprises, joint state-collective enterprises, other joint ownership enterprises.

Limited Liability Corporations refer to economic units established with investment from 2-50 investors and registered in accordance with the *Regulation of the Peoples Republic of China on the Management of Registration of Corporations*, each investor bearing limited liability to the corporation depending on its share of investment, and the corporation bearing liability to its debt to the maximum of its total assets. Limited liability corporations include exclusive state-funded limited liability corporations and other limited liability corporations.

Share-holding Corporations Ltd. refer to economic units registered in accordance with the *Regulation of the Peoples Republic of China on the Management of Registration of Corporations*, with total registered capitals divided into equal shares and raised through issuing stocks. Each investor bears limited liability to the corporation depending on the holding of shares, and the corporation bears liability to its debt to the maximum of its total assets.

Private Enterprises refer to profit-making economic units invested and established by natural persons, or controlled by natural persons using employed labour. Included in this category are private limited liability corporations, private share-holding corporations Ltd., private partnership enterprises and private-funded enterprises registered in accordance with the *Corporation Law, Partnership Enterprises Law and Interim Regulations on Private Enterprises.*

Other Domestic-funded Enterprises refer to domestic-funded economic units other than those mentioned above.

Joint-venture Enterprises with Funds from Hong Kong, Macau and Taiwan refer to enterprises jointly established by investors from Hong Kong, Macau and Taiwan with enterprises in the mainland of China in accordance with the *Law of the Peoples Republic of China on Sino-foreign Joint Venture Enterprises* and other relevant laws, where the share of investment, profits and risks is stipulated in the contract.

Cooperative Enterprises with Funds from Hong Kong Macau and Taiwan established by investors from Hong Kong, Macau and Taiwan with enterprises in the mainland of China in accordance with the *Law of the Peoples Republic of China on Sino-foreign Cooperative Enterprises* and other relevant laws, where the investment or provision of facilities, and the share of profits and risks is stipulated in the cooperative contract.

Enterprises with Sole (exclusive) Investment from Hong Kong, Macau and Taiwan refer to enterprises established in the mainland of China with exclusive investment from investors from Hong Kong, Macau and Taiwan in accordance with the *Law of the Peoples Republic of China on Foreign-Funded Enterprises* and other relevant laws.

Share-holding Corporations Ltd. with Investment from Hong Kong, Macau and Taiwan refer to share-holding corporations Ltd. established with the approval from the Ministry of Foreign Trades and Economic Relations in line with relevant state regulations, where the share of investment from Hong Kong, Macau or Taiwan businessmen exceeds 25% of the total registered capital of the corporation. In case the share of investment from Hong Kong, Macau or Taiwan is less than 25% of the total registered capital, the enterprise is to be classified as domestic-funded share-holding corporation Ltd.

Joint-venture Enterprises with Foreign Investment refer to enterprises jointly established by foreign enterprises or foreigners with enterprises in the mainland of China in accordance with the *Law of the Peoples Republic of China on Sino-foreign Joint Venture Enterprises* and other relevant laws, where the share of investment, profits and risks is stipulated in the contract.

Cooperation Enterprises with Foreign Investment refer to enterprises jointly established by foreign enterprises or foreigners with enterprises in the mainland of China in accordance with the *Law of the Peoples Republic of China on Sino-foreign Cooperative Enterprises* and other relevant laws,where the investment or provision of facilities, and the share of profits and risks is stipulated in the cooperative contract.

Enterprises with Sole (exclusive) Foreign Investment refer to enterprises established in the mainland of China with exclusive investment from foreign investors in accordance with the *Law of the Peoples Republic of China on Foreign-Funded Enterprises* and other relevant laws.

Share-holding Corporations Ltd. with Foreign Investment refer to share-holding corporations Ltd. established with the approval from the Ministry of Foreign Trades and Economic Relations in line with relevant state regulations, where the share of investment from foreign investors exceeds 25% of the total registered capital of the corporation. In case the share of foreign investment is less than 25% of the total registered capital, the enterprise is to be classified as domestic-funded share-holding corporation Ltd.

Government Agencies, Institutions and Social Organizations are classified into following categories by source of funds and way of management taking reference of the registration status of enterprises:

(1) Government Agencies: include state and party agencies, classified in principle as "state-owned". There are exceptions, such as supply and marketing cooperatives which are classified as "collective".

(2) Institutions: include institutions of various types established with the approval by organization and staffing departments of the government, but exclude institutions where enterprise management system is introduced. Institutions are further classified as follows:

(a) Institutions whose main budget is listed in the government budget appropriations or extra-budget funds, or allocated from the budget of their competent government agencies. Such institutions are classified as "state-owned".

(b) Institutions whose budget mainly comes from collective units. Such institutions are classified as "collective".

(c) Institutions other than those mentioned above whose source of budget is not clear. Such institutions are classified by way of management.

(3) Social Organizations: include social organizations established with the approval from the Ministry of Civil Affairs, and organizations that are not covered by social organization management regulations such as Trades unions, women's federations etc.. Social organizations are further classified as follows:

(a) Social organizations that are not covered by social organization management regulations of the Ministry of Civil Affairs such as Trades unions, women's federations, communist youth leagues, youth associations, industrial and commerce associations, scientists associations, overseas Chinese associations, etc., foundations and fund management organizations established with funds from the state, and social organizations whose funds mainly come from the budget of their competent government agencies. Such institutions are classified as "state-owned".

(b) Social organizations whose budget mainly comes from collective units. Such institutions are classified as "collective".

(c) Social organizations established by individual or a group of citizens, which are classified as "private".

(d) Social organizations other than those mentioned above whose source of budget is not clear. Such organizations are classified by manner of management.

国民经济核算

2

National Economy Accounting

简要说明

本篇资料的主要内容及来源

国民经济核算篇主要包括福建省地区生产总值及其增长、结构、三次产业对经济增长的贡献、消费水平等方面的资料。

1993 年以后福建省地区生产总值的数据已按照国家统计局制定的统一方案，根据 2004 年经济普查资料采用国际上通用的“总趋势离差法”进行了调整。

本篇资料来源于国民经济核算统计报表，由省统计局国民经济核算处整理提供。

Brief Introduction

Main Content and Source of Data

Data in the chapter reflect the overall situation and development of economy on the macro level, including growth rate and components of GDP, share of the three industries to the increase of GDP and household consumption expenditure.

Historical data of GDP were recompiled in accordance with the uniform plan of NBS and revised by trend approach.

Data in this chapter are prepared according to the data of national accounts and compiled by the Division of National Accounts of Fujian Provincial Bureau of Statistics.

2-1 主要年份地区生产总值

Gross Domestic Products in Selected Years

单位：亿元 (100 million yuan)

年份 Year	地区生产总值 Gross Domestic Product	第一产业 Primary Industry	第二产业 Secondary Industry	工业 Industry	建筑业 Construction	第三产业 Tertiary Industy	人均GDP（元） Per Capita GDP (yuan)
1952	12.73	8.39	2.42	2.17	0.25	1.92	102
1957	22.03	12.31	5.20	4.23	0.97	4.52	154
1962	22.12	10.26	5.12	4.00	1.12	6.74	137
1965	28.81	13.48	8.31	6.55	1.76	7.02	166
1970	34.70	15.34	10.64	8.56	2.08	8.72	173
1975	46.48	19.43	17.81	14.29	3.52	9.24	203
1978	66.37	23.93	28.19	23.85	4.34	14.25	273
1979	74.11	27.97	31.37	26.20	5.17	14.77	300
1980	87.06	31.95	35.68	29.55	6.13	19.43	348
1981	105.62	39.30	39.75	33.16	6.59	26.57	416
1982	117.81	44.24	42.92	35.25	7.67	30.65	457
1983	127.76	47.27	46.05	37.76	8.29	34.44	487
1984	157.06	55.72	56.39	44.47	11.92	44.95	591
1985	200.48	68.13	72.56	62.09	10.47	59.79	737
1986	222.54	72.24	82.19	67.06	15.13	68.11	809
1987	279.24	89.24	101.28	82.69	18.59	88.72	999
1988	383.21	118.16	141.82	120.45	21.37	123.23	1349
1989	458.40	135.77	163.82	142.45	21.37	158.81	1589
1990	522.28	147.01	174.47	150.55	23.92	200.80	1763
1991	619.87	168.64	217.74	188.29	29.45	233.49	2041
1992	784.68	194.87	291.60	241.78	49.82	298.21	2557
1993	1114.20	254.36	455.79	381.95	73.84	404.05	3556
1994	1644.39	362.90	720.97	618.06	102.91	560.52	5193
1995	2094.90	464.82	882.34	748.92	133.42	747.74	6526
1996	2484.25	537.38	1026.64	875.50	151.14	920.23	7646
1997	2870.90	576.63	1214.81	1039.62	175.19	1079.46	8775
1998	3159.91	610.04	1335.05	1132.79	202.26	1214.82	9603
1999	3414.19	628.86	1434.30	1230.22	204.08	1351.03	10323
2000	3764.54	640.57	1628.45	1422.34	206.11	1495.52	11194
2001	4072.85	651.11	1803.50	1586.48	217.02	1618.24	11892
2002	4467.55	664.78	2036.97	1808.95	228.02	1765.80	12938
2003	4983.67	692.94	2340.82	2061.31	279.51	1949.91	14333
2004	5763.35	786.84	2770.49	2438.62	331.87	2206.02	16469
2005	6568.93	841.20	3200.26	2842.43	357.83	2527.47	18646
2006	7584.36	865.98	3743.71	3311.59	432.12	2974.67	21385
2007	9249.13	1002.11	4549.42	4018.42	531.00	3697.60	25908
2008	10823.11	1157.75	5415.77	4755.45	660.32	4249.59	30123

注：2005年及以后年份行业分类为按新国民经济行业分类(GB/T 4754-2002)划分。

Note: The classifived standards of national ecomonic sector in 2005 and follow years are adopted GB/T 4754-2002.

2-2 主要年份地区生产总值构成

Composition of Gross Domestic Product in Selected Years

单位：% (%)

年份 Year	地区生产总值 Gross Domestic Product	第一产业 Primary Industry	第二产业 Secondary Industry	工业 Industry	建筑业 Construction	第三产业 Tertiary Industy
1952	100.0	65.9	19.0	17.0	2.0	15.1
1957	100.0	55.9	23.6	19.2	4.4	20.5
1962	100.0	46.4	23.1	18.1	5.1	30.5
1965	100.0	46.8	28.8	22.7	6.1	24.4
1970	100.0	44.2	30.7	24.7	6.0	25.1
1975	100.0	41.8	38.3	30.7	7.6	19.9
1978	100.0	36.0	42.5	35.9	6.5	21.5
1979	100.0	37.8	42.3	35.4	7.0	19.9
1980	100.0	36.7	41.0	33.9	7.0	22.3
1981	100.0	37.2	37.6	31.4	6.2	25.2
1982	100.0	37.6	36.4	29.9	6.5	26.0
1983	100.0	37.0	36.0	29.6	6.5	27.0
1984	100.0	35.5	35.9	28.3	7.6	28.6
1985	100.0	34.0	36.2	31.0	5.2	29.8
1986	100.0	32.5	36.9	30.1	6.8	30.6
1987	100.0	31.9	36.3	29.6	6.7	31.8
1988	100.0	30.8	37.0	31.4	5.6	32.2
1989	100.0	29.6	35.7	31.1	4.7	34.7
1990	100.0	28.1	33.4	28.8	4.6	38.4
1991	100.0	27.2	35.1	30.4	4.8	37.7
1992	100.0	24.8	37.2	30.8	6.3	38.0
1993	100.0	22.8	40.9	34.3	6.6	36.3
1994	100.0	22.1	43.8	37.6	6.3	34.1
1995	100.0	22.2	42.1	35.7	6.4	35.7
1996	100.0	21.6	41.3	35.2	6.1	37.1
1997	100.0	20.1	42.3	36.2	6.1	37.6
1998	100.0	19.3	42.3	35.8	6.5	38.4
1999	100.0	18.4	42.0	36.0	6.0	39.6
2000	100.0	17.0	43.3	37.8	5.5	39.7
2001	100.0	16.0	44.3	39.0	5.3	39.7
2002	100.0	14.9	45.6	40.5	5.1	39.5
2003	100.0	13.9	47.0	41.4	5.6	39.1
2004	100.0	13.7	48.1	42.3	5.8	38.3
2005	100.0	12.8	48.7	43.3	5.4	38.5
2006	100.0	11.4	49.4	43.7	5.7	39.2
2007	100.0	10.8	49.2	43.4	5.7	40.0
2008	100.0	10.7	50.0	43.9	6.1	39.3

注：2004年以前年份第一产业增加值不含农林牧渔服务业。

Note:The value-added of primary industry before 2004 exclude services of farming , forestry , animal , husbandry and fishery.

2-3 主要年份地区生产总值指数(上年=100)

Indices of Gross Domestic Product in Selected Years(preceding year=100)

单位：以上年为100 (preceding year=100)

年份 Year	地区生产总值 Gross Domestic Product	第一产业 Primary Industry	第二产业 Secondary Industry	工业 Industry	建筑业 Construction	第三产业 Tertiary Industy	人均GDP Per Capita GDP
1952	123.3	112.1	131.5	145.7	138.9	119.3	121.1
1957	106.7	109.5	95.3	124.2	50.4	117.3	103.0
1962	98.6	107.6	94.2	79.4	155.7	94.6	96.4
1965	110.9	111.5	120.3	126.2	101.2	100.4	107.5
1970	109.9	105.0	123.2	112.9	101.9	101.0	105.7
1975	102.9	100.5	106.6	108.7	98.2	101.1	100.5
1978	117.8	101.5	132.4	138.7	90.4	121.5	115.6
1979	105.5	104.9	109.7	107.0	137.4	99.0	103.9
1980	118.4	113.9	118.1	113.5	155.1	125.7	117.2
1981	115.5	108.5	110.3	113.8	91.0	136.3	114.0
1982	109.3	106.8	108.2	104.5	134.9	114.2	107.5
1983	106.2	104.7	107.3	107.4	106.7	106.5	104.4
1984	117.9	110.1	120.3	124.9	93.7	124.3	116.3
1985	117.6	105.3	123.3	124.2	115.8	123.5	114.9
1986	105.7	102.1	113.0	105.2	177.0	99.4	104.5
1987	113.6	110.5	110.0	117.1	75.4	121.9	111.8
1988	114.3	102.6	125.1	132.7	67.6	109.7	112.6
1989	107.8	109.7	104.9	108.5	51.2	110.7	106.1
1990	107.5	101.7	108.1	109.3	63.6	111.4	104.7
1991	114.2	109.1	122.0	123.7	111.2	111.5	111.4
1992	120.3	110.5	128.5	126.8	140.6	120.0	119.0
1993	122.6	109.4	135.9	139.5	112.8	118.3	120.1
1994	120.3	109.3	132.6	133.9	122.0	113.0	119.0
1995	114.6	109.5	117.3	116.4	125.2	114.2	113.0
1996	113.3	108.8	114.3	115.2	107.6	114.6	112.0
1997	114.0	108.0	116.1	116.5	113.4	114.5	113.2
1998	110.8	106.7	112.4	112.5	111.6	110.8	110.2
1999	109.9	105.7	111.5	112.5	101.9	109.9	109.3
2000	109.3	102.6	111.2	112.2	100.4	110.0	107.5
2001	108.7	103.5	110.2	110.8	105.6	109.2	106.7
2002	110.2	102.7	113.8	115.1	104.2	109.2	109.3
2003	111.5	103.3	115.6	115.4	117.7	109.7	110.7
2004	111.8	104.4	114.9	115.3	111.3	110.8	111.1
2005	111.6	104.2	113.0	113.8	106.7	112.5	110.9
2006	114.8	102.5	117.0	116.9	117.9	116.0	114.0
2007	115.2	103.9	118.8	119.3	114.7	114.0	114.0
2008	113.0	104.8	115.2	115.2	114.6	112.1	112.2

注：2005年及以后年份行业分类为按新国民经济行业分类(GB/T 4754-2002)划分。

Note: The classifived standards of national ecomonic sector in 2005 and follow years are adopted GB/T 4754-2002.

2-4 主要年份地区生产总值指数(1952年=100)

Indices of Gross Domestic Product in Selected Years(year of 1952=100)

以1952年为100　　(year of 1952=100)

年份 Year	地区生产总值 Gross Domestic Product	第一产业 Primary Industry	第二产业 Secondary Industry	工业 Industry	建筑业 Construction	第三产业 Tertiary Industy	人均GDP Per Capita GDP
1952	100.0	100.0	100.0	100.0	100.0	100.0	100.0
1957	172.0	137.1	226.0	200.7	452.0	233.3	150.0
1962	159.8	86.4	259.5	193.1	885.4	317.5	122.3
1965	215.1	132.1	363.8	319.7	759.5	348.9	153.2
1970	255.9	146.5	480.3	425.5	969.2	400.0	157.4
1975	331.5	171.0	810.3	723.4	1495.8	423.9	179.7
1978	451.2	188.5	1207.1	1197.8	1095.1	698.2	229.5
1979	476.1	197.7	1324.7	1282.1	1505.1	690.9	238.3
1980	563.9	225.3	1564.4	1455.1	2334.6	868.4	279.3
1981	651.1	244.4	1725.4	1655.8	2124.0	1183.8	318.2
1982	711.6	261.1	1866.4	1731.0	2865.6	1351.6	342.1
1983	755.3	273.2	2002.4	1858.8	3057.8	1439.1	357.2
1984	890.7	300.8	2408.9	2321.9	2865.6	1788.3	415.3
1985	1047.5	316.7	2968.2	2884.7	3318.8	2207.8	477.4
1986	1107.3	323.4	3354.0	3033.9	5873.0	2194.6	498.8
1987	1257.9	357.5	3689.9	3554.0	4426.5	2674.7	557.7
1988	1437.6	366.7	4616.0	4716.4	2993.7	2933.4	627.7
1989	1549.3	402.3	4842.1	5118.2	1533.5	3246.6	665.9
1990	1665.8	409.0	5233.3	5595.3	975.0	3615.6	696.9
1991	1902.8	446.1	6384.1	6919.7	1084.3	4030.9	776.4
1992	2288.8	492.8	8205.4	8776.3	1524.9	4835.4	924.1
1993	2806.2	539.0	11153.4	12245.5	1719.7	5720.9	1109.8
1994	3375.7	589.0	14790.3	16402.4	2097.4	6461.8	1320.9
1995	3869.0	644.9	17347.3	19090.2	2625.3	7376.8	1493.2
1996	4384.0	701.5	19836.0	21987.4	2824.9	8455.2	1671.7
1997	4998.3	757.7	23037.7	25605.2	3204.0	9679.2	1893.1
1998	5538.0	808.3	25890.5	28798.0	3576.2	10720.4	2085.4
1999	6086.9	854.3	28860.0	32407.2	3644.2	11777.1	2279.9
2000	6653.7	876.2	32080.0	36372.6	3660.4	12954.3	2451.1
2001	7229.8	906.9	35339.6	40308.3	3865.7	14150.5	2615.1
2002	7964.4	931.4	40210.4	46395.4	4029.4	15453.7	2857.5
2003	8877.3	962.2	46501.5	53537.1	4741.1	16958.1	3163.2
2004	9927.7	1004.9	53417.5	61744.0	5276.4	18784.7	3514.7
2005	11083.1	1046.7	60347.7	70234.8	5627.4	21124.2	3897.6
2006	12723.3	1072.9	70606.8	82104.5	6634.6	24504.0	4443.6
2007	14662.0	1114.2	83848.0	97920.5	7612.4	27927.4	5065.7
2008	16560.7	1167.6	96561.7	112833.9	8724.8	31308.9	5685.1

注：2005年及以后年份行业分类为按新国民经济行业分类(GB/T 4754—2002)划分。

Note: The classifived standards of national ecomonic sector in 2005 and follow years are adopted GB/T 4754-2002.

2-5 主要年份第三产业增加值

Value-added of the Tertiary Industry at Constant Prices in Selected Years

单位：亿元 (100 million yuan)

年份 Year	第三产业 Tertiary Industy	#交通运输、仓储和邮政业 Transport,Storage and Post	#批发和零售业 Wholesale and Retail Trade	#金融业 Finance	#房地产业 Real Estate
1952	1.92	0.27	1.00		
1957	4.52	0.64	2.21		
1962	6.74	0.88	2.29		
1965	7.02	1.10	1.57		
1970	8.72	1.47	2.23		
1975	9.24	1.85	1.15		
1978	14.25	3.35	3.47	3.01	0.69
1979	14.77	3.32	3.29	3.08	0.81
1980	19.43	4.40	5.08	4.03	0.92
1981	26.57	6.01	7.01	5.49	1.26
1982	30.65	6.85	8.12	6.34	1.46
1983	34.44	7.29	9.38	7.19	1.65
1984	44.95	9.69	11.82	9.48	2.18
1985	59.79	12.35	15.17	13.00	2.98
1986	68.11	14.54	16.53	14.98	3.43
1987	88.72	19.37	23.14	18.71	4.29
1988	123.23	32.50	40.58	17.40	4.40
1989	158.81	42.60	41.31	29.06	5.23
1990	200.80	48.56	49.53	34.40	8.31
1991	233.49	55.05	60.46	40.52	12.50
1992	298.21	70.51	79.64	48.34	18.89
1993	404.05	99.48	115.99	53.76	33.66
1994	560.52	134.95	146.90	90.76	52.70
1995	747.74	189.55	203.09	93.76	71.37
1996	920.23	235.07	257.03	105.58	83.47
1997	1079.46	283.44	306.22	109.07	93.27
1998	1214.82	326.63	341.19	114.01	105.50
1999	1351.03	366.27	364.97	113.40	126.22
2000	1495.52	410.66	399.11	118.85	147.60
2001	1618.24	428.87	429.56	124.84	165.31
2002	1765.80	445.06	465.91	138.28	188.09
2003	1949.91	478.84	520.56	150.09	215.84
2004	2206.02	537.41	595.35	171.00	248.44
2005	2527.47	455.18	584.63	179.14	321.74
2006	2974.67	537.11	667.79	229.65	415.10
2007	3697.60	650.25	809.15	364.32	481.33
2008	4249.59	735.44	950.65	468.86	466.75

注：2005年及以后年份行业分类为按新国民经济行业分类(GB/T 4754-2002)划分。

Note: The classifived standards of national ecomonic sector in 2005 and follow years are adopted GB/T 4754-2002.

2-6 第三产业增加值构成（1978–2008年）

Composition of Value-added of the Tertiary Industry,1978-2008

单位：%　　(%)

年份 Year	第三产业 Tertiary Industy	#交通运输、仓储和邮政业 Transport,Storage and Post	#批发和零售业 Wholesale and Retail Trade	#金融业 Finance	#房地产业 Real Estate
1978	100.0	23.5	24.4	21.1	4.8
1979	100.0	22.5	22.3	20.9	5.5
1980	100.0	22.6	26.1	20.7	4.7
1981	100.0	22.6	26.4	20.7	4.7
1982	100.0	22.3	26.5	20.7	4.8
1983	100.0	21.2	27.2	20.9	4.8
1984	100.0	21.6	26.3	21.1	4.8
1985	100.0	20.7	25.4	21.7	5.0
1986	100.0	21.3	24.3	22.0	5.0
1987	100.0	21.8	26.1	21.1	4.8
1988	100.0	26.4	32.9	14.1	3.6
1989	100.0	26.8	26.0	18.3	3.3
1990	100.0	24.2	24.7	17.1	4.1
1991	100.0	23.6	25.9	17.4	5.4
1992	100.0	23.6	26.7	16.2	6.3
1993	100.0	24.6	28.7	13.3	8.3
1994	100.0	24.1	26.2	16.2	9.4
1995	100.0	25.3	27.2	12.5	9.5
1996	100.0	25.5	27.9	11.5	9.1
1997	100.0	26.3	28.4	10.1	8.6
1998	100.0	26.9	28.1	9.4	8.7
1999	100.0	27.1	27.0	8.4	9.3
2000	100.0	27.5	26.7	7.9	9.9
2001	100.0	26.5	26.5	7.7	10.2
2002	100.0	25.2	26.4	7.8	10.7
2003	100.0	24.6	26.7	7.7	11.1
2004	100.0	24.4	27.0	7.8	11.3
2005	100.0	18.0	23.1	7.1	12.7
2006	100.0	18.1	22.4	7.7	14.0
2007	100.0	17.6	21.9	9.9	13.0
2008	100.0	17.3	22.4	11.0	11.0

注：1.2005年及以后年份行业分类为按新国民经济行业分类(GB/T 4754-2002)划分。2. 本表以第三产业增加值为100计算。

Note: 1)The classifived standards of national ecomonic sector in 2005 and follow years are adopted GB/T 4754-2002.2)The Value-added of the Tertiary Industry is 100.

2-7 第三产业增加值指数(1979–2008年)

Indices of Value-added of the Tertiary Industry,1979-2008

以上年为100 (preceding year=100)

年份 Year	第三产业 Tertiary Industy	#交通运输、仓储和邮政业 Transport,Storage and Post	#批发和零售业 Wholesale and Retail Trade	#金融业 Finance	#房地产业 Real Estate
1979	99.0	93.8	86.8	100.0	114.3
1980	125.7	132.5	143.7	124.5	108.0
1981	136.3	136.4	136.4	136.2	136.8
1982	114.2	114.2	114.1	114.1	114.6
1983	106.5	106.4	106.4	106.5	106.0
1984	124.3	124.3	124.2	124.3	124.7
1985	123.5	123.5	123.5	123.4	123.4
1986	99.4	100.5	96.7	100.1	100.0
1987	121.9	120.4	125.2	121.0	121.0
1988	109.7	135.7	129.5	76.1	84.0
1989	110.7	110.2	90.8	140.2	99.6
1990	111.4	98.2	110.4	103.1	138.2
1991	111.5	107.2	116.7	113.8	145.4
1992	120.0	120.1	127.1	113.5	139.2
1993	118.3	116.8	121.7	99.1	164.5
1994	113.0	118.9	108.4	122.8	115.3
1995	114.2	117.3	120.8	99.9	117.2
1996	114.6	116.1	118.6	104.5	108.7
1997	114.5	116.0	117.9	104.6	109.1
1998	110.8	109.6	114.8	102.4	103.7
1999	109.9	110.5	111.1	97.8	116.4
2000	110.0	109.1	110.5	106.0	116.8
2001	109.2	107.2	109.8	106.5	113.1
2002	109.2	104.7	109.3	110.8	112.4
2003	109.7	108.3	111.5	107.8	112.5
2004	110.8	111.3	111.4	109.8	108.7
2005	112.5	108.3	111.0	103.2	126.4
2006	116.0	113.4	113.7	126.5	124.2
2007	114.0	111.1	113.9	119.5	108.8
2008	112.1	108.9	111.2	119.9	90.9

注：2005年及以后年份行业分类为按新国民经济行业分类(GB/T 4754–2002)划分。

Note: The classifived standards of national ecomonic sector in 2005 and follow years are adopted GB/T 4754-2002.

2-8 第三产业增加值指数(1979–2008年)

Indices of Value-added of the Tertiary Industry,1979-2008

以1978年为100　　(year of 1978=100)

年份 Year	第三产业 Tertiary Industy	#交通运输、仓储和邮政业 Transport,Storage and Post	#批发和零售业 Wholesale and Retail Trade	#金融业 Finance	#房地产业 Real Estate
1979	99.0	93.8	86.8	100.0	114.3
1980	124.4	124.3	124.7	124.5	123.4
1981	169.6	169.5	170.1	169.6	168.9
1982	193.7	193.6	194.1	193.5	193.5
1983	206.3	206.0	206.5	206.1	205.1
1984	256.4	256.0	256.5	256.1	255.8
1985	316.7	316.2	316.8	316.1	315.7
1986	314.8	317.8	306.4	316.4	315.7
1987	383.7	382.6	383.6	382.8	382.0
1988	420.9	519.2	496.7	291.3	320.8
1989	466.0	572.2	451.0	408.4	319.6
1990	519.1	562.0	498.1	421.1	441.6
1991	578.8	602.4	581.4	479.4	642.0
1992	694.6	723.4	738.9	543.9	893.9
1993	821.8	845.1	899.4	538.9	1470.7
1994	928.2	1005.0	975.2	661.6	1696.0
1995	1059.6	1179.2	1178.4	661.1	1986.9
1996	1214.5	1368.8	1397.2	691.0	2159.1
1997	1390.3	1588.1	1647.0	722.9	2356.6
1998	1539.9	1740.9	1890.5	740.2	2444.3
1999	1691.7	1924.6	2100.4	723.8	2845.8
2000	1860.8	2099.4	2320.4	767.0	3323.9
2001	2032.6	2251.2	2548.4	817.1	3760.5
2002	2219.8	2357.6	2786.0	905.8	4227.4
2003	2435.9	2553.6	3107.4	976.4	4755.9
2004	2698.2	2842.6	3461.4	1072.5	5170.8
2005	3035.1	3079.1	3842.1	1106.6	6535.7
2006	3520.0	3492.5	4366.8	1399.6	8118.2
2007	4011.7	3880.5	4974.5	1671.8	8836.3
2008	4497.5	4224.9	5529.2	2004.9	8031.4

注：2005年及以后年份行业分类为按新国民经济行业分类(GB/T 4754–2002)划分。

Note: The classifived standards of national ecomonic sector in 2005 and follow years are adopted GB/T 4754-2002.

2–9 主要年份支出法地区生产总值

Gross Domestic Product by Expenditure Approach in Selected Years

单位：亿元 (100 million yuan)

年份 Year	支出法地区生产总值 Gross Domestic Product by Expenditure Approach	最终消费 Final Consumption Expenditure	资本形成总额 Gross Capital Formation	货物和服务净出口 Net Exports of Goods and Services	资本形成率(%) Capital Formation Rate(%)	最终消费率(%) Consumption Rate(%)
1952	12.73	11.86	1.42	-0.55	11.2	93.2
1957	22.03	18.19	5.67	-1.83	25.7	82.6
1962	22.12	21.87	0.13	0.12	0.6	98.9
1965	28.81	24.38	6.31	-1.88	21.9	84.6
1970	34.70	32.47	9.68	-7.45	27.9	93.6
1975	46.48	39.66	10.54	-3.72	22.7	85.3
1978	66.37	53.02	22.59	-9.24	34.0	79.9
1979	74.11	60.51	23.07	-9.47	31.1	81.6
1980	87.06	68.06	27.08	-8.08	31.1	78.2
1981	105.62	79.02	28.48	-1.88	27.0	74.8
1982	117.81	91.16	33.21	-6.56	28.2	77.4
1983	127.76	98.26	35.61	-6.11	27.9	76.9
1984	157.06	116.36	43.76	-3.06	27.9	74.1
1985	200.48	145.82	64.54	-9.88	32.2	72.7
1986	222.54	165.37	81.72	-24.55	36.7	74.3
1987	279.24	192.92	97.92	-11.60	35.1	69.1
1988	383.21	262.23	124.64	-3.66	32.5	68.4
1989	458.40	325.85	139.14	-6.59	30.4	71.1
1990	522.28	381.13	151.46	-10.31	29.0	73.0
1991	619.87	443.55	190.40	-14.08	30.7	71.6
1992	784.68	542.90	261.23	-19.45	33.3	69.2
1993	1114.20	682.09	440.95	-8.84	39.6	61.2
1994	1644.39	946.94	735.23	-37.78	44.7	57.6
1995	2094.90	1174.13	953.71	-32.94	45.5	56.0
1996	2484.25	1406.39	1135.23	-57.37	45.7	56.6
1997	2870.90	1630.58	1278.88	-38.56	44.5	56.8
1998	3159.91	1723.93	1451.90	-15.92	45.9	54.6
1999	3414.19	1831.55	1513.82	68.82	44.3	53.6
2000	3764.54	2049.66	1601.29	113.59	42.5	54.4
2001	4072.85	2214.11	1693.63	165.11	41.6	54.4
2002	4467.55	2412.57	1826.23	228.75	40.9	54.0
2003	4983.67	2651.77	2077.08	254.82	41.7	53.2
2004	5763.35	2975.97	2469.87	317.51	42.9	51.6
2005	6568.93	3295.55	2943.65	329.73	44.8	50.2
2006	7749.62	3765.94	3637.46	346.22	46.9	48.6
2007	9339.51	4269.36	4704.56	365.59	50.4	45.7
2008	11431.86	5053.95	5975.76	402.15	52.3	44.2

2-10 主要年份支出法地区生产总值结构

年份 Year	最终消费支出 Final Consumption Expenditure				
	绝对数(亿元) Level (100 million yuan)	居民消费支出 Household Consumption Expenditure	农村居民 Rural Household	城镇居民 Urban Household	政府消费支出 Government Consumption Expenditure
1952	11.86	10.96	8.68	2.28	0.90
1957	18.19	16.42	11.89	4.53	1.77
1962	21.87	19.44	12.30	7.14	2.43
1965	24.38	21.73	14.77	6.96	2.65
1970	32.47	29.07	20.48	8.59	3.40
1975	39.66	33.89	22.69	11.20	5.77
1978	53.02	44.52	29.36	15.16	8.50
1979	60.51	51.08	33.75	17.32	9.43
1980	68.06	58.04	37.12	20.92	10.02
1981	79.02	68.42	43.71	24.70	10.60
1982	91.16	79.14	49.99	29.15	12.02
1983	98.26	84.99	53.60	31.39	13.27
1984	116.36	101.28	63.38	37.89	15.08
1985	145.82	127.72	75.96	51.76	18.10
1986	165.37	140.94	81.88	59.05	24.43
1987	192.92	163.04	93.28	69.76	29.88
1988	262.23	214.16	122.70	91.46	48.07
1989	325.85	261.21	147.41	113.80	64.64
1990	381.13	289.33	165.17	124.15	91.80
1991	443.55	338.57	177.61	160.95	104.98
1992	542.90	419.67	211.55	208.12	123.23
1993	682.09	534.45	242.40	292.06	147.63
1994	946.94	741.05	327.95	413.10	205.89
1995	1174.13	951.68	397.38	554.29	222.45
1996	1406.39	1100.78	443.46	657.32	305.61
1997	1630.58	1270.82	501.53	769.29	359.76
1998	1723.93	1318.23	526.40	791.83	405.71
1999	1831.55	1374.02	548.91	825.11	457.53
2000	2049.66	1539.58	559.80	979.78	510.09
2001	2214.11	1634.83	592.39	1042.44	579.28
2002	2412.57	1753.57	595.01	1158.56	659.00
2003	2651.77	1920.99	595.26	1325.73	730.79
2004	2975.97	2150.13	635.50	1514.63	825.84
2005	3295.55	2393.17	700.94	1692.23	902.38
2006	3765.94	2775.43	796.54	1978.89	990.51
2007	4269.36	3131.13	886.43	2244.70	1138.23
2008	5053.95	3722.10	1026.10	2696.00	1331.85

Components of Gross Domestic Product by Expenditure Approach in Selcted Years

构成(%) Composition (%)				资本形成总额 Gross Capital Formation				
最终消费支出=100 Final Consumption Expenditure=100		居民消费支出=100 Household Consumption Expenditure=100		绝对数（亿元）Level(100 million yuan)			构成(%) Composition (%)	
居民消费支出 Houserhold Consumption Expenditure	政府消费支出 Government Consumption Expenditure	农村居民 Rural Household	城镇居民 Urban Household	合计 Total	固定资本形成总额 Fixed Capital Formation	存货增加 Changes in Invertories	固定资本形成总额 Fixed Capital Formation	存货增加 Changes in Invertories
92.4	7.6	79.2	20.8	1.42	0.85	0.57	59.9	40.1
90.3	9.7	72.4	27.6	5.67	3.11	2.56	54.9	45.1
88.9	11.1	63.3	36.7	0.13	2.11	-1.98	1623.1	-1523.1
89.1	10.9	68.0	32.0	6.31	4.79	1.52	75.9	24.1
89.5	10.5	70.5	29.5	9.68	7.24	2.44	74.8	25.2
85.5	14.5	67.0	33.0	10.54	7.35	3.19	69.7	30.3
84.0	16.0	65.9	34.1	22.59	13.25	9.34	58.7	41.3
84.4	15.6	66.1	33.9	23.07	16.35	6.72	70.9	29.1
85.3	14.7	64.0	36.0	27.08	19.70	7.38	72.7	27.3
86.6	13.4	63.9	36.1	28.48	19.64	8.84	69.0	31.0
86.8	13.2	63.2	36.8	33.21	23.36	9.85	70.3	29.7
86.5	13.5	63.1	36.9	35.61	28.71	6.90	80.6	19.4
87.0	13.0	62.6	37.4	43.76	33.51	10.25	76.6	23.4
87.6	12.4	59.5	40.5	64.54	45.16	19.38	70.0	30.0
85.2	14.8	58.1	41.9	81.72	61.19	20.53	74.9	25.1
84.5	15.5	57.2	42.8	97.92	73.76	24.16	75.3	24.7
81.7	18.3	57.3	42.7	124.64	84.36	40.28	67.7	32.3
80.2	19.8	56.4	43.6	139.14	90.45	48.69	65.0	35.0
75.9	24.1	57.1	42.9	151.46	108.02	43.44	71.3	28.7
76.3	23.7	52.5	47.5	190.40	143.21	47.19	75.2	24.8
77.3	22.7	50.4	49.6	261.23	198.45	62.78	76.0	24.0
78.4	21.6	45.4	54.6	440.95	348.16	92.79	79.0	21.0
78.3	21.7	44.3	55.7	735.23	549.29	185.94	74.7	25.3
81.1	18.9	41.8	58.2	953.71	707.12	246.59	74.1	25.9
78.3	21.7	40.3	59.7	1135.23	849.23	286.01	74.8	25.2
77.9	22.1	39.5	60.5	1278.88	960.86	318.01	75.1	24.9
76.5	23.5	39.9	60.1	1451.90	1116.58	335.32	76.9	23.1
75.0	25.0	39.9	60.1	1513.82	1150.19	363.62	76.0	24.0
75.1	24.9	36.4	63.6	1601.29	1216.91	384.38	76.0	24.0
73.8	26.2	36.2	63.8	1693.63	1269.93	423.71	75.0	25.0
72.7	27.3	33.9	66.1	1826.23	1383.54	442.69	75.8	24.2
72.4	27.6	31.0	69.0	2077.08	1672.63	404.45	80.5	19.5
72.2	27.8	29.6	70.4	2469.87	2100.48	369.39	85.0	15.0
72.6	27.4	29.3	70.7	2943.65	2654.95	288.70	90.2	9.8
73.7	26.3	28.7	71.3	3637.46	3310.15	327.31	91.0	9.0
73.3	26.7	28.3	71.7	4704.56	4344.88	359.68	92.4	7.6
73.6	26.4	27.6	72.4	5975.76	5601.36	374.40	93.7	6.3

2-11 居民消费支出

Household Consumption Expenditure

单位：亿元 (100 million yuan)

项目 Item	2004	2005	2006	2007	2008
总计 Total	**2150.13**	**2393.17**	**2775.43**	**3131.13**	**3722.10**
农村居民 Rural Household	**635.50**	**700.94**	**796.54**	**886.43**	**1026.10**
食品类支出 Food	268.39	285.22	301.12	344.81	393.87
衣着类支出 Clothing	30.41	35.09	39.60	43.44	48.01
居住类支出 Residence	49.39	52.27	63.58	80.83	96.70
家庭设备、用品及服务类支出 Household Facilities, Articles and Services	29.43	29.02	31.07	33.96	40.59
医疗保健类支出 Health Care and Personal Articles	25.99	28.95	30.12	32.10	36.04
交通和通信类支出 Transportation and Communications	58.32	68.71	80.09	85.80	97.39
文教娱乐用品及服务类支出 Recreation, Education and Culture Articles	59.66	67.01	61.93	65.68	71.07
金融服务消费支出 Financial Service	30.62	42.67	64.82	65.35	107.80
保险服务消费支出 Insurance Service			14.51	14.83	5.83
其它支出 Others	83.29	92.00	109.70	119.63	128.80
城镇居民 Urban Household	**1514.63**	**1692.23**	**1978.89**	**2244.70**	**2696.00**
食品类支出 Food	541.13	590.89	651.35	741.48	899.45
衣着类支出 Clothing	95.38	116.49	132.61	162.36	195.75
居住类支出 Residence	138.57	176.17	208.45	217.67	230.25
家庭设备、用品及服务类支出 Household Facilities, Articles and Services	69.39	74.84	88.83	111.39	127.89
医疗保健类支出 Health Care and Personal Articles	76.00	78.63	86.80	86.71	95.74
交通和通信类支出 Transportation and Communications	168.27	172.36	208.32	277.33	314.71
文教娱乐用品及服务类支出 Recreation, Education and Culture Articles	167.43	181.93	223.30	246.17	257.36
金融服务消费支出 Financial Service	30.82	42.94	64.30	65.71	108.30
保险服务消费支出 Insurance Service			21.76	22.11	54.43
其它支出 Others	227.64	257.98	293.17	313.77	412.12

2–12 主要年份居民消费水平

Household Consumption Expenditure in Selected Years

年份 Year	居民消费水平(元/人) Households Consumption(yuan/person)			城乡居民消费水平对比(农村居民=1)	居民消费水平指数 Households Consumption					
					(以上年为100) Preceding Year=100			(以1952为100) Year of 1952=100		
	总计 All Households	农村 Rural	城镇 Urban	Urban/Rural Consumption Ratio(Rural Households=1)	总计 All Households	农村 Rural	城镇 Urban	总计 All Households	农村 Rural	城镇 Urban
1952	88	79	159	2.0				100.0	100.0	100.0
1957	115	98	214	2.2	101.6	97.8	122.1	122.0	116.8	122.5
1962	120	92	252	2.7	104.1	107.7	106.3	93.7	83.6	100.2
1965	125	102	246	2.4	107.3	107.1	107.9	116.5	103.0	132.3
1970	145	119	304	2.6	102.2	105.5	100.4	133.1	118.2	165.3
1975	148	115	357	3.1	98.9	97.5	102.2	134.4	112.7	192.1
1978	183	140	455	3.3	111.2	110.9	111.2	162.1	134.7	235.9
1979	206	162	473	2.9	106.8	105.9	102.1	173.2	142.7	240.8
1980	231	180	533	3.0	106.9	105.6	104.8	185.1	150.7	252.2
1981	269	211	546	2.6	114.3	114.4	99.8	211.6	172.4	251.8
1982	305	238	607	2.6	107.2	107.3	102.4	226.8	185.0	257.9
1983	322	252	609	2.4	106.7	106.8	102.6	242.0	197.5	264.5
1984	378	297	672	2.3	109.6	108.5	106.1	265.3	214.3	280.6
1985	465	358	818	2.3	116.0	116.4	107.3	307.7	249.4	301.0
1986	507	384	880	2.3	102.9	101.3	100.6	316.6	252.8	302.9
1987	577	432	987	2.3	104.3	103.0	102.5	330.2	260.3	310.5
1988	744	560	1218	2.2	102.4	102.9	97.1	338.2	267.8	301.5
1989	893	659	1462	2.2	100.9	100.3	101.7	341.4	268.7	306.7
1990	979	718	1473	2.1	104.7	104.4	99.4	357.4	280.4	304.8
1991	1118	775	1867	2.4	110.2	104.2	122.3	393.9	292.1	372.8
1992	1371	923	2342	2.5	118.3	117.1	115.4	465.9	342.1	430.4
1993	1725	1146	2931	2.6	109.4	108.7	107.1	509.7	371.8	460.8
1994	2375	1564	3812	2.4	108.7	107.6	103.7	554.2	399.9	477.8
1995	3019	1997	4590	2.3	110.7	111.6	103.4	613.7	446.4	494.1
1996	3446	2265	5080	2.2	107.9	107.6	103.6	662.3	480.4	511.7
1997	3935	2540	5765	2.3	112.2	110.7	110.7	743.3	531.9	566.5
1998	4052	2548	6025	2.4	103.2	100.8	104.5	767.4	536.2	591.8
1999	4194	2597	6159	2.4	103.8	101.7	103.6	796.6	545.6	613.1
2000	4574	2788	6648	2.4	107.1	106.0	104.6	852.9	578.4	641.2
2001	4770	2811	7125	2.5	105.1	101.7	107.7	896.1	588.1	690.9
2002	5076	2915	7642	2.6	107.2	103.7	109.4	960.5	610.1	756.0
2003	5524	3052	8571	2.8	108.7	104.8	111.5	1044.0	639.6	843.1
2004	6144	3335	9502	2.8	107.3	105.6	106.4	1120.2	675.3	896.9
2005	6793	3730	10296	2.8	108.5	109.1	106.6	1215.5	736.9	956.1
2006	7826	4290	11710	2.7	111.1	109.5	110.3	1350.4	806.9	1054.6
2007	8772	4808	13006	2.7	106.7	106.9	105.7	1440.9	862.6	1114.7
2008	10361	5633	15223	2.7	110.6	108.7	110.0	1593.9	937.2	1226.1

2–13 三次产业对经济增长的贡献及拉动(1980–2008年)

Contribution Share and Contribution of the Three Components of GDP to the Growth of GDP,1980-2008

单位：% (%)

年份 Year	贡献率 Contribution Share				地区生产总值增长率 Growth rate of Gross Domestic Product	拉动百分点 Contribution			
	第一产业 Primary Industry	第二产业 Secondary Industry	#工业 Industry	第三产业 Tertiary Industry		第一产业 Primary Industry	第二产业 Secondary Industry	#工业 Industry	第三产业 Tertiary Industry
1980	25.1	43.2	28.6	31.7	18.4	4.6	8.0	5.3	5.8
1981	20.6	26.6	29.9	52.8	15.5	3.2	4.1	4.6	8.2
1982	26.0	33.5	16.3	40.5	9.3	2.4	3.1	1.5	3.8
1983	26.1	44.7	38.6	29.2	6.2	1.6	2.8	2.4	1.8
1984	19.2	43.1	45.1	37.7	17.9	3.4	7.7	8.1	6.8
1985	9.5	51.4	47.3	39.1	17.6	1.7	9.0	8.3	6.9
1986	10.4	92.8	32.9	-3.2	5.7	0.6	5.3	1.9	-0.2
1987	21.3	32.1	45.6	46.6	13.6	2.9	4.4	6.2	6.3
1988	4.9	74.1	85.3	21.0	14.3	0.7	10.6	12.2	3.0
1989	29.9	29.1	47.4	41.0	7.8	2.3	2.3	3.7	3.2
1990	5.4	48.3	55.0	46.3	7.7	0.4	3.6	4.1	3.5
1991	19.0	50.9	47.4	30.1	14.4	2.7	7.2	6.7	4.3
1992	14.7	49.5	40.8	35.8	20.3	3.0	10.0	8.3	7.3
1993	10.8	59.8	56.9	29.4	22.6	2.4	13.5	12.9	6.7
1994	10.6	67.0	62.0	22.4	20.3	2.2	13.6	12.6	4.5
1995	13.7	54.4	46.2	31.9	14.6	2.0	7.9	6.8	4.7
1996	13.3	50.7	47.7	36.0	13.3	1.8	6.7	6.4	4.8
1997	11.0	54.7	50.0	34.3	14.0	1.5	7.7	7.0	4.8
1998	11.4	55.4	50.2	33.2	10.8	1.2	6.0	5.4	3.6
1999	10.1	56.8	55.8	33.1	9.9	1.0	5.6	5.5	3.3
2000	4.7	59.6	59.4	35.7	9.3	0.4	5.6	5.5	3.3
2001	6.9	50.7	47.2	42.4	8.7	0.6	4.4	4.1	3.7
2002	4.3	59.5	57.3	36.2	10.2	0.4	6.1	5.8	3.7
2003	4.3	62.0	54.2	33.7	11.5	0.5	7.1	6.2	3.9
2004	5.2	59.2	54.2	35.6	11.8	0.6	7.0	6.4	4.2
2005	4.6	54.0	51.0	41.4	11.6	0.5	6.2	5.8	4.7
2006	2.2	56.2	49.6	41.6	14.8	0.3	8.3	7.3	6.1
2007	2.8	61.4	56.0	35.8	15.2	0.4	9.3	8.5	5.5
2008	3.7	60.2	53.9	36.1	13.0	0.5	7.8	7.0	4.7

2–14 三大需求对经济增长的贡献及拉动(1980–2008年)

Contribution Share and Contribution of the Three Compoents of GDP to the Growth of GDP,1980-2008

单位：%　　　　(%)

年份 Year	贡献率 Contribution Share			地区生产总值增长率 Growth rate of Gross Domestic Produc	拉动百分点 Contribution		
	最终消费 Final Consumption Expenditure	资本形成总额 Gross Capital Formation	货物和服务净出口 Net Exports of Goods and Services		最终消费 Final Consumption Expenditure	资本形成总额 Gross Capital Formation	货物和服务净出口 Net Exports of Goods and Services
1980	35.8	27.1	37.2	18.4	6.6	5.0	6.8
1981	68.1	5.0	26.9	15.5	10.5	0.8	4.2
1982	71.0	41.7	-12.7	9.3	6.6	3.9	-1.2
1983	108.7	20.7	-29.3	6.2	6.7	1.3	-1.8
1984	51.2	30.6	18.2	17.9	9.2	5.5	3.2
1985	74.5	46.0	-20.5	17.6	13.1	8.1	-3.6
1986	93.3	77.0	-70.4	5.7	5.3	4.4	-4.0
1987	44.0	23.7	32.4	13.6	6.0	3.2	4.4
1988	46.1	32.7	21.3	14.3	6.6	4.7	3.0
1989	43.7	59.7	-3.4	7.8	3.4	4.7	-0.3
1990	140.4	-37.2	-3.3	7.7	10.8	-2.9	-0.2
1991	64.9	37.6	-2.4	14.4	9.3	5.4	-0.3
1992	63.6	35.8	0.5	20.3	12.9	7.3	0.1
1993	30.7	66.8	2.5	22.6	6.9	15.1	0.6
1994	26.4	76.1	-2.5	20.3	5.4	15.4	-0.5
1995	38.6	61.0	0.5	14.6	5.6	8.9	0.1
1996	45.2	58.5	-3.6	13.3	6.0	7.8	-0.5
1997	52.8	52.7	-5.4	14.0	7.4	7.4	-0.8
1998	30.4	61.4	8.2	10.8	3.3	6.6	0.9
1999	38.2	37.7	24.2	9.9	3.8	3.7	2.4
2000	54.4	31.7	13.9	9.3	5.1	2.9	1.3
2001	52.6	31.3	16.1	8.7	4.6	2.7	1.4
2002	50.8	34.2	15.0	10.2	5.2	3.5	1.5
2003	47.0	47.6	5.4	11.5	5.4	5.5	0.6
2004	36.6	54.1	9.3	11.8	4.3	6.4	1.1
2005	36.0	62.5	1.5	11.6	4.2	7.2	0.2
2006	37.2	61.3	1.5	14.8	5.5	9.1	0.2
2007	24.6	74.9	0.5	15.2	3.7	11.4	0.1
2008	36.6	62.6	0.8	13.0	4.8	8.1	0.1

注：2004年以前年份第一产业增加值不含农林牧渔服务业。

Note:The value-added of primary industry before 2004 exclude services of farming , forestry , animal , husbandry and fishery.

主要统计指标解释

国内生产总值(GDP)　指按市场价格计算的一个国家(或地区)所有常住单位在一定时期内生产活动的最终成果。国内生产总值有三种表现形态，即价值形态、收入形态和产品形态。从价值形态看，它是所有常住单位在一定时期内生产的全部货物和服务价值超过同期投入的全部非固定资产货物和服务价值的差额，即所有常住单位的增加值之和；从收入形态看，它是所有常住单位在一定时期内创造并分配给常住单位和非常住单位的初次收入之和；从产品形态看，它是所有常住单位在一定时期内最终使用的货物和服务价值减去货物和服务进口价值。在实际核算中，国内生产总值有三种计算方法，即生产法、收入法和支出法。三种方法分别从不同的方面反映国内生产总值及其构成。

三次产业　三产业的划分是世界上较为常用的产业结构分类，但各国的划分不尽一致。我国的三次产业划分是：

第一产业是指农、林、牧、渔业。

第二产业是指采矿业，制造业，电力、煤气及水的生产和供应业，建筑业。

第三产业是指除第一、二产业以外的其他行业。

劳动者报酬　指劳动者因从事生产活动所获得的全部报酬。包括劳动者获得的各种形式的工资、奖金和津贴，既包括货币形式的，也包括实物形式的，还包括劳动者所享受的公费医疗和医药卫生费、上下班交通补贴、单位支付的社会保险费、住房公积金等。对于个体经济来说，其所有者所获得的劳动报酬和经营利润不易区分，这两部分统一作为劳动者报酬处理。

生产税净额　指生产税减生产补贴后的余额。生产税指政府对生产单位从事生产、销售和经营活动以及因从事生产活动使用某些生产要素(如固定资产、土地、劳动力)所征收的各种税、附加费和规费。生产补贴与生产税相反，指政府对生产单位的单方面转移支出，因此视为负生产税，包括政策亏损补贴、价格补贴等。

固定资产折旧　指一定时期内为弥补固定资产损耗按照规定的固定资产折旧率提取的固定资产折旧，或按国民经济核算统一规定的折旧率虚拟计算的固定资产折旧。它反映了固定资产在当期生产中的转移价值。各类企业和企业化管理的事业单位的固定资产折旧是指实际计提的折旧费；不计提折旧的政府机关、非企业化管理的事业单位和居民住房的固定资产折旧是按照统一规定的折旧率和固定资产原值计算的虚拟折旧。原则上，固定资产折旧应按固定资产当期的重置价值计算，但是目前我国尚不具备对全社会固定资产进行重估价的基础，所以暂时只能采用上述办法。

营业盈余　指常住单位创造的增加值扣除劳动者报酬、生产税净额和固定资产折旧后的余额。它相当于企业的营业利润加上生产补贴，但要扣除从利润中开支的工资和福利等。

支出法国内生产总值　是从最终使用的角度反映一个国家(或地区)一定时期内生产活动最终成果的一种方法，包括最终消费、资本形成总额及货物和服务净出口三部分，也就是所谓国民经济三大需求。计算公式为：

支出法国内生产总值=最终消费+资本形成总额+货物和服务净出口

最终消费　指常住单位为满足物质、文化和精神生活的需要，从本国经济领土和国外购买的货物和服务的支出。它不包括非常住单位在本国经济领土内的消费支出。最终消费分为居民消费和政府消费。

居民消费　指常住住户在一定时期内对于货物和服务的全部最终消费支出。居民消费除了直接以货币形式购买的货物和服务的消费支出外，还包括以其他方式获得的货物和服务的消费支出，即所谓的虚拟消费支出。居民虚拟消费支出包括如下几种类型：单位以实物报酬及实物转移的形式提供给劳动者的货物和服务；住户生产并由本住户消费了的货物和服务，其中的服务仅指住户的自有住房服务和付酬的家庭雇员提供的家庭和个人服务；金融机构提供的金融媒介服务；保险公司提供的保险服务。

政府消费　指政府部门为全社会提供的公共服务的消费支出和免费或以较低的价格向居民住户提供的货物和服务的净支出，前者等于政府服务的产出价值减去政府单位所获得的经营收入的价值，后者等于政府部门免费或以较低价格向居民住户提供的货物和服务的市场价值减去向住户收取的价值。

资本形成总额 指常住单位在一定时期内获得减去处置的固定资产和存货的净额，包括固定资本形成总额和存货增加两部分。

固定资本形成总额 指生产者在一定时期内获得的固定资产减处置的固定资产的价值总额。固定资产是通过生产活动生产出来的，且其使用年限在一年以上、单位价值在规定标准以上的资产，不包括自然资产。可分为有形固定资本形成总额和无形固定资本形成总额。有形固定资本形成总额包括一定时期内完成的建筑工程、安装工程和设备工器具购置(减处置)价值，以及土地改良、新增役、种、奶、毛、娱乐用牲畜和新增经济林木价值。无形固定资本形成总额包括矿藏的勘探、计算机软件等获得减处置。

存货增加 指常住单位在一定时期内存货实物量变动的市场价值，即期末价值减期初价值的差额，再扣除当期由于价格变动而产生的持有收益。存货增加可以是正值，也可以是负值，正值表示存货上升，负值表示存货下降。存货包括生产单位购进的原材料、燃料和储备物资等存货，以及生产单位生产的产成品、在制品和半成品等存货。

货物和服务净出口 指货物和服务出口减货物和服务进口的差额。出口包括常住单位向非常住单位出售或无偿转让的各种货物和服务的价值；进口包括常住单位从非常住单位购买或无偿得到的各种货物和服务的价值。由于服务活动的提供与使用同时发生，一般把常住单位从非常住单位得到的服务作为进口，非常住单位从常住单位得到的服务作为出口。货物的出口和进口都按离岸价格计算。

Explanatory Notes on Main Statistical Indicators

Gross Domestic Product (GDP) refers to the final products at market prices produced by all resident units in a country (or a region) during a certain period of time. Gross domestic product is expressed in three different forms, i.e. value, income, and products respectively. GDP in its value form refers to the total value of all goods and services produced by all resident units during a certain period of time, minus the total value of input of goods and services of the nature of non-fixed assets; in other term, it is the sum of the value-added of all resident units. GDP in the form of income includes the income created by all resident units and distributed to resident and non-resident units. GDP in the form of products refers to the value of all goods and services for final consumption by all resident units minus the imports of goods and services during a given period of time. In the practice of national accounting, gross domestic product is calculated with three approaches, i.e. production approach, income approach and expenditure approach, which reflect gross domestic product and its composition from different aspects.

Three Industries Classification of economic activities into three branches of industries is a common practice in the world, although the grouping varies to some extent form country to country. In China economic activities are categorized into following industries:

Primary industry: refers to agriculture, forestry, animal husbandry and fishery.

Secondary industry: refers to mining and quarrying, manufacturing, production and supply of electricity, water and gas, and construction.

Tertiary industry: refers to all other economic activities not included in primary or secondary industry.

Labourers Remuneration refers to the whole payment of various forms earned by the labourers from the productive activities they are engaged in. It includes wages, bonuses and allowances the labourers earned in monetary form and in kind. It also includes the free medical services provided to the labourers and the medicine expenses, traffic subsidies and social insurance, housing fund paid by the employers. As the individual economy is concerned, since the labourers remuneration is not easily distinguished from the operating profit, both are treated as labourers remuneration.

Net Taxes on Production refers to the difference of the taxes on production minus the subsidies on production. The taxes on production refers to the various taxes, extra charges and fees levied on the production units on their production, sale and business activities as well as on the use of some factors of production, such as fixed assets, land and labour in the production activities they are engaged in. In contrast to the taxes on production, the subsidies on production refer to the unilateral government transfer to the production units and are therefore regarded as negative taxes on production. They include subsidies on the loss due to implementation of government policies, price subsidies, etc.

Depreciation of Fixed Assets refers to the depreciation of fixed assets of a given period, drawn in accordance with the stipulated depreciation rate for the purpose of compensating the wear loss of the fixed assets or the depreciation of fixed assets calculated in a fictitious way in accordance with the stipulated unified depreciation rate in the national economic accounting system. It reflects the value of transfer of the fixed assets in the production of the current period. The depreciation of fixed assets in various enterprises and institutions managed as enterprises refers to the depreciation expenses actually drawn. In government agencies and institutions not managed as enterprises which do not draw the depreciation expenses, as well as for the houses of residents, the depreciation of fixed assets is the imputed depreciation, which is calculated in accordance with the stipulated unified depreciation rate. In principle, the depreciation of fixed assets should be calculated on the basis of the re-purchased value of the fixed assets. However, there is no actual condition to re-evaluate all the fixed assets in China. Therefore, the above-mentioned methods are temporarily adopted at present.

Operating Surplus refers to the balance of the value added created by the resident units after deducting the labourers remuneration, net taxes on production and the depreciation of fixed assets. It is equivalent to the business profit of the enterprises plus subsidies on production, but the wages and welfare expenses paid from the profits should be deducted.

GDP by Expenditure Approach refers to the method of measuring the final results of production activities of a country (region) during a given period from the perspective of final use. It includes final consumption, gross capital formation and net export of goods and services, i.e.:

GDP by expenditure approach = final consumption + gross capital formation + net export of goods and services

Final Consumption refers to the total expenditure of resident units for purchases of goods and services from domestic economic territory and abroad to meet the requirements of material, cultural and spiritual life. It excludes the expenditure of non-resident units on consumption in the economic territory of the country. The final consumption is broken down into household consumption and government consumption.

Households Consumption refers to the total expenditure of resident households on the final consumption of goods and services. In addition to the consumption of goods and services bought by the households directly with money, the households consumption also includes expenditure on goods and services obtained by the households in other ways, i.e. the so-called imputed consumption expenditure, which includes the following: (a) the goods and services provided to the households by the employer in the form of payment in kind and transfer in kind; (b) goods and services produced and consumed by the households themselves, in which the services refer only to the owner-occupied housing and domestic and individual services provided by the paid household workers; (c) financial intermediate services provided by financial institutions; (d) insurance services provided by insurance companies.

Government Consumption refers to the expenditure on the consumption of the public services provided by the government to the whole society and the net expenditure on the goods and services provided by the government to the households free of charge or at low prices. The former equals to the output value of the government services minus the value of operating income obtained by the government departments. The latter equals to the market value of the goods and services provided by the government free of charge or at low prices to the households minus the value received by the government from the households.

Gross Capital Formation refers to the fixed assets acquired minus those disposed of and the net value of inventory, including the gross fixed capital formation and the increase in inventory.

Gross Fixed Capital Formation refers to the value of fixed assets acquired minus those disposals of during a given period. Fixed assets are the assets produced through production activities with specified unit value which could be used for over one year, excluding natural assets. Gross fixed capital formation can be categorized into total tangible capital formation and total intangible capital formation. The total tangible capital formation include the value of the construction projects, installation projects completed and the equipment, apparatus and instruments purchased as well as the value of land improved, the value of draught animals, breeding stock, animals for milk, for wool and for recreational purpose, and the newly increased forest with economic value during a given period. The total intangible capital formation includes the prospecting of minerals, the acquisition of computer software minus the disposal of them.

Increase in Inventory refers to the market value of the change in inventory of resident units during a given period, i.e. the difference of value between the beginning and the end of the period minus the current gains due to the change in prices. The increase in inventory can be positive or negative. A positive value indicates the increase in inventory while a negative value indicates the decrease in inventory. The inventory includes the raw materials, fuels and reserve materials purchased by the production units as well as the inventory of finished products, semi-finished products, work-in-progress, etc.

Net Export of Goods and Services refers to the difference of the exports of goods and services minus the imports of goods and services. The imports include the value of various goods and services sold or gratuitously transferred by the resident units to the non-resident units. The imports include the value of various goods and services purchased or gratuitously acquired by the resident units from the non-resident units. Because the provision of services and the use of them happen simultaneously, the acquisition of services by the resident units from abroad is usually treated as import while the acquisition of services by non-resident units in this country is usually treated as export. The export and import of goods are calculated at FOB.

人口、就业与职工工资

3

Population,Employment and wages

简要说明

本篇资料的主要内容及来源

本篇主要包括人口、计划生育、就业、工资等资料。人口资料还包括了建国以来进行的五次人口普查主要数据。

户籍人口由省公安厅提供；计划生育相关资料由省计生委；失业统计资料由省劳动各社会保障厅提供；常住人口数由省统计局人口处根据 2008 年人口抽样调查推算，人口普查主要数据、就业和工资资料由省统计局人口统计处提供。

Brief Introduction

Main Content and Source of Data

Data in this chapter show the basic condition of population, employment ,wage of staff and works ,family planning. Data of population include the five national population censuses.

The data on household registered population are provided by Fujian Provincial Department of Public Security. Data on family planning come from Fujian Provincial Department of Family planning commission Total region population are estimated by the Division of Population Statistics of Fujian Provincial Bureau of Statistics in according with the annual national sample survey on population changes in 2008,The data of population census, employment and wages are provide by the Division of Population Statistics of Fujian Provincial Bureau of Statistics.

3-1 主要年份总人口及人口变动系数
Total Population and Changes in Selected Years

年份 Year	总人口 (万人) Total Population (10000 persons)	人口出生率 (‰) Birth Rate (‰)	人口死亡率 (‰) Death Rate (‰)	人口自然增长率 (‰) Natural Growth Rate (‰)	人口密度 (人/平方公里) Population of Per Sqkm (person/sq.km)
1952	1270	37.92	13.32	24.60	102
1957	1461	37.56	9.80	27.76	118
1962	1602	41.14	11.65	29.49	129
1965	1759	41.19	7.92	33.27	142
1970	2020	34.23	6.98	27.25	163
1975	2297	29.19	6.58	22.61	185
1978	2446	25.35	6.31	19.04	197
1979	2487	22.91	6.28	16.63	201
1980	2519	18.68	6.27	12.41	203
1981	2563	23.40	6.25	17.15	207
1982	2620	27.91	6.35	21.56	211
1983	2668	24.53	6.31	18.22	215
1984	2720	25.68	6.25	19.43	219
1985	2769	23.88	6.18	17.70	223
1986	2820	24.02	5.85	18.17	227
1987	2875	24.91	5.79	19.21	232
1988	2929	24.34	5.81	18.53	236
1989	2984	24.67	6.10	18.57	241
1990	3037	24.44	6.71	17.73	245
1991	3079	20.03	6.26	13.77	248
1992	3116	18.18	6.02	12.16	251
1993	3150	16.72	5.62	11.10	254
1994	3183	16.24	5.95	10.29	257
1995	3227	15.20	5.90	9.30	261
1996	3261	13.22	5.94	7.28	263
1997	3282	12.41	6.09	6.32	265
1998	3299	11.53	6.20	5.33	266
1999	3316	11.06	5.85	5.21	267
2000	3410	11.60	5.85	5.75	275
2001	3440	11.56	5.52	6.04	277
2002	3466	11.35	5.57	5.78	280
2003	3488	11.43	5.58	5.85	281
2004	3511	11.58	5.62	5.96	283
2005	3535	11.60	5.62	5.98	285
2006	3558	12.00	5.75	6.25	287
2007	3581	12.00	5.90	6.10	289
2008	3604	12.20	5.90	6.30	291

3-2 人口年龄构成

Population by Age

单位：%　　(%)

年龄组 Age Group	1990			2000			2007			2008		
	合计 Total	男 Male	女 Female	合计 Total	男 Male	女 Female	合计 Total	男 Male	女 Female	合计 Total	男 Male	女 Female
总　计 Total	**100.00**	**51.36**	**48.64**	**100.00**	**51.53**	**48.47**	**100.00**	**50.54**	**49.46**	**100.00**	**50.30**	**49.70**
0—4岁	11.28	5.91	5.37	4.76	2.63	2.13	3.78	2.07	1.71	3.78	2.07	1.71
5—9岁	10.35	5.35	5.00	7.44	4.07	3.37	5.92	3.21	2.71	5.82	3.15	2.67
10—14岁	9.84	5.07	4.77	10.80	5.59	5.21	8.60	4.42	4.18	8.60	4.42	4.18
15—19岁	11.00	5.63	5.37	9.77	4.91	4.86	10.06	5.02	5.04	10.07	5.04	5.03
20—24岁	10.78	5.43	5.35	8.95	4.51	4.44	9.18	4.57	4.61	9.18	4.57	4.61
25—29岁	8.91	4.51	4.40	10.60	5.43	5.17	10.91	5.49	5.42	10.91	5.49	5.42
30—34岁	7.57	3.93	3.64	10.11	5.18	4.93	10.43	5.29	5.14	10.43	5.22	5.21
35—39岁	6.89	3.56	3.33	8.34	4.28	4.06	8.63	4.39	4.24	8.63	4.28	4.35
40—44岁	4.73	2.55	2.18	6.49	3.38	3.11	6.73	3.46	3.27	6.73	3.44	3.29
45—49岁	3.61	1.98	1.63	6.04	3.11	2.93	6.27	3.21	3.06	6.27	3.21	3.06
50—54岁	3.67	1.99	1.68	4.13	2.21	1.92	4.28	2.21	2.07	4.28	2.21	2.07
55—59岁	3.35	1.77	1.58	3.02	1.63	1.39	3.13	1.68	1.45	3.13	1.68	1.45
60—64岁	2.95	1.52	1.43	2.87	1.52	1.35	2.98	1.43	1.55	2.98	1.43	1.55
65—69岁	2.10	1.01	1.09	2.49	1.26	1.23	2.86	1.37	1.49	2.92	1.37	1.55
70—74岁	1.44	0.63	0.81	1.99	0.96	1.03	2.69	1.29	1.40	2.69	1.29	1.40
75—79岁	0.90	0.34	0.56	1.23	0.53	0.70	1.90	0.85	1.05	1.93	0.85	1.08
80岁及以上 80 and over	0.63	0.18	0.45	0.97	0.33	0.64	1.65	0.58	1.07	1.65	0.57	1.08

注：1990年、2000年为人口普查数，2007年及2008年为人口变动抽样调查数。

Note:Data in 1990 and 2000 are census data. Data in 2007 and 2008 are from fluctuant sample surrey on population.

3-3 各年龄组人口占总数人口的比重

Percentage of Population Group by Age to Total

单位：% (%)

年龄组 Age Group	1982	1990	1995	2000	2007	2008
总计 Total	**100.0**	**100.0**	**100.0**	**100.0**	**100.0**	**100.0**
#育龄妇女(15-49岁) Childbearing Age Woman(15-49)	23.5	25.9	26.7	29.5	30.8	31.0
不满周岁婴儿(0岁) Not-Full-One-Year (0)	2.4	2.3	1.3	1.0	1.1	1.1
学龄前儿童(1-6岁) Preschool Age(1-6)	13.3	13.3	11.2	6.4	5.1	5.0
小学学龄组(7-12岁) Primary(7-12)	15.6	11.6	13.4	11.6	8.4	8.3
初中学龄组(13-15岁) Junior Middle School(13-15)	7.5	6.3	5.5	5.9	5.6	5.6
劳动年龄组 Laborous						
男(16-59岁) Man(16-59)	28.4	30.3	29.8	33.7	34.3	34.1
女(16-54岁) Woman(16-54)	24.3	26.6	27.6	30.5	32.0	32.2
超过劳动年龄组 Over-Laborous						
男(60岁以上) Man (60 and Over)	3.0	3.7	4.5	4.6	5.5	5.5
女(55岁上) Woman (55 and Over)	5.5	5.9	6.7	6.3	8.0	8.1

注：1982年、1990年、2000年为人口普查数，1995年为1%人口抽样调查数，2007年及2008年为人口变动抽样调查数。

Note:Data in 1982, 1990 and 2000 are Census data, Data in 1995 are from Sample survey on 1% population. Data in 2007 and 2008 are from fluctuant Sample surrey on population.

3-4 出生孩次构成

Composition of Women Population by Number of Living Children Born

单位：% (%)

项目 Item	1981	1989	1995	2000	2007	2008
一孩 1st Birth	40.9	46.2	64.6	74.5	69.6	72.9
二孩 2nd Birth	29.8	32.2	28.6	23.3	28.5	26.2
三孩及以上 3rd Birth and Over	29.3	21.6	6.8	2.2	1.9	0.9

注：1981年、1989年、2000年为人口普查数,1995年为1%人口抽样调查数，2007年及2008年为人口变动抽样调查数。

Note:Data in 1981, 1989 and 2000 are Census data, Data in 1995 are data from Sample survey on 1% population. Data in 2007 and 2008 are from fluctuant Sample surrey on population.

3-5 各种文化程度人口占总人口的比重

Percentage of Population by Educational Attainment

单位：%　　(%)

项目 Item	1982	1990	1995	2007	2008
大专以上 College and Higher Lever	0.6	1.2	1.4	4.8	5.0
高中(含中专) Senior Secondary School (Specialized Secondary School)	5.7	7.0	6.7	12.0	12.1
初中 Junior Secondary School	12.6	16.9	20.4	31.3	31.9
小学 Primary School	36.3	43.2	43.8	35.3	34.4
文盲、半文盲 Illiterate and Half-Illiterate	25.2	15.9	14.4	10.0	9.5

注：1982年、1990年、2000年为人口普查数，1995年为1%人口抽样调查数，2007年及2008年为人口变动抽样调查数。

Note:Data in 1982, 1990 and 2000 are Census data, Data in 1995 are data from Sample survey on 1% population. Data in 2007 and 2008 are from fluctuant Sample surrey on population.

3-6 家庭户类型构成

Composition of Family Household

单位：%　　(%)

项目 Item	1982	1990	2000	2003	2005	2007	2008
一人户 One Person	7.7	5.8	9.1	10.8	13.2	12.8	13.5
二人户 Two Persons	8.2	8.6	15.5	20.0	24.4	23.8	25.9
三人户 Three Persons	12.2	16.8	25.4	29.6	27.8	27.6	27.0
四人户 Four Persons	17.1	23.6	24.7	22.0	19.4	19.8	18.1
五人户 Five Persons	18.4	21.4	15.8	11.0	9.9	10.6	9.8
六人户 Six Persons	14.7	11.8	5.9	4.4	3.6	4.0	4.0
七人户 Seven Persons	10.1	5.9	2.2	1.4	1.1	0.9	1.1
八人户 Eight Persons	11.6	2.9	0.8	0.5	0.4	0.3	0.4
九人户 Nine Persons		1.4	0.3	0.2	0.2	0.1	0.1
十人及以上户 Ten Persons and Over		1.8	0.3	0.2	0.1	0.1	0.1

3–7 劳动年龄人口负担系数

Number of Persons Raised per Capita at Working Age

单位：%　　　　(%)

项目 Item	1990	1995	2000	2007	2008
总负担系数 Total Dependency Ratio	**57.6**	**57.5**	**42.2**	**37.7**	**37.8**
负担少年系数 The Juvenile and Children Dependency Ratio	49.6	47.3	32.7	25.2	25.1
负担老年系数 The Aged Dependency Ratio	8.0	10.2	9.5	12.5	12.7

注：1990年、2000年为人口普查数,1995年为1%人口抽样调查数，2007年及2008年为人口变动抽样调查数。

Note:Data in 1990 and 2000 are Census data, Data in 1995 are data from Sample survey on 1% population. Data in 2007 and 2008 are data from fluctuant Sample surrey on population.

3–8 15岁以上人口婚姻状况构成

Composition of Marital Status above Fifteen Age

单位：%　　　　(%)

项目	Item	1982	1990	1995	2000	2007	2008
未婚	Single	28.4	25.1	22.5	24.1	19.7	18.1
男	Male	33.9	29.7	26.5	27.7	22.6	21.4
女	Female	22.6	20.4	18.5	20.4	16.9	14.5
有配偶	Married	63.4	67.8	70.3	69.6	72.8	73.8
男	Male	61.4	66.1	69.0	68.4	72.7	73.6
女	Female	65.5	69.5	71.6	70.7	72.9	74.0
离婚	Divorce	0.6	0.6	0.6	0.7	0.8	0.9
男	Male	1.0	0.9	1.0	1.0	1.1	1.1
女	Female	0.2	0.2	0.3	0.5	0.4	0.6
丧偶	Wid owed	7.6	6.5	6.6	5.6	6.7	7.2
男	Male	3.7	3.3	3.5	2.9	3.6	3.9
女	Female	11.7	9.9	9.6	8.4	9.8	10.5

3–9 育龄妇女平均初婚年龄及一般生育率

Average Marriage Age and Fertility Rate of Women at Childbearing Age

单位：%　　　　(%)

项目 Item	1989	1995	2000	2007	2008
平均初婚年龄(岁) Average Age of First Marriage(Year)	21.5	22.5	23.6	24.9	24.8
一般生育率(‰) General Fertility Rate(‰)	94.7	57.1	37.3	36.5	37.8

注：1989年、2000年为普查数。

Note:Data in 1989 and 2000 are Census data.

3-10 五次全国人口普查人口基本情况

Basic Statistics on National Population Census in 1953,1964,1982,1990 and 2000

项目 Item	1953	1964	1982	1990	2000
一、总户数和总人口 Total Population and Family Household					
家庭户（万户） Family Household(10000 households)	320	360	514	658	874
总人口（万人） Total Population (10000 persons)	1285	1676	2587	3005	3410
男 Male	662	869	1331	1543	1757
女 Female	623	807	1256	1462	1653
性别比（女性=100） Sex Ratio (female=100)	106.4	107.8	105.9	105.6	106.3
家庭户 Family Household			2492	2916	3125
男 Male				1474	1587
女 Female				1442	1538
平均每户人数（人／户） Population by Age Group(person/household)	4.0	4.7	4.9	4.4	3.6
二、城乡人口（万人） Population by Residence (10000 persons)					
城镇人口 Urban Population		223	548	642	1431
乡村人口 Rural Population		1453	2039	2363	1979
城镇化率（%） Proportion of Urban Population in Total Population(%)		13.3	21.2	21.4	42.0
三、民族人口（万人） Population by Ethnicity(10000 persons)					
汉族人口 Han			2562	2958	3351
占总人口比重(%) Percentage to Total Population(%)			99.0	98.4	98.3
少数民族人口 Ethnic Minorities			25	47	59
占总人口比重(%) Percentage to Total Population(%)			1.0	1.6	1.7
四、人口年龄构成 Population by Age Group					
0-14岁人口(万人) Aged 0-14(10000 persons)	460	709	945	946	760

3–10 续表1

Continued

项目 Item	1953	1964	1982	1990	2000
占总人口比重(%) Percentage to Total Population	35.8	42.3	36.5	31.5	22.3
15－64岁人口(万人) Aged 15－64(10000 persons)	782	914	1530	1907	2422
占总人口比重(%) Percentage to Total Population	60.9	54.5	59.1	63.5	71
65岁及65岁以上人口(万人) Aged 65 and Over(10000 persons)	43	53	113	152	228
占总人口比重(%) Percentage to Total Population	3.3	3.2	4.4	5.0	6.7
百岁老年人口(人) Population of 100 and over	16	14	45	143	373
男 Male	3	2	7	16	46
女 Female	13	12	38	127	327
总抚养比（%） Total Dependency Ratio(%)	**64.2**	**83.3**	**69.2**	**57.6**	**42.2**
少儿抚养比 The Juvenile and Children Dependency Ratio	58.8	77.6	61.8	49.6	32.7
老年抚养比 The Aged Dependency Ratio	5.4	5.8	7.4	8	9.51
老少比 Population in Juvenile and Children to Aged	9.2	7.4	12	16.1	30.1
平均预期寿命（岁） Life Expectancy(year old)			**68.5**	**70.5**	**74.1**
男 Male			66.2	68.4	71.8
女 Female			70.7	72.6	76.6
五、受教育人口 Population with Various Education Attainments					
每十万人拥有小学及以上文化程度人口(人) Population with Various Education Attainments Per 100 000 Persons (person)					
小学 Primary School		26716	36334	43213	37760
初中 Junior Secondary School		5070	12601	16891	33544
高中及中专 Senior Secondary School andTechnical Secondary School		1826	5716	6991	10642
大专以上 Junior College and Above		439	608	1228	2967

3-10 续表2

Continued

项目 Item	1953	1964	1982	1990	2000
文盲人口 Illiterate Population			651	477	330
文盲率（%） Illiterate Rate(%)		58.8	25.2	15.9	9.7
六、劳动力和就业状况 **Labor and Employment**					
劳动适龄人口(万人) Population in suit of Employment(10000 persons)	701	816	1364	1710	2188
男(16-59岁) Male	367	444	736	911	1148
女(16-54岁) Female	335	372	628	799	1040
占总人口比重(%) Percentage to Total Population	54.6	48.7	52.7	56.9	64.2
七、各种婚姻人口占15岁及以上人口比重(%) Population Aged 15 and Over(%)			100	100	100
未婚 Never Married			28.4	25.1	24.1
有配偶 Married			63.4	67.8	69.6
离婚 Divorced			0.6	0.6	0.7
丧偶 Widowed			7.6	6.5	5.6
八、婚姻状况 **Basic status of Marital**					
育龄妇女人数（万人） Childbearing Women(10000 persons)	319	354	608	778	1006
生育旺盛期组(女20－29岁) High Ratio of Childbearing Women	106	109	212	293	328
生育率（‰） Fertility Rate (‰)			94.4	90.8	32.9
总和生育率（个） Total Fertility Rate (person)			2.7	2.4	1.0
九、自然变动 **Natural Growth**					
出生率（‰） Birth Rate(‰)	36.67	38.59	27.91	24.44	11.6
死亡率（‰） Death Rate(‰)	12.55	8.68	6.35	6.71	5.85
自然增长率（‰） Natural Growth Rate(‰)	24.12	29.91	21.56	17.73	5.75

3-11 主要年份全社会就业情况(年底数)
Total Employment in Selected Years, End of Year

年份 Year	从业人员数（万人） Total(10000 person)								城镇登记失业人数（万人） Number of Urban Registered Unemployment (10000 person)	城镇登记失业率(%) Rate of Urban Registered Unemployment (%)
	合计 Total	职工 Staff and Workers	国有单位 State-Owned Units	城镇集体单位 Urban Collective Owned Units	其他单位 Others	城镇个私劳动者 Self-Employed Individuals and Private Enterprise	乡村劳动者 Employed Persons in Rural Areas	其他从业人员 Others		
1952	473.66	19.43	19.02	0.41		32.83	421.40			
1957	531.68	63.05	51.40	11.65		5.54	463.09			
1962	582.96	103.49	77.34	26.15		4.75	474.72			
1965	633.15	118.08	83.83	34.25		4.48	510.59			
1970	759.43	133.12	93.36	39.75		3.91	622.40			
1975	854.32	160.88	111.42	49.47		3.24	690.20			
1978	924.41	205.66	148.49	57.17		1.88	716.87		20.82	9.10
1979	953.72	217.99	156.70	61.29		1.72	734.00		23.35	9.60
1980	963.72	231.12	167.45	63.66		2.77	729.83		16.76	6.70
1981	1001.75	242.45	176.35	66.09		3.22	756.08		14.48	5.60
1982	1027.96	249.80	183.03	66.77		4.25	773.91		12.39	4.70
1983	1056.72	254.02	187.30	66.72		7.65	795.05		9.10	3.40
1984	1101.82	262.78	182.82	79.24	0.72	9.15	829.89			
1985	1152.09	274.11	191.37	80.93	1.81	13.78	864.20		16.50	5.40
1986	1188.93	283.86	198.50	81.79	3.57	15.26	889.81		17.45	2.50
1987	1237.74	293.34	205.34	82.26	5.75	19.33	925.07		5.65	1.80
1988	1281.07	301.71	211.00	81.93	8.78	22.59	956.77		7.90	2.40
1989	1301.81	302.50	211.16	78.49	12.85	25.15	974.16		9.50	2.90
1990	1348.38	310.86	214.65	78.12	18.09	25.28	1012.24		9.00	2.60
1991	1436.50	322.28	219.43	77.43	25.41	37.82	1076.40		7.93	2.20
1992	1489.61	338.80	222.04	78.67	38.09	31.46	1119.35		7.08	1.90
1993	1531.42	344.79	220.48	71.32	52.99	46.61	1131.33	8.69	7.65	1.90
1994	1553.57	352.60	218.77	66.25	67.59	59.82	1134.16	7.00	7.60	1.90
1995	1567.09	344.11	217.06	60.30	66.75	66.04	1148.47	8.48	7.20	1.90
1996	1594.37	351.30	217.97	57.47	75.86	68.58	1166.89	7.59	8.08	1.90
1997	1613.41	357.71	215.60	54.80	87.31	66.49	1181.39	7.82	7.80	1.90
1998	1621.87	334.53	187.80	41.36	105.37	78.57	1200.32	8.46	7.98	2.10
1999	1630.85	320.38	175.04	35.71	109.63	88.07	1213.90	8.49	7.93	2.30
2000	1660.19	318.00	166.78	33.15	118.07	90.19	1244.12	7.87	9.10	2.60
2001	1677.79	314.27	158.27	28.91	127.09	98.90	1255.15	9.47	13.23	3.80
2002	1711.32	315.32	149.10	26.54	139.67	111.35	1274.53	10.12	14.96	4.20
2003	1756.71	334.08	147.07	23.13	163.89	128.40	1283.68	10.55	14.60	4.10
2004	1814.03	365.56	145.42	20.96	199.18	128.32	1311.52	8.63	14.51	4.00
2005	1868.50	386.99	144.51	18.19	224.29	155.42	1313.01	13.07	14.86	4.00
2006	1949.58	412.21	144.06	17.23	250.92	182.15	1340.00	15.22	15.13	3.93
2007	2015.33	429.30	142.73	17.24	269.33	222.77	1342.07	21.19	14.85	3.90
2008	2079.78	441.58	144.23	16.70	280.65	263.33	1357.76	17.11	14.95	3.86

注：1.1998年起职工的统计口径为“在岗职工”。1998年以前国有单位统计口径为国有经济单位，集体单位统计口径为集体经济单位，其他单位统计口径为其他各种经济类型单位。2.2006年乡村劳动者人数为推算数。

Note:The statistic scope of staff and workersfrom 1998 refers to staff and workers on the job. Before 1998, the statistic scope of state-owned units refers to state-owned economic units, collective-owned units refers to collective economic units, others refer to the various other economic types.

3–12 主要年份按三次产业分全社会从业人员及构成

Employment and Compoition by Three Strata of Industry in Selected Years

年份	从业人员数(万人) Number of Employed Persons (10000 Persons)				构成(%) Composition in Percentage (%)		
Year	合计 Total	第一产业 Primary Industry	第二产业 Secondary Industry	第三产业 Tertiary Industry	第一产业 Primary Industry	第二产业 Secondary Industry	第三产业 Tertiary Industry
1952	473.66	388.16	24.79	60.71	81.9	5.2	12.8
1978	924.41	694.37	124.23	105.81	75.1	13.4	11.4
1980	963.72	702.81	130.58	130.33	72.9	13.6	13.5
1985	1152.09	709.10	223.80	219.19	61.5	19.4	19.0
1986	1188.93	723.44	236.75	228.74	60.8	19.9	19.2
1987	1237.74	741.67	253.70	242.37	59.9	20.5	19.6
1988	1281.07	756.38	269.08	255.61	59.0	21.0	20.0
1989	1301.81	764.93	275.45	261.43	58.8	21.2	20.1
1990	1348.38	786.95	277.09	284.34	58.4	20.6	21.1
1991	1436.50	829.55	300.81	306.14	57.7	20.9	21.3
1992	1489.61	837.82	326.87	324.92	56.2	21.9	21.8
1993	1531.42	819.53	355.25	356.64	53.5	23.2	23.3
1994	1553.57	795.03	371.87	386.67	51.2	23.9	24.9
1995	1567.09	788.09	371.03	407.98	50.3	23.7	26.0
1996	1594.37	786.86	383.50	424.00	49.4	24.1	26.6
1997	1613.41	781.38	398.69	433.34	48.4	24.7	26.9
1998	1621.87	785.77	390.54	445.56	48.4	24.1	27.5
1999	1630.85	788.14	390.49	452.22	48.3	23.9	27.7
2000	1660.19	776.43	407.05	476.71	46.8	24.5	28.7
2001	1677.79	766.93	420.92	489.94	45.7	25.1	29.2
2002	1711.32	765.79	445.95	499.58	44.7	26.1	29.2
2003	1756.71	744.79	488.32	523.60	42.4	27.8	29.8
2004	1814.03	728.89	533.59	551.55	40.2	29.4	30.4
2005	1868.50	702.49	582.31	583.69	37.6	31.2	31.2
2006	1949.58	686.28	646.87	616.43	35.2	33.2	31.6
2007	2015.33	658.08	707.46	649.79	32.7	35.1	32.2
2008	2079.78	647.84	739.70	692.24	31.1	35.6	33.3

3–13 就业基本情况

Employment

项目 Item	2000	2003	2005	2007	2008
就业人员合计（万人） **Number of Employed Persons(10000 persons)**	**1660.19**	**1756.71**	**1868.50**	**2015.33**	**2079.78**
第一产业 Primary Industry	776.43	744.79	702.49	658.08	647.84
第二产业 Secondary Industry	407.05	488.32	582.31	707.46	739.70
第三产业 Tertiary Industry	476.71	523.60	583.69	649.79	692.24
就业人员构成（%） **Composition in Percentage(%)**					
第一产业 Primary Industry	46.77	42.40	37.60	32.70	31.15
第二产业 Secondary Industry	24.52	27.80	31.17	35.10	35.57
第三产业 Tertiary Industry	28.71	29.81	31.24	32.20	33.28
按城乡分就业人数(万人) **Employment in Urban and Rural Areas (10000 persons)**					
城镇单位就业人员 **Urban**	**325.88**	**344.63**	**400.07**	**450.49**	**458.69**
#国有单位 State-Owned Units	170.82	152.54	150.88	151.83	152.23
集体单位 Collective-Owned Units	34.18	24.44	19.10	18.29	17.65
股份合作单位 Cooperative Units	3.64	4.50	5.80	6.26	7.23
联营单位 Ownership Units	3.35	3.84	2.67	3.09	3.32
有限责任公司 Limited Liability Corporations	12.07	23.12	35.88	52.46	60.92
股份有限公司 Share-Holding Corporations Ltd.	9.32	11.52	16.19	21.48	23.66
港澳台商投资单位 Units With Funds From Hong Kong, Macao and Taiwan	51.51	76.68	99.45	111.14	105.35
外商投资单位 Foreign Funded Units	40.26	45.15	64.05	74.80	76.53
城镇私营和个体从业人员 **Private Enterprise and Self-employed Individuals**	**90.19**	**128.40**	**155.42**	**222.77**	**263.33**
乡村就业人员 **Rural**	**1244.12**	**1283.68**	**1313.01**	**1342.07**	**1357.76**
在岗职工人数(万人) **Staff and Workers in Urban Units(10000 persons)**	**318.00**	**334.08**	**386.99**	**429.30**	**441.58**
国有单位 State-Owned Units	166.78	147.07	144.51	142.73	144.23
城镇集体单位 Collective-Owned Units	33.15	23.13	18.19	17.24	16.70
其他单位 Others	7.87	10.55	13.07	21.19	17.11
城镇登记失业人数（万人） **Number of Urban Registered Unemployment(10000 persons)**	**9.10**	**14.60**	**14.86**	**14.85**	**14.95**
城镇登记失业率（%） **Rate of Urban Registered Unemployment(%)**	**2.6**	**4.1**	**4.0**	**3.9**	**3.9**

3–14 按登记注册类型和产业分城镇单位从业人员数(2008年)

Employment by Registration Status ,Region and Industry in Urban Units,2008

单位：万人 (10000 persons)

行业 Sector	从业人员 Employment	国有单位 State- Owned Units	城镇集体单位 Urban Collective-Owned Units	其他单位 Others
总计 Total	**458.69**	**152.23**	**17.65**	**288.82**
第一产业 Primary Industry	**6.67**	**5.95**	**0.03**	**0.69**
农、林、牧、渔业 Farming, Forestry, Animal Husbandy and Fishery	6.67	5.95	0.03	0.69
第二产业 Secondary Industry	**283.06**	**21.76**	**9.19**	**252.11**
采矿业 Mining and Quarrying	4.82	1.93	0.14	2.76
制造业 Manufacturing	223.77	5.38	3.95	214.44
电力、燃气及水的生产和供应业 Production and Supply of Electricity Gas and Water	9.46	5.60	0.17	3.68
建筑业 Construction	45.01	8.85	4.94	31.23
第三产业 Tertiary Industry	**168.96**	**124.51**	**8.43**	**36.02**
交通运输、仓储和邮政业 Transport, Storage and Post Services	15.92	12.24	0.54	3.14
信息传输、计算机服务和软件业 Information Transmission, Computer Software and Services	3.86	1.47	0.03	2.36
批发和零售业 Wholesale and Retail Trade	12.34	4.32	1.61	6.41
住宿和餐饮业 Lodgings and Catering Services	5.63	1.57	0.36	3.69
金融业 Finance	10.96	4.61	1.36	4.99
房地产业 Real Estate	7.24	1.75	0.19	5.30
租赁和商务服务业 Rent and Business Services	11.00	3.40	1.29	6.30
科学研究、技术服务和地质勘查业 Scientific Reseach, Ploytechnic Services and Geological Prospecting	4.54	3.98	0.08	0.49
水利、环境和公共设施管理业 Water Conservancy, Environment and Public Facilities Management	4.19	3.62	0.14	0.44
居民服务和其他服务业 Resident Services and Others	1.49	0.93	0.16	0.41
教育 Education	44.30	42.50	0.29	1.51
卫生、社会保障和社会福利业 Health Care, Social Ensure and Walfare	14.21	11.38	2.32	0.51
文化、体育和娱乐业 Culture, Sports and Entertainment	3.76	3.25	0.05	0.45
公共管理和社会组织 Public Management and Social Organizations	29.55	29.50	0.02	0.03

注：本表国民经济行业分类标准采用GB/T 4754—2002。

Note: The classified Standards of national ecomonic sector are adopted GB/T 4754-2002.

3–15 城镇单位按产业分在岗职工人数(年底数)

Staff and Workers in Urban Units by Sector,End of Years

单位：万人 (10000 persons)

行业 Sector	2003	2005	2007	2008
总计 Total	**334.08**	**386.99**	**429.30**	**441.58**
第一产业 Primary Industry	**7.32**	**7.04**	**6.64**	**5.25**
农、林、牧、渔业 Farming, Forestry, Animal Husbandy and Fishery	7.32	7.04	6.64	5.25
第二产业 Secondary Industry	**187.93**	**237.95**	**272.20**	**276.42**
采矿业 Mining and Quarrying	3.49	4.14	4.50	4.71
制造业 Manufacturing	152.14	197.82	224.57	221.12
电力、燃气及水的生产和供应业 Production and Supply of Electricity Gas and Water	7.81	7.79	7.81	9.23
建筑业 Construction	24.49	28.20	35.32	41.36
第三产业 Tertiary Industry	**138.84**	**142.00**	**150.46**	**159.91**
交通运输、仓储和邮政业 Transport, Storage and Post Services	13.56	13.73	13.55	14.65
信息传输、计算机服务和软件业 Information Transmission, Computer Software and Services	2.97	2.92	3.58	3.41
批发和零售业 Wholesale and Retail Trade	11.72	10.54	11.44	11.93
住宿和餐饮业 Lodgings and Catering Services	4.00	4.69	5.46	5.49
金融业 Finance	8.14	8.33	8.22	8.91
房地产业 Real Estate	3.31	4.78	6.27	6.87
租赁和商务服务业 Rent and Business Services	3.41	4.66	6.25	10.36
科学研究、技术服务和地质勘查业 Scientific Reseach, Ploytechnic Services and Geological Prospecting	3.53	3.70	4.06	4.32
水利、环境和公共设施管理业 Water Conservancy, Environment and Public Facilities Management	3.11	3.53	3.73	3.76
居民服务和其他服务业 Resident Services and Others	1.26	1.16	1.29	1.45
教育 Education	41.69	41.44	42.56	43.20
卫生、社会保障和社会福利业 Health Care, Social Ensure and Walfare	10.89	11.53	12.76	13.30
文化、体育和娱乐业 Culture, Sports and Entertainment	3.03	3.04	3.28	3.61
公共管理和社会组织 Public Management and Social Organizations	28.23	27.95	28.02	28.65

注：本表国民经济行业分类标准采用GB/T 4754–2002。

Note: The classified Standards of national ecomonic sector are adopted GB/T 4754-2002.

3-16 按登记注册类型和产业分城镇单位在岗职工人数(2008年)

Staff and Workers in Urban Units by types of Registration and Industry, 2008

单位：万人　　(10000 persons)

行业 Sector	在岗职工 Staff and Workers of Urban Units on the Job	国有单位 State-Owned Units	城镇集体单位 Urban Collective Owned Units	其他单位 Others
总计 **Total**	**441.58**	**144.23**	**16.70**	**280.65**
第一产业 **Primary Industry**	**5.25**	**4.55**	**0.03**	**0.67**
农、林、牧、渔业 Farming, Forestry, Animal Husbandy and Fishery	5.25	4.55	0.03	0.67
第二产业 **Secondary Industry**	**276.42**	**20.90**	**8.67**	**246.86**
采矿业 Mining and Quarrying	4.71	1.88	0.14	2.70
制造业 Manufacturing	221.12	5.18	3.84	212.10
电力、燃气及水的生产和供应业 Production and Supply of Electricity Gas and Water	9.23	5.47	0.17	3.59
建筑业 Construction	41.36	8.37	4.53	28.46
第三产业 **Tertiary Industry**	**159.91**	**118.78**	**8.01**	**33.12**
交通运输、仓储和邮政业 Transport, Storage and Post Services	14.65	11.03	0.53	3.09
信息传输、计算机服务和软件业 Information Transmission, Computer Software and Services	3.41	1.43	0.03	1.96
批发和零售业 Wholesale and Retail Trade	11.93	4.11	1.52	6.30
住宿和餐饮业 Lodgings and Catering Services	5.49	1.51	0.36	3.62
金融业 Finance	8.91	3.94	1.32	3.65
房地产业 Real Estate	6.87	1.66	0.17	5.04
租赁和商务服务业 Rent and Business Services	10.36	3.28	1.27	5.81
科学研究、技术服务和地质勘查业 Scientific Reseach, Ploytechnic Services and Geological Prospecting	4.32	3.80	0.07	0.45
水利、环境和公共设施管理业 Water Conservancy, Environment and Public Facilities Management	3.76	3.24	0.11	0.41
居民服务和其他服务业 Resident Services and Others	1.45	0.90	0.15	0.40
教育 Education	43.20	41.50	0.27	1.42
卫生、社会保障和社会福利业 Health Care, Social Ensure and Walfare	13.30	10.67	2.15	0.49
文化、体育和娱乐业 Culture, Sports and Entertainment	3.61	3.11	0.05	0.45
公共管理和社会组织 Public Management and Social Organizations	28.65	28.61	0.01	0.03

注：本表国民经济行业分类标准采用GB/T 4754-2002。

Note: The classified Standards of national ecomonic sector are adopted GB/T 4754-2002.

3-17 城镇单位按产业女性从业人员数
Women Employment in the Urban Units by Sector

单位：人 (Person)

行业 Sector	2003	2005	2007	2008
总计 Total	**1513006**	**1800430**	**2006786**	**1952151**
第一产业 Primary Industry		**26559**	**25488**	**22424**
农、林、牧、渔业 Farming, Forestry, Animal Husbandy and Fishery	28678	26559	25488	22424
第二产业 Secondary Industry		**1191904**	**1348247**	**1256827**
采矿业 Mining and Quarrying	9520	8789	8247	7263
制造业 Manufacturing	854236	1112785	1249664	1145207
电力、燃气及水的生产和供应业 Production and Supply of Electricity Gas and Water	24341	24563	24182	28167
建筑业 Construction	38681	45767	66154	76190
第三产业 Tertiary Industry		**581967**	**633051**	**672900**
交通运输、仓储和邮政业 Transport, Storage and Post Services	40577	40798	41673	44589
信息传输、计算机服务和软件业 Information Transmission, Computer Software and Services	12567	12710	16347	14707
批发和零售业 Wholesale and Retail Trade	49552	44584	52497	53404
住宿和餐饮业 Lodgings and Catering Services	24892	28374	32943	31663
金融业 Finance	43921	46080	48868	54113
房地产业 Real Estate	10836	14580	20982	21115
租赁和商务服务业 Rent and Business Services	11855	16836	19399	40684
科学研究、技术服务和地质勘查业 Scientific Reseach, Ploytechnic Services and Geological Prospecting	10566	10895	12503	12837
水利、环境和公共设施管理业 Water Conservancy, Environment and Public Facilities Management	12956	14384	16659	16608
居民服务和其他服务业 Resident Services and Others	5691	4550	5234	5538
教育 Education	193401	197494	207779	209710
卫生、社会保障和社会福利业 Health Care, Social Ensure and Walfare	64490	70714	77211	82194
文化、体育和娱乐业 Culture, Sports and Entertainment	12423	12757	13654	14715
公共管理和社会组织 Public Management and Social Organizations	63823	67211	67302	71023

注：本表国民经济行业分类标准采用GB/T 4754-2002。

Note: The classified Standards of national ecomonic sector are adopted GB/T 4754-2002.

3−18 城镇国有单位从业人员数(年底数)

Employment of state-owned Units in Urban Areas,End of Years

单位：人　　(person)

行业　Sector	2003	2005	2007	2008
合　计 Total	**1525360**	**1508756**	**1518305**	**1522254**
按企事业机关分 By Units				
企业 Enterprise	576968	548922	548610	522104
事业 Enstitution	661664	669614	675281	698630
机关 Agencies Organizations	286728	290220	294414	301520
按国民经济行业分 By Sector				
第一产业 Primary Industry	**71302**	**68399**	**63145**	**59527**
农、林、牧、渔业 Farming, Forestry, Animal Husbandy and Fishery	71302	68399	63145	59527
第二产业 Secondary Industry	**237905**	**236272**	**245998**	**217590**
采矿业 Mining and Quarrying	21800	20623	20420	19258
制造业 Manufacturing	80945	69137	64055	53824
电力、燃气及水的生产和供应业 Production and Supply of Electricity Gas and Water	61345	55249	52693	56008
建筑业 Construction	73815	91263	108830	88500
第三产业 Tertiary Industry	**1216153**	**1204085**	**1209162**	**1245137**
交通运输、仓储和邮政业 Transport, Storage and Post Services	112536	115832	113263	122427
信息传输、计算机服务和软件业 Information Transmission, Computer Software and Services	23719	18871	14590	14711
批发和零售业 Wholesale and Retail Trade	62766	50215	43850	43162
住宿和餐饮业 Lodgings and Catering Services	16191	14411	17125	15714
金融业 Finance	66006	55828	45430	46111
房地产业 Real Estate	11680	13143	15120	17510
租赁和商务服务业 Rent and Business Services	25620	30093	30702	33978
科学研究、技术服务和地质勘查业 Scientific Reseach, Ploytechnic Services and Geological Prospecting	33928	33815	36409	39752
水利、环境和公共设施管理业 Water Conservancy, Environment and Public Facilities Management	28479	33828	35857	36183
居民服务和其他服务业 Resident Services and Others	7932	7283	8547	9254
教育 Education	422657	418673	424924	424990
卫生、社会保障和社会福利业 Health Care, Social Ensure and Walfare	91122	99646	107359	113794
文化、体育和娱乐业 Culture, Sports and Entertainment	27296	28111	28974	32520
公共管理和社会组织 Public Management and Social Organizations	286221	284336	287012	295031

注：本表国民经济行业分类标准采用GB/T 4754-2002。

Note: The classified Standards of national ecomonic sector are adopted GB/T 4754-2002.

3–19 城镇集体单位从业人员数(年底数)

Employment in Urban Collective-Owned Units,End of Years

单位：人 (person)

行业 Sector	2003	2005	2007	2008
合 计 Total	**244359**	**190997**	**182933**	**176456**
按企事业机关分 By Units				
企业 Enterprise	219211	166384	156215	149636
事业 Enstitution	24698	24355	26567	26769
机关 Agencies Organizations	450	258	151	51
按国民经济行业分 By Sector				
第一产业 Primary Industry	**491**	**324**	**290**	**285**
农、林、牧、渔业 Farming, Forestry, Animal Husbandy and Fishery	491	324	290	285
第二产业 Secondary Industry	**151811**	**108795**	**101962**	**91901**
采矿业 Mining and Quarrying	685	369	908	1365
制造业 Manufacturing	63658	48569	41679	39458
电力、燃气及水的生产和供应业 Production and Supply of Electricity Gas and Water	2116	1786	1660	1723
建筑业 Construction	85352	58071	57715	49355
第三产业 Tertiary Industry	**92057**	**81878**	**80681**	**84270**
交通运输、仓储和邮政业 Transport, Storage and Post Services	9378	8175	6263	5389
信息传输、计算机服务和软件业 Information Transmission, Computer Software and Services	670	858	260	255
批发和零售业 Wholesale and Retail Trade	26343	18838	17195	16098
住宿和餐饮业 Lodgings and Catering Services	4846	3399	3593	3610
金融业 Finance	15918	15430	13224	13556
房地产业 Real Estate	2196	2321	2814	1858
租赁和商务服务业 Rent and Business Services	5097	6069	9254	12946
科学研究、技术服务和地质勘查业 Scientific Reseach, Ploytechnic Services and Geological Prospecting	849	683	779	750
水利、环境和公共设施管理业 Water Conservancy, Environment and Public Facilities Management	1701	1541	1619	1350
居民服务和其他服务业 Resident Services and Others	2082	1798	1540	1567
教育 Education	422	499	643	2931
卫生、社会保障和社会福利业 Health Care, Social Ensure and Walfare	21457	21184	22724	23243
文化、体育和娱乐业 Culture, Sports and Entertainment	602	487	500	531
公共管理和社会组织 Public Management and Social Organizations	496	596	273	186

注：本表国民经济行业分类标准采用GB/T 4754—2002。

Note: The classified Standards of national ecomonic sector are adopted GB/T 4754-2002.

3-20 城镇其他单位从业人员数(年底数)

Other Employment in Urban Areas,End of Years

单位：人 (person)

行业 Sector	2003	2005	2007	2008
合　计 Total	**1676574**	**2300908**	**2803657**	**2888218**
按企事业机关分 By Units				
企业 Enterprise	1674862	2297605	2783971	2878476
事业 Enstitution	1712	3303	19686	9742
机关 Agencies Organizations				
按国民经济行业分 By Sector				
第一产业 Primary Industry	**5721**	**6380**	**6321**	**6855**
农、林、牧、渔业 Farming, Forestry, Animal Husbandy and Fishery	5721	6380	6321	6855
第二产业 Secondary Industry	**1529642**	**2085567**	**2498573**	**2521121**
采矿业 Mining and Quarrying	13230	21167	24556	27608
制造业 Manufacturing	1394307	1884038	2171428	2144408
电力、燃气及水的生产和供应业 Production and Supply of Electricity Gas and Water	17264	23758	25852	36829
建筑业 Construction	104841	156604	276737	312276
第三产业 Tertiary Industry	**141211**	**208961**	**298763**	**360242**
交通运输、仓储和邮政业 Transport, Storage and Post Services	20028	25946	28337	31351
信息传输、计算机服务和软件业 Information Transmission, Computer Software and Services	12356	15012	26536	23609
批发和零售业 Wholesale and Retail Trade	34779	41415	57604	64123
住宿和餐饮业 Lodgings and Catering Services	20595	30747	35452	36942
金融业 Finance	12683	27563	41268	49905
房地产业 Real Estate	21596	35653	51247	52984
租赁和商务服务业 Rent and Business Services	5513	12949	24201	63045
科学研究、技术服务和地质勘查业 Scientific Reseach, Ploytechnic Services and Geological Prospecting	2718	4864	5547	4926
水利、环境和公共设施管理业 Water Conservancy, Environment and Public Facilities Management	2293	2905	4307	4353
居民服务和其他服务业 Resident Services and Others	2976	2897	3183	4081
教育 Education	1947	4009	11111	15061
卫生、社会保障和社会福利业 Health Care, Social Ensure and Walfare	632	1563	5423	5096
文化、体育和娱乐业 Culture, Sports and Entertainment	3095	3438	4547	4513
公共管理和社会组织 Public Management and Social Organizations				253

注：本表国民经济行业分类标准采用GB/T 4754-2002。

Note: The classified Standards of national ecomonic sector are adopted GB/T 4754-2002.

3-21 城镇私营及个体劳动者人数(年底数)

Employed Persons in Private Enterprises and Self-employed Individuals in Urban Areas, End of Years

单位：人 (person)

行业 Sector	2005	2007	2008
合　计 **Total**	**1554192**	**2227679**	**2633294**
第一产业 **Primary Industry**	**28100**	**38814**	**46191**
农、林、牧、渔业 Farming, Forestry, Animal Husbandy and Fishery	28092	38814	46191
第二产业 **Secondary Industry**	**426800**	**659254**	**725994**
采矿业 Mining and Quarrying	6875	7773	8914
制造业 Manufacturing	361152	561798	614857
电力、燃气及水的生产和供应业 Production and Supply of Electricity Gas and Water	17264	20284	19710
建筑业 Construction	41471	69399	82513
第三产业 **Tertiary Industry**	**1099300**	**1529611**	**1861109**
交通运输、仓储和邮政业 Transport, Storage and Post Services	25175	36844	43701
信息传输、计算机服务和软件业 Information Transmission, Computer Software and Services	36173	59431	66114
批发和零售业 Wholesale and Retail Trade	666150	900674	1090561
住宿和餐饮业 Lodgings and Catering Services	86834	115756	158587
金融业 Finance			6179
房地产业 Real Estate	32316	52999	62670
租赁和商务服务业 Rent and Business Services	87222	159429	193278
科学研究、技术服务和地质勘查业 Scientific Reseach, Ploytechnic Services and Geological Prospecting			
水利、环境和公共设施管理业 Water Conservancy, Environment and Public Facilities Management			
居民服务和其他服务业 Resident Services and Others	124935	132552	157549
教育 Education			
卫生、社会保障和社会福利业 Health Care, Social Ensure and Walfare	4005	6479	7603
文化、体育和娱乐业 Culture, Sports and Entertainment	11150	15404	17552
公共管理和社会组织 Public Management and Social Organizations			911

注：1.本表国民经济行业分类标准采用GB/T 4754-2002。2.其他行业包括：科学研究、技术服务和地质勘查业、水利、环境和公共设施管理业和教育业。

Note: a)The classified Standards of national ecomonic sector are adopted GB/T 4754-2002.b)others include scientific research,technology services and Geological Prospecting,Water conservancy,environment and Public facilities management and education.

3-22 城镇单位企业 事业 机关年末职工人数(1990-2008年)

Staff and Workers in Enterprises, Institutions and Agencies in Ubran Units,1990-2008

单位：万人 (10000 persons)

年份 Year	总计 Total	企业 Enterprise	事业 Institution	机关 Agencies Organizations
1990	310.86	231.35	56.08	23.43
1991	322.28	238.78	58.89	24.60
1992	338.80	251.24	62.27	25.29
1993	344.79	259.72	58.90	26.18
1994	352.60	263.95	61.56	27.09
1995	344.11	252.76	64.44	26.91
1996	351.30	255.42	68.51	27.38
1997	357.71	260.51	69.76	27.44
1998	334.53	236.48	71.29	26.76
1999	320.38	223.23	70.58	26.57
2000	318.00	221.41	69.62	26.97
2001	314.27	216.69	69.81	27.78
2002	315.32	220.38	67.52	27.42
2003	334.08	238.72	67.09	28.27
2004	365.56	269.41	67.68	28.47
2005	386.99	291.09	67.40	28.51
2006	412.21	315.43	68.14	28.63
2007	429.30	331.12	69.42	28.76
2008	441.58	341.83	70.48	29.27

注：1998年起"职工人数"统计口径为"在岗职工人数"。

Note:Statistic scope of staff and workers from 1998 refers to staff and workers on the job.

3-23 城镇单位从业人员变动情况

Changes of Employment in Urban Units

单位：人 (person)

项目	Item	2000	2003	2005	2007	2008
一、本年增加人数	**Increase Population**	**407732**	**709854**	**972655**	**1175037**	**999242**
从农村招收	From Rural	222904	379533	628832	726147	600809
从城镇招收	From Urban	54929	103276	111358	163409	143223
录用复员转业军人	Demobilize Soldier	6295	8612	8179	9134	8103
录用大中专技校毕业生	Junior or Senior Technical School Graduated	54876	67477	110163	129316	138014
调入	Taken-In	31947	42684	43190	39429	38539
其他	Others	36781	108272	70933	107602	70554
二、本年减少人数	**Reduce Population**	**412800**	**525334**	**778973**	**1004811**	**103030**
离休退休退职	Retire	58903	55710	86155	93816	96757
开除除名辞职	Discharge	75275	69789	135152	146738	101364
终止解除合同	Stop Contract	139375	220543	348383	508897	592260
离开本单位仍保留劳动关系	Leave the unit still retain labor relations	39682	20924	12935	14087	20022
死亡	Death			2241	2236	2053
调出	Taken-Out	31478	49706	42856	41737	42518
其他	Others	68087	108662	151251	197300	175334

3–24 城镇登记失业人数和失业率

Number and Rate of Urban Registered Unemployment

行 业 Sector	2000	2003	2005	2007	2008
城镇失业人数（万人） **Number of Urban Unemployment(10000 persons)**	**9.10**	**14.60**	**14.86**	**14.85**	**14.95**
#16–25岁 16-25 years old	3.60	3.40	2.98	3.14	2.92
占失业人数比重 Proportion to Unemployment	39.6	23.3	20.1	21.1	19.5
城镇登记失业率（%） **Rate of Urban Registered Unemployment(%)**	**2.6**	**4.1**	**4.0**	**3.9**	**3.9**

3–25 城镇新就业人数

New Employed Persons in Urban Areas

单位：万人 (10000 persons)

项目 Item	2000	2003	2005	2007	2008
城镇新就业人数 **New Employed Persons in Urban Areas**	**42.89**	**88.03**	**124.37**	**158.12**	**140.49**
#城镇单位净增从业人数 Net added Employed Persons in Urban Enterprises	-3.01	19.19	22.39	23.06	8.20
城镇个私净增从业人数 Net added Employed Persons in Urban Self-employed Individuals' and Private Enterprises	2.12	17.05	27.10	40.62	40.56
按就业人员安置去向分 By Settle					
国有经济单位 State-Owned	10.25	13.25	14.41	16.86	14.55
城镇集体经济单位 Collective-Owned	3.53	5.37	2.95	3.10	2.41
其他各种经济类型单位 Others	26.99	52.36	79.90	97.54	82.96
城镇个私劳动者 Self-employed Individuals and Private Enterprise in Urban Areas	2.12	17.05	27.10	40.62	40.56

注：新就业人数包括：(1)城镇个体、私营报告年净增从业人员；(2)城镇单位当年录用的退伍军人、外单位调入人员、大中专及技校毕业生和从城镇和农村新招收人员等。

Note:New Employed Persons include 1)employed persons added annually in Urban self-employed individuals' and private enterprises' reports. 2)Veterans, persons from other units, graduates from universities, colleges and technical schools, and newly recruited persons from urban and rural areas, who are employed by urban units in the year.

3–26 按登记注册分城镇单位从业人员劳动报酬(2008年)

Payment of Employed Persons in Urban Units by Types of Registration, 2008

单位：万元 (10000 Yuan)

项目 Item	单位从业人员劳动报酬 Payment of Employed Persons	在岗职工工资总额 Total Wages of Staff and Workers on the Job	其他从业人员劳动报酬 Payment of Other Employed Persons
内资单位 **Domestic Funded Units**			
国有单位 State-owned Units	4865938	4751921	114017
集体单位 Collective-owned Units	376385	360845	15540
股份合作单位 Cooperative Units	141413	134218	7194
联营单位 Joint Ownership Units	94695	74405	20290
#国有联营单位 State-joint Ownership Units	31406	30887	520
集体联营单位 Collective Joint Ownership Units	16771	16739	32
有限责任公司 Limited Liability Corporations	1323807	1264978	58829
#国有独资 State-owned Primary Investment	68922	67102	1820
股份有限公司 Share-holding Corpartations	769044	731964	37080
其他单位 Others	253459	250806	2653
港澳台商投资单位 Units with Funds from HongKong,Macao and Taiwan	2194695	2136241	58454
外商投资单位 Foreign Funded Units	1832548	1776917	55631

3–27 城镇单位从业人员劳动报酬(2008年)

Payment of Employed Persons in Urban Units ,2008

单位：万元 (10000 yuan)

项目 Item	单位从业人员劳动报酬 Payment of Employed Persons 总计 Total	在岗职工工资总额 Staff and Workers on the Job	其他从业人员劳动报酬 Other Employed Persons
合 计 Total	**11851985**	**11482295**	**369690**
按企事业机关分 Grouped by Enterprises, Institutions Agencies			
企业 Enterprises	8587273	8271117	316156
事业 Institutions	2249235	2208170	41065
机关 Agencies & Organizations	1015477	1003009	12468
按国民经济行业分 By Sector			
农、林、牧、渔业 Farming, Forestry, Animal Husbandy and Fishery	96050	88066	7984
采矿业 Mining and Quarrying	115705	113002	2702
制造业 Manufacturing	4811399	4697139	114260
电力、燃气及水的生产和供应业 Production and Supply of Electricity Gas and Water	363778	359427	4351
建筑业 Construction	1050515	962930	87585
交通运输、仓储和邮政业 Transport, Storage and Post Services	522458	500342	22116
信息传输、计算机服务和软件业 Information Transmission, Computer Software and Services	175289	162310	12980
批发和零售业 Wholesale and Retail Trade	306000	298101	7899
住宿和餐饮业 Lodgings and Catering Services	96017	93526	2491
金融业 Finance	604975	569522	35453
房地产业 Real Estate	216768	207061	9707
租赁和商务服务业 Rent and Business Services	245571	237393	8178
科学研究、技术服务和地质勘查业 Scientific Reseach, Ploytechnic Services and Geological Prospecting	170446	166252	4193
水利、环境和公共设施管理业 Water Conservancy, Environment and Public Facilities Management	94992	89819	5173
居民服务和其他服务业 Resident Services and Others	30930	30080	850
教育 Education	1382760	1368508	14251
卫生、社会保障和社会福利业 Health Care, Social Ensure and Walfare	457952	444133	13819
文化、体育和娱乐业 Culture, Sports and Entertainment	110670	107596	3074
公共管理和社会组织 Public Management and Social Organizations	999709	987086	12623
按三次产业分 By Three Strata of Industry			
第一产业 Primary Industry	96050	88066	7984
第二产业 Secondary Industry	6341398	6132499	208898
第三产业 Tertiary Industry	5414537	5261730	152807

3-28 按登记注册类型分城镇单位职工工资总额(1978-2008年)

Total Wages of Staff and Workers in Urban Units by Types of Registration, 1978-2008

年份	劳动报酬（亿元） Earning(100 million yuan)				劳动报酬指数（上年=100） Indices(preceding year=100)			
Year	总计 Total	国有单位 State-owned Units	集体单位 Collective-owned Units	其他单位 Others	总计 Total	国有单位 State-owned Units	集体单位 Collective-owned Units	其他单位 Others
1978	11.17	8.38	2.79					
1979	12.67	9.53	3.14		113.4	113.8	112.5	
1980	15.44	11.70	3.74		121.9	122.7	119.4	
1981	16.56	12.54	4.02		107.2	107.2	107.5	
1982	18.53	14.06	4.47		111.9	112.1	111.2	
1983	20.40	15.72	4.68		110.1	111.8	104.5	
1984	23.40	17.11	6.21	0.08	114.7	108.8	132.9	
1985	27.96	20.59	7.09	0.27	119.5	120.4	114.2	354.7
1986	34.17	25.56	8.12	0.48	122.2	124.1	114.4	178.7
1987	37.36	27.81	8.72	0.82	109.4	108.8	107.4	170.4
1988	48.17	35.87	10.64	1.67	128.9	128.9	121.9	202.5
1989	57.42	42.41	12.02	2.99	119.2	118.2	113.0	179.0
1990	65.55	48.08	13.02	4.45	114.2	113.4	108.3	149.1
1991	75.90	53.73	14.56	7.61	115.8	111.8	111.8	170.9
1992	91.34	62.05	16.64	12.64	120.3	115.5	114.3	166.2
1993	116.53	75.80	18.99	21.74	127.6	122.2	114.1	171.9
1994	168.84	107.67	23.64	37.53	144.9	142.1	124.5	172.6
1995	196.64	122.79	26.17	47.67	116.5	114.0	110.7	127.0
1996	226.30	139.25	27.49	59.56	115.1	113.4	105.0	124.9
1997	263.38	160.36	29.55	73.47	116.4	115.2	107.5	123.4
1998	282.12	162.39	27.22	92.51	107.1	101.3	92.1	125.9
1999	301.59	173.90	25.87	101.82	106.9	107.1	95.0	110.1
2000	334.62	188.07	26.63	119.92	111.0	108.2	102.9	117.8
2001	376.23	212.24	26.25	137.74	112.4	112.8	98.6	114.9
2002	409.23	224.72	26.41	158.10	108.8	105.9	100.6	114.8
2003	468.89	242.64	25.87	200.38	114.6	108.0	98.0	126.7
2004	559.85	269.74	25.42	264.68	119.4	111.2	98.2	132.1
2005	648.14	299.14	24.78	324.22	115.8	110.9	97.5	122.5
2006	783.40	342.52	26.60	414.28	120.9	114.5	107.3	127.8
2007	948.13	398.34	32.28	517.52	121.0	116.3	121.4	124.9
2008	1148.23	475.19	36.08	636.95	121.1	119.3	111.8	123.1

注：本表1998年起“职工工资总额”统计口径为“在岗职工工资总额”。1998年以前“国有单位”统计口径为“国有经济单位”，“集体单位”统计口径为“集体经济单位”，“其他单位”统计口径为“其他各种经济类型单位”。

Note:The statistic scope of total wages of staff and workers in this table from 1998 refers to total wages of staff and workers on the job.Before 1998, the statistic scope of state-owned units refers to state-owned economic units, collective-owned units refers to collective economic units , others refer to the various other economic types.

3–29 城镇单位企事业机关职工工资总额(1978–2008年)

Total Wages of Staff and Workers in Urban Enterprises, Institutions and Government Agencies,1978-2008

年份	工资总额（亿元） Total Wages(100 million yuan)				工资总额指数（上年=100） Indices(preceding Year=100)			
Year	总计 Total	企业 Enterprises	事业 Institutions	机关 Agencies & Organizations	总计 Total	企业 Enterprises	事业 Institutions	机关 Agencies & Organizations
1978	11.17	9.09	1.37	0.70	100.0	100.0	100.0	100.0
1979	12.67	10.38	1.51	0.77	113.4	114.2	110.1	110.2
1980	15.44	12.38	2.04	1.03	121.9	119.2	134.7	132.7
1981	16.56	13.28	2.22	1.06	107.2	107.3	109.0	103.3
1982	18.53	14.59	2.74	1.20	111.9	109.9	123.5	112.7
1983	20.40	15.88	3.03	1.49	110.1	108.8	110.6	124.5
1984	23.40	18.35	3.41	1.64	114.7	115.6	112.7	109.9
1985	27.96	21.59	4.32	2.04	119.5	117.7	126.5	124.8
1986	34.17	26.29	5.27	2.61	122.2	121.7	121.9	127.9
1987	37.36	27.87	6.52	2.96	109.4	106.0	123.9	113.5
1988	48.17	35.92	8.69	3.56	128.9	128.9	133.1	120.0
1989	57.42	42.26	10.77	4.39	119.2	117.6	123.9	123.5
1990	65.55	47.74	12.51	5.30	114.2	113.0	116.2	120.6
1991	75.90	55.72	14.27	5.92	115.8	116.7	114.1	111.6
1992	91.34	67.21	17.13	7.00	120.3	120.6	120.1	118.3
1993	116.53	88.55	19.27	8.71	127.6	131.7	112.5	124.5
1994	168.84	123.80	31.06	13.97	144.9	139.8	161.2	160.3
1995	196.64	147.17	34.50	14.97	116.5	118.9	111.1	107.1
1996	226.30	166.78	41.95	17.57	115.1	113.3	121.6	117.4
1997	263.38	191.39	50.96	21.03	116.4	114.8	121.5	119.7
1998	282.12	200.32	58.14	23.66	107.1	104.7	114.1	112.5
1999	301.59	205.50	67.87	28.22	106.9	102.6	116.7	119.3
2000	334.62	226.69	76.18	31.75	111.0	110.3	112.2	112.5
2001	376.23	247.71	90.30	38.22	112.4	109.3	118.5	120.4
2002	409.23	268.84	98.50	41.88	108.8	108.5	109.1	109.6
2003	468.89	320.14	101.85	46.90	114.6	119.1	103.4	112.0
2004	559.85	391.37	116.08	52.40	119.4	122.2	114.0	111.7
2005	648.14	456.13	131.41	60.60	115.8	116.5	113.2	115.7
2006	783.40	562.80	151.06	69.54	120.9	123.4	114.9	114.8
2007	948.13	682.22	183.58	82.33	121.0	121.2	121.5	118.4
2008	1148.23	827.11	220.82	100.30	121.1	121.2	120.3	121.8

注：本表1998年起“职工工资总额”统计口径为“在岗职工工资总额”。

Note:The statistic scope of total wages of staff and workers in this table from 1998 refers to total wages of staff and workers on the job.

3–30 城镇单位分行业职工工资总额

Total Wages of Staff and Workers in Urban Units by Sector

单位：万元　　(10000 yuan)

行业 Sector	2007	2008	2008年比上年增长(%) Ratio(%)
合　计 **Total**	**9481296**	**11482295**	**21.1**
农、林、牧、渔业 Farming, Forestry, Animal Husbandy and Fishery	84928	88066	3.7
采矿业 Mining and Quarrying	92654	113002	22.0
制造业 Manufacturing	4023626	4697139	16.7
电力、燃气及水的生产和供应业 Production and Supply of Electricity Gas and Water	284960	359427	26.1
建筑业 Construction	740705	962930	30.0
交通运输、仓储和邮政业 Transport, Storage and Post Services	410379	500342	21.9
信息传输、计算机服务和软件业 Information Transmission, Computer Software and Services	155966	162310	4.1
批发和零售业 Wholesale and Retail Trade	251573	298101	18.5
住宿和餐饮业 Lodgings and Catering Services	86582	93526	8.0
金融业 Finance	426890	569522	33.4
房地产业 Real Estate	151246	207061	36.9
租赁和商务服务业 Rent and Business Services	125916	237393	88.5
科学研究、技术服务和地质勘查业 Scientific Reseach, Ploytechnic Services and Geological Prospecting	142471	166252	16.7
水利、环境和公共设施管理业 Water Conservancy, Environment and Public Facilities Management	85917	89819	4.5
居民服务和其他服务业 Resident Services and Others	24710	30080	21.7
教育 Education	1126744	1368508	21.5
卫生、社会保障和社会福利业 Health Care, Social Ensure and Walfare	368524	444133	20.5
文化、体育和娱乐业 Culture, Sports and Entertainment	91317	107596	17.8
公共管理和社会组织 Public Management and Social Organizations	806190	987086	22.4

注：本表国民经济行业分类标准采用GB/T 4754—2002。

Note:The classified Standards of national ecomonic sector are adopted GB/T 4754-2002

3–31 城镇单位各行业在岗职工工资总额(2008年)

Total Wages of Staff and Workers on the Job in Urban Units by Sector ,2008

单位：万元 (10000 yuan)

行业 Sector	在岗职工工资总额 Total Wages 总计 Total	国有单位 State-owned Units	集体单位 Collective-owned Units	其他单位 Others
合计 Total	**11482295**	**4751921**	**360845**	**6369529**
按企事业机关分 Grouped by Enterprises, Institutions Agencies				
企业 Enterprises	8271117	1623729	304799	6342588
事业 Institutions	2208170	2125330	55899	26941
机关 Agencies & Organizations	1003009	1002862	147	
按国民经济行业分 By Sector				
农、林、牧、渔业 Farming, Forestry, Animal Husbandy and Fishery	88066	76248	371	11447
采矿业 Mining and Quarrying	113002	36515	3295	73192
制造业 Manufacturing	4697139	150403	73571	4473165
电力、燃气及水的生产和供应业 Production and Supply of Electricity Gas and Water	359427	234476	4843	120108
建筑业 Construction	962930	220074	101770	641087
交通运输、仓储和邮政业 Transport, Storage and Post Services	500342	382336	10494	107512
信息传输、计算机服务和软件业 Information Transmission, Computer Software and Services	162310	69154	1249	91906
批发和零售业 Wholesale and Retail Trade	298101	134727	20730	142645
住宿和餐饮业 Lodgings and Catering Services	93526	26498	5917	61111
金融业 Finance	569522	239018	52834	277670
房地产业 Real Estate	207061	60381	5209	141471
租赁和商务服务业 Rent and Business Services	237393	85872	18831	132690
科学研究、技术服务和地质勘查业 Scientific Reseach, Ploytechnic Services and Geological Prospecting	166252	151967	1629	12657
水利、环境和公共设施管理业 Water Conservancy, Environment and Public Facilities Management	89819	78937	2018	8864
居民服务和其他服务业 Resident Services and Others	30080	20563	2387	7129
教育 Education	1368508	1316982	5416	46111
卫生、社会保障和社会福利业 Health Care, Social Ensure and Walfare	444133	384356	49075	10702
文化、体育和娱乐业 Culture, Sports and Entertainment	107596	96828	878	9890
公共管理和社会组织 Public Management and Social Organizations	987086	986584	329	173
按三次产业分 By Three Strata of Industry				
第一产业 Primary Industry	88066	76248	371	11447
第二产业 Secondary Industry	6132499	641469	183478	5307552
第三产业 Tertiary Industry	5261730	4034204	176996	1050530

3-32 城镇单位人均劳动报酬(2008年)

Per Capita Payment in Urban Units, 2008

单位：元 (yuan)

项目 Item	单位从业人员 Persons Employed in Units	在岗职工 Staff and Workers on the Job	其他从业人员 Other Employed Persons
合　计　Total	**25555**	**25702**	**21698**
按企事业机关分 Grouped by Enterprises, Institutions and Agencies			
企业 Enterprises	23806	23804	23868
事业 Institutions	30729	31422	14062
机关 Agencies & Organizations	33995	34587	14305
按国民经济行业分　By Sector			
农、林、牧、渔业 Farming, Forestry, Animal Husbandy and Fishery	14496	16768	5810
采矿业 Mining and Quarrying	23797	23877	20852
制造业 Manufacturing	20678	20445	38951
电力、燃气及水的生产和供应业 Production and Supply of Electricity Gas and Water	39701	40196	19679
建筑业 Construction	24251	24268	24060
交通运输、仓储和邮政业 Transport, Storage and Post Services	32801	34086	17699
信息传输、计算机服务和软件业 Information Transmission, Computer Software and Services	46338	48671	28973
批发和零售业 Wholesale and Retail Trade	24676	24876	18929
住宿和餐饮业 Lodgings and Catering Services	17501	17491	17869
金融业 Finance	56965	65119	18914
房地产业 Real Estate	30428	30601	27161
租赁和商务服务业 Rent and Business Services	23244	23864	13254
科学研究、技术服务和地质勘查业 Scientific Reseach, Ploytechnic Services and Geological Prospecting	36583	37450	19077
水利、环境和公共设施管理业 Water Conservancy, Environment and Public Facilities Management	22680	23854	12225
居民服务和其他服务业 Resident Services and Others	22648	22645	22738
教育 Education	31361	31811	13302
卫生、社会保障和社会福利业 Health Care, Social Ensure and Walfare	32893	33990	16145
文化、体育和娱乐业 Culture, Sports and Entertainment	29704	30059	21027
公共管理和社会组织 Public Management and Social Organizations	34144	34761	14305
按三次产业分　By Three Strata of Industry			
第一产业 Primary Industry	14496	16768	5809
第二产业 Secondary Industry	21865	21662	30169
第三产业 Tertiary Industry	32395	33218	17485

3–33 按登记注册类型分城镇单位职工平均工资(1978–2008年)

Average Wage of Staff and Workers in Urban Units by Types of Registration,1978-2008

单位：元 (yuan)

年份 Year	平均货币工资 Average Earning				指数(上年=100) Indices (preceding year=100)			
	总计 Total	国有单位 State-owned Units	集体单位 Collective-owned Units	其他单位 Others	合计 Total	国有单位 State-owned Units	集体单位 Collective-owned Units	其他单位 Others
1978	567	594	520					
1979	610	642	530		107.6	108.1	101.9	
1980	703	737	613		115.2	114.8	115.7	
1981	715	746	637		101.7	101.2	103.9	
1982	765	792	691		107.0	106.2	108.5	
1983	827	861	730		108.1	108.7	105.6	
1984	921	966	813	1742	111.4	112.2	111.4	
1985	1059	1115	912	1855	115.0	115.4	112.2	106.5
1986	1243	1328	1027	1498	117.4	119.1	112.6	80.8
1987	1319	1402	1097	1571	106.1	105.6	106.8	104.9
1988	1644	1742	1342	2100	124.6	124.3	122.3	133.7
1989	1895	2009	1499	2532	115.3	115.3	111.7	120.6
1990	2162	2288	1704	2674	114.1	113.9	113.7	105.6
1991	2420	2502	1936	3217	111.9	109.4	113.6	120.3
1992	2780	2846	2192	3649	114.9	113.7	113.2	113.4
1993	3480	3506	2735	4420	125.2	123.2	124.8	121.1
1994	4890	5001	3644	5763	140.5	142.6	133.2	130.4
1995	5857	5790	4481	7305	119.8	115.8	123.0	126.8
1996	6683	6608	5078	8076	114.1	114.1	113.3	110.6
1997	7559	7621	5582	8636	113.1	115.3	109.9	106.9
1998	8531	8682	6662	8999	112.9	113.9	119.3	104.2
1999	9490	9867	7320	9587	111.2	113.6	109.9	106.5
2000	10584	11170	8140	10422	111.5	113.2	111.2	108.9
2001	12013	13313	9098	11028	113.5	119.2	111.8	105.6
2002	13306	15026	10119	11987	110.8	112.9	111.2	108.7
2003	14310	16460	11386	12719	107.5	109.5	112.5	106.1
2004	15603	18529	12307	13745	109.0	112.6	108.1	108.1
2005	17146	20897	13811	14947	109.9	112.8	112.2	108.7
2006	19318	23926	15695	16880	112.7	114.5	113.6	112.9
2007	22283	28011	18856	19443	115.3	117.1	120.1	115.2
2008	25702	33097	22108	22205	115.3	118.2	117.2	114.2

注：本表1998年起“职工平均工资”统计口径为“在岗职工平均工资”。1998年以前“国有单位”统计口径为“国有经济单位”，“集体单位”统计口径为“集体经济单位”，“其他单位”统计口径为“其他各种经济类型单位”。

Note:The statistic scope from 1998 in this table refers to average wages of staff and workers on the job.Before 1998, the statistic scope of state-owned units refers to state-owned economic units, collective-owned units refers to collective economic units, others refer to the various other economic types.

3–34 城镇单位企事业机关职工平均工资(1978–2008年)

Average Wage of Staff and Workers in Urban Enterprises, Institution and Government Agencies,1978-2008

单位：元 (yuan)

年份	平均货币工资 Average Wage				指数(上年=100) Indices (preceding year=100)			
Year	总计 Total	企业 Enterprises	事业 Institutions	机关 Agencies & Organizations	合计 Total	企业 Enterprises	事业 Institutions	机关 Agencies & Organizations
1978	567	565	526	657				
1979	610	609	587	672	107.6	107.8	111.6	102.3
1980	703	691	725	828	115.2	113.5	123.5	123.2
1981	715	710	729	777	101.7	102.8	100.6	93.8
1982	765	752	826	805	107.0	105.9	113.3	103.6
1983	827	807	887	949	108.1	107.3	107.4	117.9
1984	921	866	955	995	111.4	107.3	107.7	104.8
1985	1059	1035	1167	1119	115.0	119.5	122.2	112.5
1986	1243	1217	1343	1334	117.4	117.6	115.1	119.2
1987	1319	1261	1585	1412	106.1	103.6	118.0	105.8
1988	1644	1576	1997	1649	124.6	125.0	126.0	116.8
1989	1895	1834	2408	1960	115.3	116.4	120.6	118.9
1990	2162	2048	2698	2235	114.1	111.7	112.0	114.0
1991	2420	2310	3003	2376	111.9	112.8	111.3	106.3
1992	2780	2656	3439	2723	114.9	115.0	114.5	114.6
1993	3480	3403	4049	3222	125.2	128.1	117.7	118.3
1994	4890	4626	5979	5435	140.5	135.9	147.7	168.7
1995	5857	5983	5470	5605	119.8	129.3	91.5	103.1
1996	6683	6809	6304	6476	114.1	113.8	115.2	115.5
1997	7559	7562	7470	7752	113.1	111.1	118.5	119.7
1998	8531	8555	8302	8922	112.9	113.1	111.1	115.1
1999	9490	9298	9671	10604	111.2	108.7	116.5	118.9
2000	10584	10306	10990	11812	111.5	110.8	113.6	111.4
2001	12013	11468	13000	13794	113.5	111.3	118.3	116.8
2002	13306	12641	14614	15251	110.8	110.2	112.4	110.6
2003	14310	13766	15221	16627	107.5	108.9	104.2	109.0
2004	15603	14900	17151	18416	109.0	108.2	112.7	110.8
2005	17146	16157	19520	21357	109.9	108.4	113.8	116.0
2006	19318	18208	22232	24413	112.7	112.7	113.9	114.3
2007	22283	20822	26501	28809	115.3	114.4	119.2	118.0
2008	25702	23804	31422	34587	115.3	114.3	118.6	120.1

注：本表1998年起“职工平均工资”统计口径为“在岗职工平均工资”。

Note:The statistic scope from 1998 in this table refers to average wages of staff and workers on the job.

3–35 城镇单位分行业职工平均工资

Average Wage of Staff and Workers in Urban Units by Sector

单位：元 (yuan)

行业 Sector	2003	2005	2007	2008
合 计 Total	**14310**	**17146**	**22283**	**25702**
按企事业机关分				
Grouped by Enterprises, Institutions and Agencies				
企业 Enterprises	13766	16157	20822	23804
事业 Institutions	15221	19520	26501	31422
机关 Agencies & Organizations	16627	21357	28809	34587
按国民经济行业分 By Sector				
农、林、牧、渔业 Farming, Forestry, Animal Husbandy and Fishery	7975	10017	12736	16768
采矿业 Mining and Quarrying	10860	16664	20639	23877
制造业 Manufacturing	12217	14229	18103	20445
电力、燃气及水的生产和供应业 Production and Supply of Electricity Gas and Water	20562	26695	36546	40196
建筑业 Construction	13779	16161	21170	24268
交通运输、仓储和邮政业 Transport, Storage and Post Services	18181	22623	30402	34086
信息传输、计算机服务和软件业 Information Transmission, Computer Software and Services	33158	40326	44379	48671
批发和零售业 Wholesale and Retail Trade	13373	16491	22193	24876
住宿和餐饮业 Lodgings and Catering Services	10333	12570	16000	17491
金融业 Finance	26245	34993	52568	65119
房地产业 Real Estate	16582	18944	24799	30601
租赁和商务服务业 Rent and Business Services	14538	16986	20896	23864
科学研究、技术服务和地质勘查业 Scientific Reseach, Ploytechnic Services and Geological Prospecting	19913	24346	35483	37450
水利、环境和公共设施管理业 Water Conservancy, Environment and Public Facilities Management	12948	16433	22912	23854
居民服务和其他服务业 Resident Services and Others	15009	15707	19394	22645
教育 Education	15029	19111	26501	31811
卫生、社会保障和社会福利业 Health Care, Social Ensure and Walfare	16589	21733	29219	33990
文化、体育和娱乐业 Culture, Sports and Entertainment	16919	21018	27926	30059
公共管理和社会组织 Public Management and Social Organizations	16567	21616	28958	34761
按三次产业分 By Three Strata of Industry				
第一产业 Primary Industry	7839	10017	12736	16768
第二产业 Secondary Industry	12711	14914	19077	21662
第三产业 Tertiary Industry	16710	21131	28499	33218

3-36 城镇单位各行业在岗职工平均工资(2008年)

Average Wage of Staff and Workers on the Job in Urban Units by Sector ,2008

单位：元　　(yuan)

行业 Sector	在岗职工平均工资 Average Wage 总计 Total	国有单位 Stated-owned units	集体单位 Collective-owned units	其他单位 Others
合　计　Total	**25702**	**33097**	**22108**	**22205**
按企事业机关分 Grouped by Enterprises, Institutions Agencies				
企业 Enterprises	23804	34103	21944	22179
事业 Institutions	31422	31736	23034	30621
机关 Agencies & Organizations	34587	34588	28804	
按国民经济行业分　By Sector				
农、林、牧、渔业 Farming, Forestry, Animal Husbandy and Fishery	16768	16650	13533	17747
采矿业 Mining and Quarrying	23877	19598	24386	26768
制造业 Manufacturing	20445	28932	19071	20269
电力、燃气及水的生产和供应业 Production and Supply of Electricity Gas and Water	40196	43327	27267	35828
建筑业 Construction	24268	26634	24412	23529
交通运输、仓储和邮政业 Transport, Storage and Post Services	34086	34433	19719	35337
信息传输、计算机服务和软件业 Information Transmission, Computer Software and Services	48671	50057	44611	47736
批发和零售业 Wholesale and Retail Trade	24876	32002	13628	22815
住宿和餐饮业 Lodgings and Catering Services	17491	17873	16440	17438
金融业 Finance	65119	61684	40325	77982
房地产业 Real Estate	30601	37328	30073	28432
租赁和商务服务业 Rent and Business Services	23864	26627	15104	24231
科学研究、技术服务和地质勘查业 Scientific Reseach, Ploytechnic Services and Geological Prospecting	37450	38499	23748	29893
水利、环境和公共设施管理业 Water Conservancy, Environment and Public Facilities Management	23854	24311	18966	21515
居民服务和其他服务业 Resident Services and Others	22645	23431	15624	23932
教育 Education	31811	31815	20036	34048
卫生、社会保障和社会福利业 Health Care, Social Ensure and Walfare	33990	36780	23125	21660
文化、体育和娱乐业 Culture, Sports and Entertainment	30059	31369	17242	22382
公共管理和社会组织 Public Management and Social Organizations	34761	34788	26344	7012
按三次产业分　By Three Strata of Industry				
第一产业 Primary Industry	16768	16650	13533	17747
第二产业 Secondary Industry	21662	30934	22002	20894
第三产业 Tertiary Industry	33218	34113	22249	32640

主要统计指标解释

人口数 指一定时点、一定地区范围内的有生命的个人的总和。年度统计的年末人口数指每年12月31日24时的人口数。

市、镇、县人口 其定义有两种口径：

第一种口径(按行政建制)

市人口：市管辖区域内的全部人口(含市辖镇，不含市辖区县)；

镇人口：县辖镇的全部人口(不含市辖镇)；

县人口：县辖乡人口。

第二种口径(按常住人口划分)

市人口：设区的市的区人口和不设区的市所辖的街道人口；

镇人口：不设区的市所辖镇的居民委员会人口和县辖镇的居民委员会人口；

县人口：除上述两种人口以外的全部人口。

出生率(又称粗出生率) 指在一定时期内(通常为一年)平均每千人所出生的人数的比率，一般用千分率表示。计算公式为：

出生率＝(年出生人数／年平均人数)×1000‰

式中：出生人数指活产婴儿，即胎儿脱离母体时(不管怀孕月数)，有过呼吸或其他生命现象。年平均人数指年初、年底人口数的平均数，也可用年中人口数代替。

死亡率(又称粗死亡率) 指在一定时期内(通常为一年)一定地区的死亡人数与同期平均人数(或期中人数)之比，一般用千分率表示。计算公式为：

死亡率＝(年死亡人数／年平均人数)×1000‰

人口自然增长率 指在一定时期内(通常为一年)人口自然增加数(出生人数减死亡人数)与该时期内平均人数(或期中人数)之比，一般用千分率表示。计算公式为：

人口自然增长率＝[(本年出生人数－本年死亡人数)／年平均人数]×1000‰＝人口出生率－人口死亡率

在业人口(又称就业人口) 指十五周岁及十五周岁以上人口中从事一定的社会劳动并取得劳动报酬或经营收入的人口。

不在业人口 指十五周岁及十五周岁以上人口中未从事社会劳动的人口，包括在校学生、料理家务、待升学、市镇待业、离退休、退职、丧失劳动能力等非在业人口。

经济活动人口 指在16岁以上，有劳动能力，参加或要求参加社会经济活动的人口；包括就业人员和失业人员。

各单位的就业人员 指在各级国家机关、政党机关、社会团体及企业、事业单位中工作，取得工资或其他形式的劳动报酬的全部人员。包括在岗职工、再就业的离退休人员、民办教师以及在各单位中工作的外方人员和港澳台方人员、兼职人员、借用的外单位人员和第二职业者。不包括离开本单位仍保留劳动关系的职工。各单位的从业人员反映了各单位实际参加生产或工作的全部劳动力。

城镇私营和个体就业人员 指在工商管理部门注册登记，其经营地址设在县城关镇(含城关镇)以上的私营企业从业人员；包括私营企业投资者和雇工。城镇个体就业人员指在工商管理部门注册登记，并持有城镇户口或在城镇长期居住，经批准从事个体工商经营的从业人员；包括个体经营者和在个体工商户劳动的家庭帮工和雇工。

城镇登记失业人员 指有非农业户口，在一定的劳动年龄内，有劳动能力，无业而要求就业，并在当地就业服务机构进行求职登记的人员。

城镇登记失业率 指城镇登记失业人数同城镇从业人数与城镇登记失业人数之和的比。计算公式为：

城镇登记失业率=城镇登记失业人数／(城镇从业人数+城镇登记失业人数)×100%

职工 指在国有经济、城镇集体经济、联营经济、股份制经济、外商和港、澳、台投资经济、其他经济单位及其附属机构工作，并由其支付工资的各类人员，不包括返聘的离退休人员、民办教师、在国有经济单位工作的外方人员和港、澳、台人员(1998年以后的数据均为在岗职工数据，其他相关指标如职工工资总额，职工平均工资等指标也从1998年按此口径进行了相应调整)。

国有单位职工　指在国有经济单位及其附属机构工作，并由其支付工资的各类人员。

城镇集体单位职工　指在城镇集体经济单位及其管理部门工作，并由其支付工资的各类人员。

其他单位职工　指在联营经济、股份制经济、外商投资经济、港、澳、台投资经济单位工作，并由其支付工资的各类人员。

在岗职工　指在本单位工作并由单位支付工资的人员，以及有工作岗位，但由于学习、病伤产假等原因暂未工作，仍由单位支付工资的人员。

工资总额　指各单位在一定时期内直接支付给本单位全部职工的劳动报酬总额。工资总额的计算原则应以直接支付给职工的全部劳动报酬为根据。各单位支付给职工的劳动报酬以及其他根据有关规定支付的工资，不论是计入成本的还是不计入成本的，不论是按国家规定列入计征奖金税项目的，还是未列入计征奖金税项目的，不论是以货币形式支付的还是以实物形式支付的，均包括在工资总额内。

奖金　指支付给职工的超额劳动报酬和增收节支的劳动报酬。

津贴和补贴　指为了补偿职工特殊或额外的劳动消耗和因其他特殊原因支付给职工的津贴，以及为了保证职工工资水平不受物价影响支付给职工的物价补贴。

平均工资　指企业、事业、机关单位的职工在一定时期内平均每人所得的货币工资额。它表明一定时期职工工资收入的高低程度，是反映职工工资水平的主要指标。计算公式为：

职工平均工资＝报告期实际支付的全部职工工资总额／报告期全部职工平均人数

平均工资指数　指报告期职工平均工资与基期职工平均工资的比率，是反映不同时期职工货币工资水平变动情况的相对数。计算公式为：

职工平均工资指数＝报告期职工平均工资／基期职工平均工资

平均实际工资指数　指扣除物价变动因素后的职工平均工资。职工平均实际工资指数是反映实际工资变动情况的相对数，表明职工实际工资水平提高或降低的程度。计算公式为：

职工平均实际工资指数＝(报告期职工平均工资指数／报告期城镇居民消费价格指数)×100%

Explanatory Notes on Main Statistical Indicators

Total Population refers to the total number of people alive at a certain point of time within a given area.The annual statistics on total population is taken at midnight,the 31st of December.

To City, Town and County Population,there are two definitions.The first definition (according to the administrative organizational system):

City Population: Total population under the jurisdiction of City (including population of the town under the jurisdiction of City. excluding the population of counties under the jurisdiction of City).

Town Population: Total population of town under the jurisdiction of County (excluding the population of town under the jurisdiction of City).

County Population: Total population of country under the jurisdiction of County).

The second definition (classified by the permanent population):

City Population: Total population of districts under the jurisdiction of City with district establishment and the population of street under the jurisdiction of City without district establishment.

Town Population: Total resident-committees population of towns under the jurisdiction of City without district establishment and the resident-committees population of towns under the jurisdiction of County.

County Population: Total population except City population and town population.

Birth Rate(or Crude Birth Rate) refers to the ratio of the number of births to the average population during a certain period of time(usually a year) which is often expressed in ‰. The following formula is used:

Brith Rate= (Number of Births/Annual Average Number of Population) × 1000‰

Number of births refers to live births i.e. the births when babies had showed any vital phenomena regardless of the length of pregnancy.

Annual average number of population is the average of the number of population at the beginning of the year and that at the end of the year. Sometimes it is substituted for with the mid year population.

Death Rate(or Crude Death Rate) refers to the ratio of the number of deaths to the average population (or mid year population) during a certain period of time (usually a year) which is often expressed in‰. The following formula is used:

Death Rate =(Number of Deaths/ Annual Average Number of Population) × 1000‰

Natural Growth Rate of Population refers to the ratio of natural increase in population(number of births minus number of deaths)in a certain period of time(usually a year)to the average population(or mid year population)of the same period which is often expressed in‰. The following formula is applied:

Natural Growth Rate of Population= [(Number of Births-Number of Deaths)/ Average Number of Population] × 1000‰

Natural Growth Rate of Population=Birth Rate-Death Rate

Employed Population refers to population aged 15 or over engaging in social labour which generates income.

Unemployed Population refers to population aged 15 or over not engaging in any social labour which generates income, including students enrolled in schools, house wives,students waiting for entering schools with higher level, urban job seekers, retirees, job quitters, disabled, etc.

Economically Active Population refers to the population aged 16 and over who are capable to work, are participating in or willing to participate in economic activities, including employed persons and unemployed persons.

Persons Employed in Various Units refer to all the persons working in government agencies of various levels, political and party organizations, social organizations, enterprises and institutions, and receiving wages or other forms of payment. They include fully-employed staff and workers, re-employed retirees, teachers in schools run by the local people, foreigners and Chinese compatriots from Hong Kong, Macao, and Taiwan working in various units, part-time employees, employees of other units working temporarily at current posts, and employees holding the second job, but exclude staff and workers who have left their working units while keeping their labour contract (employment relation) unchanged. This indicator reflects the total number of laborers actually engaged in production or other operations in various units.

Persons Employed in Private Enterprises and Self-Employed Individuals in Urban Areas Persons employed in private enterprises refer to the persons employed in the private enterprises which have been registered at the departments of industrial and commercial administration and are situated at a County town (i.e. a town where the County government is located) for business operation or at urban areas with the level higher than a County town. The self-employed individuals in urban areas refer to persons who hold the certificates of residence in urban areas or have resided in the urban areas for a long time and have been registered at the departments of industrial and commercial administration and approved to be engaged in individual industrial or commercial business, including self-employed persons as well as helpers and hired labourers who work in the individual households engaged in industrial or commercial business.

Registered Urban Unemployed Persons The registered unemployed persons in urban areas refer to the persons who are registered as permanent residents in the urban areas engaged in non-agricultural activities, aged within the range of working age, capable to labour, unemployed but desirous to be employed and have been registered at the local employment service agencies to apply for a job.

Registered Urban Unemployment Rate Registered unemployment rate in urban areas refers to the ratio of the number of the registered unemployed persons to the sum of the number of employed persons and the registered unemployed persons . The formula is as follows:

Registered urban unemployment rate = [number of registered urban unemployed persons/(number of urban employed persons + number of registered urban unemployed persons)]×100%

Staff and Workers refer to the persons who work in(and receive payment therefrom)enterprises and institutions of state ownership, collective ownership, joint ownership, share holding, foreign ownership, and ownership by entrepreneurs from Hong Kong, Macao, and Taiwan, and other types of ownership and their affiliated units, excluding the retired persons invited to work in the units again, teachers in the schools run by the local people and foreigners and persons coming from Hong Kong, Macao and Taiwan and working in the state-owned economic units. (Number of staff and workers in this yearbook include only fully employed staff and workers, excluding those who have left their working units while keeping their labour contract/employment relation unchanged).

Staff and Workers in State-owned Economic Units refer to the persons who work in the state-owned economic units or their attached units and are listed in their payrolls.

Staff and Workers of Collective Owned Units in Urban Areas refer to the persons who work in collective owned units in urban areas and their administration departments and receive payment therefrom.

Staff and Workers in Units of Other Types of Ownership refer to those who work in(and receive payment therefrom)enterprises and institutions of joint ownership, share holding, foreign ownership, and ownership by entrepreneurs from Hong Kong, Macao, and Taiwan.

Fully Employed Staff and Workers refer to persons who work in, and receive wages from their working units, as well as persons who have their work posts, but are temporarily absent from work for reasons of study or on sick, injury or maternal leave and still receive wages from their working units.

Total Wages refer to the total remuneration payment to staff and workers in various units during a certain period of time. The calculation of total wages is based on the total remuneration payment to the staff and workers. Therefore, all the wages and salaries and other payments to staff and workers are included in the total wages regardless of their sources, category, and forms (in kind or cash). (Total wages of staff and workers in this yearbook include only total wages of fully employed staff and workers, excluding the living allowances distributed to those who have left their working units while keeping their labour contract/employment relation unchanged).

Bonus refers to remuneration payment to workers for extra work and for increasing earnings and practicing economy.

Subsidies and Allowances refer to subsidies paid to staff and workers for compensating special or extra labour and allowances paid to staff and workers to offset the impact of inflation on real wages.

Average Wage refers to the average wage in money terms per person during a certain period of time for staff and workers in enterprises, institutions, and government agencies, which reflects the general level of wage income during a certain period of time and is calculated as follows:

Average Wage of Staff and Workers =Total Wages of Staff and Workers in Reference Period/Average Number of Staff and Workers in Reference Period

Index of Average Wage refers to the ratio of average wage of staff and workers at the report time to that at the reference time. It reflects the relative changing degree of average wage in money terms at the various of time, which is calculated as following:

Index of Average Wage of Staff and Worker = average wage of staff and workers at the report time/average wage of staff and workers at the reference time

Index of Average Real Wage refers to the average wage which has removed the factor of price change. Index of average real wage of staff and worker reflects the relative changing degree of average real wage, and indicates the degree of the rising or declining degree of real wage of staff and worker, which is calculated as following:

Index of Average Real Wage of Staff and Worker = (Index of Average Wage of Staff and Worker at the Report Time/Urban Consumer Prices Index at the Report Time) ×100%.

固定资产投资

4

Investment in Fixed Assets

简要说明

本篇资料的主要内容及来源

本篇资料反映全省固定资产投资和房地产开发企业的基本情况，包括固定资产投资的规模、结构、资金来源和投资的效果等资料。

固定资产投资统计资料来源为：除农户投资由国家统计局福建调查总队投资建筑业调查处提供外；其他资料均由省统计局固定资产投资统计处提供。

本篇的统计调查方法除农户投资统计采用抽样调查方法外，其他均为全面统计报表。

Brief Introduction

Main Content and Source of Data

Data in this chapter show the basic conditions of investment in fixed assets and the basic conditions of enterprises for real estate development of Fujian Province etc. mainly including the total investment in fixed assets, the structure of investment, the resources of investment and the results of investment;

Data on the trans-regional projects are provided by the various departments under the Provincial Government. Data on the individual investment in fixed assets in rural areas are provided by the fixed assets and construction Census division of NBS Survey office in Fujian; others statistical data on the investment in fixed assets are provided by the Division of Investment in Fixed Assets, Fujian Statistical Bureau.

Method of data collection: All Data on the investment in fixed assets are collected by the statistical reporting scheme with the coverage of complete enumeration, except data on the investment in fixed assets in rural areas which are collected through sample surveys.

4–1 全社会固定资产投资
Total Investment in Fixed Assets in the Whole Country

项目 Item	2000	2003	2005	2007	2008
投资总额（亿元）Total Investment in Fixed Assets(100 million yuan)	**1082.47**	**1507.87**	**2344.73**	**4321.74**	**5301.69**
按城乡分 Gruoped By Urban and Rural Areas					
城镇 Urban Area	863.21	1240.78	1986.31	3863.01	4695.51
#房地产开发 Real Estate Development	207.37	362.07	540.39	1132.49	1129.09
农村 Rural	219.26	267.10	358.42	458.73	606.18
#农户 Agriculural	87.09	96.42	103.03	135.07	153.39
按构成分 Gruoped By Construction					
建筑工程 Construction	581.57	849.02	1202.74	2250.77	2845.35
安装工程 Installation	90.46	73.93	120.11	185.50	238.58
设备工器具购置 Purchase of Equipment and Instruments	287.46	334.87	542.42	808.66	1127.87
其他费用 Others	122.98	250.05	479.47	1076.81	1089.90
按三次产业分 Gruoped By Three stata of Industry					
第一产业 Primary Industry	19.41	41.05	60.69	72.11	102.61
第二产业 Secondary Industry	481.26	535.62	928.73	1562.78	2035.33
第三产业 Tertiary Industry	581.80	931.20	1355.32	2686.84	3163.75
投资资金来源（亿元）Total Source of Funds This Year(100 million yuan)	**1111.06**	**1664.60**	**2643.51**	**5011.52**	**5755.24**
国家预算内资金 State Budgetary Appropriation	54.26	92.84	165.29	286.69	400.70
国内贷款 Domestic Loans	181.76	307.16	531.26	1048.91	1070.99
债券 Bonds	4.90	2.22	0.69	15.29	11.40
利用外商投资 Foreign Investment	136.26	124.06	132.95	215.67	206.24
自筹资金 self-raising Fundaising	511.07	802.91	1309.41	2437.05	3124.85
其他资金来源 Others	222.81	335.41	503.91	1007.90	941.05
房屋建筑面积（万平方米）Floor Space of Buildings(10000 sq.m)					
施工面积 Floor Space Under Construction	10118.93	11634.18	17377.27	23712.10	26034.89
#住宅 Residential Buildings	6191.93	7396.05	8832.24	13449.53	14892.97
竣工面积 Floor Space Completed	4806.13	4850.26	7140.36	7216.14	7719.52
#住宅 Residential Buildings	3432.91	3140.13	4005.03	4881.91	5170.02

4-2 主要年份按城乡分全社会固定资产投资额

Total Investment in Fixed Assets in Selected Years

单位：亿元　　(100 million yuan)

年份 Year	全社会固定资产投资额 Total Investment in Fixed Assets	城镇 Urban	#房地产开发 Real Estate	农村 Rural	集体 Collective-owned	农户 Individuals	比上年增长(%) Ratio(%)
1952	0.62	0.38		0.24	0.11	0.13	68.1
1957	2.42	1.87		0.55	0.40	0.15	-55.2
1962	3.23	2.15		1.08	0.59	0.49	-16.6
1965	4.94	3.40		1.54	0.82	0.72	14.9
1970	7.21	4.85		2.36	1.02	1.34	111.4
1975	10.26	6.79		3.47	1.72	1.75	12.8
1978	13.35	9.45		3.90	1.95	1.95	55.2
1979	15.30	11.27		4.03	2.32	1.71	14.6
1980	18.30	13.57		4.73	2.75	1.98	19.6
1981	18.47	13.49		4.98	2.70	2.28	0.9
1982	24.45	16.32		8.13	3.23	4.90	32.4
1983	26.97	18.38		8.59	4.04	4.55	10.3
1984	34.61	24.23		10.38	5.25	5.13	28.3
1985	55.62	42.35		13.27	6.43	6.84	60.7
1986	64.46	48.63	3.57	15.83	4.18	11.65	15.9
1987	81.60	58.84	3.25	22.76	7.86	14.90	26.6
1988	100.29	71.41	7.13	28.88	8.05	20.83	22.9
1989	101.65	72.29	11.02	29.36	7.92	21.44	1.4
1990	115.41	81.39	13.47	34.02	9.12	24.90	13.5
1991	145.62	105.50	21.07	40.12	11.78	28.34	26.2
1992	227.55	176.76	41.03	50.79	16.45	34.34	56.3
1993	368.45	288.61	60.93	79.84	31.84	48.00	61.9
1994	538.86	437.65	101.98	101.21	34.83	66.38	46.3
1995	681.17	551.18	151.37	129.99	43.26	86.73	26.4
1996	790.00	636.66	151.69	153.34	60.25	93.09	16.0
1997	898.47	721.67	148.33	176.80	72.66	104.14	13.7
1998	1048.52	855.64	165.63	192.88	85.62	107.26	16.7
1999	1040.00	846.39	178.62	193.61	105.83	87.78	3.4
2000	1082.47	863.21	207.37	219.26	132.17	87.09	4.1
2001	1134.48	930.10	225.49	204.38	123.75	80.63	4.8
2002	1230.76	1010.76	248.99	220.00	138.00	82.00	8.5
2003	1507.87	1240.78	362.07	267.09	170.67	96.42	22.5
2004	1899.10	1600.54	477.79	298.55	197.84	100.71	25.9
2005	2344.73	1986.31	540.39	358.42	255.40	103.03	23.5
2006	3115.08	2765.12	787.36	349.96	233.33	116.63	38.0
2007	4321.74	3863.01	1132.49	458.74	323.66	135.07	38.7
2008	5301.69	4695.51	1129.09	606.18	452.80	153.39	22.7

注：1.1999-2008年农村集体系非农户投资2.按国家制度要求，为剔除与“农村投资”重复计算因素，从1999年起全社会投资均扣除城关镇以下私人建房投资；3.自2006年起城镇工矿区私人建房投资纳入项目统计。

Note:a)Collective investment in rural areas from 1999 to 2008 refers to non farmers' investment. b)In accordance with national regulation, total investment in fixed assets from 1999 excludes the investment in private house building under city town level.c)The data from 2006 includes the inverstment in private house building of town areasand.

4-3 主要年份按登记注册类型分全社会固定资产投资额

Total Investment in Fixed Assets by Ownership in Selected Years

单位：亿元 (100 million yuan)

年份 Year	全社会固定资产投资额 Total Investment in Fixed Assets	国有经济 State-owned Units	集体经济 Collective-owned Units	个私经济 Individuals Economy	其他 Others	#股份制经济 Share Holding Units	#联营经济 Joint Ownership Units	#外商及港澳台商投资企业 Units with Funds from Foreign Funded and Hong kong,Macao, Taiwan
1952	0.62	0.37	0.12	0.13				
1957	2.42	1.81	0.45	0.16				
1962	3.23	1.94	0.67	0.62				
1965	4.94	3.09	0.93	0.92				
1970	7.21	4.36	1.16	1.69				
1975	10.26	6.08	1.96	2.22				
1978	13.35	8.66	2.22	2.47				
1979	15.30	10.51	2.62	2.16	0.01			
1980	18.30	12.60	3.13	2.52	0.05			
1981	18.47	12.27	3.36	2.81	0.03			
1982	24.45	15.12	3.95	5.36	0.02			
1983	26.97	16.91	4.77	5.25	0.04			
1984	34.61	21.07	6.52	6.83	0.19			
1985	55.62	37.10	8.89	9.16	0.47			
1986	64.46	43.74	6.44	13.96	0.32			
1987	81.60	52.14	9.75	19.44	0.27			
1988	100.29	60.82	11.51	27.30	0.66			
1989	101.65	61.65	11.30	26.59	2.11			
1990	115.41	69.49	12.17	31.69	2.06			
1991	145.62	91.11	15.59	34.36	4.56			
1992	227.55	124.36	25.65	50.20	27.34			
1993	368.45	195.26	43.09	75.74	54.36	5.07	1.50	46.49
1994	538.86	249.14	50.69	103.83	135.20	13.71	7.02	112.60
1995	681.17	306.70	61.10	132.33	181.04	17.40	5.26	154.86
1996	790.00	323.20	84.23	145.28	237.29	23.93	7.55	199.82
1997	898.47	368.64	94.27	159.48	276.08	37.15	7.75	220.10
1998	1048.52	429.57	113.25	181.87	323.83	63.82	8.82	239.46
1999	1040.00	450.63	63.58	159.39	366.40	99.12	10.79	239.67
2000	1082.47	436.49	43.58	160.75	441.65	162.01	7.25	262.27
2001	1134.48	484.42	47.66	157.82	444.58	154.67	5.12	273.85
2002	1230.76	501.35	51.09	155.12	523.20	191.33	4.88	315.15
2003	1507.87	574.95	61.25	232.80	638.87	273.75	8.40	341.29
2004	1899.10	632.51	69.80	328.55	868.25	348.11	7.60	440.56
2005	2344.73	785.82	70.80	418.68	1069.43	377.61	11.73	496.99
2006	3115.08	1081.29	87.32	702.44	1244.02	531.70	6.04	615.83
2007	4321.74	1522.96	117.18	1059.61	1621.99	764.32	9.80	731.93
2008	5301.69	1914.63	190.41	1294.82	1901.84	948.47	13.95	837.87

4-4 按产业、城乡分全社会固定资产投资额

Total Investment in Fixed Assets by Secotr

单位：亿元　　(100 million yuan)

行业 Sector	2007 总计 Total	2007 城镇 Urban	2007 农村 Rural	2008 总计 Total	2008 城镇 Urban	2008 农村 Rural
总计 Total	**4321.74**	**3863.01**	**458.74**	**5301.69**	**4695.51**	**606.18**
第一产业 Primary Industry	**72.11**	**17.08**	**55.04**	**102.61**	**29.92**	**72.69**
农、林、牧、渔业 Farming, Forestry, Animal Husbandy and Fishery	72.11	17.08	55.04	102.61	29.92	72.69
第二产业 Secondary Industry	**1562.78**	**1357.77**	**205.01**	**2035.33**	**1777.20**	**258.13**
采矿业 Mining and Quarrying	49.80	18.88	30.92	89.34	42.09	47.24
制造业 Manufacturing	1194.00	1054.18	139.83	1509.31	1329.46	179.85
电力、燃气及水的生产和供应业 Production and Supply of Electricity Gas and Water	287.57	271.46	16.11	412.40	391.02	21.38
建筑业 Construction	31.41	13.25	18.16	24.29	14.63	9.66
第三产业 Tertiary Industry	**2686.84**	**2488.16**	**198.68**	**3163.75**	**2888.39**	**275.36**
交通运输、仓储和邮政业 Transport, Storage and Post Services	567.91	523.85	44.06	708.46	656.64	51.82
信息传输、计算机服务和软件业 Information Transmission, Computer Software and Services	74.30	72.68	1.62	129.11	127.18	1.94
批发和零售业 Wholesale and Retail Trade	40.07	33.35	6.72	63.23	53.51	9.72
住宿和餐饮业 Lodgings and Catering Services	43.57	39.40	4.17	68.47	64.89	3.58
金融业 Finance	11.37	11.36	...	15.36	15.27	0.09
房地产业 Real Estate	1269.22	1192.46	76.76	1319.51	1203.40	116.11
租赁和商务服务业 Rent and Business Services	28.74	28.25	0.49	59.51	57.66	1.85
科学研究、技术服务和地质勘查业 Scientific Reseach, Ploytechnic Services and Geological Prospecting	14.52	12.97	1.55	12.00	10.42	1.58
水利、环境和公共设施管理业 Water Conservancy, Environment and Public Facilities Management	372.73	349.65	23.08	433.64	400.80	32.83
居民服务和其他服务业 Resident Services and Others	5.70	1.60	4.11	6.08	2.70	3.39
教育 Education	78.55	73.73	4.82	79.55	71.44	8.10
卫生、社会保障和社会福利业 Health Care, Social Ensure and Walfare	27.64	24.48	3.16	36.00	31.88	4.12
文化、体育和娱乐业 Culture, Sports and Entertainment	40.58	38.03	2.55	52.64	48.31	4.33
公共管理和社会组织 Public Management and Social Organizations	111.96	86.35	25.61	180.20	144.29	35.91
国际组织 Intenational Organzition						

注：本表国民经济行业分类标准采用GB/T 4754–2002。

Note: The classified Standards of national ecomonic sector are adopted GB/T 4754-2002.

4–5 全社会固定资产投资资金来源(1981–2008年)

Sources of Funds for Investment in Fixed Assets in the Whole Country,1981-2008

单位：亿元 (100 million yuan)

年份 Year	国家预算内资金 State Budgetary Appropriation	国内贷款 Domestic Loans	债券 Bonds	利用外资 Foreign Investment	自筹资金 Fundraising	其他资金来源 Others
1981	5.17	2.41		0.19	6.54	0.67
1982	3.65	5.02		0.82	7.68	1.19
1983	4.05	5.52		0.43	8.38	2.00
1984	5.44	9.21		0.32	9.16	1.53
1985	6.47	15.19		3.39	13.29	3.33
1986	6.92	17.99		2.29	12.65	3.95
1987	9.64	19.85		1.93	21.55	5.50
1988	5.98	24.69		3.89	30.37	12.95
1989	6.74	18.62		5.52	34.71	17.69
1990	8.30	22.88		9.57	42.69	20.01
1991	6.76	32.16		4.13	55.84	26.35
1992	5.58	53.68		9.47	80.41	14.29
1993	8.81	84.08		37.37	158.42	63.05
1994	7.80	91.55		75.84	227.54	78.14
1995	9.83	113.19		103.74	253.80	120.10
1996	11.78	144.05		139.92	306.13	126.95
1997	10.63	146.67		167.47	363.31	242.32
1998	23.41	170.86		230.08	436.39	190.36
1999	38.36	181.87		133.67	423.74	219.52
2000	54.26	181.76	4.90	136.26	511.07	222.81
2001	66.97	187.52	3.40	132.01	530.73	285.22
2002	78.98	266.11	3.74	150.85	576.90	269.25
2003	92.84	307.16	2.22	124.06	802.91	335.41
2004	84.62	406.01	3.71	135.91	1048.19	461.48
2005	165.29	531.26	0.69	132.95	1309.41	503.91
2006	175.07	764.60	9.56	146.59	1669.64	792.41
2007	286.69	1048.91	15.29	215.67	2437.05	1007.90
2008	400.70	1070.99	11.40	206.24	3124.85	941.05

4-6 全社会固定资产投资资金来源构成(1981–2008年)

Composition of Funds for Investment in Fixed Assets in the Whole Country,1981-2008

单位：% (%)

年份 Year	国家预算内资金 State Budgetary Appropriation	国内贷款 Domestic Loans	债券 Bonds	利用外资 Foreign Investment	自筹资金 Fundraising	其他资金来源 Others
1981	34.5	16.1		1.3	43.7	4.5
1982	19.9	27.3		4.5	41.8	6.5
1983	19.9	27.1		2.1	41.1	9.8
1984	21.2	35.9		1.2	35.7	6.0
1985	15.5	36.5		8.1	31.9	8.0
1986	15.8	41.1		5.2	28.9	9.0
1987	16.5	33.9		3.3	36.9	9.4
1988	7.7	31.7		5.0	39.0	16.6
1989	8.1	22.4		6.6	41.7	21.2
1990	8.0	22.1		9.2	41.3	19.3
1991	5.4	25.7		3.3	44.6	21.0
1992	3.4	32.8		5.8	49.2	8.7
1993	2.5	23.9		10.6	45.0	17.9
1994	1.6	19.0		15.8	47.3	16.2
1995	1.6	18.8		17.3	42.3	20.0
1996	1.6	19.8		19.2	42.0	17.4
1997	1.1	15.8		18.0	39.0	26.0
1998	2.2	16.3		21.9	41.5	18.1
1999	3.8	18.2		13.4	42.5	22.0
2000	4.9	16.4	0.3	12.3	46.0	20.1
2001	5.6	15.6	0.3	10.9	44.0	23.7
2002	5.9	19.8	0.3	11.2	42.9	20.0
2003	5.6	18.5	0.1	7.5	48.2	20.1
2004	4.0	19.0	0.2	6.4	49.0	21.6
2005	6.3	20.1	...	5.0	49.5	19.1
2006	4.9	21.5	0.3	4.1	46.9	22.3
2007	5.7	20.9	0.3	4.3	48.6	20.1
2008	7.0	18.6	0.2	3.6	54.3	16.4

4-7 全社会固定资产投资构成(1993-2008年)

Composition of Fixed Assets in the Whole Country,1993-2008

单位：亿元 (100 million yuan)

年份 Year	建筑工程 Construction	安装工程 Installation	设备工器具购置 Purchase of Equipment and Instruments	其他费用 Others
总量 Total				
1993	235.36	16.85	78.44	37.79
1994	352.39	23.51	103.99	58.98
1995	455.78	31.67	119.14	74.58
1996	503.53	38.78	154.85	92.84
1997	534.67	49.41	212.38	102.00
1998	624.06	59.18	237.70	127.58
1999	578.05	63.74	267.97	130.25
2000	581.57	90.46	287.46	122.98
2001	588.88	83.49	321.91	140.20
2002	685.69	61.96	312.04	171.07
2003	849.02	73.93	334.87	250.05
2004	1040.66	96.46	443.35	318.62
2005	1202.74	120.11	542.42	479.47
2006	1566.78	138.67	610.26	799.36
2007	2250.77	185.50	808.66	1076.81
2008	2845.35	238.58	1127.87	1089.90
构成(%) Composition(%)				
1993	63.9	4.6	21.3	10.3
1994	65.4	4.4	19.3	10.9
1995	66.9	4.6	17.5	10.9
1996	63.7	4.9	19.6	11.8
1997	59.5	5.5	23.6	11.4
1998	59.5	5.6	22.7	12.2
1999	55.6	6.1	25.8	12.5
2000	53.7	8.4	26.6	11.4
2001	51.9	7.4	28.4	12.4
2002	55.7	5.0	25.4	13.9
2003	56.3	4.9	22.2	16.6
2004	54.8	5.1	23.3	16.8
2005	51.3	5.1	23.1	20.4
2006	50.3	4.5	19.6	25.7
2007	52.1	4.3	18.7	24.9
2008	53.7	4.5	21.3	20.6

4-8 按各类分组的固定资产投资

Total Investment in Fixed Assets by Groups

单位：亿元 (100 million yuan)

项目 Item	2000	2003	2005	2007	2008
一、全社会固定资产投资 Total Investment in Fixed Assets	**1082.47**	**1507.87**	**2344.73**	**4321.74**	**5301.69**
按隶属关系分 By Ownership					
中央 Central	63.50	49.44	99.80	237.88	411.50
地方 Local	1018.97	1458.43	2244.93	4083.86	4890.19
#省 Province	158.60	199.00	293.63	550.57	670.39
按构成分 By Type of Construction					
建筑工程 Construction	581.57	849.02	1202.74	2250.77	2845.35
安装工程 Installation	90.46	73.93	120.11	185.50	238.58
设备工器具购置 Purchase of Equipment and Instruments	288.75	334.87	542.42	808.66	1127.87
其他 Others	124.98	250.05	479.47	1076.81	1089.90
按三次产业分 By Type of Industry					
第一产业 Primary Industry	19.41	41.05	60.69	72.11	102.61
第二产业 Secondary Industry	481.26	535.62	928.73	1562.78	2035.33
第三产业 Tertiary Industry	581.80	931.20	1355.32	2686.84	3163.75
二、资金来源 SourceofFunds	**1242.90**	**1835.53**	**2946.95**	**5536.97**	**6410.27**
上年末结余资金 FundsofLastYear-end	131.84	170.93	303.45	525.45	655.03
本年资金来源合计 TotalSourceofFundsThisYear	1111.06	1664.60	2643.51	5011.52	5755.24
国家预算内资金 StateBudgetaryAppropriation	54.26	92.84	165.29	286.69	400.70
国内贷款 DomesticLoans	181.76	307.16	531.26	1048.91	1070.99
债券 Bonds	4.90	2.22	0.69	15.29	11.40
利用外商投资 ForeignInvestment	136.26	124.06	132.95	215.67	206.24
自筹资金 Fundraising	511.07	802.91	1309.41	2437.05	3124.85
其他资金来源 Others	222.81	335.41	503.91	1007.90	941.05

4–9 全社会住宅投资额(1981–2008年)

Total Investment of Housings Completed,1981-2008

单位：亿元 (100 million yuan)

年份 Year	全社会住宅投资额 Total Investment of Residential Buildings	#房地产开发 Real Estate Development	#城乡个人 Urban and Rural Individuals	城镇 Urban Individuals	农村 Rural Individuals
1981	5.20		2.46	0.51	1.95
1982	8.42		4.62	0.43	4.19
1983	8.32		4.27	0.68	3.59
1984	9.62		5.57	1.58	3.99
1985	13.59		7.42	2.15	5.26
1986	17.84	2.56	9.44	1.98	7.46
1987	19.55	2.36	12.75	3.44	9.31
1988	30.15	5.13	18.91	5.76	13.15
1989	32.70	8.02	19.21	4.80	14.41
1990	39.06	9.10	24.68	6.26	18.42
1991	46.92	14.35	25.46	5.49	19.97
1992	78.30	28.76	38.73	14.11	24.61
1993	112.78	39.99	54.68	23.83	30.85
1994	178.38	69.96	77.22	34.15	43.07
1995	219.81	88.51	106.85	41.07	65.78
1996	226.16	75.29	122.01	44.19	77.82
1997	226.72	72.49	123.63	44.27	79.35
1998	256.52	85.44	136.49	56.04	80.45
1999	241.17	105.08	89.22	21.99	67.23
2000	239.64	125.07	90.81	24.54	66.27
2001	235.77	145.22	67.23	17.78	49.45
2002	272.69	160.78	79.14	16.34	62.80
2003	336.28	237.67	74.58	19.75	54.83
2004	414.53	308.45	84.02	21.81	62.21
2005	463.74	363.72	75.43	24.71	50.72
2006	617.48	511.68	68.66	3.59	65.07
2007	933.35	778.39	85.82	2.24	83.58
2008	903.35	735.93	104.59	3.50	101.09

4–10 全社会住宅竣工面积(1981–2008年)

Floor Space of Housings Completed,1981-2008

单位：万平方米 (10000 sq.m)

年份 Year	全社会住宅竣工面积 Total Floor Space of Residential Bulidings Completed	#房地产开发 Real Estate Development	#城乡个人 Urban and Rural Individuals	城镇 Urban Individuals	农村 Rural Individuals
1981	1478.95		1215.12	68.55	1146.57
1982	1481.65		1053.12	68.03	985.09
1983	1254.20		861.96	98.04	763.92
1984	1324.08		944.18	201.59	742.59
1985	1428.30		1066.52	239.52	827.00
1986	2262.99	112.40	1770.52	212.21	1558.31
1987	1693.05	72.21	1394.48	260.75	1133.73
1988	2438.81	112.25	2106.62	328.71	1777.91
1989	1895.20	145.78	1578.25	243.42	1334.83
1990	2438.93	139.47	2093.88	290.35	1803.53
1991	2144.79	147.03	1815.51	240.51	1575.00
1992	2602.66	181.24	2192.19	522.19	1670.00
1993	2443.93	238.46	1957.67	601.67	1356.00
1994	3639.98	359.14	2952.73	860.17	2092.56
1995	3685.20	585.82	2814.57	1009.28	1805.29
1996	4017.69	419.56	3233.36	1044.95	2188.41
1997	3928.96	500.07	3012.71	1083.27	1929.44
1998	4628.66	450.90	3799.44	1175.60	2623.84
1999	2528.71	604.21	1370.93	427.80	943.13
2000	3432.91	771.81	2376.99	446.99	1930.00
2001	2775.24	1020.46	1490.27	389.27	1101.00
2002	3014.69	1011.33	1727.36	232.36	1495.00
2003	3140.13	1074.29	1798.59	380.59	1418.00
2004	3919.39	1260.55	2402.38	364.38	2038.00
2005	4005.03	1304.85	2523.71	407.03	2116.68
2006	3987.83	1128.59	2575.52	46.14	2529.38
2007	4881.91	1344.42	3235.53	28.99	3206.54
2008	5170.02	1422.84	3485.55	18.10	3467.45

4-11 城镇投资项目数及计划总投资(1991-2008年)

Number of Capital Construction Projects and Value of Planned Investment in Urban Areas,1991-2008

年份 Year	施工项目(个) Number of Projects Under Construction (unit)	全部建成投产项目(个) Number of Projects Completed and Put Into Use (unit)	计划总投资(亿元) Total Investment of Planned (100 million yuan)	年份 Year	施工项目(个) Number of Projects Under Construction (unit)	全部建成投产项目(个) Number of Projects Completed and Put Into Use (unit)	计划总投资(亿元) Total Investment of Planned (100 million yuan)
1991	5535	3007	258.30	2000	6231	3579	2065.80
1992	5872	3127	439.57	2001	5763	3153	2211.25
1993	6207	2990	758.31	2002	6066	3269	2264.16
1994	5445	2792	1013.21	2003	5571	2438	3201.66
1995	5231	2789	1317.79	2004	7213	2594	4285.28
1996	6007	3424	1578.84	2005	7534	2882	5844.29
1997	5520	3009	1804.65	2006	9610	3013	8234.54
1998	6332	3486	2132.84	2007	10713	3699	10429.36
1999	7254	4067	2188.31	2008	11630	4537	13140.14

注：本表不含城镇私人和房地产开发。

Note:Data in this table exclude the investment of Urban Individuas and the real estate development.

4-12 主要年份全社会新增固定资产

Newly Increased Total Investment in Fixed Assets in Selected Year

单位：亿元 (100 million yuan)

年份 Year	全社会新增固定资产 Newly Increased Total Investment in Fixed Assets	城镇 Urban	农村 Rural	年份 Year	全社会新增固定资产 Newly Increased Total Investment in Fixed Assets	城镇 Urban	农村 Rural
1952	0.63	0.39	0.24	1991	112.01	71.88	40.13
1957	4.75	4.20	0.55	1992	157.43	106.64	50.79
1962	2.60	1.52	1.08	1993	229.81	157.13	72.68
1965	4.38	2.84	1.54	1994	349.41	254.88	94.53
1970	4.53	2.18	2.35	1995	438.60	313.85	124.76
1975	9.13	5.65	3.48	1996	546.08	417.20	128.88
1978	8.95	5.05	3.90	1997	786.86	622.39	164.47
1979	11.78	7.75	4.03	1998	783.01	602.99	180.02
1980	13.65	8.91	4.74	1999	841.20	654.29	186.91
1981	15.51	10.53	4.98	2000	865.77	674.96	190.81
1982	18.62	10.49	8.13	2001	836.95	662.25	174.70
1983	22.37	13.78	8.59	2002	874.73	758.12	116.61
1984	29.83	19.45	10.38	2003	881.96	691.41	190.55
1985	39.57	26.30	13.27	2004	1013.05	790.86	222.19
1986	49.55	33.71	15.84	2005	1189.77	924.64	265.13
1987	64.24	41.47	22.77	2006	1248.87	982.84	266.03
1988	84.66	55.79	28.87	2007	1594.61	1243.09	351.53
1989	78.55	49.19	29.36	2008	2235.32	1781.75	453.57
1990	98.86	64.84	34.02				

4-13 按产业分城镇固定资产投资

Total Investment in Fixed Assets in Urban Areas by Sector

单位：万元 (10000 yuan)

行业 Sector	2003	2005	2007	2008
总计 Total	**12407773**	**19863086**	**38630052**	**46955100**
第一产业 Primary Industry	**92142**	**126807**	**170753**	**299243**
农、林、牧、渔业 Farming,Forestry,AnimalHusbandyandFishery	92142	126807	170753	299243
第二产业 Secondary Industry	**3877516**	**7629264**	**13577690**	**17771966**
采矿业 MiningandQuarrying	24690	89046	188813	420925
制造业 Manufacturing	2960775	4905734	10541767	13294602
电力、燃气及水的生产和供应业 ProductionandSupplyofElectricityGasand Water	829368	2407519	2714631	3910177
建筑业 Construction	62683	226965	132479	146262
第三产业 Tertiary Industry	**8438115**	**12107015**	**24881609**	**28883891**
交通运输、仓储和邮政业 Transport,StorageandPostServices	1647469	2307143	5238486	6566449
信息传输、计算机服务和软件业 InformationTransmission,ComputerSoftware andServices	589970	667589	726772	1271765
批发和零售业 WholesaleandRetailTrade	104879	165035	333526	535125
住宿和餐饮业 LodgingsandCateringServices	65451	145365	394029	648896
金融业 Finance	18737	64103	113616	152669
房地产业 RealEstate	3977427	5736873	11924639	12034040
租赁和商务服务业 RentandBusinessServices	124142	113979	282522	576587
科学研究、技术服务和地质勘查业 ScientificReseach,PloytechnicServicesand GeologicalProspecting	35439	39252	129713	104150
水利、环境和公共设施管理业 WaterConservancy,EnvironmentandPublic FacilitiesManagement	684640	1297129	3496472	4008026
居民服务和其他服务业 ResidentServicesandOthers	15123	15629	15963	26960
教育 Education	412740	541982	737317	714433
卫生、社会保障和社会福利业 HealthCare,SocialEnsureandWalfare	109322	156605	244782	318820
文化、体育和娱乐业 Culture,SportsandEntertainment	80936	135184	380318	483117
公共管理和社会组织 PublicManagementandSocialOrganizations	571840	721147	863454	1442854
国际组织 InternationalOrganzition				

注：本表国民经济行业分类标准采用GB/T 4754—2002。
Note: The classified Standards of national ecomonic sector are adopted GB/T 4754-2002.

4-14 按产业分城镇新增固定资产

Newly Increased Total Investment in Fixed Assets in Urban Areas by Sector

单位：万元 (10000 yuan)

行业 Sector	2003	2005	2007	2008
合计 Total	**6914113**	**9246365**	**12430850**	**17817461**
第一产业 Primary Industry	**43138**	**70219**	**95946**	**213955**
农、林、牧、渔业 Farming,Forestry,AnimalHusbandyandFishery	43138	70219	95946	213955
第二产业 Secondary Industry	**2356325**	**3489972**	**5585100**	**7183682**
采矿业 MiningandQuarrying	4416	40205	106280	293745
制造业 Manufacturing	1929354	2550195	4337823	5864411
电力、燃气及水的生产和供应业 ProductionandSupplyofElectricityGasand Water	390829	840007	1118390	995406
建筑业 Construction	31726	59565	22607	30120
第三产业 Tertiary Industry	**4514650**	**5686174**	**6749804**	**10419824**
交通运输、仓储和邮政业 Transport,StorageandPostServices	472703	830801	937128	2078867
信息传输、计算机服务和软件业 InformationTransmission,ComputerSoftware andServices	574254	548367	566681	825886
批发和零售业 WholesaleandRetailTrade	62887	51838	107797	253088
住宿和餐饮业 LodgingsandCateringServices	24310	105202	140317	278439
金融业 Finance	15751	58516	69177	106747
房地产业 RealEstate	2322716	2767238	3236269	4009562
租赁和商务服务业 RentandBusinessServices	36166	30759	129686	143491
科学研究、技术服务和地质勘查业 ScientificReseach,PloytechnicServicesand GeologicalProspecting	21985	12053	32657	106318
水利、环境和公共设施管理业 WaterConservancy,EnvironmentandPublic FacilitiesManagement	309045	338936	684190	1231447
居民服务和其他服务业 ResidentServicesandOthers	7619	8658	6297	9988
教育 Education	219316	309562	319731	288444
卫生、社会保障和社会福利业 HealthCare,SocialEnsureandWalfare	92121	66292	102000	142993
文化、体育和娱乐业 Culture,SportsandEntertainment	30731	48305	62974	163190
公共管理和社会组织 PublicManagementandSocialOrganizations	325046	509647	354900	781364
国际组织 InternationalOrganzition				

注：本表国民经济行业分类标准采用GB/T 4754-2002。

Note: The classified Standards of national ecomonic sector are adopted GB/T 4754-2002.

4–15 按各类分组城镇固定资产投资

Total Investment in Fixed Assets By Groups

单位：万元 (10000 yuan)

行业 Sector	2003	2005	2007	2008
总计 Total	**12407773**	**19863086**	**38630052**	**46955100**
按登记注册类型分 Grouped by Status of Registration				
国有企业 Stated-owned Enterprises	4886904	6423753	13337538	17098114
集体企业 Collective-owned Enterprises	259596	286291	487622	936539
股份合作 Share Holding Cooperative Enterprises	95712	68677	117612	90718
联　营 Cooperative Enterprises	180566	346359	534893	295184
有限责任公司 Limited Liability Corporations Enterprises	1903607	3457744	7428024	8622568
股份有限公司 Share Holding Enterprises	571189	609772	973706	1711832
私营企业 Private Enterprises	908340	3278861	7671656	9221229
港澳台商投资企业 Enterprises with Funds from HongKong, Macao,TaiWan and Foreign	1797863	2651621	4144831	4761696
外商投资企业 Foreign Funded Enterprises	1503634	2109391	2961205	3377339
其他 Other Enterprises	300362	630617	972965	839881
按隶属关系分 By Ownership				
中央 Central	494412	998046	2377424	4104799
地方 Local	11913361	18865040	36252628	42850301
#省 Province	1990039	2936257	5482950	6674369
按建设性质分 By Kind of Construction				
#新建 New Construction	5388877	9204991	18891897	22560372
扩建 Expansion	2112809	2963634	4681908	7591848
改建 Reconstruction	525678	981314	2093249	2876889

4-16 按各类分组城镇新增固定资产

Newly Increased Total Investment in Fixed Assets By Groups

单位：万元 (10000 yuan)

行业 Sector	2003	2005	2007	2008
合计 Total	**6914113**	**9246365**	**12430850**	**17817461**
按登记注册类型分 Grouped by Status of Registration				
国有企业 Stated-owned Enterprises	2581850	2716796	2641866	5482240
集体企业 Collective-owned Enterprises	156850	117494	104673	382909
股份合作 Share Holding Cooperative Enterprises	88129	37191	35430	43714
联　营 Cooperative Enterprises	113821	152206	135073	127594
有限责任公司 Limited Liability Corporations Enterprises	884618	1458792	2500779	2761173
股份有限公司 Share Holding Enterprises	293901	314407	391213	532566
私营企业 Private Enterprises	430560	1558513	2893973	4543505
港澳台商投资企业 Enterprises with Funds from HongKong, Macao, TaiWan and Foreign	999960	1265534	1956932	2046658
外商投资企业 Foreign Funded Enterprises	1091649	1230549	1589125	1673788
其他 Other Enterprises	53998	394883	181786	223314
按隶属关系分 By Ownership				
中央 Central	468852	304047	312057	392568
地方 Local	6445261	8942318	12118793	17424893
#省 Province	848063	1087686	1491481	2154837
按建设性质分 By Kind of Construction				
#新建 New Construction	2349603	3409115	5049672	6850245
扩建 Expansion	1484031	1667155	2121226	3315502
改建 Reconstruction	403362	590094	1153992	1453978

4-17 按行业分城镇固定资产投资(2008年)

单位：亿元

项目 Item	合计 Total	按投资构成分 By Type of Construction 建筑工程 Construction	 安装工程 Installation
总计 Total	**4695.51**	**2455.57**	**221.83**
农、林、牧、渔业 Farming, Forestry, Animal Husbandy and Fishery	**29.92**	**19.46**	**0.43**
农业 Farming	8.26	5.43	0.12
林业 Forestry	3.42	0.50	...
畜牧业 Animal Husbandry	5.98	4.09	0.09
渔业 Fishery	3.45	1.76	0.05
农、林、牧、渔服务业 Services in Support of Agriculture	8.82	7.69	0.16
采矿业 Mining and Quarrying	**42.09**	**22.26**	**1.67**
煤炭开采和洗选业 Mining and Washing of Coal	12.94	6.44	0.39
石油和天然气开采业 Extraction of Petroleum and Natural Gas			
黑色金属矿采选业 Mining and Processing of Ferrous Metal Ores	6.95	4.30	0.08
有色金属矿采选业 Mining and Processing of Non-Ferrous Metal Ores	11.32	6.46	0.62
非金属矿采选业 Mining and Processing of Nonmetal Ores	10.54	4.75	0.57
其他采矿业 Mining of Other Ores	0.34	0.30	
制造业 Manufacturing	**1329.46**	**598.64**	**68.74**
农副食品加工业 Processing of Food from Agricultural Products	39.83	21.31	2.50
食品制造业 Manufacture of Foods	23.51	12.53	0.82
饮料制造业 Manufacture of Beverages	24.41	7.63	1.51
烟草制品业 Manufacture of Tobacco	6.24	2.31	0.06
纺织业 Manufacture of Textile	60.18	22.60	2.70
纺织服装、鞋、帽制造业 Manufacture of Textile Wearing Apparel, Footware and Caps	54.65	31.14	2.78
皮革、毛皮、羽毛(绒)及其制品业 Manufacture of Leather, Fur, Feather and Related Products	48.97	28.87	1.36
木材加工及木、竹、藤、棕、草制品业 Processing of Timber, Manufacture of Wood, Bamboo, Rattan, Palm and Straw Products	37.48	19.12	1.64
家具制造业 Manufacture of Furniture	28.55	17.25	1.49

Investment in Fixed Assets in Urban Area by Sector,2008

(100 million yuan)

		按建设性质分 By Use of Construction		
设备工器具购置 Purchase of Equipment and Instruments	其他费用 Others	#新建 New Construction	#扩建 Expansion	#改建和技术改造 Reconstruction and Technical Renovation
979.68	**1038.43**	**2256.04**	**759.18**	**287.69**
3.18	**6.86**	**15.75**	**8.33**	**4.32**
0.31	2.40	2.83	3.89	1.14
0.03	2.89	1.64	0.61	1.17
0.82	0.98	4.49	0.92	0.28
1.45	0.19	1.19	0.89	0.55
0.57	0.40	5.60	2.02	1.18
12.06	**6.11**	**24.75**	**9.44**	**7.77**
3.10	3.01	7.47	1.41	4.06
1.57	0.99	3.46	0.76	2.59
2.96	1.28	6.57	3.93	0.83
4.40	0.83	6.91	3.35	0.29
0.03		0.34		
508.26	**153.82**	**898.88**	**249.77**	**93.33**
12.21	3.80	23.01	11.95	2.33
7.51	2.65	15.49	4.12	0.38
13.13	2.14	10.62	9.01	2.87
3.23	0.63	2.90	0.88	0.98
31.51	3.38	35.15	15.29	5.28
14.66	6.08	37.48	13.25	0.75
14.88	3.85	39.01	5.89	1.84
10.49	6.24	22.61	9.96	4.24
6.90	2.92	20.10	5.59	1.23

4–17 续表1

单位：亿元

项目 Item	合计 Total	按投资构成分 By Type of Construction 建筑工程 Construction	 安装工程 Installation
造纸及纸制品业 Manufacture of Paper and Paper Products	39.41	16.03	2.15
印刷业和记录媒介的复制 Printing, Reproduction of Recording Media	8.58	3.49	0.20
文教体育用品制造业 Manufacture of Articles For Culture, Education and Sport Activities	10.01	6.46	0.22
石油加工、炼焦及核燃料加工业 Processing of Petroleum, Coking, Processing of Nuclear Fuel	152.84	58.49	15.26
化学原料及化学制品制造业 Manufacture of Raw Chemical Materials and Chemical Products	59.57	23.11	2.87
医药制造业 Manufacture of Medicines	16.18	6.38	0.84
化学纤维制造业 Manufacture of Chemical Fibers	35.00	9.85	1.55
橡胶制品业 Manufacture of Rubber	20.01	6.36	0.88
塑料制品业 Manufacture of Plastics	33.87	16.29	0.89
非金属矿物制品业 Manufacture of Non-metallic Mineral Products	103.59	44.07	5.68
黑色金属冶炼及压延加工业 Smelting and Pressing of Ferrous Metals	29.06	11.63	2.19
有色金属冶炼及压延加工业 Smelting and Pressing of Non-ferrous Metals	43.99	15.34	1.76
金属制品业 Manufacture of Metal Products	51.16	23.28	2.28
通用设备制造业 Manufacture of General Purpose Machinery	59.04	30.25	1.94
专用设备制造业 Manufacture of Special Purpose Machinery	39.62	20.13	1.16
交通运输设备制造业 Manufacture of Transport Equipment	82.01	44.34	4.20
电气机械及器材制造业 Manufacture of Electrical Machinery and Equipment	59.53	25.16	2.14
通信设备、计算机及其他电子设备制造业 Manufacture of Communication Equipment, Computers and Other Electronic Equipment	73.89	26.44	5.54
仪器仪表及文化、办公用机械制造业 Manufacture of Measuring Instruments and Machinery for Cultural Activity and Office Work	10.35	5.79	0.33
工艺品及其他制造业 Manufacture of Artwork and Other Manufacturing	75.97	42.13	1.54
废弃资源和废旧材料回收加工业 Recycling and Disposal of Waste	1.96	0.87	0.27
电力、燃气及水的生产和供应业 **Production and Supply of Electricity Gas and Water**	**391.02**	**113.44**	**55.59**
电力、热力的生产和供应业 Production and Supply of Electric Power and Heat Power	354.04	92.64	47.12

Continued

(100 million yuan)

		按建设性质分 By Use of Construction		
设备工器具购置 Purchase of Equipment and Instruments	其他费用 Others	#新建 New Construction	#扩建 Expansion	#改建和技术改造 Reconstruction and Technical Renovation
18.01	3.22	28.85	6.67	2.67
4.12	0.78	2.91	4.04	0.46
2.29	1.05	8.62	0.77	0.06
64.03	15.06	152.69		
27.53	6.06	37.76	9.19	6.62
7.21	1.76	6.32	4.31	3.22
22.86	0.74	8.42	25.44	1.08
11.84	0.94	6.96	9.18	1.04
12.64	4.05	19.87	5.73	4.84
39.40	14.45	73.73	20.98	7.22
12.60	2.64	19.27	5.62	3.81
23.76	3.14	27.33	4.65	10.67
19.07	6.52	35.68	8.16	3.56
22.62	4.24	32.73	17.73	3.54
13.52	4.81	19.75	9.46	1.35
22.22	11.26	56.25	12.94	9.64
24.35	7.89	35.32	8.91	6.67
36.49	5.42	46.73	8.89	5.53
3.94	0.29	5.53	2.35	0.78
4.56	27.74	66.01	8.65	0.69
0.73	0.10	1.79	0.18	
168.60	**53.39**	**233.58**	**104.15**	**47.60**
164.52	49.76	213.41	93.21	42.30

4-17 续表2

单位：亿元

项目 Item	合计 Total	按投资构成分 By Type of Construction 建筑工程 Construction	安装工程 Installation
燃气生产和供应业 Production and Supply of Gas	14.41	9.62	2.10
水的生产和供应业 Production and Supply of Water	22.57	11.19	6.38
建筑业 Construction	**14.63**	**11.03**	**0.20**
房屋和土木工程建筑业 Construction of Buildings and Civil Engineering	10.18	8.54	0.08
建筑安装业 Building Installation	1.13	0.59	0.02
建筑装饰业 Building Decoration	0.21	0.04	0.02
其他建筑业 Other Construction	3.11	1.86	0.08
交通运输、仓储和邮政业 Transport, Storage and Post Services	**656.64**	**423.30**	**3.34**
铁路运输业 Railway Transport	159.50	114.80	0.04
道路运输业 Road Transport	343.31	238.80	0.75
城市公共交通业 Urban Public Transport	25.05	17.28	0.15
水上运输业 Water Transport	84.24	34.35	1.60
航空运输业 Air Transport	16.08	3.06	0.07
管道运输业 Transport Via Pipelines	1.05	0.58	0.20
装卸搬运和其他运输服务业 Loading, Unloading and Other Transport Services	5.64	2.50	0.23
仓储业 Storage	20.77	11.77	0.31
邮政业 Post	1.00	0.16	...
信息传输、计算机服务和软件业 Information Transmission, Computer Software and Services	**127.18**	**14.99**	**26.40**
电信和其他信息传输服务业 Telecommunications and Other Information Transmission Services	122.93	13.50	26.31
计算机服务业 Computer Services	1.47	0.38	0.02
软件业 Software	2.78	1.10	0.07
批发和零售业 Wholesale and Retail Trade	**53.51**	**27.82**	**2.14**
批发业 Wholesale Trade	33.20	20.38	1.29

Continued

(100 million yuan)

		按建设性质分 By Use of Construction		
设备工器具购置 Purchase of Equipment and Instruments	其他费用 Others	#新建 New Construction	#扩建 Expansion	#改建和技术改造 Reconstruction and Technical Renovation
0.88	1.82	11.63	2.33	0.17
3.20	1.81	8.53	8.61	5.13
2.06	**1.34**	**12.24**	**0.64**	**0.67**
1.05	0.51	8.89	0.33	0.21
0.31	0.21	0.60	0.22	0.12
0.14	0.01	0.06	0.08	0.02
0.56	0.61	2.69		0.32
73.60	**156.40**	**499.65**	**61.24**	**39.06**
0.04	44.62	158.13	0.60	0.28
9.02	94.74	266.24	41.94	27.93
4.75	2.87	19.07	0.43	0.85
42.26	6.03	33.84	10.70	9.99
12.66	0.29	2.16	1.41	0.01
	0.27	1.05		
1.35	1.56	4.59	0.42	
2.78	5.90	14.50	5.15	
0.72	0.11	0.07	0.59	
79.64	**6.14**	**10.29**	**94.16**	**17.55**
78.76	4.35	7.69	92.57	17.51
0.15	0.91	1.02	0.43	
0.73	0.87	1.57	1.16	0.04
12.55	**11.00**	**25.36**	**17.21**	**1.91**
4.71	6.83	17.63	12.16	0.92

4-17 续表3

单位：亿元

项目 Item	合计 Total	按投资构成分 By Type of Construction 建筑工程 Construction	 安装工程 Installation
零售业 Retail Trade	20.31	7.44	0.86
住宿和餐饮业 Lodgings and Catering Services	**64.89**	**38.38**	**6.37**
住宿业 Lodgings	60.76	36.06	6.11
餐饮业 Catering Services	4.13	2.32	0.27
金融业 Finance	15.27	2.21	0.94
银行业 Bank	14.76	2.15	0.94
证券业 Security Activities	0.29		
保险业 Insurance	0.03	0.02	
其他金融活动 Other Financial Activities	0.20	0.04	
房地产业 Real Estate	**1203.40**	**765.89**	**35.87**
租赁和商务服务业 Rent and Business Services	**57.66**	**31.39**	**4.11**
租赁业 Rent	0.27		…
商务服务业 Business Services	57.39	31.39	4.11
科学研究、技术服务和地质勘查业 Scientific Reseach, Ploytechnic Services and Geological Prospecting	**10.42**	**7.58**	**0.18**
研究与试验发展 Research and Experimental Development	2.86	2.20	0.09
专业技术服务业 Professional Technical Services	3.45	1.72	0.04
科技交流和推广服务业 Services of Science and Technology Exchanges and Promotion	0.16	0.14	
地质勘查业 Geologic Prospecting	3.94	3.52	0.05
水利、环境和公共设施管理业 Water Conservancy, Environment and Public Facilities Management	**400.80**	**230.77**	**4.36**
水利管理业 Management of Water Conservancy	23.32	15.89	0.66
环境管理业 Environmental Management	14.23	8.18	0.51
公共设施管理业 Management of Public Facilities	363.25	206.70	3.20
居民服务和其他服务业 Resident Services and Others	**2.70**	**1.37**	**0.17**

Continued

(100 million yuan)

		按建设性质分 By Use of Construction		
设备工器具购置 Purchase of Equipment and Instruments	其他费用 Others	#新建 New Construction	#扩建 Expansion	#改建和技术改造 Reconstruction and Technical Renovation
7.84	4.17	7.74	5.05	1.00
9.52	**10.61**	**53.77**	**5.99**	**2.71**
8.23	10.37	51.58	5.08	2.38
1.29	0.25	2.20	0.91	0.33
11.83	0.28	0.64	0.72	4.50
11.54	0.12	0.44	0.72	4.48
0.29				
...				0.03
	0.16	0.20		
8.25	**393.39**	**61.16**	**4.53**	**4.31**
2.41	**19.75**	**33.35**	**21.87**	**1.77**
0.27				0.02
2.14	19.75	33.35	21.87	1.75
1.78	**0.88**	**4.12**	**4.59**	**0.49**
0.29	0.28	1.86	0.71	0.12
1.35	0.34	1.37	0.76	0.30
0.03		0.14		
0.11	0.26	0.76	3.12	0.07
6.18	**159.49**	**231.86**	**125.48**	**40.49**
0.25	6.52	13.41	4.19	5.67
1.67	3.87	10.30	2.97	0.93
4.26	149.10	208.15	118.32	33.88
0.43	**0.73**	**2.22**	**0.33**	**0.02**

4-17 续表4

单位：亿元

项目 Item	合计 Total	按投资构成分 By Type of Construction 建筑工程 Construction	 安装工程 Installation
居民服务业 Services to Households	1.80	1.04	0.13
其他服务业 Other Services	0.89	0.33	0.04
教育 Education	**71.44**	**49.82**	**3.60**
卫生、社会保障和社会福利业 Health Care, Social Ensure and Walfare	**31.88**	**17.63**	**1.67**
卫生 Health	28.13	15.07	1.43
社会保障业 Social Security	1.59	0.84	0.21
社会福利业 Social Welfare	2.16	1.72	0.02
文化、体育和娱乐业 Culture, Sports and Entertainment	**48.31**	**21.53**	**3.10**
新闻出版业 Journalism and Publishing Activities	0.20	0.01	
广播、电视、电影和音像业 Broadcasting, Movies, Television and Audiovisual Activities	4.91	1.26	0.73
文化艺术业 Cultural and Art Activities	18.03	6.02	0.47
体育 Sports Activities	9.13	5.60	0.78
娱乐业 Entertainment	16.04	8.64	1.12
公共管理和社会组织 Public Management and Social Organizations	**144.29**	**58.06**	**2.94**
中国共产党机关 Organs of Communist Party of China	1.25	1.25	
国家机构 Government Agencies	115.34	37.62	2.05
人民政协和民主党派 People's Political Consultative Conference and Democratic Parties			
群众团体、社会团体和宗教组织 Non-Governmental Organizations, Social Organizations and Religion Organizations	12.17	9.49	0.60
基层群众自治组织 Grass Roots Self-governing Organizations	15.53	9.71	0.29
国际组织 Intenational Organzition			

Continued

(100 million yuan)

		按建设性质分 By Use of Construction		
设备工器具购置 Purchase of Equipment and Instruments	其他费用 Others	#新建 New Construction	#扩建 Expansion	#改建和技术改造 Reconstruction and Technical Renovation
0.22	0.41	1.55	0.17	0.02
0.21	0.32	0.67	0.16	
6.23	**11.80**	**47.92**	**14.96**	**1.46**
10.13	**2.46**	**14.68**	**8.57**	**1.77**
10.10	1.52	11.56	8.32	1.43
	0.54	1.59		
0.03	0.40	1.52	0.26	0.34
6.46	**17.23**	**25.86**	**7.92**	**11.77**
0.11	0.07	0.09		0.07
2.69	0.24	0.58	2.85	0.22
1.29	10.25	6.06	0.62	11.19
1.18	1.57	6.82	1.16	0.03
1.18	5.10	12.31	3.28	0.26
56.52	**26.76**	**59.97**	**19.29**	**6.17**
				0.04
54.88	20.79	40.60	13.21	5.14
0.68	1.40	9.59	1.32	0.91
0.96	4.57	9.78	4.76	0.08

4-18 房地产开发企业（单位）主要指标

Completion of Real Estate Investment

项目 Item	2000	2003	2005	2007	2008
企业个数（个） Number of Enterprises(unit)	**1922**	**1900**	**2596**	**2693**	**3268**
内资企业 Domestically funded enterprises	1151	1235	1866	2028	2540
#国有 Stated-owned	356	253	225	187	221
集体 Collective-owned	170	96	91	60	58
港澳台商投资企业 EnterPries with Funds from HongKong,Macao and TaiWan	543	455	470	443	529
外商投资企业 Foreign Funded Enterprises	228	210	260	222	199
土地开发及购置(万平方米) Development and Purchase of Land (10000 sq.m)					
完成土地开发面积（万平方米） Land Space Under Development(10000 sq.m)	585.74	1019.81	726.14	1158.72	475.21
土地购置面积（万平方米） Purchased Land Space(10000 sq.m)	901.07	1519.37	1822.55	1653.85	1076.24
本年完成投资（亿元） Investment of Completed(100 million yuan)	**207.37**	**362.07**	**540.39**	**1132.49**	**1129.09**
#住宅 Residential Building	125.07	237.67	363.72	778.39	735.93
#经济适用房 Economically Affordable Housing	15.47	6.89	11.64	16.77	29.85
本年资金来源(亿元) Source of Funds this Year(100 million yuan)	346.60	623.57	982.12	2132.59	1890.45
#国内贷款 Domestic Loans	44.78	98.65	156.85	464.10	313.56
利用外资 Foreign Investment	24.94	12.18	14.81	22.77	41.02
自筹资金 Fundraising	54.21	125.29	217.15	476.00	425.50
房屋建筑面积（万平方米） Floor Space of Buildings Completed (10000 sq.m)					
施工面积（万平方米） Floor Space Under Construction(10000 sq.m)	3422.88	4891.04	6107.75	9651.58	11459.72
本年竣工面积（万平方米） Floor Space Completed this Year(10000 sq.m)	1009.36	1362.95	1576.16	1711.33	1906.15
本年新开工 Newiy Started This Year	1102.96	1903.00	2196.57	3927.10	2797.74
#住宅 Residential Buildings	891.87	1571.39	1727.38	3153.25	2221.29
#经济适用房 Economically Affordable Housing	134	77	61	158	111
商品房销售面积（万平方米） Real Floor Spale Building Sold(10000 sq.m)	**810.65**	**1250.10**	**1913.84**	**2421.97**	**1625.67**
#住宅 Residential Buildings	675.73	1083.79	1720.56	2096.39	1250.00
#经济适用房 Economically Affordable Housing	61.65	39.80	78.34	81.62	83.81
平均销售价格（万元） Average Selling Price(10000 yuan)	**2084**	**2297**	**3162**	**4684**	**4384**
#住宅 Residential Buildings	1767	2053	2801	4476	4498
#经济适用房 Economically Affordable Housing	1245	1384	1631	1670	2313

4-19 房地产开发企业（单位）主要指标(1986–2008年)

Main Indicators of Enterprises for Real Estate Development,1986-2008

年份 Year	本年完成投资（亿元） Investment of Completed (100 million yuan)	#住宅 Residential Buildings	商品房销售额（亿元） Real Value of House Sold (100 million yuan)	#住宅 Residential Buildings	商品房销售面积（万平方米） Real Floor Space Sold (10000 sq.m)	#住宅 Residential Buildings
1986	3.57					
1987	3.25					
1988	7.13					
1989	11.01					
1990	13.47					
1991	21.07					
1992	41.03					
1993	60.93		26.61		248.91	
1994	101.98	46.23	39.34	26.03	241.31	188.96
1995	151.37	88.51	66.16	46.14	368.65	309.44
1996	151.69	75.29	48.59	37.61	273.51	234.28
1997	148.33	72.49	83.50	62.04	426.88	346.14
1998	165.63	85.44	105.10	78.71	515.20	441.67
1999	178.62	105.08	123.75	92.54	599.68	511.64
2000	207.37	125.07	168.96	119.39	810.65	675.73
2001	225.49	145.22	199.08	150.75	987.81	843.00
2002	248.99	160.78	225.28	153.95	1047.05	882.92
2003	362.07	237.67	287.16	222.46	1250.10	1083.79
2004	477.79	308.45	354.47	281.26	1384.83	1224.61
2005	540.39	363.72	605.09	481.90	1913.84	1720.56
2006	787.36	511.68	807.46	637.34	2021.69	1743.39
2007	1132.49	778.39	1134.53	938.33	2421.97	2096.39
2008	1129.09	735.93	712.61	562.26	1625.67	1250.00

4–20 按各类分组的房地产开发投资

Real Estate Investment by Groups

单位：万元 (10000 yuan)

项目 Item	2000	2003	2005	2007	2008
完成投资额 Investment of Completed	**2073691**	**3620657**	**5403902**	**11324898**	**11290921**
按登记注册类型分 Grouped by Status of Registration					
国有 Stated-owned	452819	576938	572840	1284348	1696001
集体 Collective-owned	95298	208738	189259	171354	254651
股份合作 Share Holding Cooperative	41709	69398	23884	35277	15412
联营 Cooperative	41002	55582	89344	80533	24812
有限责任公司 Limited Liability Corporations	214898	590657	1072799	3777203	3507493
股份有限公司 Share Holding Enterprises	103805	212427	74467	138922	168673
私营企业 Private Enterprises	264209	734706	1785456	3525109	3272941
港澳台商投资企业 Enterprises with Funds from HongKong, Macao and TaiWan	544809	751668	1061142	1529784	1735227
外商投资企业 Foreign Funded Enterprises	304170	396201	514713	620697	608708
其他企业 Other Enterprises	10972	24342	19998	161671	7003
按构成分 By Type of Construction					
建筑工程 Construction	1401960	2438695	3343117	5924273	7128713
安装工程 Installation	77820	151746	225972	285347	345376
设备工器具购置 Purchase of Equitment and Instruments	39495	26659	39738	53625	79072
其他费用 Others	554416	1003557	1795075	5061653	3737760
按工程用途分 By Use of Project					
商业营业用房 House for Busines Use	299123	382660	478198	763491	808708
住宅 Residential Building	1250655	2376658	3637199	7783872	7359284
办公楼 Office Buildings	152004	106394	107594	209135	247388
其他 Others	371909	754945	1180911	2568400	2875541
按隶属关系分 By Ownership					
中央 Central	7188	14621	1943	35137	20371
地方 Local Project	2066503	3606036	5401959	11289761	11270550
#省 Province	178567	229721	94526	494485	213391

4–21 房地产开发施工、竣工和销售情况(2008年)

Condition of Real Estate Development Construction,Completed and Sale,2008

项目 Item	合计 Total	住宅 Residential Buildings	#90平方米以下 Floor Space Under 90 sq.m	140平方米以上 Floor Space Over 140 sq.m	经济适用房 Economical House	别墅高档住宅 High-grade Apartment	办公楼 Office Buildings	商业营业用房 House for Business Used	其他 Others
房屋施工面积（万平方米） Floor Space Under Construction (10000 sq.m)	**11459.72**	**8647.71**	**2427.22**	**2396.61**	**317.50**	**477.48**	**352.64**	**936.32**	**1523.05**
#新开工面积 New Building	2797.74	2221.29	751.21	534.33	111.35	87.49	45.30	219.13	312.02
房屋竣工面积（万平方米） Floor Space of Completed(10000 sq.m)	**1906.15**	**1422.84**	**242.94**	**458.54**	**21.45**	**83.05**	**97.64**	**174.98**	**210.70**
商品住宅竣工套数（万套） Set of Completed Buildings(10000 sets)		**12.11**	**3.63**	**2.56**	**0.18**	**0.37**			
竣工房屋价值（亿元） Value of Completed Buildings (100 million yuan)	**293.17**	**218.58**	**36.77**	**71.04**	**2.19**	**15.68**	**13.67**	**32.06**	**28.87**
出租房屋面积（万平方米） Floor Space of Houses Leased (10000 sq.m)	**438.99**	**54.53**	**13.17**	**11.69**	**0.01**	**3.15**	**72.17**	**171.53**	**140.76**
商品房销售面积（万平方米） Floor Space Sold(10000 sq.m)	**1625.67**	**1250.00**	**335.38**	**343.74**	**83.81**	**62.18**	**66.52**	**94.32**	**214.83**
#现房销售面积 Buildings Now Availabal	221.91	156.29	24.02	57.03	11.09	19.52	9.64	35.47	20.50
期房销售面积 Forward Buildings	1403.76	1093.71	311.36	286.71	72.72	42.67	56.87	58.85	194.33
商品房销售额（亿元） Value of House Sold(100 million yuan)	**712.61**	**562.26**	**134.15**	**195.04**	**19.38**	**45.60**	**35.82**	**78.31**	**36.22**
#现房销售额 Buildings Now Availabal	84.62	50.86	7.28	21.92	1.99	10.97	4.02	23.78	5.96
期房销售额 Forward Buildings	627.99	511.40	126.87	173.12	17.40	34.64	31.80	54.53	30.26
商品住宅销售套数（万套） Set of Commercial Residential Buildings Sold(10000 sets)		**11.58**	**4.69**	**1.95**	**0.93**	**0.25**			
年末空置面积（万平方米） Floor Space of Buildings no Sold (10000 sq.m)	**406.39**	**166.97**	**29.17**	**47.26**	**1.18**	**16.45**	**40.37**	**132.04**	**67.01**
#空置1–3年 One-three Years	166.79	62.64	8.77	21.79	0.25	7.04	13.87	61.78	28.50
空置3年以上 Over Three Years	76.98	11.69	2.06	2.44		1.17	5.78	42.92	16.60

主要统计指标解释

全社会固定资产投资 指以货币形式表现的在一定时期内全社会建造和购置固定资产的工作量以及与此有关的费用的总称。该指标是反映固定资产投资规模、结构和发展速度的综合性指标,又是观察工程进度和考核投资效果的重要依据。全社会固定资产投资按登记注册类型可分为国有、集体、个体、联营、股份制、外商、港澳台商、其他等。

城镇固定资产投资 指城镇各种登记注册类型的企业、事业、行政单位及个体户进行的计划总投资(或实际需要总投资)50万元及50万元以上的建设项目投资、房地产开发投资、城镇和工矿区私人建房投资。县城及以上区域内发生的投资，县及县以上各级政府及主管部门直接领导、管理的建设项目和企业事业单位的投资均为城镇固定资产投资。

房地产开发投资 指各种登记注册类型的房地产开发公司、商品房建设公司及其他房地产开发法人单位和附属于其他法人单位实际从事房地产开发或经营活动的单位统一开发的包括统代建、拆迁还建的住宅、厂房、仓库、饭店、宾馆、度假村、写字楼、办公楼等房屋建筑物和配套的服务设施，土地开发工程(如道路、给水、排水、供电、供热、通讯、平整场地等基础设施工程)的投资;不包括单纯的土地交易活动。

城镇和工矿区私人建房投资 指包括市、县城、城关镇、工矿区所辖范围内的全部私人建房，不论其房主是否系本地的常住户口均应包括。

农村投资 指包括在农村区域范围内进行固定资产投资活动的企业、事业、行政单位及农村个人投资。

固定资产投资的资金来源 根据固定资产投资的资金来源不同，分为国家预算内资金、国内贷款、利用外资、自筹资金和其他资金来源。(1)国家预算内资金:分为财政拨款和财政安排的贷款两部分。包括中央财政的基本建设基金(分经营性基金和非经营性基金两部分)、专项支出(如煤代油专项等)、收回再贷、贴息资金，财政安排的挖潜改造和新产品试制支出、城建支出、商业部门简易建筑支出、不发达地区发展基金等资金中用于固定资产投资的资金;地方财政中由国家统筹安排的资金等。(2)国内贷款:指报告期固定资产投资单位向银行及非银行金融机构借入的用于固定资产投资的各种国内借款，包括银行利用自有资金及吸收的存款发放的贷款、上级主管部门拨入的国内贷款、国家专项贷款(包括煤代油贷款、劳改煤矿专项贷款等)、地方财政专项资金安排的贷款、国内储备贷款、周转贷款等。(3)利用外资:指报告期收到的用于固定资产建造和购置的国外资金(包括设备、材料、技术在内)。包括对外借款(外国政府、国际金融组织贷款、出口信贷、外国银行商业贷款、对外发行债券和股票)、外商直接投资及外商其他投资。不包括我国自有外汇资金(国家外汇、地方外汇、留成外汇、调剂外汇和中国银行自有资金发行的外汇贷款等)。计算利用外资时，需要折算成人民币，折算中所使用的外汇汇率按现汇计算，即按使用外汇时的汇率计算。(4)自筹资金:指固定资产投资单位报告期收到的，由各地区、各部门及企、事业单位筹集用于固定资产投资的预算外资金，包括中央各部门、各级地方和企、事业单位的自筹资金。(5)其他资金来源:指在报告期收到的除以上各种资金之外其他用于固定资产投资的资金，包括企业或金融机构通过发行各种债券筹集到的资金、群众集资、个人资金、无偿捐赠的资金及其他单位拨入的资金等。

固定资产投资按国民经济行业分 建设项目归哪个行业，按其建成投产后的主要产品或主要用途及社会经济活动性质来确定。基本建设按建设项目划分国民经济行业，更新改造、其他固定资产投资根据整个企业、事业单位所属的行业来划分。一般情况下，一个建设项目或一个企业、事业单位只能属于一种国民经济行业。为了更准确地反映国民经济各行业之间的比例关系,联合企业(总厂)所属分厂属于不同行业的，原则上按分厂划分行业。

固定资产投资按建设性质分 建设项目的性质一般分为新建、扩建、改建、迁建、恢复。房地产开发单位、农村投资、城镇工矿区私人建房投资不划分建设性质。基本建设按建设项目划分建设性质，更新改造、国有经济中其他固定资产投资及城镇集体投资等按整个企业、事业单位的建设情况确定建设性质。(1)新建:一般指从无到有“平地起家”开始建设的企业、事业和行政单位或独立的工程。现有企业、事业、行政单位一般不属于新建。但如有的单位原有基础很小，经过建设后新增的固定资产价值超过该企、事业、行政单位原有固定资产价值(原值)三倍以上的也应作为新建。(2)扩建:指在厂内或其他地点，为扩大原有产品的生产能力(或效益)或增加新的产品生产能力，而增建主要的生产车间(或主要工程)、分厂、独立的生产线.行政、事业单位在原单位增建业务用房(如学校增建教学用房、医院增建门诊部、病房等)也作为扩建。现有企、事业单位为扩大原有主要产品生产能力或增加新的产品生产能力，增建一个或几个主要生产车间(或主要工程)、分厂，同时进行一些更新改造工程的，也应作为扩建。(3)改建:指对原有设施进行技术改造或更新(包括相应配套的辅助性生产、生活福利设施)，没有增建主要生产车间、分厂等。现有企、事业单位为适应市场变化的需要，而改变企业的主要产品种类(如军工企业转产民品等)，或原有产品生产作业线由于各工序(车间)之间能力不平衡，为填平补齐充分发挥原有生产能力而增建不增加本企业主要产品设计能力的车间，也应作为改建。

固定资产投资按构成分 固定资产投资活动按其工作内容和实现方式分为建筑安装工程，设备、工具、器具购置，其他费用三个部分。(1)建筑安装工程(建筑安装工作量):指各种房屋、建筑物的建造工程和各种设备、装置的安装工程。包括各种房屋建造工程，各种用途设备基础和各种工业窑炉的砌筑工程及金属结构工程;为施工而进行的各种准备工作和临时工程以及完工后的清理工作等;铁路、道路的铺设，矿井的开凿及石油管道的架设等;水利工程;防空地下建筑等特殊工程;列入房屋工程预算内的暖气、卫生、通风、照明、煤气等设备的价值及装设油饰工程;列入建筑工程预算内的各种管道(蒸汽、压缩空气、石油、给排水等管道)、电力、电讯电缆导线等的敷设工程;以及各种机械设备的安装工程;为测定安装工程质量，对设备进行的试运工作;房地产开发单位进行的商品房屋开发建设工程、土地开发工程。在安装工程中，不包括被安装设备本身的价值。(2)设备、工具、器具购置:指建设单位或企、事业单位购置或自制的，达到固定资产标准的设备、工具、器具的价值。新建单位及扩建单位的新建车间，按照设计或计划要求购置或自制的全部设备、工具、器具，不论是否达到固定资产标准均计入“设备、工具、器具购置”中。(3)其他费用:指在固定资产建造和购置过程中发生的，除上述几项内容以外的各种应分摊计入固定资产的费用。

施工项目 指报告期内进行过建筑或安装施工活动的项目。凡是报告期内施过工的建设项目，不论施工时间长短，均作为施工项目统计。施工项目个数可以反映一定时期固定资产投资的实际规模，与同期建成投产的建设项目个数相比，可以从建设速度的角度反映固定资产投资的效果。根据建设项目施工活动的不同性质，施工项目又分为:本年正式施工项目、本年收尾项目和以前年度全部停缓建项目。

全部建成投产项目 工业项目指设计文件规定形成生产能力的主体工程及其相应配套的辅助设施全部建成，经负荷试运转，证明具备生产设计规定合格产品的条件，并经过验收鉴定合格或达到竣工验收标准，与生产性工程配套的生活福利设施可以满足近期正常生产的需要，正式移交生产的建设项目。非工业项目指设计文件规定的主体工程和相应的配套工程全部建成，能够发挥设计规定的全部效益，经验收鉴定合格或达到竣工验收标准，正式移交使用的建设项目。新增生产能力(或工程效益)指通过固定资产投资活动而增加的设计能力(或工程效益)，该指标是以实物形态表现的反映固定资产投资成果的指标，也是考核投资经济效果的重要依据之一。

房屋建筑面积 指房屋建筑物勒脚以上外墙外围的水平截面面积，包括房屋建筑物的有效面积和结构面积。该指标是从实物形态上反映建设规模和建设成果的重要指标之一，也是检查工程形象进度、计算工程造价、分析投资效果、研究施工任务和建筑材料之间平衡情况的重要依据。

住宅建筑面积 指施工和竣工房屋建筑面积中供居住用的房屋建筑面积。

施工面积 指报告期内施工的全部房屋建筑面积。包括本期新开工的面积和上期开工跨入本期继续施工的房屋面积，以及上期已停建在本期恢复施工的房屋面积。本期竣工和本期施工后又停缓建的房屋，其建筑面积仍计入本期房屋施工面积中。

竣工面积 指在报告期内房屋建筑按照设计要求已经全部完工，达到住人和使用条件，经验收鉴定合格(或达到竣工验收标准),正式移交使用单位的各栋房屋建筑面积的总和。

新增固定资产 指报告期内已经完成建造和购置过程，并已交付生产或使用单位的固定资产价值。该指标是表示固定资产投资成果的价值指标，也是反映建设进度，计算固定资产投资效果的重要指标。

竣工房屋住宅套数 指报告期内按照设计要求全部完工，经验收合格，达到居住和使用条件并正式交付使用的成套住宅数量。包括独立厨房、独立卫生间、若干卧室、室内走廊等设施在内的供一户居住和使用的房屋。该指标可以反映住宅建设的产业化程度和城市化进程以及人民居住水平提高的情况。

别墅、高档公寓 指建筑造价和销售价格明显高于一般商品住宅的商品住宅。别墅一般指地处郊区，独立成栋的商品住宅;高档公寓一般指地处市内高尚社区，高层或多层的商品住宅。别墅、高档公寓的确定标准:一是经有房地产投资计划审批权的主管部门审批建设的别墅、高档公寓开发项目;二是销售价格高于当地同等地段商品住宅平均销售价格一倍以上的别墅、公寓开发项目。该指标可以分析房地产投资结构，反映高收入家庭商品住宅的供求平衡情况。

经济适用房 指根据国家经济适用房计划安排建设的政策性住宅。经济是指房屋建筑造价和销售价格低于一般商品住宅;适用是指适合中低收入家庭购买使用。经济适用房主要是由国家统一下达投资计划，房地产公司开发，对外销售;用地一般采用行政划拨或招标投标方式，免收土地出让金;对各种经批准的收费减半征收，开发利润不超过 3%;销售价格实行政府指导价。该指标可以分析房地产投资结构，反映中低收入家庭商品住宅的供求平衡情况。

Explanatory Notes on Main Statistical Indicators

Total Investment in Fixed Assets in the Whole Country refers to the volume of activities in construction and purchases of fixed assets and related fees, expressed in monetary terms. It is a comprehensive indicatorwhich shows the size, structure and growth of the investment in fixed assets, providing basis for observing the progress of construction projects and evaluating results of investment. Total investment in fixed assets in the whole country includes, by type of ownership, the investment by the state-owned units, collective units, individuals, joint ownership units, share-holding units, as well as investment by businessmen from foreign countries and from Hong Kong, Macau and Taiwan, and by other units.

Urban Investment in Fixed Assets refer to construction projects involving a total planned (or required) investment of 500,000 yuan and over by urban enterprises and institutions of various types of ownership, by administrative units and by individuals, investment in real estate development, and housing investment by individuals in urban areas and in industrial and mining areas. In other words, all investments that take place in county towns and urban areas, investment in construction projects under the direct leadership and management of government agencies at and above county levels and investments by enterprises and institutions at and above county levels are covered in urban investment in fixed assets.

Investment in Real Estate Development refers to the investment by the real estate development companies, commercial buildings construction companies and other real estate development units of various types of ownership in the construction of house buildings, such as residential buildings, factory buildings, warehouses, hotels, guesthouses, holiday villages, office buildings, and the complementary service facilities and land development projects, such as roads, water supply, water drainage, power supply, heating, telecommunications, land leveling and other projects of infrastructure. It excludes the activities in pure land transactions.

Investment in Housing Construction in Urban Areas and in Industrial and Mining Areas refers to all private housing construction under the jurisdictionof cities, county towns and industrial and mining areas, no matter whether the owner of the house is registered as the permanent resident in the locality or not.

Investment in Rural Areas refers to investment in fixed assets by enterprises, institutions and individuals in rural areas.

Sources of Funds for Investment in Fixed Assets include fund from state budget, domestic loans, foreign investment, self-raised funds, and others depending on the source of investment. (1) Fund from state budget consists of budgetary appropriation and loans from state budget. More specifically, it includes, from the budget of the central government, capital construction fund (operation fund and non-operational fund), special expenses (e.g. expenses on substituting petroleum with coal), loans from repayment, discount fund, expenses on innovation and trial production of new products, expenses on urban construction, expenses on temporary construction by Trades departments, development fund for less developed areas, as well as local budgetary fund transferred from the central budget. (2) Domestic loans refer to loans of various forms borrowed by investing units from banks and non-bank financial institutions during the reference period for the purpose of investment in fixed assets, including loans issued by banks from their self-owned funds and deposit, loans appropriated by higher responsible authorities, special loans by government (including loan for substituting petroleum with coal, special loan for reform-through-labour coal mines), loans arranged by local government from special funds, domestic reserve loan, and working loan, etc. (3) Foreign investment refers to foreign funds received during the reference period for the construction and purchase of investment in fixed assets (covering equipment, materials and technology), including foreign borrowings (loans from foreign governments and international financial institutions, export credit, commercial loans from foreign banks, issue of bonds and stocks overseas), foreign direct investment and other foreign investment. Excluded in this category are capitals in foreign exchanges owned by China (foreign exchanges owned by the central and local governments, foreign exchanges retained by enterprises, foreign exchanges by enterprises through regulating mechanism, loans in foreign exchanges issued by the Bank of China with its own fund, etc.). In calculating the utilization of foreign capitals, foreign currencies are converted into Chinese Renminbi applying the current exchange rate when the foreign capitals are actually used. (4) Self-raised funds refer to extra-budgetary funds for investment in fixed assets received by investing units from central government ministries, local governments, enterprises and institutions, including their self-raised funds. (5) Others refer to funds for investment in fixed assets received from the sources other than those listed above, including capitals raised through issuing bonds by enterprises or financial institutions, funds raised from individuals and through donations, and funds transferred from other units.

Investment in Fixed Assets by Sector The classification of construction projects by sector is determined by the major products or the purpose of the projects when they are put into production or use, and by the nature of their social economic activities. In general, one project or one enterprise or institution can only be classified into one sector.

Investment in Fixed Assets by Type of Construction The construction projects in general can be classified, by the type of construction, into new construction, expansion, reconstruction and technical transformation, moving and restoration. However, investment by type of construction is not applied to investment by real-estate development units, investment in rural areas and investment in housing by urban individuals. (1) New construction in general refers to newly constructed enterprises, institutions, administrative agencies or independent projects from scratch. Construction in the existing enterprises, institutions or agencies is not considered as new construction. In case the assets of the existing unit is quite small, and the value of newly added fixed assets exceeds the original value of assets by three times, the expansion will be considered as new construction.(2) Expansion refers to construction of new major production workshop, branch factory or independent production line within a factory or in other locations, for the purpose of increasing the productioncapacity (or improving efficiency) of the original products. Newly constructed houses for the operation of institutions and administrative organizations (such as the newly constructed buildings for teaching in schools, buildings for clinics or wards in hospitals, etc.) are also classified as expansion.Also included in the expansion are investments by existing enterprises or institutions in building major production line(s) or branch factory(ies) along with some work on innovation, for the purpose of expending the productioncapacity of original products or producing new products. (3) Reconstruction refers to construction projects by existing enterprises or institutions in innovation or technical transformation of the old facilities (including auxiliary production equipment and welfare facilities). Also considered as reconstruction is the construction of new workshops by the existing enterprises or institutions to change the variety of products to meet the market demand (such as the production of civil products by defence industries), or to bring the designed productioncapacity into full play through a more balanced production process on production lines. Technical transformation refers to replacement of old technology or equipment by new technology or equipment, in order to expand the reproduction through improvement of technology contents in production, to improve product quality, to promote new products, to save energy and reduce consumption and to improve overall social-economic efficiency. Contents of technical transformation include: updating of machinery, equipment and tools; reforming production process by using energy or materials saving technology; construction of factory workshops and transformation of public facilities; improvement of working conditions and environment, etc.

Investment in Fixed Assets by Structure By their contents, investment activities are classified into 3 categories, i.e. construction and installation, purchase of equipment and instrument, and other expenses.(1) Construction and installation (work volume of construction and installation) refers to the construction of various houses and buildings and installation of various kinds of equipment and instruments. They include construction of various houses; equipment foundations, industrial kilns and stoves, and metal structure work; preparation works for project construction, and clearing up works post project construction; pavement of railways and roads, drilling of mines and putting up of oil pipes; construction of projects of water conservancy; construction of underground air-raid shelters and construction of other special projects; value of equipment for heating, sanitation, ventilation, lighting, gas, painting, etc. that are covered by the budget of housing projects; laying out of various pipelines (for steam, compressed air, petroleum, tap water and sewage) and lines for electric power and for communications; installation of various machinery equipment, testing operation for pre-testing the quality of installation projects, and land and other development work conducted by real estate developers for commercial housing. The value of equipment installed is not included in the value of installation projects.(2) Purchase of equipment and instruments refers to the total value of equipment, tools, and instruments purchased or self-produced which come up to standards for fixed assets by the construction units or investing enterprises or institutions. Equipment, tools and instruments purchased or self-produced for new workshops by newly established or expanded units are categorized as "purchase of equipment and instruments" no matter whether they come up to the standards for fixed assets.(3) Other expenses refer to expenses occurring during the construction or purchase of fixed assets other than those mentioned above.

Projects under Construction refer to projects with construction and installation activities undertaken in the reference period. All projects that have construction activities undertaken during the reference period are reported as projects under construction irrespective of the length of construction work. The number of projects under construction can reflect the actual size of investment in fixed assets during a given period, and when compared with the number of projects completed and put into use during the same period, it demonstrates the results of investment in fixed assets. Depending on the nature of const ruction activities, projects under construction can also be classified into projects under construct ion in current y ear, winding-up projects in current year and stopped or suspended projects in previous years (with preservation work in current year).

Projects Completed and Put into Use Industrial projects refer to the major projects and accessory facilities completed which result in forming productioncapacity and have been checked and accepted while the living and welfare facilities have been completed and can ensure normal production and formally put into production. Non-industrial projects refer to the major project s and accessory facilities completed which possess the designedcapacity and have been checked, accepted and formally put into production.

Floor Space of Buildings under Construction refers to total floor space of the horizontal section of outer walls above the plinth of the building, including the effective area and the area occupied by the structure. This indicator is one of the important indicators in physical terms to reflect the scale and accomplishment of the construction industry, and important basis for monitoring the pr ogress, calculating the cost, analyzing the efficiency and studying the supply of building materials in relation with the construction projects.

Floor Space of Residential Buildings refers to the floor space of the residential buildings among the total space of buildings under construction or completed.

Floor Space under Construction refers to total floor space of all buildings under construct ion during the reference period, including floor space of newly start ed buildings during the reference period, floor space of construction extended from the previous period to the current period, and floor space of construction suspended during the previous period and resumed in the current period. Floor space of const ruction completed in the current period, and floor space of const ruction started and then suspended in the current period are also included in the floor space under const ruction of the current year.

Floor Space of Buildings Completed refers to the floor space of all buildings completed in the reference period, which have been appraised and accepted (or come up to the designed standards) and have been transferred to the owners for use.

Newly Increased Fixed Assets refer to the newly increased value of fixed assets, constructed or purchased, that have been transfer red to the investors. This is an indicator that demonstrates the results of investment in fixed assets in monetary terms, and an important indicator to reflect the speed of construct ion and to calculate the efficiency of investment.

Number of Flats in Completed Residential Buildings refers to total number of flats completed during the reference period, appraised and accepted as meeting the standards for living, and transfer red for use. A flat includes separate kitchen and bathroom, several bedrooms and corridor, suitable for one household. This indicator reflects the degree of industrialization of the residential building construction, the process of urbanization and the improvement of the living standard of people.

Villas, High-Grade Apartments refers to commercial houses whose construction costs and marketing prices are significantly higher than ordinary housing. Villas are independent structures generally located in the suburbs; high-grade apartments are multi-story buildings located in elegant urban neighborhoods. Criteria for villas and high-grade apartments include: 1) projects for the construction of villas or high-grade apartments have to be approved by competent departments in charge of real estate development and investment plans, and 2) prices for projects on villas or high- grade apartments are higher by over 100% compared with the average prices of ordinary commercial housing projects in similar location. This indicator helps to analyze the investment structure of the real estate industry and the demand and supply of housing for high-income households.

Economically Affordable Housing refers to housing constructed according to the State Plan for economically affordable housing. Houses of this category featured in low cost in construction and low prices, and therefore are affordable to mid-income or low-income households. Economically affordable housing projects are developed by real estate companies under the state investment plan, with the land provided through government allocation or tendering procedures. Developers are exempted from land utilization fees and enjoy another 50% exemption of all other legitimate fees, while their profits are limited to less than 3%, and the completed houses are sold under the government guided prices. This indicator helps to analyze the investment structure of the real estate industry and the demand and supply of housing for mid or low income households.

能源

5

Energy

简要说明

本篇资料的主要内容及来源

本篇资料主要包括能源生产、消费及品种构成，能源生产和消费弹性系数，生活用能源消费量及地区能源平衡表，全省各市主要发展约束性指标，以及规模以上工业分行业能耗情况。

一次能源生产量，采用规模以上工业产品产量统计数据。行业分类采用现行统一的国民经济行业分类国家标准。能源平衡表中的库存量、进口量、出口量和消费量，根据有关部门和企业提供的数据综合评估得出。本篇出现的“煤炭”，包括原煤、洗精煤、其它洗煤和煤制品（即型煤），不包括焦炭。

本篇资料由省统计局工业交通统计处依据能源年报整理提供。

Brief Introduction

Main Content and Source of Data

Data in this chapter show the mainly energy production and consumption and their composition of Fujian Province, the elasticity ratio of energy production and consumption, the consumption of energy for residential use, main binding indicators on development of administrative areas of Fujian, and the energy consumption of industrial enterprises grouped by sector over designated size.

Data on the production of primary energy are based on output of industrial products made by enterprises above designate size; Data by industries in this chapter are based on the new National Industrial Classification of All Economic Activities; In the energy balance, data on stock, imports, exports and consumption are based on data provide by relevant departments and enterprises; Coal includes crude coal, washing coal, other washing coal and coal products and excludes coke.

Data on this chapter are provided and processed in accordance with the statistical reporting scheme on energy by the Division of Energy of the Fujian Provincial Bureau of Statistics.

5-1 一次能源生产总量及构成(1978-2008年)

Total Production of Energy and Its Composition，1978-2008

单位：万吨标准煤 (10000 tons of SCE)

年份 Year	能源生产总量 Total Energy Production	占能源生产总量的比重（%） Percentage of Total Energy Production(%) 原煤 Coal	水力发电 Hydro-power	风力发电 Wind Power
1978	461.00	65.5	34.5	
1979	491.00	69.9	30.1	
1980	492.00	67.3	32.7	
1981	493.00	60.2	39.8	
1982	522.00	60.5	39.5	
1983	609.00	61.4	38.6	
1984	641.00	64.3	35.7	
1985	690.00	62.8	37.3	
1986	724.00	67.0	33.0	
1987	806.00	69.7	30.3	
1988	918.00	67.2	32.8	
1989	950.00	71.0	29.1	
1990	966.52	68.4	31.6	
1991	854.43	71.7	28.3	
1992	1013.39	64.1	35.9	
1993	1051.43	66.8	33.3	
1994	1169.96	59.7	40.3	
1995	1396.24	58.0	42.0	
1996	1406.04	59.3	40.7	
1997	1256.30	44.1	55.9	
1998	1177.00	44.1	55.9	
1999	1634.16	59.9	40.1	
2000	1654.17	60.3	39.7	
2001	1850.44	49.9	50.1	
2002	1923.40	61.3	38.7	
2003	1816.80	68.4	31.6	
2004	1805.75	72.6	27.4	
2005	2387.07	59.9	40.2	
2006	2603.06	56.7	43.3	
2007	2579.78	60.8	38.9	0.4
2008	2940.54	55.1	44.3	0.6

注：电力折算标准煤的系数根据当年平均发电煤耗计算。

Note:The coefficient for conversion of electric power into SCE (standard coal equivalent) is calculated on the basis of the data on average coal consumption in generating electric power in the same year. The same applies to the tables following.

5-2 能源消费总量及构成(1978-2008年)

Total Consumption of Energy and Its Composition,1978-2008

单位：万吨标准煤 (10000 tons of SCE)

年份 Year	能源总消费量 Total Energy Consumption	占能源消费总量的比重（%） As Percentage of Total Energy Production(%)				
		煤炭 Coal	石油 Crude Oil	天然气 Natural Gas	水力发电 Hydro-Power	风力发电 Wind Power
1978	688.0	63.7	12.9		23.4	
1979	731.0	66.9	13.1		20.0	
1980	710.0	64.1	13.9		22.1	
1981	729.0	59.2	13.6		27.3	
1982	780.0	60.6	12.8		26.6	
1983	861.0	61.5	11.8		26.7	
1984	930.0	63.0	12.7		24.3	
1985	1043.0	64.0	11.2		24.8	
1986	1114.0	66.4	12.2		21.5	
1987	1215.0	67.0	12.9		20.1	
1988	1363.0	65.9	12.0		22.1	
1989	1404.0	68.3	12.1		19.6	
1990	1458.3	67.0	12.1		20.9	
1991	1530.6	70.9	13.3		15.8	
1992	1624.0	64.1	13.5		22.4	
1993	1848.0	61.9	19.2		18.9	
1994	1953.5	59.9	18.7		21.4	
1995	2279.9	54.8	19.5		25.7	
1996	2452.2	55.4	21.3		23.3	
1997	2499.1	50.8	21.1		28.1	
1998	2578.6	51.9	22.2		25.9	
1999	2771.6	53.9	22.7		23.4	
2000	2942.6	54.4	23.3		22.3	
2001	3163.1	51.4	22.0		26.6	
2002	3615.3	55.6	23.8		20.6	
2003	4062.6	61.4	24.5		14.1	
2004	4527.8	63.8	25.1	0.2	10.9	
2005	6157.1	62.0	22.3	0.1	15.6	
2006	6811.9	62.5	20.9	0.1	16.5	
2007	7574.2	65.4	21.2	0.1	13.2	0.1
2008	8238.4	64.8	18.9	0.3	15.8	0.2

注：电力折算标准煤的系数根据当年平均发电煤耗计算。

Note:The coefficient for conversion of electric power into SCE (standard coal equivalent) is calculated on the basis of the data on average coal consumption in generating electric power in the same year. The same applies to the tables following.

5-3 综合能源平衡表
Overall Energy Balance Sheet

单位：万吨标准煤 (10000 tons of SCE)

项目 Item	2000	2003	2005	2007	2008
可供消费的能源总量 Total Energy Available for Comsumption	**2962.28**	**3907.75**	**6152.58**	**7570.28**	**8235.48**
一次能源生产量 Primary Energy Output	1654.17	1816.80	2387.07	2579.78	2940.54
回收能 Recovery of Energy			202.62	296.22	328.75
省外调入量 Take-in Quantity from Outside of the Province	1531.68	2479.52	3847.55	5057.20	5260.23
本省调出量 Take-out Quantity from Native Province	-246.59	-402.58	-236.63	-381.25	-212.68
年末年初库存差额 Stock Changes in The Year	23.04	14.00	-48.03	18.32	-81.36
能源消费总量 Total Energy Consumption	**2942.60**	**4062.60**	**6157.10**	**7574.20**	**8238.40**
在总量中： Consumption by Sector					
1.农、林、牧、渔、水利业 Farming,Forestry,Animal Husbandry,Fishery And water Conservancy	99.36	98.31	275.32	285.59	291.17
2.工 业 Industry	1923.17	2769.90	4295.35	5374.96	5769.84
3.建筑业 Construction	30.07	34.56	50.09	71.23	153.35
4.交通运输和邮电通讯业 Transport,Storage,Post And Telecommunication Services	223.94	328.68	411.01	495.46	563.38
5.批发、零售业和住宿、餐饮业 Wholesale and Retail Trades,Hotels and Catering Services	63.80	108.05	144.77	169.52	193.82
6.其他行业 Others Sectors	214.72	218.74	281.08	364.18	411.04
7.生活消费 Residential Consumption	387.52	504.29	699.47	813.22	855.75
在总量中： Consumption by Sector					
（一）终端消费 Final Consumption	2833.43	3887.39	5948.64	7321.60	7976.25
工业 Industy	1814.00	2594.74	4086.90	5122.40	5507.73
（二）加工转换损失量 Losses in Processing And Transformation	7.97	37.65	20.17	10.74	19.13
炼焦 Coking	0.08	12.84	2.45	6.46	3.96
炼油 Petroleum Refining	7.55	24.81	16.88	2.79	3.77
（三）损失量 Other Losses	101.20	137.51	188.27	241.82	242.98
平衡差额 Balance	**19.67**	**17.27**	**-4.50**	**-3.88**	**-2.87**

注： 1.由于2005年能源平衡表计算口径变化，故与往年数据不可比。2.电力、热力按等价热值折算。3.省外调入量包括进口量，本省调出量包括出口量。

Note:a)The data in the table of energy balance sheet are adjusted , therefore , are not compared to the before. b)Electric Power and Heat are calculated by Caloric Value of Equal Price. c)Take-in quantity from outside of the province includes imports; Take-out quantity from native province includes exports.

5-4 电力平衡表

Electricity Balance Sheet

单位：亿千瓦小时 (100 million kmh)

项目 Item	2000	2003	2005	2007	2008
可供消费的能源总量 Total Energy Available for Consumption	**403.02**	**585.35**	**756.24**	**1000.33**	**1073.55**
生产量 Output	405.21	610.45	777.90	1039.28	1085.84
火力发电 Thermal Power	208.45	421.46	486.90	723.63	746.22
水力发电、核发电、其它发电 Hydropower ,Nuclear Power and Others	196.76	188.99	291.00	315.65	339.62
本省(区、市)调出量 Take-out Quantity from Native Province	2.20	31.75	26.64	40.53	21.48
外省(区、市)调入量 Take-in Quantity from Outside of the Province		6.77	4.98	1.58	9.19
能源消费总量 Total Energy Consumption	**403.02**	**585.35**	**756.59**	**1000.33**	**1073.54**
消费量分组一 Consumption by Sector					
1.农、林、牧、渔业 1.Agriculture,Forestry,Animal Husbandry, and Fishery	15.91	12.13	8.78	10.66	11.23
2.工业 2.Industry	273.77	407.64	537.90	708.20	741.24
3.建筑业 3.Construction	6.06	7.05	6.59	13.93	15.36
4.交通运输.仓储和邮政业 4.Transport, Storage and Post	8.78	11.98	11.44	12.89	13.57
5.批发、零售业和住宿、餐饮业 5.Wholesale and Retail Trades, Hotels and Catering Services	11.83	19.64	23.20	31.96	36.73
6.其他 6.Others	21.46	28.80	46.71	59.61	66.63
7.生活消费 7.Household Consumption	65.21	98.11	121.97	163.08	188.78
消费量分组二 Consumption by Use					
1.终端消费 1.End-use Consumption	372.67	540.07	699.43	925.18	997.31
#工业 Industry	243.42	362.36	480.74	633.05	665.01
2.输配电损失量 2.Losses in Transmission	30.35	45.28	57.16	75.15	76.23
平衡差额 Balance	**-0.01**	**0.12**	**-0.35**		

5–5 能源消费弹性系数(1990–2008年)

Elasticity Ratio of Energy Production consumption,1990-2008

年份 Year	能源消费比上年增长(%) Growth Rate of Energy Consumption over Preceding Year (%)	电力消费比上年增长(%) Growth Rate of Electricity Consumption over Preceding Year (%)	能源消费弹性系数 Elasticity Ratio of Energy Consumption	电力消费弹性系数 Elasticity Ratio of Electricity Consumption
1990	3.87	5.48	0.52	0.73
1991	4.96	11.03	0.35	0.78
1992	6.11	16.32	0.30	0.80
1993	13.79	10.63	0.61	0.47
1994	5.71	17.24	0.28	0.85
1995	16.71	14.13	1.14	0.97
1996	7.56	9.03	0.67	0.80
1997	1.91	8.88	0.14	0.63
1998	3.18	3.78	0.29	0.35
1999	7.49	10.36	0.76	1.05
2000	6.17	13.44	0.66	1.45
2001	7.49	9.17	0.86	1.05
2002	14.30	21.74	1.40	2.13
2003	12.37	17.73	1.08	1.54
2004	11.45	5.35	0.97	0.45
2005	13.00	13.88	1.12	1.20
2006	10.64	14.57	0.72	0.98
2007	11.19	15.40	0.73	1.01
2008	8.77	7.32	0.68	1.20

注：电力折算标准煤的系数根据当年平均发电煤耗计算。

Note:The coefficient for conversion of electric power into SCE (standard coal equivalent) is calculated on the basis of the data on average coal consumption in generating electric power in the same year. The same applies to the tables following.

5–6 规模以上工业企业能源购进、消费及库存(2008年)

Purchases, Consumption and Inventory of Energy in Industrial Enterprises above Designated Size, 2008

项目 Item	购进量 Purchases	消费量 Consumption	工业生产消费 Industry Consumption	非工业生产消费 Non-Industry Consumption	年末库存 Inventory at the Year-end
原煤(吨) Coal(ton)	53527439	52074589	52004191	70398	3551698
洗精煤(吨) Concentratc Coal Washing(ton)	1296474	1281222	1281218	4	96558
其他洗煤(吨) Other Coal Washing(ton)	10657	10658	10648	11	18
型煤(吨) Section Coal(ton)	801498	802110	801417	692	36413
焦炭(吨) Coke(ton)	3084341	3680430	3680148	282	142539
其他焦化产品(吨) Other Coke Ratio Products(ton)	35330	36287	36287		1052
焦炉煤气(万立方米) Coking Gas(10000 cu.m)	880	41851	41851		
高炉煤气(万立方米) Furnace Gas(10000 cu.m)	60464	610227	610227		
其他煤气(万立方米) Other Gas(10000 cu.m)	11334	34599	34599		
天然气(万立方米) Natural Gas(10000 cu.m)	5141	5142	5141	1	
液化天然气(吨) Liquefied Natural Gas(ton)	139314	38040	37442	598	56880
原油(吨) Crude Oil(ton)	3128533	3122227	3122176	51	175555
汽油(吨) Gasoline(ton)	141867	140375	97314	43061	1014
煤油(吨) Kerosene(ton)	12034	12110	10851	1259	614
柴油(吨) Diesel Oil(ton)	577562	554209	518761	35448	15994
燃料油(吨) Fuel Oil(ton)	437297	452885	451580	1305	39713
液化石油气(吨) Liquefied Petroleum Gas(ton)	140562	141211	99029	42182	1349
炼厂干气(吨) Dry Gas from Refinery(ton)		116251	116251		
其他石油制品(吨) Other(ton)	46858	187891	187759	132	3407
热力(百万千焦) Heat(million kilo joule)	13324088	37510553	37416464	94089	
电力(万千瓦小时) Electricity(10000 kmh)	6445086	7203589	7108202	95387	
其他燃料(吨标准煤) Other(ton of SCE)	660260	924166	923714	453	5554

5-7 规模以上工业企业主要能源产品按行业分组消费量(2008年)

Consumption of Major Energy in Industrial Enterprises above Designated Size by Industrial sector, 2008

单位：吨 (ton)

项目 Item	原煤消费量 Coal	焦炭消费量 Coke	汽油消费量 Gasoline	煤油消费量 Kerosene	柴油消费量 Diesel Oil	燃料油消费量 Fuel Oil	电力消费量(万千瓦小时) Electricity (10000 kwh)
合　计 Total	**52074589**	**3680430**	**140375**	**12110**	**554209**	**452885**	**7203589**
煤炭开采和洗选业 Coal Mining and Dressing	476712		1033		2701		41071
石油和天然气开采业 Petroleum and Natural Gas Mining							
黑色金属矿采选业 Ferrous Metals Mining and Dressing	16641	2100	504	536	35228	1	62578
有色金属矿采选业 Nonferrous Metals Mining and Dressing	141		367	715	21788		42278
非金属矿采选业 Nonmetal Minerals Mining and Dressing	107758	6417	452		16572	109	27802
其他采矿业 Others Mining and Quarrying							
农副食品加工业 Agricultural and Sideline Products Processing	329768	1753	4237	99	15631	15493	126130
食品制造业 Food Manufacturing	385557	969	1618	205	6654	13209	107229
饮料制造业 Beverage Manufacturing	279773	905	1303	784	4608	12185	55087
烟草制品业 Tobacco Processing	16413		210		1069	4965	9814
纺织业 Textile Industry	1224603		6844	160	18685	25333	519256
纺织服装、鞋、帽制造业 Textile Garments , Shoes and Caps Products	89639		7296	54	11870	1100	133802
皮革、毛皮、羽毛(绒)及其制品业 Leather , Furs , Down and Relate Products	116820	37	12816	17	20328	16658	232381
木材加工及木、竹、藤、棕、草制品业 Timber Processing , Bamboo , Cane , Palm Fiber and Straw Products	161035	9	1401	10	3729	17	126578
家具制造业 Furniture Manufacturing	7133		1705	1085	6259	309	34554
造纸及纸制品业 Papermaking and Paper Products	1362693	172	4894	18	14371	9202	289309
印刷业和记录媒介的复制 Printing and Record Medium Reproduction	10684		1895	134	1219	203	24241
文教体育用品制造业 Cultural , Educational and Sports Goods	6256	532	1543	14	4342	1111	28024
石油加工、炼焦及核燃料加工业 Petroleum Processing , Coking and Nuclear Fuel Processing	8747		1115		1333	7761	25346

5-7 续表

Continued

单位：吨　　(ton)

项目 Item	原煤消费量 Coal	焦炭消费量 Coke	汽油消费量 Gasoline	煤油消费量 Kerosene	柴油消费量 Diesel Oil	燃料油消费量 Fuel Oil	电力消费量(万千瓦小时) Electricity (10000 kwh)
化学原料及化学制品制造业 Raw Chemical Materials and Chemical Products	4538487	41953	10909	3974	13731	6589	569389
医药制造业 Medical and Pharmaceutical Products	290218		2912	1	1462	2934	52018
化学纤维制造业 Chemical Fiber	85264	177	668	16	1343	13267	191853
橡胶制品业 Rubber Products	97325		4142	6	4248	6187	107653
塑料制品业 Plastic Products	226715	118	6245	99	16086	7670	229613
非金属矿物制品业 Nonmetal Minerals Products	9361175	4542	17779	1045	195467	207644	991395
黑色金属冶炼及压延加工业 Smelting and Pressing of Ferrous Metals	973390	3571898	1379	13	10939	16410	690089
有色金属冶炼及压延加工业 Smelting and Pressing of Nonferrous Metals	59075	3528	1141	547	14787	23574	216424
金属制品业 Metal Products	20388	470	3723	350	13109	5811	85953
通用设备制造业 General Equipment	94660	36814	6177	765	13718	12449	169182
专用设备制造业 Special Purpose Equipment	9464	932	4014	109	11319	1849	49360
交通运输设备制造业 Transport Equipment	5152	5189	5882	455	26042	9506	123179
电气机械及器材制造业 Electric Equipment and Machinery	36282	1912	5410	772	14403	487	126074
通信设备、计算机及其他电子设备制造业 Telecommunications , Computer , and other Electronic Equipment	623		3702	5	3051	8131	140958
仪器仪表及文化、办公用机械制造业 Instruments , Meters , Cultural and Clerical Machinery	1868	1	1558	28	1093	89	48504
工艺品及其他制造业 Handicraft Article and Other Manufacturing	21862	3	4487	60	12424	4383	79066
废弃资源和废旧材料回收加工业 Waste Resources and Materials Recovering	440		10		38		2533
电力、热力的生产和供应业 Production and Supply of Electric Power and Hot Power	31634425		10209	31	14154	18248	1385081
燃气生产和供应业 Production and Supply of Gas	17402		50		69		7287
水的生产和供应业 Production and Supply of Water			744	2	340		52499

5-8 规模以上工业分行业综合能耗(2008年)

Consumption of Energy in Industrial Enterprises above Designated Size by Sector,2008

项目	Item	综合能耗(吨标准煤) Consumption of Energy in Industrial Enterprises (ton of SCE)	比上年增长 Ratio(%)
全部工业企业	**Total**	**44356904**	**7.2**
按轻重分	**Grouped by Light &Heavy Industry**		
轻工业	Light Industry	7159105	12.9
重工业	Heavy Industry	37197799	6.1
采矿业	**Mining and Quarrying**	**436775**	**32.3**
煤炭开采和洗选业	Coal Mining and Dressing	68116	-1.5
石油和天然气开采业	Petroleum and Natural Gas Mining		
黑色金属矿采选业	Ferrous Metals Mining and Dressing	139420	61.2
有色金属矿采选业	Nonferrous Metals Mining and Dressing	84967	49.4
非金属矿采选业	Nonmetal Minerals Mining and Dressing	144272	22.7
其他采矿业	Others Mining and Quarrying		
制造业	**Manufacturing**	**28220241**	**10.3**
农副食品加工业	Agricultural and Sideline Products Processing	451017	5
食品制造业	Food Manufacturing	467360	14
饮料制造业	Beverage Manufacturing	312234	18.6
烟草制品业	Tobacco Processing	33522	8.2
纺织业	Textile Industry	1719558	7.9
纺织服装、鞋、帽制造业	Textile Garments , Shoes and Caps Products	248863	18.3
皮革、毛皮、羽毛(绒)及其制品业	Leather , Furs , Down and Relate Products	446371	33.9
木材加工及木、竹、藤、棕、草制品业	Timber Processing , Bamboo , Cane , Palm Fiber and Straw Products	682813	46.6
家具制造业	Furniture Manufacturing	70702	15.8
造纸及纸制品业	Papermaking and Paper Products	1344573	6.4
印刷业和记录媒介的复制	Printing and Record Medium Reproduction	44583	24.3
文教体育用品制造业	Cultural , Educational and Sports Goods	57852	5.7
石油加工、炼焦及核燃料加工业	Petroleum Processing , Coking and Nuclear Fuel Processing	454304	1.9
化学原料及化学制品制造业	Raw Chemical Materials and Chemical Products	4072625	1.4
医药制造业	Medical and Pharmaceutical Products	283609	2.3
化学纤维制造业	Chemical Fiber	383930	18.1
橡胶制品业	Rubber Products	316773	11.9
塑料制品业	Plastic Products	493552	27.8
非金属矿物制品业	Nonmetal Minerals Products	8880320	12
黑色金属冶炼及压延加工业	Smelting and Pressing of Ferrous Metals	5552221	9
有色金属冶炼及压延加工业	Smelting and Pressing of Nonferrous Metals	381107	6.1
金属制品业	Metal Products	175096	25.1
通用设备制造业	General Equipment	360811	25.1
专用设备制造业	Special Purpose Equipment	94801	26.6
交通运输设备制造业	Transport Equipment	225664	14.3
电气机械及器材制造业	Electric Equipment and Machinery	228794	12.1
通信设备、计算机及其他电子设备制造业	Telecommunications , Computer , and Other Electronic Equipment	206677	2.6
仪器仪表及文化、办公用机械制造业	Instruments , Meters , Cultural and Clerical Machinery	64210	11.1
工艺品及其他制造业	Handicraft Article and Other Manufacturing	160307	13.6
废弃资源和废旧材料回收加工业	Waste Resources and Materials Recovering	5992	259.7
电力、燃气及水的生产和供应业	**Production and Supply of Electric Power ,Hot Power and Water**	**15699888**	**1.4**
电力、热力的生产和供应业	Production and Supply of Electric Power and Hot Power	15584051	1.1
燃气生产和供应业	Production and Supply of Gas	50114	262
水的生产和供应业	Production and Supply of Water	65723	12.5

注：规模以上工业电力折算标准煤的系数用当量系数1.229。

Note:The coefficient for conversion of electric power into SCE is 1.229

5–9 能源加工转换效率(1985–2008年)
Efficiency of Energy Conversion,1985-2008

单位：%　　　　(%)

年份 Year	总效率 Total Efficiency	发电及电站供热 Power Generation and Heating by Power Station	炼焦 Coking	炼油 Petroleum Refining
1985	36.87	25.50	86.40	
1986	34.20	25.98	87.01	
1987	33.32	26.60	88.94	
1988	33.91	27.43	88.19	
1989	35.93	30.50	88.43	
1990	36.74	31.43	87.00	
1991	37.37	31.84	88.25	
1992	38.78	32.01	87.08	
1993	58.38	32.26	87.35	98.00
1994	57.74	32.26	87.70	97.97
1995	61.94	32.43	90.61	94.96
1996	60.54	32.51	91.10	95.41
1997	66.72	33.95	89.31	96.92
1998	59.35	33.95	97.36	96.95
1999	62.08	34.62	95.28	97.69
2000	63.63	36.04	98.01	95.38
2001	62.55	35.94	97.13	93.47
2002	57.24	36.25	97.95	94.74
2003	54.42	37.02	97.90	92.91
2004	54.81	39.65	95.39	96.44
2005	55.00	39.77	97.88	96.61
2006	55.23	39.84	98.32	99.46
2007	53.14	40.52	94.74	99.45
2008	52.21	41.16	96.84	99.15

5-10 平均每天能源消费量

Average Daily Energy Consumption by Type of Energy

项目 Item	1990	1995	2000	2003	2004	2005	2006	2007	2008
合计(万吨标准煤) Total(10000 tons of SCE)	**4.00**	**6.25**	**8.06**	**11.13**	**12.40**	**16.87**	**18.66**	**20.75**	**22.57**
煤炭(万吨) Coal(10000 tons)	3.57	4.59	5.92	8.96	10.43	13.31	14.64	16.76	18.07
焦炭(万吨) Coke(10000 tons)	0.15	0.22	0.27	0.36	0.56	0.77	0.82	0.98	1.01
原油(万吨) Crude Oil(10000 tons)		0.62	0.98	0.99	1.07	0.95	1.03	0.97	0.85
燃料油(万吨) Fuel Oil(10000 tons)	0.04	0.09	0.15	0.26	0.22	0.44	0.48	0.34	0.39
燃料油(万吨) Gasoline(10000 tons)	0.11	0.19	0.29	0.38	0.53	0.55	0.57	0.72	0.69
煤油(万吨) Kerosene(10000 tons)	0.01	0.01	0.02	0.07	0.07	0.09	0.10	0.13	0.14
柴油(万吨) Diesel Oil(10000 tons)	0.17	0.43	0.58	0.73	0.89	1.01	1.04	1.28	1.19
液化石油气(万吨) Liquefied Petroleum Gas (10000 tons)		0.05	0.11	0.22	0.24	0.27	0.26	0.29	0.28
电力(亿千瓦小时) Electricity (100 million kwh)	0.37	0.72	1.10	1.60	1.77	2.07	2.37	2.74	3.15

5-11 生活能源消费量

Average Annual Energy Consumption for Households

项目 Item	1990	1995	2000	2003	2004	2005	2006	2007	2008
合计(万吨标准煤) Total(10000 tons of SCE)	**219.38**	**290.95**	**387.52**	**504.29**	**558.71**	**699.47**	**748.85**	**813.22**	**855.75**
煤炭(万吨) Coal(10000 tons)	196	181.17	155	138.7	135.98	255.91	235	134.5	89.57
汽油(万吨) Gasoline(10000 tons)				6.72	12.63	13.65	14.21	18.07	29.13
煤油(万吨) Kerosene(10000 tons)	3.01	2.71	6.86	3.5	1.96	2.06			
柴油(万吨) Kerosene(10000 tons)							4.91	6.58	6.12
液化石油气(万吨) Liquefied Petroleum Gas (10000 tons)	1.57	14.22	30.96	53.8	58.17	53.68	53.8	61.37	72.95
电力(亿千瓦小时) Electricity(100 million kwh)	18.48	34.68	65.21	98.11	110.12	121.97	141.12	163.08	188.78

5–12 人均生活能源消费量(1990–2008年)

Annual per Capita Energy Consumption of Households,1990-2008

年份 Year	总计(千克标准煤) Total (kg of SCE)	煤炭(千克) Coal(kg)	电力(千瓦小时) Electricity(Kwh)	煤油(千克) Kerosene(kg)	汽油(千克) Gasoline(kg)	液化石油气(千克) Liquefied Petroleum Gas(kg)	天然气(立方米) Natural Gas(cu.m)
1990	72.87	65.11	61.39	1.00		0.52	
1991	74.70	62.86	71.09	0.78		0.59	
1992	84.79	63.92	95.69	0.67		0.66	
1993	59.66	57.95	102.23	0.55		2.86	
1994	63.32	57.79	106.77	0.45		4.19	
1995	90.78	56.53	108.21	0.85		4.44	
1996	101.97	50.40	130.02	1.70		8.35	
1997	106.12	50.44	150.42	1.23		7.46	
1998	114.26	48.97	171.74	1.91		8.86	
1999	120.30	48.37	191.56	2.03		8.88	
2000	115.23	46.09	193.90	2.04		9.21	
2001	127.22	44.93	209.72	2.08		9.62	
2002	136.11	42.34	244.54	1.10	1.19	13.50	
2003	145.04	39.89	282.17	1.01	1.93	15.47	
2004	159.65	38.86	314.67	0.56	3.61	16.62	
2005	198.54	72.64	346.21	0.58	3.87	15.24	
2006	211.15	66.26	397.91		4.01	15.17	
2007	215.24	37.68	456.87		5.62	17.19	
2008	238.21	24.93	525.48		8.11	20.31	1.56

5–13 各设区市万元地区生产总值能耗指标

Indicators of Energy Consumption by Region

单位：吨标准煤/万元　　(ton of SCE/10000 yuan)

地区	Area	2005	2007		2008	
		数值 Value	数值 Value	比上年上升或下降(±%) Ratio(%)	数值 Value	比上年上升或下降(±%) Ratio(%)
全　省	**Total**	**0.937**	**0.875**	**-3.51**	**0.843**	**-3.70**
福州市	Fuzhou	0.735	0.710	-1.60	0.676	-4.71
厦门市	Xiamen	0.648	0.616	-2.72	0.600	-2.73
莆田市	Putian	0.760	0.718	-3.50	0.689	-4.02
三明市	Sanming	2.181	2.014	-4.23	1.923	-4.54
泉州市	Quanzhou	0.898	0.843	-3.48	0.814	-3.44
漳州市	Zhangzhou	0.728	0.694	-2.70	0.675	-2.79
南平市	Nanping	1.445	1.339	-4.15	1.281	-4.31
龙岩市	Longyan	1.487	1.412	-1.66	1.321	-6.49
宁德市	Ningde	0.548	0.546	-0.12	0.538	-1.40

5-14 各设区市万元地区生产总值电耗指标

Electricity Consumption per 10000 yuan of GDP by Region

单位：千瓦小时 (Kmh)

地区	Area	2005 数值 Value	2007 数值 Value	2007 比上年上升或下降(±%) Ratio(%)	2008 数值 Value	2008 比上年上升或下降(±%) Ratio(%)
全　省	**Total**	**1151.8**	**1156.2**	**0.56**	**1098.6**	**-4.98**
福州市	Fuzhou	1028.1	1100.5	4.20	1049.3	-4.65
厦门市	Xiamen	893.8	899.2	2.38	852.5	-5.19
莆田市	Putian	740.5	779.1	5.03	725.1	-6.94
三明市	Sanming	1874.1	1804.9	-2.33	1687.4	-6.51
泉州市	Quanzhou	1168.0	1164.6	-0.15	1095.5	-5.93
漳州市	Zhangzhou	906.8	936.4	2.14	927.1	-1.00
南平市	Nanping	1548.0	1554.7	1.45	1419.3	-8.71
龙岩市	Longyan	1342.5	1412.0	7.61	1408.2	-0.27
宁德市	Ningde	874.0	1112.7	12.91	1076.2	-3.28

5-15 各设区市规模以上工业万元增加值能耗指标

Energy Consumption per unit of Value-added of Industrial Enterprises above Designated Size by Region

单位：吨标准煤/万元 (ton of SCE/10000 yuan)

地区	Area	2005 数值 Value	2007 数值 Value	2007 比上年上升或下降(±%) Ratio(%)	2008 数值 Value	2008 比上年上升或下降(±%) Ratio(%)
全　省	**Total**	**1.45**	**1.32**	**-3.83**	**1.18**	**-10.05**
福州市	Fuzhou	0.95	1.08	14.56	1.03	-4.78
厦门市	Xiamen	0.54	0.50	-2.18	0.45	-10.71
莆田市	Putian	0.97	0.60	-20.05	0.46	-22.72
三明市	Sanming	4.94	3.69	-7.89	3.05	-14.73
泉州市	Quanzhou	0.93	0.85	-7.15	0.76	-11.44
漳州市	Zhangzhou	3.19	2.06	-15.11	1.80	-13.82
南平市	Nanping	3.07	2.41	-8.19	2.03	-15.14
龙岩市	Longyan	3.04	2.60	-0.32	2.12	-18.57
宁德市	Ningde	0.53	1.65	55.52	1.46	-13.01

主要统计指标解释

能源生产总量　指一定时期内一次能源生产量的总和，是观察能源生产水平、规模、构成和发展速度的总量指标。一次能源生产量包括原煤、原油、天然气、水电、核能及其他动力能(如风能、地热能等)发电量，不包括低热值燃料生产量、生物质能、太阳能等的利用和由一次能源加工转换而成的二次能源产量。

能源消费总量　指一定时期内物质生产部门、非物质生产部门和生活消费的各种能源的总和，是观察能源消费水平、构成和增长速度的总量指标。能源消费总量包括原煤和原油及其制品、天然气、电力，不包括低热值燃料、生物质能和太阳能等的利用。能源消费总量分为终端能源消费量、能源加工转换损失量和损失量三部分。

(1)终端能源消费量：指一定时期内生产和生活消费的各种能源在扣除了用于加工转换二次能源消费量和损失量以后的数量。

(2)能源加工转换损失量：指一定时期内投入加工转换的各种能源数量之和与产出各种能源产品之和的差额，是观察能源在加工转换过程中损失量变化的指标。

(3)能源损失量：指一定时期内能源在输送、分配、储存过程中发生的损失和由客观原因造成的各种损失量，不包括各种气体能源放空、放散量。

能源生产弹性系数　指研究能源生产增长速度与国民经济增长速度之间关系的指标。计算公式为：

能源生产弹性系数＝能源生产总量年平均增长速度／国民经济年平均增长速度

国民经济年平均增长速度，可根据不同的目的或需要，用国民生产总值、国内生产总值等指标来计算，本年鉴是采用国内生产总值指标计算的。

电力生产弹性系数　指研究电力生产增长速度与国民经济增长速度之间关系的指标。一般来说，电力的发展应当快于国民经济的发展，也就是说电力应超前发展。计算公式为：

电力生产弹性系数＝电力生产量年平均增长速度／国民经济年平均增长速度

能源消费弹性系数　指反映能源消费增长速度与国民经济增长速度之间比例关系的指标。计算公式为：

能源消费弹性系数＝能源消费量年平均增长速度／国民经济年平均增长速度

电力消费弹性系数　指反映电力消费增长速度与国民经济增长速度之间比例关系的指标。计算公式为：

电力消费弹性系数＝电力消费量年平均增长速度／国民经济年平均增长速度

能源加工转换效率　指一定时期内能源经过加工、转换后，产出的各种能源产品的数量与同期内投入加工转换的各种能源数量的比率。它是观察能源加工转换装置和生产工艺先进与落后、管理水平高低等的重要指标。计算公式为：

能源加工转换效率＝(能源加工、转换产出量／能源加工、转换投入量)×100%

单位地区生产总值能耗　指一定时期内，一个国家或地区每生产一个单位的地区生产总值所消耗的能源。计算公式为：

单位地区生产总值能耗=能源消费总量/地区生产总值

单位工业增加值能耗　指一定时期内，一个国家或地区每生产一个单位的工业增加值所消耗的能源。计算公式为：

单位工业增加值能耗=工业能源消费量/工业增加值

单位地区生产总值电耗　指一定时期内，一个国家或地区每生产一个单位的地区生产总值所消耗的电力。计算公式为：

单位地区生产总值电耗=全社会用电量/地区生产总值

Explanatory Notes on Main Statistical Indicators

Total Energy Production refers to the total production of primary energy by all energy producing enterprises in the region in a given period of time. It is a comprehensive indicator to show the capacity, scale, composition and development of energy production of the region. The production of primary energy includes that of coal, crude oil, natural gas, hydropower and electricity generated by nuclear energy and other means such as wind power and geothermal power. However, it excludes the production of fuels of low calorific value, bio-energy, solar energy and the secondary energy converted from the primary energy.

Total Domestic Energy Consumption refers to the total consumption of energy of various kinds by material production sectors, non material production sectors and households in the region in a given period of time. It is a comprehensive indicator to show the scale, composition and development of energy consumption. The total energy consumption includes that of coal, crude oil and their products, natural gas and electricity. However it excludes the consumption of fuel of low calorific value, bio-energy and solar energy. Total domestic energy consumption can be divided into three parts:

(1) Final Energy Consumption: It refers to the total energy consumption by material production sectors, non material production sectors and households in the region (region) in a given period of time, but excludes the consumption in conversion of the primary energy into the secondary energy and the loss in the process of energy conversion.

(2) Loss During the Process of Energy Conversion: It refers to the total input of various kinds of energy for conversion, minus the total output of various kinds of energy in the region in a given period of time. It is an indicator to show the loss that occurs during the process of energy conversion.

(3) Energy Loss: It refers to the total of the loss of energy during the course of energy transport, distribution and storage and the loss caused by any objective reason in a given period of time. The loss of various kinds of gas due to gas discharges and stocktaking is excluded.

Elasticity Ratio of Energy Production is an indicator to show the relationship between the growth rate of energy production and the growth rate of the national economy. The formula is:

Elasticity Ratio of Energy Production=Average Annual Growth Rate of Energy Production/Average Annual Growth Rate of National Economy

The average annual growthrate of the national economy can be shown by the gross national product, gross domestic product and other indicators, depending upon the purposes or needs. The gross domestic product is used in calculation of the ratio in this chapter.

Elasticity Ratio of Electricity Production is an indicator to show the relationship between the growth rate of electricity production and the growth rate of the national economy. Generally speaking, the growth rate of electricity production should be higher than that of the national economy.The formula is:

Elasticity Ratio of Electricity Production=Average Annual Growth Rate of Electricity Production/Average Annual Growth Rate of National Economy

Elasticity Ratio of Energy Consumption is an indicator to show the relationship between the growth rate of energy consumption and the growth rate of the national economy. The formula is:

Elasticity Ratio of Energy Consumption=Average Annual Growth Rate of Energy Consumption/Average Annual Growth Rate of National Economy

Elasticity Ratio of Electricity Consumption is an indicator to show the relationship between the growth rate of electricity consumption and the growth rate of the national economy. The formula is:

Elasticity Ratio of Electricity Consumption=Average Annual Growth Rate of Electricity/Average Annual Growth Rate of National Economy

Efficiency of Energy Processing and Conversion refers to the ratio of the total output of energy products of various kinds after processing and conversion and the total input of energy of various kinds for processing and conversion in the same reference period. It is an important indicator to show the current conditions of energy processing and conversion equipment, production technique and management. The formula is:

Efficiency of Energy Processing & Conversion=(Output of Energy After Processing & Conversion/Input of Energy for Processing & Conversion)×100%

Energy Consumption per Unit of GDP refers to the energy consumption per unit of gross domestic production in a country or the gross region production in the same reference period. The formula is:

Energy Consumption per Unit of GDP=Total Energy Consumption/Gross Domestic Production

Electricity Consumption per Unit of Industrial Value-added refers to the energy consumption per unit of industrial value-added in a country or region in the same reference period. The formula is:

Energy Consumption per Unit of Industrial Value-added=Total Energy Consumption/Industrial Value-added

Electricity Consumption per Unit of GDP refers to the electricity consumption per unit of gross domestic production in a country or the gross region production in the same reference period. The formula is:

Electricity Consumption per Unit of GDP=Total Electricity Consumption/Gross Domestic Production

人民生活

6

People's Living Conditions

简要说明

本篇资料的主要内容及来源

本篇资料反映了全省城乡人民生活状况，分为城镇居民生活和农村居民生活两个部分，主要包括居民家庭基本情况，家庭收入、支出情况，主要商品购买数量 及支出金额，居住状况和耐用消费品的拥有量等。

城镇居民家庭相关资料来源于城镇住户调查年报，由国家统计局福建调查总队城镇住户调查处整理提供。农民家庭相关资料来源于农村住户调查年报，由国家统计局福建调查总队农村住户调查处整理提供。

Brief Introduction

Main Content and Source of Data

Data in this chapter show the basic conditions of the people's livelihood in Fujian Province , consisting of two parts on the life of urban and rural households respectively ,including mainly basic condition of people's household , income and expenditure of the household, the quantity and the expenditure on major commodities purchased, the housing condition and the possession of the durable consumer goods, etc.

Data on the livelihood of urban resident are prepared and provided by the Division of Urban Household Survey of Survey Office of the National Bureau of Statistics in Fujian.Data on the livelihood of rural residents are prepared and provided by the Division of rural Household Survey of Survey Office of the National Bureau of Statistics in Fujian.

6-1 人民生活基本情况(1978-2008)
Basic Statistics on People's Living Conditions,1978-2008

年份 Year	城镇居民人均可支配收入（元） Annual Per Capita Disposable Income of Urban Households (yuan)		农民人均纯收入（元） Annual Per Capita Net Income of Rural Households(yuan)		城市居民人均住房建筑面积（平方米） Per Capita Floor Space of Residential Building in Urban Areas (sq.m)	农村居民人均住房面积（平方米） Per Capita Floor Space of Residential Building in Rural Areas(sq.m)
	数值 Value	指数(1978=100) Index(1978=100)	数值 Value	指数(1978=100) Index(1978=100)		
1978	371	100.0	138	100.0		
1979			142	103.4		
1980	450	121.3	172	124.9	11.3	
1981	452	121.8	232	168.4	11.7	8.3
1982	520	140.2	268	195.0	12.1	7.7
1983	573	154.4	302	219.5	13.2	10.4
1984	582	156.9	345	250.8	14.3	11.7
1985	733	197.6	396	288.2	15.3	14.5
1986	929	250.4	419	304.3	15.7	15.1
1987	1021	275.2	485	352.5	16.5	15.9
1988	1236	333.2	613	446.0	17.2	16.2
1989	1555	419.1	697	507.0	17.6	16.7
1990	1749	471.4	764	555.8	18.1	18.5
1991	1953	526.4	850	618.0	19.5	19.1
1992	2351	633.7	984	715.5	20.9	19.6
1993	2923	787.9	1211	880.1	21.5	22.4
1994	3935	1060.6	1578	1147.1	24.1	24.6
1995	4853	1308.1	2049	1489.5	24.3	22.9
1996	5574	1502.4	2492	1812.2	24.5	23.4
1997	6144	1656.1	2786	2025.4	25.6	23.7
1998	6486	1748.2	2946	2142.2	26.8	24.9
1999	6860	1849.1	3091	2247.6	27.2	26.4
2000	7432	2003.2	3230	2348.8	28.0	32.1
2001	8313	2240.7	3381	2458.0	28.2	33.8
2002	9189	2476.8	3539	2572.9	28.4	35.7
2003	10000	2695.4	3734	2714.8	29.8	36.0
2004	11175	3012.2	4089	2973.2	31.1	38.2
2005	12321	3321.1	4450	3234.9	31.4	40.2
2006	13753	3707.1	4835	3515.2	32.1	42.4
2007	15505	4179.4	5467	3974.9	33.5	44.5
2008	17961	4841.4	6196	4504.9	37.5	46.1

6–2 城乡居民家庭人均收入(1981–2008年)

Per Capita Annual Income of Urban and Rural Households,1981-2008

单位：元 (yuan)

年份 Year	城镇居民人均可支配收入 Annual Per Capita Disposable Income of Urban Households		农民人均纯收入 Annual Per CapitaNet Income of Rural Households		年份 Year	城镇居民人均可支配收入 Annual Per Capita Disposable Income of Urban Households		农民人均纯收入 Annual Per CapitaNet Income of Rural Households	
	数值 Vaule	比上年增长(%) Ratio(%)	数值 Vaule	比上年增长(%) Ratio(%)		数值 Vaule	比上年增长(%) Ratio(%)	数值 Vaule	比上年增长(%) Ratio(%)
1981	452	0.4	232	34.9	1995	4853	23.3	2049	29.8
1982	520	15.0	268	15.8	1996	5574	14.9	2492	21.7
1983	573	10.2	302	12.6	1997	6144	10.2	2786	11.8
1984	582	1.6	345	14.3	1998	6486	5.6	2946	5.8
1985	733	25.9	396	14.9	1999	6860	5.8	3091	4.9
1986	929	26.7	419	5.6	2000	7432	8.3	3230	4.5
1987	1021	9.9	485	15.9	2001	8313	11.9	3381	4.7
1988	1236	21.1	613	26.5	2002	9189	10.5	3539	4.7
1989	1555	25.8	697	13.7	2003	10000	8.8	3734	5.5
1990	1749	12.5	764	9.6	2004	11175	11.8	4089	9.5
1991	1953	11.7	850	11.2	2005	12321	10.3	4450	8.8
1992	2351	20.4	984	15.8	2006	13753	11.6	4835	8.6
1993	2923	24.3	1211	23.0	2007	15505	12.7	5467	13.1
1994	3935	34.6	1578	30.3	2008	17961	15.8	6196	13.3

6–3 城乡居民恩格尔系数及基尼系数(1981–2008)

ENGEL and GINI Coefficient of Urban and Rural Households,1981-2008

年份 Year	恩格尔系数（%） Engel's Coefficient(%)		基尼系数 Gini's Coefficient		年份 Year	恩格尔系数（%） Engel's Coefficient(%)		基尼系数 Gini's Coefficient	
	城镇居民 Urban Households	农村居民 Rural Households	城镇居民 Urban Households	农村居民 Rural Households		城镇居民 Urban Households	农村居民 Rural Households	城镇居民 Urban Households	农村居民 Rural Households
1981	62.1				1995	61.1	61.0	0.25	0.267
1982	60.7				1996	59.9	60.1	0.26	0.254
1983	63.4				1997	52.8	55.1	0.28	0.262
1984	62.4				1998	51.8	54.4	0.29	0.269
1985	54.0	62.4	0.24		1999	51.4	52.0	0.29	0.274
1986	55.9	60.2	0.24		2000	44.7	48.7	0.31	0.295
1987	58.8	60.0	0.23		2001	44.1	47.5	0.31	0.303
1988	62.6	57.1	0.25		2002	43.4	45.9	0.33	0.312
1989	63.7	58.1	0.26		2003	42.1	45.1	0.33	0.326
1990	63.5	60.0	0.30	0.238	2004	41.6	46.7	0.33	0.355
1991	60.5	59.0	0.20	0.242	2005	40.9	46.1	0.33	0.358
1992	58.3	58.9	0.25	0.265	2006	39.3	45.2	0.34	0.360
1993	57.9	60.6	0.26	0.271	2007	38.9	46.1	0.32	0.361
1994	58.7	62.4	0.25	0.273	2008	40.6	46.4	0.36	0.363

6–4 主要年份城镇居民家庭基本情况

Basic Indicators of Urban Households in Seletcted Years

年份 Year	平均每户家庭人口(人) Number of Average per Household lersons(person)	平均每户就业人数(人) Average Number of Employed Persons Per Household (person)	平均每户就业面(%) Percentage of Employment Per Household(%)	平均每一就业者负担人数(人) Number of Persons Supported By Each Employee(person)	平均每人全年可支配收入(元) Per Capita Annual Disposable Income(yuan)	平均每人消费性支出(元) Per Capita Living Ex- penditures for Consumption (yuan)	平均每人住房建筑面积(平方米) Per Capita Floor Space of Residential Buildings(sq.m)
1952					106	96	
1957					165	131	
1959	4.72	1.40	29.7	3.37	206	190	
1962	5.46	1.72	31.5	3.17	203	186	
1963	5.40	1.50	27.8	3.60	207	189	
1964	5.33	1.53	28.8	3.48	211	194	
1965	5.13	1.65	32.2	3.12	217	201	
1966	5.00	1.40	28.0	3.40	223	186	
1975	4.97	2.05	41.3	2.42	333	297	
1978	3.87	2.40	62.0	1.61	371	285	
1980	4.53	2.32	51.2	1.95	450	392	11.3
1981	4.51	2.40	53.2	1.88	452	405	11.7
1982	4.44	2.48	55.9	1.79	520	466	12.1
1983	4.36	2.41	55.3	1.80	573	504	13.2
1984	4.27	2.37	55.5	1.80	582	494	14.3
1985	4.06	2.25	55.4	1.81	733	675	15.3
1986	4.00	2.23	55.8	1.79	929	790	15.7
1987	3.97	2.25	56.6	1.77	1021	893	16.5
1988	3.77	2.10	55.7	1.79	1236	1077	17.2
1989	3.70	2.09	56.5	1.77	1555	1340	17.6
1990	3.64	2.09	57.4	1.74	1749	1431	18.1
1991	3.43	2.00	58.3	1.72	1953	1659	19.5
1992	3.39	2.03	59.9	1.67	2351	1942	20.9
1993	3.35	2.01	60.0	1.67	2923	2418	21.5
1994	3.29	1.92	58.4	1.71	3935	3351	24.1
1995	3.27	1.93	59.0	1.69	4853	4132	24.3
1996	3.25	1.94	59.7	1.68	5574	4568	24.5
1997	3.28	1.96	59.8	1.67	6144	4936	25.6
1998	3.23	1.90	58.8	1.70	6486	5181	26.8
1999	3.22	1.90	59.0	1.69	6860	5267	27.2
2000	3.23	1.80	55.7	1.79	7432	5639	28.0
2001	3.20	1.80	55.3	1.78	8313	6015	28.2
2002	3.13	1.73	55.3	1.81	9189	6632	28.4
2003	3.08	1.72	55.8	1.79	10000	7356	29.8
2004	3.05	1.58	51.8	1.93	11175	8161	31.1
2005	3.04	1.60	52.6	1.90	12321	8794	31.4
2006	3.04	1.64	53.9	1.86	13753	9808	32.1
2007	3.01	1.60	53.2	1.90	15505	11055	33.5
2008	3.14	1.69	53.8	1.86	17961	12501	37.5

6–5 城镇居民人均现金收支情况

Cash Income and Expenditure per Capita in Urban Areas

单位：元　(yuan)

项目 Item	2000	2003	2005	2007	2008
一、期初手存现金 Cash on Hand at the beginning	**356**	**835**	**947**	**669**	**473**
二、人均总收入 Per Capita Annual Income	**7486**	**10816**	**13408**	**16983**	**19686**
#可支配收入 Disposable Income	7432	10000	12321	15505	17961
(一)工薪收入 Wages and Salaries		7499	8792	11175	12669
工资及补贴收入 Wages and Subsidies		7244	8448	10740	12115
其他劳动收入 Other Income		255	344	435	554
(二)经营净收入 Net Income from Business	458	548	839	1209	2185
(三)财产性收入 Property Income	156	286	448	740	953
#利息收入 Interest	38	38	48	70	94
股息与红利收入 Dividend	45	68	89	276	169
出租房屋收入 Renting House		169	273	378	638
知识产权收入 Intellective Property Right		...	...	...	...
(四)转移性收入 Transfer Income	1393	2484	3329	3859	3879
#养老金或离退休金 Annuity and Pension	918	1593	2209	2763	2447
社会救济收入 Social Relief		9	6	13	15
辞退金 Pension for Resign Persons		127	210	8	10
赔偿收入 Compensation		2	8	5	9
保险收入 Insurance		73	54	46	34

6–5 续表1

Continued

单位：元 (yuan)

项目 Item	2000	2003	2005	2007	2008
赡养收入 Supporting	97	116	261	311	454
捐赠收入 Donation	206	317	337	430	539
提取住房公积金 Accumulation Fund of Houses		60	35	82	63
三、出售财物收入 Income from Properties Sales	**5**	**7**	**124**	**154**	**103**
#出售住房收入 Houses Sales		3	122	146	73
四、借贷收入 Loan Income	**1682**	**3942**	**4728**	**9793**	**10677**
#提取储蓄存款 Withdrawing Saving Deposit	1103	3463	4236	8835	9675
收回储蓄性保险本金 Withdrawing Cropus of Saving Deposit	4	23	8	6	24
兑售有价证券 Securities Sales	37	28	50	528	130
住房贷款 Loans for Houses	127	134	150	144	212
汽车贷款 Loans for Cars		...	1	25	13
教育贷款 Loans for Education		4	2		26
五、人均总支出 Per Capita Annual Expenditure	**7109**	**9879**	**11896**	**14595**	**17081**
(一)消费支出 Expenditure on Consumption	5639	7356	8794	11055	12501
#服务性消费支出 Expenditure on Services Consumption		1774	2303	2910	3335
(二)购房与建房支出 Expenditure on Houses Purchasing and Building	503	621	869	631	975
#购房 Purchasing House		606	859	619	975
(三)转移性支出 Expenditure for Transfer		1180	1286	1601	2016
#交纳的个人收入税 Personal Income Tax	7	48	82	129	132

6–5 续表2
Continued

单位：元 (yuan)

项目　Item	2000	2003	2005	2007	2008
捐赠支出 Donation	678	720	762	946	1251
购买彩票 Buying Lottery		17	7	5	7
赡养支出 Supporting Expenditure	210	357	381	430	472
#在外就学子女费用 Expenditure on Children's Education out of Home		183	223	231	277
(四)财产性支出 Expenditure for Property		15	19	52	152
(五)社会保障支出 Expenditure for Welfare		707	928	1256	1437
#个人交纳的养老基金 Annuity of Personal Distribution		256	313	411	507
个人交纳的住房公积金 House Accumulation Fund of Persnal Distribution		323	437	626	658
个人交纳的医疗基金 Medical Benefits Fund of Personal Distribution		100	146	178	219
个人交纳的失业基金 Unemployed Fund of Personal Distribution		23	27	33	37
六、借贷支出 Loan Expenditure	**1606**	**4772**	**5996**	**12029**	**12965**
#存入储蓄款 Saving Deposit	892	4103	5241	10618	11082
储蓄性保险支出 Saving Premium	157	122	132	114	155
购买有价证券 Purchase Securities	71	40	53	637	156
归还住房贷款 Paid-back the Bank for Buying Housing	95	237	265	351	614
归还汽车贷款 Paid-back the Bank for Buying Car		1	15	24	32
归还教育贷款 Paid-back the Bank for Education		...	...	1	...
七、期末手存现金 Cash on Hand at the End	**809**	**955**	**964**	**966**	**897**

6–6 城镇居民人均消费支出

Per Capita Consumption in Urban Areas

单位：元 (yuan)

项目	Item	2000	2003	2005	2007	2008
消费支出	**Total Consumption Expenditures**	**5639**	**7356**	**8794**	**11055**	**12501**
#服务性消费支出	Expenditure on Services Consumption		1774	2303	2910	3335
一、食品	**Food**	**2518**	**3105**	**3595**	**4296**	**5079**
1.粮油类	Grain and Oil	367	387	464	540	626
#粮食	Grain	235	249	307	349	387
油脂类	Oil and Fats	93	83	89	119	152
2.肉禽蛋水产品类	Meat, Poulty, Eggs and Aquatic Products	1022	1316	1498	1799	2075
#肉类	Meat	300	484	588	701	827
禽类	Poultry	138	178	206	259	289
蛋类	Eggs	59	72	81	92	99
水产品类	Aquatic Products	416	582	623	747	859
3.蔬菜类	Vegetables	251	272	335	390	423
#鲜菜	Fresh Vegetables	210	229	287	330	362
4.调味品	Flavoring	31	44	45	52	58
5.糖烟酒饮料类	Suger, Cigarette, Liquor and Tea	376	286	292	363	387
#烟草类	Cigarettes	128	132	129	161	161
酒类	Liquor	86	72	65	74	90
饮料	Drink	143	60	73	99	104
6.干鲜瓜果类	Dried and Fresh Melons & Fruits	183	207	229	277	308
7.糕点、奶及奶制品	Cakes,milk and Dairy Products	141	202	209	228	268
8.其他食品	Other Food	17	43	49	40	46
9.饮食服务	Catering Services		347	475	606	887
#在外饮食	Dining Out	200	347	474	604	887
二、衣着	**Clothing**	**492**	**576**	**709**	**941**	**1105**
1.服装	Garments	365	445	550	721	862
2.衣着材料	Clothing Materials	13	4	3	4	3
3.鞋类	Shoes	208	108	132	192	210
4.其他衣着用品	Other Clothing	14	15	20	20	27
5.衣着加工服务费	Tailoring and Laundering Service Fees	11	4	3	3	3
三、家庭设备用品及服务	**Household Facilities, Articles and Services**	**485**	**440**	**455**	**645**	**722**
#耐用消费品	Durable Consumer Goods	262	228	204	309	320
#家具	Furniture	51	54	39	84	96
其他家庭设备	Other Household Facilities	141	173	165	61	83
其他家庭服务	Other Household Services	73	34	54	48	78
四、医疗保健	**Medicine and Medical Services**	**266**	**349**	**478**	**502**	**541**
五、交通和通讯	**Transport, Post and Communication Services**	**487**	**868**	**1049**	**1607**	**1777**
1.交通	Transport	156	294	384	838	929
#交通费	Transport Fees	73	112	154	194	193
2.通信	Communication	331	574	664	769	848
#通信服务	Conmunication Services Fees	283	494	568	665	755

6–6 续表

Continued

单位：元 (yuan)

项目	Item	2000	2003	2005	2007	2008
#电信费	Telecommunication Fees	278	489	562	661	747
六、教育文化娱乐服务	**Education, Recreation and Cultural Services**	**585**	**899**	**1107**	**1426**	**1453**
1.文化娱乐用品	Recreational Articles	203	289	319	370	336
#彩色电视机	Color Television Set	49	38	48	87	70
家用电脑	Personal Computers	68	124	99	130	101
书报杂志	Books, Newspapers and Magazines	28	44	41	37	36
2.文化娱乐服务	Recreation and Cultural Services	107	138	256	427	431
#参观游览	Tourism		16	19	30	27
团体旅游	Group Tourism		67	175	326	313
文娱用品修理服务费	Repair Services Fees of Recreation and Cultural Articles	6	11	7	7	6
3.教育	Education	325	472	531	629	686
教材	Teaching Material	29	37	36	33	36
教育费用	Education Fees	296	435	495	596	650
#非义务教育学杂费	Non-Compulsory Education Tuition Fee		202	190	287	280
义务教育学杂费	Compulsory Education Tuition Fee		75	54	52	27
托幼费	Child Care Cost	17	23	39	41	82
七、居住	**Residence**	**530**	**879**	**1072**	**1261**	**1300**
1.住房	Housing	165	290	386	455	393
#租赁房房租	Rent of Housing	27	36	55	64	81
2.水电燃料及其他	Water, Electricity, Fuels and Others	365	558	648	751	827
#水	Water	56	85	97	113	130
电	Electricity	181	299	340	419	471
燃料	Fuel	125	167	203	214	221
3.居住服务费	Residential Services	46	31	37	56	80
八、杂项商品和服务	**Miscellaneous Commodities and Services**	**276**	**241**	**329**	**376**	**524**
1.杂项商品	Miscellaneous Commodities	123	129	181	212	306
#金银珠宝饰品	Jewellery	19	15	29	41	68
理发美容用具	Haircut and Goods	41	2	2	2	3
化妆品	Cosmetics	39	48	60	67	105
2.服务	Services	73	111	148	164	218
#理发洗澡费	Haircut and bath	23	43	56	73	75
美容费	Cosmetic Fees	13	27	43	54	72

6-7 按人均可支配收入分组的城镇居民家庭基本情况(2008年)

Basic Indicators of Urban Households by per Capita Disposable Income , 2008

项目 Item	最低收入 Lowest Income	低收入 Low Income	中等偏下收入 Lower Middle Income	中等收入 Middle Income	中等偏上收入 Upper Middle Income	高收入 High Income	最高收入 Highest Income
占调查总户数的比重(%) Proportion(%)	10.00	10.00	20.00	20.00	20.00	10.00	10.00
平均每户家庭人口数(人) Average Number of persons per Household(person)	3.48	3.35	3.32	3.16	3.06	2.90	2.63
平均每户就业人口数(人) Average Number of Employed Persons per Household (person)	1.37	1.63	1.72	1.71	1.78	1.80	1.62
平均每户就业面(%) Percentage of Employment per Household(%)	39.40	48.70	51.80	54.10	58.20	62.10	61.60
平均每一就业者负担人数(人) Number of Persons Supported by Each Employed (person)	2.54	2.06	1.93	1.85	1.72	1.61	1.62
家庭总收入（元） Total Revenue(yuan)	**7460.05**	**10232.05**	**13165.73**	**17097.10**	**22314.96**	**29943.35**	**51569.65**
可支配收入 Disposable Income	6610.31	9333.49	11998.84	15419.26	20448.32	27199.72	47676.70
#工薪收入 Wages Income	4630.62	6705.42	8952.93	11713.46	15044.51	19458.98	28516.09
经营净收入 Net Income from Household Business	788.42	1438.12	1228.11	1221.49	2026.73	3293.37	8708.77
财产性收入 Property Income	169.51	326.91	441.36	730.98	1034.15	2098.52	3074.59
转移性收入 Transfer Income	1871.50	1761.59	2543.34	3431.17	4209.57	5092.48	11270.20
#养老金或离退休金 Pensions	1233.16	1125.83	1810.33	2286.74	2895.72	2730.52	6153.40
社会救济收入 Social Relief	48.87	26.20	22.80	5.74	4.21	1.05	
赡养收入 Supporting	210.23	222.07	177.94	513.31	409.60	678.52	1449.12
捐赠收入 Donation	202.40	164.11	299.59	329.05	516.70	913.08	2173.75
提取住房公积金 Accumulation Fund of Houses				31.40	75.74	100.51	381.41

6–7 续表

Continued

项目 Item	最低收入 Lowest Income	低收入 Low Income	中等偏下收入 Lower Middle Income	中等收入 Middle Income	中等偏上收入 Upper Middle Income	高收入 High Income	最高收入 Highest Income
消费支出 Expenditure on Consumption	**6063.29**	**8054.55**	**9088.60**	**11488.09**	**14514.27**	**17654.00**	**26484.10**
食品 Food	3151.89	3815.06	4171.30	5135.18	5635.09	6579.92	8199.52
#粮油类 Grain and Oil	546.78	582.96	575.13	655.56	650.18	659.76	738.45
肉禽蛋水产品类 Meat, Poultry, Eggs and Aquatic Products	1425.49	1785.75	1881.46	2216.32	2221.67	2495.79	2575.44
蔬菜类 Vegetables	325.36	398.07	388.57	437.64	443.10	508.75	488.54
干鲜瓜果类 Dried and Fresh Melon & Fruits	170.05	202.73	255.03	319.37	348.07	409.33	512.22
衣着 Clothing	407.75	656.57	809.63	1029.18	1285.23	1827.23	2235.33
家庭设备用品及服务 Household Facilities, Articles and Services	253.21	399.93	435.18	617.12	848.50	1123.84	1928.64
医疗保健 Medicine and Medical Services	232.84	367.79	367.76	582.45	626.00	755.84	1027.88
交通和通讯 Transport Post and Communication Services	554.61	887.79	1120.05	1382.90	2389.70	2208.08	5017.99
教育文化娱乐服务 Education, Recreation and Cultural Services	580.21	853.62	899.89	1250.43	1700.56	2480.66	3434.34
居住 Residence	727.52	826.49	951.81	1091.53	1347.77	1834.55	3270.37
住房 Housing	72.34	111.37	160.33	179.17	348.16	710.32	1991.22
水电燃料及其他 Water, Electricity, Fuels and Others	601.96	684.92	743.86	839.62	911.29	1025.21	1043.82
居住服务费 Residential Services	53.22	30.21	47.62	72.75	88.31	99.02	235.34
杂项商品和服务 Miscellanecus Commodities and Services	155.26	247.30	332.96	399.31	681.42	843.89	1370.02

6-8 城镇居民人均日常消费品购买量

Per Capita Purchases of Daily Consumer Goods of Urban Residents

单位：千克 (kg)

项目	Item	2000	2003	2005	2007	2008
猪肉	Pork	18.11	28.70	27.72	24.59	24.42
牛肉	Beef	1.57	2.06	2.38	2.87	1.90
羊肉	Mutton	0.46	0.62	0.84	0.82	0.67
鲜蛋	Fresh Eggs	9.46	10.85	10.29	9.20	9.45
鱼	Fish	15.77	17.13	17.33	17.70	18.04
虾	Shrimp	1.87	2.95	2.56	2.97	3.00
鲜菜	Fresh Vegetables	96.18	106.93	101.95	97.95	97.72
茶叶	Tea	0.77	0.52	0.36	0.39	0.27
鲜果	Fresh Fruits	33.66	40.17	38.97	38.21	38.13
鲜瓜	Fresh Melons	9.42	11.41	7.07	6.97	8.23
糕点	Cake	3.11	4.28	4.32	4.37	3.89
鲜乳品	Fresh Dairy Products	13.30	19.52	16.56	15.47	13.14
服装(件)	Clothing(piece)	7.45	7.78	7.86	8.37	9.12
鞋类(双)	Shoes(pair)	2.08	2.13	2.18	2.31	2.41
煤炭	Coal	45.45	44.40	21.24	24.00	16.01
液化石油气	Liquefied Petroleum	27.29	37.55	34.72	30.02	26.81
管道煤气(立方米)	Gas Dupplied through pipes(cu.m)		11.82	11.50	8.98	8.88

6-9 城镇居民家庭每百户耐用消费品拥有量(年底数)

Number of Major Durable Consumer Goods Owned Per 100 Urban Households, End of Year

项目	Item	2000	2003	2005	2007	2008
摩托车(架)	Motorcycle(set)	36.60	42.37	49.39	51.98	49.32
助力车(架)	Electric Bicycle(set)		2.81	6.26	12.85	25.54
家用汽车(辆)	Automobile(unit)	0.40	0.73	1.70	4.00	8.08
洗衣机(台)	Washing Machine(set)	93.20	97.74	99.72	99.98	98.32
电冰箱(台)	Refrigerator(set)	87.80	96.23	98.43	99.68	101.75
彩色电视机(台)	Color TV Set(set)	128.07	147.35	164.49	166.91	169.48
家用电脑(台)	Personal Computer(set)	11.47	39.35	54.89	68.58	80.92
组合音响(套)	Hifi Stereo Component System (sets)	24.87	28.39	29.28	32.86	30.69
摄像机(台)	Pick up Camera(set)	1.47	1.58	3.96	5.79	7.68
照相机(个)	Camera(set)	33.20	43.47	47.42	45.50	40.36
钢琴(架)	Piano(set)	1.60	2.03	2.85	3.90	3.32
其他中高档乐器(件)	Other Medium and Grade Musical Instrument(unit)	5.20	7.28	5.86	7.44	4.02
微波炉(个)	Oven(unit)	27.53	56.88	70.27	73.00	75.77
空调器(个)	Air Conditioner(unit)	43.53	99.88	134.86	149.87	164.34
淋浴热水器(个)	Shower(unit)	82.60	94.90	101.02	104.67	106.99
消毒碗柜(个)	Dish-Sterilization Box(unit)		27.96	36.62	41.62	44.08
洗碗机(个)	Dish-Washer(unit)		0.99	0.63	0.56	0.93
健身器材(个)	Health Equipment(unit)	4.60	6.95	6.33	6.11	5.46
普通电话(个)	Telephone(unit)		105.37	106.02	101.39	93.23
移动电话(个)	Mobile Telephone(unit)	50.40	121.05	166.34	186.44	204.00

6–10 主要年份农民家庭基本情况

Basic Indicators of Rural Household in Seleted Years

年份 Year	平均每户常住人口(人) Average Number of Permanent Residents Per Household (person)	平均每户整半劳动力(人) Average Number of Able-bodied and Semi-able-bodied Laborers Per Household (person)	平均每个劳动力负担人口(人) Average Number of Persons Supported by A Laborer (person)	平均每人纯收入(元) Per Capita Net Income (yuan)	平均每人生活消费支出(元) Per Capita Living Expenditures (yuan)	平均每人生活消费品支出 Per Capita Expenditure for Consumption	平均每人文化生活服务支出 Per Capita Expenditure for Cultural Service	平均每人使用住房面积(平方米) Per Capita Use Living Space (sq.m)
1952			2.20	69.97	67.52			
1957			2.39	112.13	101.60			
1962			2.38	154.57	131.36			
1965			2.87	128.74	114.15			
1970			2.71	120.70	107.87			
1978	6.50	2.22	2.92	137.54	112.73	106.74	2.99	
1979	6.38	2.16	2.88	142.20	132.57	129.01	3.56	
1980	6.25	2.06	3.03	171.75	157.67	152.34	5.33	
1981	6.23	2.10	2.97	231.65	199.25	193.52	5.73	8.30
1982	6.27	2.27	2.76	268.16	231.14	224.41	6.73	7.67
1983	6.29	2.60	2.42	301.84	261.86	225.18	6.68	10.44
1984	6.19	2.66	2.32	344.94	287.87	279.03	8.84	11.73
1985	5.74	2.95	1.94	396.45	350.57	337.21	13.36	14.47
1986	5.69	2.99	1.90	418.51	394.10	378.89	15.21	15.10
1987	5.51	3.08	1.82	484.88	442.83	416.32	26.51	15.86
1988	5.56	3.09	1.80	613.41	570.73	535.42	35.31	16.18
1989	5.54	3.09	1.79	697.34	652.58	606.63	45.95	16.65
1990	5.50	3.03	1.81	764.41	707.97	646.85	61.12	18.47
1991	5.37	3.03	1.77	850.05	746.99	679.05	67.94	19.14
1992	5.31	3.05	1.74	984.11	820.74	739.22	81.52	19.64
1993	5.24	3.10	1.69	1210.51	1069.79	937.22	132.57	22.38
1994	5.17	3.13	1.65	1577.74	1439.53	1248.98	190.55	24.62
1995	4.91	3.02	1.62	2048.59	1793.68	1507.46	286.22	22.88
1996	4.87	2.98	1.63	2492.49	2033.54	1622.53	293.04	23.37
1997	4.77	2.96	1.61	2785.67	2119.56	1740.50	296.65	23.74
1998	4.70	3.00	1.57	2946.37	2192.35	1853.11	339.24	24.87
1999	4.62	2.95	1.56	3091.39	2252.09	1891.53	360.56	26.40
2000	4.24	2.70	1.57	3230.49	2409.69	1933.28	476.41	32.14
2001	4.17	2.68	1.56	3380.72	2503.07	2007.10	495.97	33.82
2002	4.07	2.57	1.58	3538.74	2583.16	2052.39	530.77	35.68
2003	4.08	2.83	1.44	3733.93	2717.92	2186.67	531.25	35.96
2004	4.02	2.71	1.48	4089.38	3015.22	2422.54	592.68	38.18
2005	4.05	2.77	1.47	4450.36	3292.63	2617.70	674.93	40.15
2006	4.03	2.77	1.45	4834.75	3591.40	2920.87	670.53	42.35
2007	4.00	2.77	1.44	5467.08	4053.47	2913.54	1139.93	44.50
2008	3.98	2.78	1.43	6196.07	4661.94	3417.98	1243.96	46.13

6–11 按人均纯收入分组的农民家庭基本情况(2008年)
Basic Indicators of Peasant Households by per Captia Net Income,2008

项目 Item	1000元以下 1000 Yuan and Below	1000–2000元 1000-2000 Yuan	2000–3000元 2000-3000 Yuan	3000–4000元 3000-4000 Yuan	4000–5000元 4000-5000 Yuan	5000元以上 5000 yuan and over
占调查总户数比重（%） Percentage of Households(%)	1.8	4.2	10.1	16.1	22.6	45.2
平均每户家庭人口数（人） **Average Number of Persons Per Household(person)**	**3.85**	**4.72**	**4.52**	**4.34**	**4.44**	**3.66**
平均每户整半劳动力（人） Average Number of Able-bodied and Semi-able-bodied Laborers Per Household(person)	2.42	3.06	2.96	2.87	3.03	2.67
平均每一劳动力负担人口（人） Average Number of Persons Supported by A Laborer(person)	1.59	1.54	1.53	1.51	1.46	1.37
平均每户生产性固定资产原值（元） Average Original Value of Productive Fixed Assets Per Household(yuan)	3882	6023	7538	8697	9971	10850
平均每人纯收入（元） Per Capita Net Income(yuan)	785	1537	2785	3511	4869	8714
平均每人生活消费支出（元） **Per Capita Living Expenditure(yuan)**	**2621**	**2967**	**3026**	**3407**	**4028**	**5642**
食品 Food	1392	1491	1629	1751	1935	2500
衣着 Clothing	101	124	168	194	231	324
居住 Residence	408	407	397	484	597	1009
家庭设备、用品及服务 Household,Facilities,Articles and Services	112	121	119	135	195	281
交通和通讯 Transport and Communication	234	333	306	340	412	680
文教娱乐用品及服务 Cultural,Educational and Recreational Articles and Services	203	225	169	278	337	497
医疗保健 Medicines and Health Care	118	204	164	153	225	211
其它商品和服务 Other Commodities and Services	53	63	74	73	96	140

6–12 按收入高低分五等分分组农民家庭情况(2008年)

Basic Indicators of Rural Households of Five Groups Divided Equally by Income Lever ,2008

项目 Item	总计 Total	低收入组 Low Income Households	中低收入组 Lower Middle Income Households	中等收入组 Middle Income Households	中高收入组 Upper Middle Income Households	高收入组 High Income Households
占调查总户数比重（%） Percentage of Households(%)	100	20	20	20	20	20
平均每户常住人口（人） Average Number of Permanent Residents Per Household (person)	**3.98**	**4.49**	**4.40**	**3.92**	**3.84**	**3.26**
平均每户整半劳动力（人） Average Number of Able-bodied and Semi-able-bodied Laborers Per Household(person)	2.78	2.99	2.94	2.77	2.81	2.41
平均每一劳动力负担人口（人） Average Number of Persons Supported by A Laborer(person)	1.43	1.50	1.50	1.41	1.37	1.35
平均每户生产性固定资产原值（元） Average Original Value of Productive Fixed Assets Per Household(yuan)	8371	5860	6919	7814	8729	10531
平均每人家庭纯收入（元） Per Capita Net Income(yuan)	6196	2195	4137	5676	7583	13484
平均每人生活消费支出（元） Per Capita Living Expenditure(yuan)	**4662**	**3136**	**3832**	**4631**	**5136**	**7365**
食品消费支出 Food Expenditure	2162	1616	1897	2218	2293	3052
衣着消费 Clothing Expenditure	264	164	221	266	303	409
居住消费 Residence Expenditure	778	459	548	681	879	1524
家庭设备、用品及服务 Household,Facilities,Articles and Services	223	132	166	218	269	376
交通和通讯 Transport and Communication	535	324	398	527	603	937
文教娱乐用品及服务 Cultural,Educational and Recreational Articles and Services	390	201	314	430	449	636
医疗保健 Medicines and Health Care	198	168	198	185	206	244
其他商品和服务消费 Other Commodities and Services	113	72	89	106	133	187

6–13 农民人均工资性收入

Rewards of Rural Workers

单位：元 (yuan)

项目 Item	2000	2003	2005	2007	2008
工资性收入 Wages Income	**1069.01**	**1353.79**	**1650.65**	**2099.92**	**2421.46**
在非企业组织中劳动得到收入 Income From Non-enterprise Organizations	283.90	281.60	288.37	337.32	335.77
在本乡地域内劳动得到收入 Income From Local	**528.91**	**753.66**	**930.10**	**1203.98**	**1412.24**
在企业中劳动得到收入 Income From Enterprises		416.89	499.07	680.93	791.79
在国家投资基建项目得到收入 Income From the National Invetsment Projects		7.56	2.66	3.03	3.70
提供其他劳务收入 Income From other Servises		312.75	428.37	520.01	616.75
外出从业得到收入 Income From Worked Outside	**255.47**	**318.52**	**432.18**	**558.62**	**673.45**
在乡外县内从业得到收入 Income From Worked at other Township of County		150.16	140.30	155.25	163.72
在县外省内从业得到收入 Income From Worked at other County of Province		113.41	169.51	225.81	273.61
在省外国内从业得到收入 Income From Worked at other Province		70.56	103.83	151.51	212.45
在国外从业得到收入 Income From Worked at aborad		9.11	18.54	26.06	23.68

6–14 农民人均家庭经营纯收入

Peasants'per Capita Net Income from Family Business

单位：元 (yuan)

项目 Item	2000	2003	2005	2007	2008
家庭经营纯收入 Net Income from Household Business	**1844.27**	**2019.50**	**2365.02**	**2813.16**	**3146.09**
第一产业 Primary Industry	**1112.09**	**1241.91**	**1555.69**	**1861.43**	**2117.09**
种植业收入 Planting	769.96	829.76	1050.63	1232.47	1420.01
林业收入 Forestry	69.18	73.43	89.35	149.63	175.38
牧业牧入 Animal Husbandry	188.04	225.01	274.17	322.38	354.98
渔业收入 Fishery	84.91	122.29	141.55	156.94	166.73
第二产业 Secondary Industry	**252.00**	**270.24**	**229.69**	**242.71**	**277.37**
工业收入 Industry	100.68	122.11	82.55	66.93	70.89
建筑业收入 Construction	151.32	147.69	147.14	175.78	206.48
第三产业 Tertiary Industy	**480.18**	**503.21**	**579.64**	**709.02**	**751.62**
交通、运输和邮电业收入 Transport,Post and Telecommunication Services	108.27	147.98	173.05	215.09	225.79
批发和零售贸易、餐饮业收入 Wholesale and Retail Trade and Catering Services	159.97	169.65	225.51	272.77	312.19
社会服务业收入 Social Services	65.38	84.48	87.61	114.40	104.18
文教卫生业收入 Culture,Education and Health Care	21.21	25.45	13.69	17.71	17.00
其他家庭经营收入 Others	125.35	75.85	79.78	89.05	92.46

6–15 农民人均生活消费支出

Peasants' per Capita Living Consumption Expenditure

单位：元 (yuan)

项目	Item	2000	2003	2005	2007	2008
总 计	**Total**	**2409.69**	**2717.92**	**3292.63**	**4053.47**	**4661.94**
食品	Food	1172.35	1227.07	1517.60	1870.32	2162.30
衣着	Clothing	116.99	144.35	186.70	235.61	263.59
居住	Residence	350.72	397.50	457.26	660.55	777.51
家庭设备、用品及服务	Household,Facilities,Articles and Services	110.24	146.42	154.42	184.21	222.86
医疗保健	Medicines and Health Care	87.38	128.75	154.03	174.12	197.85
交通和通讯	Transport and Communication	206.08	277.98	365.60	465.40	534.68
文教娱乐用品及服务	Cultural,Educational and Recreational Articles and Services	254.30	296.17	356.54	356.26	390.15
其它商品和服务	Other Commodities and Services	111.63	99.69	100.47	107.00	113.01

6–16 农民人均食品消费量

Peasants' per Capita Consumption on Living Consumer Goods

单位：公斤 (kg)

项目	Item	2000	2003	2005	2007	2008
粮食	**Grain**	**260.68**	**234.71**	**213.09**	**188.79**	**182.36**
#小麦	Wheat	8.30	2.82	3.28	2.42	2.42
稻谷	Rice	222.42	200.65	195.83	173.18	173.53
玉米	Corn	1.34	0.62	0.38	0.29	0.35
薯类	Tubers	23.83	18.87	2.86	2.02	1.86
豆类及豆制品	**Soybeans and Related Products**	**7.17**	**3.64**	**3.58**	**3.52**	**4.20**
#大豆	Soybeans	1.25	1.94	0.85	0.76	1.13
杂豆	Other Beans	0.71	1.70	2.73	2.76	3.07
蔬菜及菜制品	**Presh Vegetable and Related Products**	**131.33**	**99.75**	**90.48**	**92.50**	**93.85**
油脂类	**Oil**	**5.25**	**5.18**	**4.85**	**5.64**	**6.43**
#植物油	Vegetable Oil	3.05	3.16	3.08	4.38	5.10
动物油	Animal Oil	2.20	2.02	1.78	1.26	1.33
肉禽及其制品	**Meats,Poultry and Related Products**	**26.47**	**23.89**	**27.36**	**25.92**	**25.18**
#猪肉	Pork	18.16	16.15	18.41	15.70	14.32
牛肉	Beef	0.22	0.22	0.28	0.58	0.38
羊肉	Mutton	0.11	0.11	0.19	0.23	0.18
家禽	Poultry	6.64	5.13	6.16	6.22	7.00
肉禽制品	Related Products	1.07	2.27	2.32	3.19	3.29
蛋类及蛋制品	**Eggs and Related Products**	**4.43**	**3.55**	**3.40**	**3.39**	**3.84**
奶和奶制品	**Milk and Dairy Products**	**0.55**	**1.56**	**2.59**	**3.86**	**3.70**
水产品	**Aquatic Products**	**12.23**	**13.28**	**14.27**	**14.18**	**14.66**
#鱼类	Fish	8.01	7.97	8.40	8.16	8.38
虾、贝、蟹类	Shrimps,Prawns and Crabs	2.48	3.46	3.71	3.93	4.11
藻类	Algae	0.26	0.33	0.44	0.46	0.46
其他	Others	1.47	1.51	1.72	1.64	1.72
食糖	**Sugar**	**2.47**	**2.34**	**1.95**	**1.76**	**1.78**
酒和饮料	**Liquor and Beverages**	**17.96**	**16.81**	**18.56**	**18.75**	**18.16**
水果及水果制品	**Fruits and Related Products**	**15.72**	**15.03**	**13.82**	**12.63**	**13.99**
坚果及果制品	**Nuts and Related Products**	**1.05**	**0.92**	**1.03**	**1.23**	**1.42**

6–17 平均每百户农民家庭主要耐用消费品拥有量
Ownership of Major Durable Consumer Goods per 100 Rural Households

项目	Item	2000	2003	2005	2007	2008
自行车(辆)	Bicycle(unit)	101.15	83.79	68.13	60.27	55.38
洗衣机(台)	Washing Machine(unit)	35.55	42.14	46.21	56.32	57.47
电冰箱(台)	Refrigerator(unit)	19.40	26.26	38.13	50.77	57.03
摩托车(辆)	Motorcycle(unit)	49.67	63.30	75.22	84.67	87.53
黑白电视(台)	White-bread TV(unit)	42.09	30.00	13.85	4.62	3.41
彩色电视(台)	Color TV(unit)	73.02	88.57	109.67	115.00	119.01
照相机(架)	Camera(unit)	6.15	4.73	5.49	5.22	5.33
抽油烟机(台)	Smoke Absorber(unit)	3.96	8.02	9.62	15.05	16.48
空调机(台)	Air Conditioner(unit)	1.65	7.58	10.99	19.89	23.52
热水器(台)	Shower(unit)	19.29	28.96	41.37	50.38	57.42
微波炉(台)	Oven(unit)	2.69	4.56	14.07	19.62	20.49
电话机(台)	Telephone(unit)	41.85	86.70	94.18	87.64	84.67
移动电话(部)	Mobile Telephone(unit)	20.16	54.95	103.41	146.26	165.99
摄像机(台)	Pickup Camera(unit)	0.33	0.77	1.04	1.04	1.04
中高档乐器(件)	Medium and High Grade Musical Instrument(unit)	1.32	0.82	0.49	0.88	1.10
家用计算机(台)	Computer(set)		2.53	4.89	10.93	13.90
家用汽车(辆)	Automoile(unit)		0.77	0.82	1.37	1.70

6–18 农民家庭住房情况
Housing Conditions of Rural Households

项目	Item	2000	2003	2005	2007	2008
建房情况	**Built House**					
每人新建房屋面积（平方米）	Per Capita Newly Built Floor Space Completed(sq.m)	0.91	0.97	0.93	1.36	1.25
#砖木结构	Brick and Wood Structure	0.09	0.04	0.21	0.19	0.18
钢筋混凝土结构	Reinforced Concrete Structure	0.77	0.93	0.68	1.15	1.05
每平方米新建房屋价值（元）	Value of Newly Built House(yuan)	213.65	438.82	353.02	893.70	778.68
房屋使用情况	**House Using**					
每人年末使用房屋面积（平方米）	Per Capita Floor Space of House at the year-end(sq.m)	32.14	35.96	40.15	44.50	46.13
#砖木结构	Brick and Wood Structure	10.34	7.19	11.42	12.32	10.97
钢筋混凝土结构	Reinforced Concrete Structure	13.25	24.44	21.38	25.51	28.31

6-19 设区市城镇家庭基本情况(2008年)

地区 Area	平均每户家庭人口（人） Average Number of persons per Household (person)	平均每户就业人数（人） Average Number of Employed Persons Per Household (person)	平均每户就业面（%） Percentage of Employment Per Household (%)	平均每一就业者负担人数（人） Number of Persons Supported by Each Employee (person)	平均每人全年可支配收入（元） Per Capita Annual Disposable Income (yuan)
福州市 Fuzhou	3.10	1.6	51.6	1.94	19009
厦门市 Xiamen	3.14	1.7	54.1	1.85	23948
莆田市 Putian	3.53	2.1	59.5	1.68	16495
三明市 Sanming	2.96	1.6	54.1	1.85	16013
泉州市 Quanzhou	3.32	1.8	54.2	1.84	20420
漳州市 Zhangzhou	2.94	1.7	57.8	1.73	16023
南平市 Nanping	2.88	1.3	45.1	2.22	15098
龙岩市 Longyan	3.12	1.8	57.7	1.73	15689
宁德市 Ningde	3.18	1.7	53.5	1.87	13936

6-20 设区市农民家庭基本情况(2008年)

地区 Area	平均每户常住人口（人） Average Number of Permanent Residents Per Household (person)	平均每户整半劳动力（人） Average Number of Able-bodied and Semi-able-bodied Laborers Per Household (person)	平均每个劳动力负担人口（人） Average Number of Persons Supported by A Laborer (person)	平均每人总收入（元） Per Capita Total Income (yuan)	平均每人纯收入（元） Per Capita Net Income (yuan)	平均每人使用住房面积（平方米） Per Capita Use Living Space (sq.m)	平均每人总支出（元） Per Capita Total Expenditure (yuan)	平均每人生活消费支出 Per Capita Living Expenditures
福州市 Fuzhou	3.78	2.66	1.42	8130.03	7142.46	46.88	6248.38	5079.84
厦门市 Xiamen	4.00	2.79	1.44	10224.54	8475.30	54.10	8268.17	6426.91
莆田市 Putian	3.90	2.39	1.63	7645.69	6435.86	66.25	6172.12	4769.88
三明市 Sanming	4.12	2.91	1.42	7283.08	5852.55	44.11	5882.40	4141.75
泉州市 Quanzhou	4.11	2.97	1.38	9110.41	7972.62	50.57	6720.90	5721.29
漳州市 Zhangzhou	3.90	2.81	1.39	9160.72	6506.00	35.18	7688.42	4798.45
南平市 Nanping	3.64	2.58	1.41	7232.34	5711.61	44.76	6150.33	4071.91
龙岩市 Longyan	4.04	2.72	1.48	7965.72	5775.17	47.11	7124.35	4486.47
宁德市 Ningde	4.26	2.96	1.44	6314.57	5404.19	33.33	5014.20	3766.34

Basic Indicators of Urban Households by City ,2008

平均每人全年消费性支出（元/人） Per Capita Living Expenditures for Consumption	#食品 Food	#衣着 Clothing	#家庭设备用品及服务 Household Facilities Articles and Services	#居住 Residence
13541	5769	1209	798	1258
17117	6148	1299	906	1867
11199	4676	914	849	1502
11009	4587	1167	594	895
13199	5419	1091	755	1185
11506	4955	1060	510	1099
9315	4141	868	474	994
11928	4649	1075	1061	1298
9425	3943	1039	507	1086

Basic Indicators of Rural Households by City ,2008

食品 Food	衣着 Clothing	居住 Residence	家庭设备用品及服务 Household, Facilities, and Services Articles	医疗保健 Medicines and Health Care	交通及通讯 Transport and Communication	文教娱乐用品及服务 Cultural,Educational and Recreational Articles and Services	其他商品和服务 Other Commodities and Services	平均每人生产费用支出 Per Lapita Productive Expenditure
2377.72	331.48	741.90	269.49	241.70	526.34	471.85	119.34	783.81
2662.94	332.80	1094.80	358.39	184.53	918.47	703.79	171.20	1557.32
2259.42	224.29	793.11	301.74	282.12	531.66	258.00	119.53	1088.43
1929.60	244.08	534.38	212.46	209.05	460.85	456.83	94.49	1325.83
2430.56	336.83	1025.02	350.98	221.15	709.30	450.71	196.75	823.85
2271.11	222.67	921.56	274.66	153.48	499.69	325.97	129.29	2538.90
1924.94	289.02	534.92	186.25	214.37	449.51	392.97	79.93	1488.91
2161.02	220.72	583.70	215.89	257.06	544.81	409.50	93.77	1989.68
1842.44	248.23	667.02	134.92	125.82	305.88	367.13	74.92	902.59

6–21 平均每百户农民家庭主要生产用固定资产拥有量

Ownership of Major Fixed Assets for Production Per 100 Rural Households

单位：元 (yuan)

项目 Item	2000	2003	2005	2007	2008
年末生产用固定资产原值 Original Value of Productive Fixed Assets at the Year-end	**442779**	**483247**	**656501**	**742299**	**837060**
农业 Agriculture	**209553**	**225862**	**420815**	**413916**	**462596**
#房屋及建筑物 House and Building	109873	120924	280012	254717	269716
役畜、产品畜 Draught Animals and Commodity Animals	26834	36187	44246	54124	77853
大中型铁木农具 Large and Medium Iron-wooden Farm Machinery	17893	21221	23520	28387	33362
农林牧渔业机械 Farming,Forestry,Animal Husbandry and Fishery Machinery	30920	45424	67890	66807	81665
工业 Industry	**90031**	**95968**	**34614**	**23909**	**40657**
#房屋及建筑物 House and Building	31788	29154	13412	4712	15604
生产设备 Productive Instruments	52923	51780	20048	13734	22203
建筑业 Construction	**5187**	**23398**	**16372**	**35388**	**16555**
交通运输业 Transport and Post	**61690**	**78173**	**89955**	**107390**	**111659**
批发和零售贸易餐饮业 Wholesale,Retail Trade and Catering Services	**15058**	**27107**	**67357**	**49151**	**69327**
社会服务业 Social Services	**13841**	**15962**	**7019**	**9107**	**15863**
文教卫生事业 Culture,Education and Health Care	**5681**	**6691**	**4967**	**4582**	**8038**
其他 Others	**41738**	**10086**	**15402**	**98856**	**10637**

6–22 平均每百户农民经营土地情况

Indicators Operational Land Per 100 Rural Households

单位：公顷 (hectare)

项目 Item	2000	2003	2005	2007	2008
经营耕地面积 Area of Cultivated Land	22.54	20.03	21.70	21.39	21.38
经营山地面积 Hilly Area	12.80	11.31	20.61	33.29	32.95
经营园地面积 Area of Garden Plot	4.97	5.61	7.08	7.60	8.78
经营水面面积 Water Area	1.98	0.72	2.50	2.01	2.11
经营牧草地面积 Area of Grassland	0.04	0.02	0.03	0.01	...

主要统计指标解释

城镇就业者负担人数　指家庭人口与就业人口之比。

城镇家庭总收入　指家庭成员得到的工薪收入、经营净收入、财产性收入、转移性收入之和，不包括出售财物收入和借贷收入。

城镇家庭可支配收入　指家庭成员得到可用于最终消费支出和其它非义务性支出以及储蓄的总和，即居民家庭可以用来自由支配的收入。它是家庭总收入扣除交纳的所得税、个人交纳的社会保障支出以及记账补贴后的收入。计算公式为：

可支配收入=家庭总收入-交纳所得税-个人交纳的社会保障支出-记帐补贴

城镇家庭消费性支出　指家庭用于日常生活的支出，包括食品、衣着、家庭设备用品及服务、医疗保健、交通和通信、娱乐教育文化服务、居住、杂项商品和服务等八大类支出。

城镇家庭服务性消费支出　指家庭用于支付社会提供的各种非商品性服务费用。

城镇家庭收入分组方法　将所有调查户依户人均可支配收入由低到高排队，按10%，10%，20%，20%，20%，10%，10%的比例依次分成：最低收入户、低收入户、中等偏下收入户、中等收入户、中等偏上收入户、高收入户、最高收入户等七组。总体中最低5%的户为困难户。

农村家庭经营收入　指农村住户以家庭为生产经营单位进行生产筹划和管理而获得的收入。农村住户家庭经营活动按行业划分为农业、林业、牧业、渔业、工业、建筑业、交通运输业邮电业、批发和零售贸易餐饮业、社会服务业、文教卫生业和其他家庭经营。

财产性收入　指金融资产或有形非生产性资产的所有者向其他机构单位提供资金或将有形非生产性资产供其支配，作为回报而从中获得的收入。

转移性收入　指农村住户和住户成员无须付出任何对应物而获得的货物、服务、资金或资产所有权等，不包括无偿提供的用于固定资本形成的资金。一般情况下，是指农村住户在二次分配中的所有收入。

现金收入　指农村住户和住户成员在调查期内得到以现金形态表现的收入。按来源分成工资性收入、家庭经营现金收入、财产性收入、转移性收入。

农村家庭纯收入　指农村住户当年从各个来源得到的总收入相应地扣除所发生的费用后的收入总和。计算方法：

纯收入=总收入-税费支出-家庭经营费用支出-税费支出-生产性固定资产折旧-调查补贴-赠送农村外部亲友支出

纯收入主要用于再生产投入和当年生活消费支出，也可用于储蓄和各种非义务性支出。“农民人均纯收入”按人口平均的纯收入水平，反映的是一个地区或一个农户农村居民的平均收入水平。

恩格尔系数　指食物支出金额在消费性总支出金额中所占的比例。计算公式为：

恩格尔系数=食品支出金额/消费性总支出金额×100%

Explanatory Notes on Main Statistical Indicators

Number of Dependents per Urban Employee refers to the ratio between number of persons in an urban household and the number of employed persons.

Total Income of Urban Households refers to the sum of wage and salary, net business income, income from properties, and income from transfers of members of the households, excluding income from selling of properties and income from borrowings.

Disposable Income of Urban Households refers to the actual income at the disposal of members of the households which can be used for final consumption, other non-compulsory expenditure and savings. This equals to total income minus income tax, personal contribution to social security and sample household subsidy for keeping diaries. Following formula is used:

Disposable income = total household income - income tax - personal contribution to social security - sample household subsidy for keeping diaries

Consumption Expenditure of Urban Households refers to total expenditure of the sample households for consumption in daily life, including expenditure on eight categories such as food, clothing, household appliances and services, health care and medical services, transport and communications, recreation, education and cultural services, housing, miscellaneous goods and services.

Expenditure of Urban Households on Consumption of Services refers to expenditure of households on services of various kinds provided by the society.

Urban Households by Income Group All households in the sample are grouped, by per capita disposable income of the household, into groups of lowest income, low income, lower middle income, middle income, upper middle income, high income and highest income, each group consisting of 10%, 10%, 20%, 20%, 20%, 10% and 10% of all households respectively. The lowest 5% of households are also referred to as poor households.

Income from Rural Household Operations refers to income by the rural households as units of production and operations. Operations by rural households are classified by economic activities as agriculture, forestry, animal husbandry, fishery, manufacturing, construction, transportation, post and telecommunications, wholesale, retail and catering, social service, culture, education, health, and other household operations.

Income from Properties refers to the income received as returns by owners of financial assets or tangible non-productive assets by providing capitals or tangible non-productive assets to other institutional units.

Income from Transfers refers to the receipt by rural households and their members of goods, services, capital or rights of assets without giving or repaying accordingly, excluding capital provided to them for the formation of fixed assets. In general, it refers to all income received by rural households through redistribution.

Cash Income refers to income received by rural households and their members in the form of cash during the reference period. It is classified, by source of income, into income from wages and salaries, cash income from household operations, income from properties and income from transfers.

Net Income from Rural household refers to the total income of rural households from all sources minus all corresponding expenses. The formula for calculation is as follows:

Net income = total income – taxes and fees paid - household operation expenses – taxes and fees – depreciation of fixed assets for production – subsidy for participating in household survey – gifts to non-rural relatives

Net income is mainly used as input for reproduction and as consumption expenditure of the year, and also used for savings and non-compulsory expenses of various forms.Per capita net income of farmers is the level of net income averaged by population which reflects the average income level of rural households in a given area.

Engel Coefficient refers to the percentage of expenditure on food in the total consumption expenditure,using the following formula:

Engel Coefficient=(expenditure on food/total consumption expenditure)×100%

价格指数

7

Price Indices

简要说明

本篇资料的主要内容及来源

本篇资料反映了全省生产、投资、流通、消费等环节价格变动状况，主要包括居民消费、商品零售、生产资料、工业品出厂、原材料燃料动力购进、固定资产投资、房地产等价格指数。

居民消费、商品零售和农业生产资料价格指数来源于流通和消费价格统计调查年报，由国家统计局福建调查总队消费价格调查处整理提供。

工业品出厂、原材料燃料动力购进、固定资产投资、房地产等价格指数来源于工业品、固定资产投资、房地产价格统计调查，由国家统计局福建调查总队生产价格调查处整理提供。

Brief Introduction

Main Content and Source of Data

Data on the price indices in this chapter show the changing trend in production, investment, circulation and consumption, including mainly consumer price indices of residents, retail price indices, price indices of means of production, production price indices of industrial products, purchasing price indices of raw materials, fuels and power, price indices of investment in fixed assets and real estate price indices.

Data on consumer price indices of residents, retail price indices and price indices of agricultural means of production are based on yearly report on consumer price and are provided by the Division of Consumer Price Survey of Survey Office of the National Bureau of Statistics in Fujian。

Data on production price indices of industrial products, purchasing price indices of raw materials, fuels and power, price indices of investment in fixed assets and real estate price indices are based on yearly report on production price and are provided by the Division of Production Price Survey of Survey Office of the National Bureau of Statistics in Fujian.

7-1 主要年份各种价格指数

Price Indices in Seletcted Year

以上年为100 (preceding year=100)

年份 Year	居民消费价格指数 Consumer Price Index	城市 Urban	农村 Rural	商品零售价格指数 Retail Price Index	农业生产资料价格指数 Price Index of Agricultural Means of Production	工业品出厂价格指数 Ex-Factory Price Indices of Industrial Products	原材料燃料动力购进价格指数 Price Index for Raw Material,Fuel and Power	固定资产投资价格总指数 Price Index for Investment in Fixed Assets
1951	106.6	107.8	105.8	107.3	102.9			
1952	98.0	97.6	99.2	97.9	99.8			
1957	100.5	100.8	100.3	100.5	98.8			
1962	101.8	100.5	102.6	101.6	117.8			
1965	95.2	94.4	95.7	95.0	93.4			
1970	98.9	99.0	98.9	99.0	100.3			
1975	100.1	100.1	100.1	100.2	100.2			
1978	100.2	100.4	100.1	100.3	100.1			
1979	102.8	102.7	102.9	103.0	100.4			
1980	105.3	106.3	104.6	105.6	101.0			
1981	102.7	104.0	101.9	103.6	103.3			
1982	103.4	103.1	103.6	103.6	104.4			
1983	101.3	102.0	100.9	101.3	103.0			
1984	102.1	102.8	101.1	101.6	103.8			
1985	111.3	114.0	107.5	111.4	105.6			
1986	106.5	106.9	105.4	106.3	102.5			
1987	109.4	110.6	107.9	109.7	106.8			
1988	126.5	127.0	126.0	127.4	121.5			
1989	118.9	118.8	118.9	118.6	119.5			
1990	99.3	100.1	98.6	98.6	100.3			
1991	103.5	104.6	102.4	103.3	105.1			108.6
1992	105.9	108.0	104.1	105.5	102.2	102.7	109.3	114.9
1993	115.4	116.8	114.2	113.8	111.4	117.1	129.6	134.1
1994	125.3	125.1	125.5	123.0	117.8	116.9	115.2	107.3
1995	115.2	116.4	114.4	114.4	120.2	115.7	119.6	104.8
1996	105.9	106.9	105.4	104.5	106.2	101.8	104.3	104.7
1997	101.7	102.5	101.3	99.8	99.5	100.3	98.6	101.1
1998	99.7	100.0	99.5	98.5	94.6	95.7	92.5	98.0
1999	99.1	98.7	99.2	96.5	96.1	96.6	97.9	98.5
2000	102.1	103.2	101.3	98.9	97.4	100.5	112.4	100.2
2001	98.7	98.3	99.3	98.0	98.7	98.1	96.7	99.5
2002	99.5	99.2	99.8	98.3	99.9	97.6	97.6	99.7
2003	100.8	100.7	101.0	99.1	101.8	100.7	106.3	101.4
2004	104.0	103.8	104.3	102.7	112.5	102.6	113.3	103.4
2005	102.2	101.9	102.8	100.6	108.1	100.2	108.1	100.7
2006	100.8	101.1	100.3	100.5	100.9	99.2	103.9	102.0
2007	105.2	105.1	105.4	104.3	110.3	100.8	104.3	105.9
2008	104.6	104.5	104.6	105.7	123.6	102.7	110.2	105.9

7–2 各种价格总指数(1979–2008年)

Price Indices,1979-2008

以1978年为100　　(year of 1978=100)

年份 Year	居民消费价格指数 Consumer Price Index	城市 Urban	农村 Rural	商品零售价格指数 Retail Price Index	农业生产资料价格指数 Price Index of Agricultural Means of Production
1979	102.8	102.7	102.9	103.0	100.4
1980	108.2	109.2	107.6	108.8	101.4
1981	111.2	113.5	109.7	112.7	104.8
1982	115.0	117.1	113.6	116.7	109.4
1983	116.4	119.4	114.6	118.3	112.6
1984	118.9	122.7	115.9	120.2	116.9
1985	132.3	139.9	124.6	133.8	123.5
1986	140.9	149.6	131.3	142.3	126.6
1987	154.2	165.4	141.7	156.1	135.2
1988	195.0	210.1	178.6	198.8	164.2
1989	231.9	249.8	212.3	235.8	196.2
1990	230.3	250.1	209.3	232.5	196.8
1991	238.3	261.6	214.3	240.2	206.9
1992	252.4	282.5	223.1	253.4	211.4
1993	291.3	329.9	254.8	288.4	235.5
1994	364.9	412.8	319.8	354.7	277.4
1995	420.4	480.5	365.9	405.8	333.5
1996	445.2	513.6	385.6	424.1	354.2
1997	452.8	526.4	390.6	423.2	352.4
1998	451.4	526.4	388.7	416.9	333.4
1999	447.4	519.6	385.6	402.3	320.4
2000	456.8	536.2	390.6	397.8	312.1
2001	450.9	527.1	387.8	389.9	308.0
2002	448.6	522.9	387.1	383.3	307.7
2003	452.2	526.6	390.9	379.8	313.2
2004	470.3	546.6	407.7	390.1	352.4
2005	480.6	557.0	419.1	392.4	380.9
2006	484.4	563.1	420.4	394.4	384.3
2007	509.6	591.8	443.1	411.4	423.9
2008	533.0	618.4	463.5	434.8	523.9

7-3 居民消费价格分类指数

Consumer Price Indices by Category

以1978年为100　　　　(year of 1978=100)

项目 Item	2000	2003	2005	2007	2008
居民消费价格指数 Consumer Price Index	**456.8**	**452.2**	**480.6**	**509.6**	**533.0**
食品 Food	590.9	586.5	668.5	765.1	866.9
烟酒及用品 Totacco and Artides	252.5	255.5	257.9	262.0	269.6
衣着 Clothing	200.3	181.3	171.8	168.2	159.5
家庭设备用品及维修服务 Household Facilities,Articles and Services	204.4	188.7	185.3	190.0	196.1
医疗保健和个人用品 Medicine and Medical Services	507.3	506.6	489.0	500.7	514.7
交通和通讯 Transport,Post and Communication Services	390.9	361.6	344.8	342.4	337.6
娱乐教育文化用品及服务 Recreation,Education and Cultural Services	371.2	401.2	434.8	418.8	389.1
居住 Residence	549.9	560.8	624.1	686.1	723.8

7-4 居民消费价格指数(2008年)

Consumer Price Indices , 2008

以上年为100　　　　(preceding year=100)

项目 Item	全省 Province	城市 Urban	农村 Rural
居民消费价格指数 Consumer Price Index	**104.6**	**104.5**	**104.6**
一、按商品和非商品分 By Good			
消费品价格指数 Consumption Price Index	106.7	106.8	106.4
服务项目价格指数 Services Price Index	97.0	96.2	98.5
二、按类别分 By Category			
食品 Food	113.3	113.9	112.0
烟酒及用品 Tobacco and Artides	102.9	103.4	102.1
衣着 Clothing	94.8	94.6	95.0
家庭设备用品及维修服务 Household Facilities,Articles and Services	103.2	102.9	103.4
医疗保健和个人用品 Medicine and Medical Services	102.8	102.8	102.7
交通和通讯 Transport,Post and Communication Services	98.6	98.0	99.5
娱乐教育文化用品及服务 Recreation,Education and Cultural Services	92.9	91.4	95.8
居住 Residence	105.5	104.8	106.9

7–5 居民消费价格分类指数

Consumer Price Indices by Category

以上年为100　　(preceding year=100)

项目	Item	2000	2003	2005	2007	2008
居民消费价格指数	**Consumer Price Index**	**102.1**	**100.8**	**102.2**	**105.2**	**104.6**
1.食品	**Food**	**98.4**	**102.0**	**103.7**	**112.2**	**113.3**
#粮食	Grain	88.8	106.7	99.8	106.7	105.1
淀粉及薯类	Oil or Fat	99.1	99.0	104.4	106.5	112.4
干豆类及豆制品	Starches and Tubers	101.1	104.2	102.7	109.5	131.6
油脂	Bean and Its Products	95.5	110.5	96.5	122.1	121.5
肉禽及其制品	Meal,Poultry and Their Products	97.0	101.7	103.7	128.4	120.8
蛋	Eggs	83.6	96.5	103.6	123.2	103.8
水产品	Aquatic Products	101.5	100.1	106.0	106.0	108.8
菜	Vegetables	109.8	100.9	111.0	110.2	112.6
调味品	Flavoring	98.6	98.6	100.3	102.2	104.7
糖	Sugar	112.0	94.8	103.5	102.3	102.2
茶及饮料	Tea and Drink	98.5	99.6	99.8	99.3	102.1
干鲜瓜果	Dride and Fresh Melons and Fruits	102.7	108.8	104.8	101.2	108.5
糕点饼干	Cake	100.4	100.1	99.5	102.4	108.9
奶及奶制品	Milk and Daily Products	99.5	98.4	98.1	100.5	114.0
在外用膳食品	Dining out	99.5	99.7	102.5	108.5	112.1
其他食品及加工服务费	Others	98.1	99.4	99.7	103.1	106.7
2.烟酒及用品	**Tobacco and Artides**	**100.8**	**100.4**	**99.8**	**101.0**	**102.9**
3.衣着	**Clothing**	**98.5**	**96.5**	**97.1**	**100.6**	**94.8**
#服装	Garments	98.1	96.3	96.4	101.2	95.3
衣着材料	Clothing material	99.3	98.8	100.5	103.4	103.3
鞋袜帽	Footgear and Hats	99.1	96.7	98.2	98.5	91.7
衣着加工服务费	Tailoring and Laundering Service Fees	100.4	102.0	102.1	104.0	115.5
4.家庭设备用品及维修服务费	**Household Facilities,Articles and Services**	**98.7**	**97.3**	**99.6**	**101.6**	**103.2**
#耐用消费品	Durable Consumer Goods	96.6	95.3	98.3	101.7	100.6
室内装饰品	Room Decorate	99.2	99.1	99.2	100.9	98.8
床上用品	Bed Using	99.2	96.3	98.4	97.9	101.1
家庭日用杂品	Daily Use Household Articles	98.3	99.1	100.2	99.3	105.8
5.医疗保健和个人用品	**Health Cares**	**107.9**	**98.7**	**98.8**	**102.7**	**102.8**
6.交通和通讯	**Transportation and Communication**	**96.4**	**97.3**	**97.7**	**100.0**	**98.6**
#交通	Transportation	98.5	98.8	100.8	102.2	104.7
通信	Communication	94.5	96.2	95.4	98.3	94.0
7.娱乐教育文化用品及服务	**Recreation,Education and Culture Articles**	**120.6**	**104.3**	**104.7**	**99.1**	**92.9**
#文娱用耐用消费品及服务	Durable Consumer Goods for Recreation Use	92.3	92.3	94.7	96.0	95.4
教育	Education	170.7	110.0	109.6	98.8	87.3
文化娱乐用品	Cultural and Recreation Articles	99.5	100.7	101.4	101.4	100.9
8.居住	**Residence**	**106.7**	**102.8**	**106.8**	**104.2**	**105.5**
#建房及装修材料	Building Materials	98.9	98.9	101.7	105.1	105.4
水、电、燃料	Water,Electricity ,Fuels	110.1	107.6	112.0	102.7	105.8

7–6 城市居民消费价格分类指数

Citizen Consumer Price Indices by Category

以上年为100 (preceding year=100)

项目	Item	2000	2003	2005	2007	2008
居民消费价格指数	**Consumer Price Index**	**103.2**	**100.7**	**101.9**	**105.1**	**104.5**
1.食品	**Food**	**98.7**	**101.8**	**103.7**	**111.4**	**113.9**
#粮食	Grain	90.0	107.1	99.9	106.8	105.9
淀粉及薯类	Oil or Fat	98.8	97.5	105.3	104.7	114.6
干豆类及豆制品	Starches and Tubers	99.9	105.7	102.5	109.4	131.7
油脂	Bean and Its Products	94.8	110.8	96.8	121.3	123.4
肉禽及其制品	Meal,Poultry and Their Products	96.2	101.6	102.3	129.3	122.6
蛋	Eggs	83.5	95.5	103.5	124.0	103.0
水产品	Aquatic Products	103.3	100.0	106.4	104.9	107.7
菜	Vegetables	107.8	99.9	110.9	109.1	114.9
调味品	Flavoring	97.6	99.1	100.5	103.3	106.1
糖	Sugar	106.9	94.9	103.2	102.9	103.7
茶及饮料	Tea and Drink	98.0	99.3	99.5	98.1	102.9
干鲜瓜果	Dride and Fresh Melons and Fruits	101.8	109.2	105.3	99.6	108.2
糕点饼干	Cake	101.8	100.1	99.5	102.7	108.0
奶及奶制品	Milk and Daily Products	99.9	98.1	97.8	100.4	113.4
在外用膳食品	Dining out	97.4	99.2	102.9	108.6	113.6
其他食品及加工服务费	Others	100.8	100.4	101.1	104.1	107.5
2.烟酒及用品	**Tobacco and Articles**	**98.6**	**100.2**	**99.6**	**101.7**	**103.4**
3.衣着	**Clothing**	**97.8**	**95.8**	**96.3**	**102.4**	**94.6**
#服装	Garments	97.4	96.0	95.8	103.1	95.2
衣着材料	Clothing material	99.2	98.8	99.9	105.7	104.8
鞋袜帽	Footgear and Hats	98.7	94.6	97.2	99.7	91.0
衣着加工服务费	Tailoring and Laundering Service Fees	100.5	102.0	101.3	101.0	122.8
4.家庭设备用品及维修服务费	**Household Facilities,Articles and Services**	**100.0**	**96.7**	**99.2**	**100.6**	**102.9**
#耐用消费品	Durable Consumer Goods	98.7	94.3	97.7	101.0	100.3
室内装饰品	Room Decorate	99.9	99.0	98.9	100.1	97.4
床上用品	Bed Using	98.2	94.0	97.4	96.3	101.2
家庭日用杂品	Daily Use Household Articles	98.1	98.8	100.4	99.3	105.9
5.医疗保健和个人用品	**Health Cares**	**112.8**	**97.3**	**98.6**	**103.1**	**102.8**
6.交通和通讯	**Transportation and Communication**	**96.9**	**96.5**	**96.9**	**99.3**	**98.0**
#交通	Transportation	99.5	98.2	101.1	101.8	104.4
通信	Communication	96.2	95.6	94.8	97.8	94.3
7.娱乐教育文化用品及服务	**Recreation,Education and Culture Articles**	**115.1**	**104.6**	**103.8**	**98.2**	**91.4**
#文娱用耐用消费品及服务	Durable Consumer Goods for Recreation Use	92.7	92.7	94.0	95.2	95.4
教育	Education	187.4	113.2	110.1	96.7	83.2
文化娱乐用品	Cultural and Recreation Articles	100.9	101.0	101.9	101.7	100.9
8.居住	**Residence**	**107.5**	**104.6**	**106.2**	**104.7**	**104.8**
#建房及装修材料	Building Materials	99.0	98.6	101.9	104.2	104.6
水、电、燃料	Water,Electricity ,Fuels	108.3	110.1	108.7	103.6	104.9

7-7 农村居民消费价格指数

Peasants Consumer Price Indices by Category

以上年为100　　　　(preceding year=100)

项目	Item	2000	2003	2005	2007	2008
居民消费价格指数	**Consumer Price Index**	**101.3**	**101.0**	**102.8**	**105.4**	**104.6**
1.食品	**Food**	**98.1**	**102.2**	**103.7**	**113.6**	**112.0**
#粮食	Grain	88.3	106.1	99.6	106.5	103.7
淀粉及薯类	Bean and Its Products	99.0	100.7	103.2	109.3	107.7
干豆类及豆制品	Starches and Tubers	101.5	103.1	102.9	109.7	130.6
油脂	Oil or Fat	95.9	110.1	96.2	123.2	119.0
肉禽及其制品	Meal,Poultry and Their Products	97.5	101.8	105.3	127.2	117.8
蛋	Eggs	83.7	97.9	103.8	122.1	105.2
水产品	Aquatic Products	100.2	100.5	105.1	108.7	111.2
菜	Vegetables	111.1	102.8	111.5	112.1	108.1
调味品	Flavoring	99.1	98.2	100.2	100.6	102.6
糖	Sugar	114.0	94.8	103.8	101.5	100.0
茶及饮料	Tea and Drink	98.9	100.2	100.9	101.8	99.9
干鲜瓜果	Dride and Fresh Melons and Fruits	103.3	107.9	103.4	105.0	108.2
糕点饼干	Cake	98.8	100.1	99.6	101.8	110.9
奶及奶制品	Milk and Daily Products	99.3	99.4	99.4	100.7	115.2
在外用膳食品	Dining Out	101.8	100.3	101.9	108.4	109.2
其他食品及加工服务费	Others	97.0	99.1	98.9	102.3	105.4
2.烟酒及用品	**Tobacco and Articles**	**101.5**	**100.7**	**100.1**	**100.4**	**102.1**
3.衣着	**Clothing**	**98.8**	**97.3**	**98.2**	**97.9**	**95.0**
#服装	Garments	98.5	96.6	97.5	98.1	95.3
衣着材料	Clothing material	99.4	98.8	101.0	100.8	101.6
鞋袜帽	Footgear and Hats	99.3	98.8	99.3	96.8	92.9
衣着加工服务费	Tailoring and Laundering Service Fees	100.2	101.9	103.5	108.3	101.1
4.家庭设备用品及维修服务费	**Household Facilities,Articles and Services**	**98.2**	**98.0**	**100.3**	**103.1**	**103.4**
#耐用消费品	Durable Consumer Goods	95.4	96.6	99.1	102.8	100.9
室内装饰品	Room Decorate	98.6	99.1	100.0	102.2	101.3
床上用品	Bed Using	99.7	99.3	100.0	100.3	100.3
家庭日用杂品	Daily Use Household Articles	98.4	99.3	100.0	99.2	105.5
5.医疗保健和个人用品	**Health Cares and Individual Articles**	**107.8**	**100.1**	**99.0**	**102.2**	**102.7**
6.交通和通讯	**Transportation and Communication**	**95.4**	**98.3**	**98.7**	**101.0**	**99.5**
#交通	Transportation	98.1	99.3	100.5	102.6	105.1
通信	Communication	92.7	97.3	96.8	99.1	93.3
7.娱乐教育文化用品及服务	**Recreation,Education and Culture Articles**	**121.8**	**104.0**	**105.9**	**100.4**	**95.8**
#文娱用耐用消费品及服务	Durable Consumer Goods for Recreation Use	92.0	91.9	96.0	97.2	95.3
教育	Education	157.3	107.9	109.2	101.3	93.9
文化娱乐用品	Cultural and Recreation Articles	98.7	100.1	100.1	100.8	101.0
8.居住	**Residence**	**106.0**	**100.9**	**107.5**	**103.4**	**106.9**
#建房及装修材料	Building Materials	98.8	99.0	101.5	105.9	106.0
水、电、燃料	Water,Electricity ,Fuels	111.3	103.7	118.9	101.3	107.7

7-8 农业生产资料价格指数

Price Indices of Argriculture Productive Means

以上年为100 (preceding year=100)

项目	Item	2000	2003	2005	2007	2008
总指数	**Agriculture Productive Means Price Index**	**97.4**	**101.8**	**108.1**	**110.3**	**123.6**
1.小农具	Small Farm Tools	102.0	102.5	107.2	103.2	111.2
2.饲料	Forage	94.3	101.8	102.8	109.4	116.0
3.幼禽家畜	Young Livestock & Fowls	112.3	103.3	102.5	137.3	124.9
4.大牲畜	Large Animals	95.0	108.5	103.8		
5.半机械化农具	Semi-Mechanized Farm Tools	98.9	101.7	100.0	102.6	102.3
6.机械化农具	Mechanized Farm Machinery	98.4	98.8	103.0	101.5	107.7
7.化学肥料	Chemical Fertilizer	92.1	102.4	114.1	107.5	140.9
8.农药及农药械	Pesticide & Its Appliances	95.1	98.4	108.5	103.6	117.3
#化学农药	Chemical Pesticide	94.9	98.0	109.4	104.1	117.8
农药械	Pesticide Appliances	95.8	100.2	104.3	99.3	111.9
9.农机用油	Oil for Farm Machinery	126.2	110.6	110.2	105.6	114.8

7-9 固定资产投资价格指数

Price Indices of Investment in Fixed Assets

以上年为100 (preceding year=100)

项目	Item	2000	2003	2005	2007	2008
总指数	**Investment Price Index of Fixed Assets**	**100.2**	**101.4**	**100.7**	**105.9**	**105.9**
一、建筑安装工程投资	**Construction and Installation**	**102.4**	**104.2**	**101.1**	**107.1**	**108.5**
人工费	Labors	108.5	102.2	104.9	110.6	107.7
材料费	Materials	102.0	105.2	99.8	107.1	109.8
#钢材	Steel Products	103.1	110.1	98.8	106.9	115.2
水泥	Cement	99.5	103.0	96.7	108.5	105.2
机械费	Instruments	100.2	102.4	100.1	103.2	104.0
二、设备、工器具购置	**Purchase of Equipment,Tools And Instruments**	**94.9**	**95.4**	**97.6**	**99.6**	**100.0**
三、其他费用投资	**Others**	**98.8**	**101.2**	**102.8**	**109.2**	**104.9**

7-10 工业企业原材料 燃料 动力购进价格指数

Purchasing Price Indices of Raw Materials, Fuels and Power of Industrial Enterprises

以上年为100 (preceding year=100)

项目	Item	2000	2003	2005	2007	2008
总指数	**Purchasing Price Index of Raw Materials, Fuels and Power of Industrial Enterprises**	**112.4**	**106.3**	**108.1**	**104.3**	**110.2**
1.燃料、动力类	Fuel and Power	137.2	109.1	125.6	102.3	126.8
2.黑色金属材料类	Ferrous Metals Material	102.4	116.5	103.5	110.2	120.9
#钢材	Steel	103.6	113.7	106.4	107.7	116.9
3.有色金属材料和电线类	Nonferrous Metals Material and Wire	109.9	104.6	111.3	107.9	99.8
4.化工原料类	Raw Chemical Materials	112.2	108.5	106.1	106.3	112.4
5.木材及纸浆类	Timber and Paper Pulp	97.5	101.6	100.7	102.7	105.4
6.建筑材料及非金属矿类	Building Materials and Nonmetal Minerals	97.0	100.9	105.9	102.7	109.6
7.其他工业原材料及半成品类	Other Industrial Raw and Semi-products	105.6	100.9	104.8	102.3	102.6
8.农副产品类	Agricultural Products	96.2	113.3	94.0	111.5	109.5
9.纺织原料类	Textile Materials	107.8	102.0	102.9	102.0	99.7

7-11 工业品出厂价格指数

Ex-Factory Price Indices of Industrial Products

以上年为100 (preceding year=100)

项目	Item	2000	2003	2005	2007	2008
总指数	**Industrial Products Producer Price Index**	**100.5**	**100.7**	**100.2**	**100.8**	**102.7**
按轻重分	**By Light and Heavy Industry**					
轻工业	Light Industry	99.9	99.3	98.4	99.9	100.6
以农产品为原料	Using Farm Products as Raw Materials	100.9	100.8	100.5	102.2	103.0
以非农产品为原料	Using Non-farm Products as Raw Materials	97.7	98.4	97.4	98.0	98.7
重工业	Heavy Industry	101.2	103.9	104.7	102.8	107.0
采掘工业	Mining and Quarrying	107.5	103.3	123.4	108.0	113.7
原料工业	Raw Materials Industry	103.4	106.5	107.8	102.3	107.3
加工工业	Manufacturing Industry	97.6	101.3	100.9	102.6	106.0
按两大部类分	**By Two Parts**					
生产资料	Means of Production	101.6	101.3	100.9	100.7	102.9
采掘工业	Mining and Quarrying	107.5	103.3	123.4	108.0	113.7
原料工业	Raw Materials Industry	104.3	107.1	107.5	102.6	105.8
加工工业	Manufacturing Industry	97.4	98.8	98.4	99.8	101.4
生活资料	Consumer Goods	98.7	99.7	99.1	101.1	102.3
食品	Food	98.5	100.4	98.4	103.8	104.9
衣着	Clothing	101.8	100.4	101.7	101.3	102.0
一般日用品	Articles for Daily Use	94.9	100.1	101.3	101.6	102.5
耐用消费品	Durable Consumer Goods	94.2	97.6	93.0	95.3	97.7
按工业部门分	**By Departments**					
冶金工业	Metallurgical Industry	100.8	110.5	104.3	108.1	112.6
电力工业	Power Industry	95.3	102.1	103.5	100.4	101.3
煤炭及炼焦工业	Coal and Coking Industry	114.1	99.7	137.3	101.1	121.0
石油工业	Petroleum Industry	138.4	114.8	123.5	103.9	119.5
化学工业	Chemical Industry	100.3	102.5	104.6	103.3	103.8
机械工业	Machine Building Industry	94.9	95.3	95.1	96.0	97.5
建筑材料工业	Building Materials Industry	95.8	101.7	98.5	101.7	101.4
森林工业	Timber Industry	104.2	99.4	103.0	103.4	101.0
食品工业	Food Industry	98.2	100.6	98.4	104.4	105.6
纺织工业	Textile Industry	108.4	104.7	100.9	102.3	101.2
缝纫工业	Tailoring Industry	103.4	100.2	101.0	101.1	101.0
皮革工业	Leather Industry	98.0	100.6	102.7	101.5	102.6
造纸工业	Paper Industry	105.7	98.6	101.4	100.1	104.3
文教艺术用品工业	Cultural,Educational & Handicrafts Articles	96.6	99.6	100.1	100.0	100.3
其它工业	Others	94.8	104.1	101.7	102.6	103.0

7-12 分行业工业品出厂价格指数

Ex-Factory Price Indices of Industrial Products by Sector

以上年为100 (preceding year=100)

行业	Sector	2003	2005	2007	2008
煤炭开采和洗选业	Coal Mining and Dressing	100.6	145.0	99.7	123.4
黑色金属矿采选业	Ferrous Metals Mining and Dressing	106.8	98.8	109.5	126.3
有色金属矿采选业	Nonferrous Metals Mining and Dressing	111.5	115.9	127.5	78.3
非金属矿采选业	Nonmetal Minerals Mining and Dressing	99.8	100.5	108.1	108.3
农副食品加工业	Agricultural and Sideline Products Processing	102.2	99.4	107.6	109.5
食品制造业	Food Manufacturing	99.2	95.0	103.4	102.6
饮料制造业	Beverage Manufacturing	97.7	98.1	101.8	102.2
烟草制品业	Tobacco Processing	101.4	100.4	99.6	99.9
纺织业	Textile Industry	103.4	101.2	102.1	101.3
纺织服装、鞋、帽制造业	Textile Garments , Shoes and Caps Products	100.6	100.9	101.1	100.9
皮革、毛皮、羽毛(绒)及其制品业	Leather , Furs , Down and Relate Products	100.7	102.7	101.5	102.6
木材加工及木、竹、藤、棕、草制品业	Timber Processing , Bamboo , Cane , Palm Fiber and Straw Products	99.6	101.9	104.7	101.7
家具制造业	Furniture Manufacturing	99.5	105.0	100.1	100.5
造纸及纸制品业	Papermaking and Paper Products	98.6	101.4	100.1	104.3
印刷业和记录媒介的复制	Printing and Record Medium Reproduction	97.8	97.8	99.7	102.7
文教体育用品制造业	Cultural , Educational and Sports Goods	100.5	101.9	100.6	99.5
石油加工、炼焦及核燃料加工业	Petroleum Processing , Coking and Nuclear Fuel Processing	115.1	123.7	103.8	119.6
化学原料及化学制品制造业	Raw Chemical Materials and Chemical Products	100.0	106.2	104.5	109.1
医药制造业	Medical and Pharmaceutical Products	99.8	98.2	102.2	109.0
化学纤维制造业	Chemical Fiber	113.0	105.7	103.6	95.8
橡胶制品业	Rubber Products	101.1	106.3	102.8	101.7
塑料制品业	Plastic Products	100.1	103.4	102.4	101.7
非金属矿物制品业	Nonmetal Minerals Products	101.3	98.7	101.5	101.0
黑色金属冶炼及压延加工业	Smelting and Pressing of Ferrous Metals	118.9	97.9	110.4	124.2
有色金属冶炼及压延加工业	Smelting and Pressing of Nonferrous Metals	106.7	115.3	103.7	97.8
金属制品业	Metal Products	101.2	107.6	104.3	105.8
通用设备制造业	General Equipment	100.0	101.8	100.2	105.8
专用设备制造业	Special Purpose Equipment	98.3	100.1	98.9	103.3
交通运输设备制造业	Transport Equipment	96.1	100.2	101.6	100.5
电气机械及器材制造业	Electric Equipment and Machinery	100.8	102.5	102.4	102.1
通信设备、计算机及其他电子设备制造业	Telecommunications , Computer , and other Electronic Equipment	92.9	91.6	92.0	92.5
仪器仪表及文化、办公用机械制造业	Instruments , Meters , Cultural and Clerical Machinery	102.9	100.4	101.9	100.8
工艺品及其他制造业	Handicraft Article and Other Manufacturing	105.3	99.9	102.7	103.8
电力、热力的生产和供应业	Production and Supply of Electric Power and Hot Power	102.1	103.5	100.4	101.3
燃气生产和供应业	Production and Supply of Gas	102.5	106.8	113.7	103.0
水的生产和供应业	Production and Supply of Water	102.2	102.7	103.4	101.0

7-13 主要城市房地产价格指数

Price Indices of Real Estate of selected cities

以上年为100 (preceding year=100)

项目	Item	2007			2008		
		福州市 Fuzhou	厦门市 Xiamen	泉州市 Quanzhou	福州市 Fuzhou	厦门市 Xiamen	泉州市 Quanzhou
房屋销售价格指数	**Selling Price Indices of Houses**	**106.8**	**107.0**	**106.7**	**103.9**	**102.7**	**102.6**
新建房	commodity Buidings	107.6	107.1	106.7	103.9	102.9	103.0
住宅	Residential Buildings	108.1	107.3	107.1	104.4	103.0	103.2
经济适用房	Economical Residential Buidings	100.6	101.3		100.2	100.0	100.0
普通住宅	General Residential Buildings	109.1	109.7	107.2	104.4	104.3	104.2
高档住宅	Luxury Residential Buidings	107.8	109.0	107.1	105.9	104.2	106.0
非住宅	Non-Residential Buildings	105.7	106.3	105.1	101.9	102.4	100.5
办公楼	Office Buildings	105.6	105.8	105.0	101.7	102.6	100.8
商业营业用房	Business and Entertainment	105.7	106.3	105.1	103.3	103.3	100.4
二手房	secondhand Buildings	103.8	106.7	106.8	103.8	102.3	101.8
住宅	Residential Buildings	104.0	106.7	106.9	103.8	102.3	101.9
#普通住宅	General Residential Buildings				103.8	101.8	101.6
非住宅	Non-Residential Buildings	102.3	104.8	105.4	103.8		101.3
土地交易价格指数	**Transactions Price Indices of Land**	**117.1**	**111.3**	**117.1**	**107.7**	**104.2**	**105.4**
#居住用地	living land	118.6	114.1	117.6	107.5	104.6	105.3
工业用地	Industry Land		106.8	114.8	99.9	102.7	106.0
商业营业用地	Business and Entertianment	111.7	107.6	112.8	109.6	104.6	99.9
房屋租赁价格指数	**Renting Price Indices of Houses**	**102.6**	**103.8**	**106.3**	**101.7**	**102.6**	**104.6**
住宅	Residential Houses	103.0	104.5	104.4	102.6	102.4	103.5
#廉租房	Cheap Rent Houses		100.0			100.0	
非住宅	Non-Residential Buildings				101.3	102.7	105.1
#办公楼	Office Buiding	101.9	106.3	113.3	105.3	103.8	126.8
商业营业用房	Houses for Commerce and Entertainment	102.7	104.3	111.3	100.8	101.9	101.6
物业管理价格指数	**Price Indices of Housees Management**	**100.1**	**100.0**	**100.2**	**100.0**	**101.5**	**100.2**
住宅	Residential Houses	100.0	100.0	100.1	100.0	102.3	100.3

7–14 农产品生产价格指数

Producting Price Indices of Farm Crops

以上年为100 (preceding year=100)

项目	Item	2003	2005	2007	2008
总指数	**Total Price Index**	**101.7**	**103.9**	**112.6**	**110.7**
一、种植业产品	**Planted Crops**	**101.3**	**105.1**	**107.6**	**106.7**
谷物	Rice	103.8	97.6	108.9	109.7
早籼稻	Early Rice	98.4	95.3	108.2	113.3
晚籼稻	Late Rice	107.6	96.7	109.8	110.5
薯类	Potato	100.4	106.9	102.7	117.2
豆类	Bean	101.6	97.0	110.2	123.3
大豆	Soybean	103.4	93.4	111.9	119.3
油料	Oil-bearing Crops	101.4	106.3	108.5	114.3
糖料	Sugar	98.4	106.0	104.7	101.1
烤烟叶	Flue-cured Tobacco	97.2	101.7	109.5	114.3
食用菌（干鲜混合）	Edible Bacterium	86.1	103.0	110.7	95.5
水果	Fruit	109.3	108.8	103.6	100.2
茶叶	Tea	104.5	101.3	104.6	97.8
二、林业产品	**Forest Products**	**101.5**	**104.0**	**107.5**	**115.2**
原木	Log	101.8	104.7	113.4	104.5
竹材	Bamboo	101.0	104.1	112.0	108.6
三、牧业	**Livestock Products**	**103.6**	**100.9**	**132.2**	**119.6**
活猪（毛重）	Pigs	108.1	97.4	141.6	121.1
家禽（毛重）	Poultry	102.8	104.2	115.0	112.9
四、渔业	**Fishery**	**101.1**	**103.7**	**108.7**	**109.0**
海水水产品	Seawater Aquatic Products	101.1	102.4	110.9	109.9
淡水水产品	Freshwater Products	101.0	107.9	101.8	105.7

7-15 设区市居民消费价格指数(2008年)

Consumer Price Indices by City,2008

以上年为100

(preceding year=100)

地区	居民消费价格指数 Consumer Price Index	按城乡隶属分类 By Urban and Rural		按类别分 By Category								
		城市 urban	农村 Rural	食品 Food	烟酒及用品 Tobacco And Liquor	衣着 Clothing	家庭设备用品及维修服务 Household Facilities,Articles And Services	医疗保健和个人用品 health Cares	交通和通讯 Transportation And Communication	娱乐教育文化用品及服务 Recreation, Education And Culture And Articles	居住 Residence	#水电燃料 water, Electricity And Fuel
福州市 Fuzhou	104.4	104.3	104.4	112.4	102.7	91.1	102.9	101.7	97.4	93.2	104.6	105.9
厦门市 Xiamen	104.9			113.7	102.0	90.9	101.5	103.3	99.7	96.4	103.9	103.8
莆田市 Putian	104.9	105.0	104.0	111.8	101.9	96.4	104.2	104.2	99.0	93.2	105.9	105.8
三明市 Sanming	104.9	105.7	104.1	113.6	102.6	98.3	103.0	103.1	96.6	92.4	105.9	105.3
泉州市 Quanzhou	103.8	104.0	103.2	112.1	104.9	99.3	104.5	103.5	97.6	88.8	104.7	105.3
漳州市 Zhangzhou	104.6	106.5	104.2	113.2	101.8	99.6	101.8	102.4	98.3	93.6	105.9	107.0
南平市 Nanping	104.8	104.8	104.8	113.5	103.3	100.5	105.3	104.6	98.6	89.1	105.7	106.4
龙岩市 Longyan	104.8	105.0	104.7	111.9	102.3	96.7	102.1	102.2	96.9	98.2	106.3	107.4
宁德市 Ningde	104.1	103.8	104.6	111.9	102.7	98.2	102.6	102.6	96.6	92.1	107.3	108.6

主要统计指标解释

居民消费价格指数 指反映一定时期内城乡居民所购买的生活消费品价格和服务项目价格变动趋势和程度的相对数，是对城市居民消费价格指数和农村居民消费价格指数进行综合汇总计算的结果。利用居民消费价格指数，可以观察和分析消费品的零售价格和服务价格变动对城乡居民实际生活费支出的影响程度。

城市居民消费价格指数 指反映城市居民家庭所购买的生活消费品价格和服务项目价格变动趋势和程度的相对数。城市居民消费价格指数可以观察和分析消费品的零售价格和服务项目价格变动对职工货币工资的影响，作为研究职工生活和确定工资政策的依据。

农村居民消费价格指数 指反映农村居民家庭所购买的生活消费品价格和服务项目价格变动趋势和程度的相对数。农村居民消费价格指数可以观察农村消费品的零售价格和服务项目价格变动对农村居民生活消费支出的影响，直接反映农民生活水平的实际变化情况，为分析和研究农村居民生活问题提供依据。

商品零售价格指数 指反映城乡商品零售价格变动趋势的一种经济指数。零售物价的调整变动直接影响到城乡居民的生活支出和国家的财政收入，影响居民购买力和市场供需平衡，影响消费与积累的比例。因此，计算零售价格指数，可以从一个侧面对上述经济活动进行观察和分析。

工业品出厂价格指数 指反映一定时期内全部工业产品出厂价格总水平的变动趋势和程度的相对数，包括工业企业售给本企业以外所有单位的各种产品和直接售给居民用于生活消费的产品。该指数可以观察出厂价格变动对工业总产值及增加值的影响。

农业生产资料价格指数 指反映一定时期内农业生产资料价格变动趋势和程度的相对数。农业生产资料价格指数分为小农具、饲料、产品畜、役畜、半机械化农具、机械化农具、化学肥料、农药及农药械、农机用油、其他农业生产资料十大类。其编制目的是了解农业生产中物质资料投入价格的变动状况，服务于国民经济核算。1994 年以前，农业生产资料价格指数仅仅是商品零售价格指数的一个类别，此后，从商品零售价格指数中分离出来，单独编制。

固定资产投资价格指数 指反映固定资产投资额价格变动趋势和程度的相对数。固定资产投资额是由建筑安装工程投资完成额、设备、工器具购置投资完成额和其他费用投资完成额三部分组成的。编制固定资产投资价格指数应首先分别编制上述三部分投资的价格指数，然后采用加权算术平均法求出固定资产投资价格总指数。

该指数可以准确地反映固定资产投资中涉及的各类商品和取费项目价格变动趋势和变动幅度，消除按现价计算的固定资产投资指标中的价格变动因素，真实地反映固定资产投资的规模、速度、结构和效益，为国家科学地制定、检查固定资产投资计划并提高宏观调控水平，为完善国民经济核算体系提供科学的、可靠的依据。

房地产价格指数 是反映在一定时期内房地产价格变动趋势和程度的相对数，包括房屋销售价格指数、房屋租赁价格指数、土地交易价格指数和物业管理价格指数。这四套指数的计算方法相似，均采用由下到上逐级汇总方法。

Explanatory Notes on Main Statistical Indicators

Consumer Price Indices reflect the trend and degree of changes in prices of consumer goods and services purchased by urban households during a given period,and is a composite index derived from the urban consumer price index and the rural consumer price index. Consumer price index can be used to analyze the impact of consumer price change on actual expenditure for living cost of urban and rural residents.

Urban Consumer Price Indices reflect the trend and degree of changes in prices of consumer goods and services purchased by urban households. It can be used to observe and analyze the impact of price changes in consumer goods and services on money wages of staff and workers, and provide basis for policymaking concerning the living cost and wages of staff and workers.

Rural Consumer Price Indices reflect the trend and degree of changes in prices of consumer goods and services purchased by rural households. It can be used to observe the impact of change in retail prices of consumer goods and service prices in rural areas on living expenditure of rural households, and to show the changes in the living standard of peasants. It provides basis for analysis and research on condition of life in rural areas.

Ex-factory Price Indices of Industrial Products reflect the trend and degree of changes in general ex-factory prices of all industrial products during a given period,including sales of industrial products by an industrial enterprise to all units outside the enterprise,as well as sales of consumer goods to residents.It can be used to analyze the impact of ex-factory prices on gross output value and value-added of the industrial sector.

Indices of Purchasing Prices of Farm Products reflects the trend and degree of changes in purchasing prices of farm products purchased by state-owned, collective-owned,and individual commercial enterprises,foreign Trades sectors,government agencies,social organizations and other units of various types of ownership. It is used to observe the impact of change in purchasing prices of farm products on the cash income of peasants, and serves as basis for the formulation and supervision of pricing policies for farm products.

Indices of Producers' Prices for Farm Products reflect the trend and degree of changes in producers' prices received by farmers when they sell farm products during a given period. These indices depict the change in the level and structure of producers' prices of farm products of the country and meet the needs of agriculture statistics and national account statistics. The producers' price index of a given product is calculated through geometrical mean of individual indices of all surveyed units who sell such product, and the indices of a product category is obtained through weighted mean of price indices of all products in the category. Method for calculating accumulative quarterly indices is the same as for calculating the distinctive quarterly indices.

Price Indices of Investment in Fixed Assets reflects the trend and degree of changes in prices of investment in fixed assets. The investment in fixed assets consists of three components, namely the investment in construction and installation, the investment in purchases of equipment and instrument,and the investment in other items. Price index of investment in fixed assets is calculated as the weighted arithmetic mean of the price indices of the three components of investment in fixed assets.

Removing the factor of price change in the aggregates of investment at current prices, this indicator shows the changes in the prices of commodities and fees involved in the investment of fixed assets, and can be used to observe the actual size, growth, structure,and efficiency of investment in fixed assets and provides reliable and scientific data for government planning, management, decision making, and further improving the current national accounting system.

城市概况

8

General Survey of Cities

简要说明

本篇资料的主要内容及来源

本篇资料反映我省社会、经济发展和城市建设的规模、效益及综合水平等基本情况，

城市资料 主要包括城市 公用事业基本情况，主要经济指标，市场设施，园林绿化，环境卫生，供水供气，公用交通等。

全省数据是全省 23 个城市的汇总数，23 个城市分别是福州市、厦门市、莆田市、三明市、泉州市、漳州市、南平市、龙岩市、宁德市、福清市、长乐市、永安市、石狮市、晋江市、南安市、龙海市、邵武市、武夷山市、建瓯市、建阳市、漳平市、福安市、福鼎市。

本篇资料由省统计局社会科技统计处根据福建省建设厅和福建省统计局相关处室提供的年度数据整理。

Brief Introduction

Main Content and Source of Data

Data in this chapter show the social and economic development as well as the scale, economic efficiency, overall level and other basic conditions of cities at the prefecture in Fujian Province.

Data on the general survey cities include the basic condition of urban public facilities ,main economic indicators, civil greenery , environment and sanitation ,supply of gas and water ,public transportation ,etc.

The total provice data is the sum of 23 cities, 23 cities were Fuzhou、Xiamen、Putian、Shanming、Quanzhou、Zhangzhou、Nanpin、Longyan、Linde、Fuqing、Changle、Yongan、Shishi、Jinjiang、Nan'an、Longhai、Shaowu、Wuyishan、Jian'ou、Jianyang、Zhangping、Fuan and Fuding。

Data on chapter are complied by the Division of Social,Science and Technology of the Fujian Bureau of Statistics according to the data of yearly statistics ,which are provided by the Construction Bureau of Fujian and related departments of Fujian Provincial Bureau of Statistics.

8-1 各城市建设情况(2008年)

Statistics on City Construction by Region,2008

地区	Area	城市面积（平方公里） Area of City (sq km)	#建成区面积 Developed Area	本年征用土地面积（公顷） Area of The requisition land This Year (hectare)	城市人口密度（人/平方公里） Population Density of City Districts (persons/sq.km)	年末实有道路长度（公里） Length of Paved Roads (km)	年末实有道路面积（万平方米） Area of Paved Roads (10000 sq.m)	城市桥梁数量（座） Number of City Bridges (unit)
福建省	**Fujian**	**4406.9**	**877.4**	**1143**	**2055**	**6010.6**	**10919**	**1147**
福州市	Fuzhou	1443.9	223.7	30	1712	1474.0	2631	413
厦门市	Xiamen	197.0	197.0		11133	1085.7	2700	130
莆田市	Putian	243.6	52.2	180	2151	539.8	679	88
三明市	Sanming	416.0	42.5	73	958	403.7	496	48
泉州市	Quanzhou	644.7	150.8	169	2215	902.6	2087	139
漳州市	Zhangzhou	122.2	62.9	58	4917	372.1	799	99
南平市	Nanping	678.4	65.2	270	859	564.8	628	113
龙岩市	Longyan	198.1	43.0	235	1830	361.9	426	36
宁德市	Ningde	463.1	40.1	128	1072	306.0	473	81

8-2 各城市供水情况(2008年)

Basic Statistics on Tap Water Supply in Cities by Region,2008

地区	Area	年底供水综合生产能力（万立方米/日） Production Capacity of Top Water Supply at the Year-end (10000cu.m/day)	年末供水管道长度（公里） Length of Sewage Pipes (km)	全年供水总量（万立方米） Volume of Top Water Supply (10000 cu.m)	#生活用水 Water Consumption for Residential Use	#生产用水 Water Consumption for Productive Use	用水人口（万人） Number of Residents with Access to Tap Water (10000 person)	人均日生活用水量（升） Per Capital Water Consumption for Residential Use(L)
福建省	**Fujian**	**672.73**	**10551.40**	**129342.84**	**56620.03**	**41913.82**	**882.86**	**219.64**
福州市	Fuzhou	183.56	1937.61	31764.19	18734.53	5545.19	237.69	273.08
厦门市	Xiamen	100.00	2425.50	28954.10	11678.08	9640.83	214.79	201.40
莆田市	Putian	30.90	652.21	5490.31	2739.14	2018.61	51.21	171.14
三明市	Sanming	94.20	337.10	11294.72	2318.65	7131.60	38.82	215.13
泉州市	Quanzhou	116.30	3575.22	26375.69	9621.00	10175.00	141.89	203.79
漳州市	Zhangzhou	40.77	442.80	5924.00	3217.00	1684.00	59.04	177.84
南平市	Nanping	68.40	555.16	9609.83	3431.13	4089.09	55.78	224.63
龙岩市	Longyan	18.30	243.60	5467.00	2518.00	1310.00	35.79	256.67
宁德市	Ningde	20.30	382.20	4463.00	2362.50	319.50	47.85	156.71

8–3 各城市排水和污水处理情况(2008年)

Basic Statistics on Drainage and Swage Treatment in Cities by Regiion,2008

地区	Area	排水管道长度（公里）Length of Sewage Pipes (km)	污水处理厂数（座）Number of Waste Water Treated Factory (unit)	城市污水日处理能力（万立方米／日）Per Day Volume of Waste Water Treated (10000 cu.m/day)	污水处理总量（万立方米）Volume of Waste Water Treated (10 000 cu.m)	污水处理率（%）Percentage of Sewage Disposal of City (%)	污水处理厂集中处理率 Percentage of Sewage Collection Disposal in Factory of City
福建省	**Fujian**	**7962**	**34**	**236.2**	**70907**	**72.72**	**54.75**
福州市	Fuzhou	1638	7	57.0	16670	68.38	63.33
厦门市	Xiamen	1655	8	81.7	20040	96.45	93.02
莆田市	Putian	811	1	8.5	3110	73.18	61.41
三明市	Sanming	195	3	11.5	5063	65.39	19.31
泉州市	Quanzhou	1970	5	37.0	15493	76.88	34.98
漳州市	Zhangzhou	789	3	17.0	2765	60.65	54.09
南平市	Nanping	324	4	10.5	3943	49.63	18.76
龙岩市	Longyan	249	1	10.0	3372	77.23	70.25
宁德市	Ningde	331	2	3.0	451	13.50	13.29

8–4 各城市公共交通情况(2008年)

Basic Statistics on Public Transportation in Cities by Region,2008

地区	Area	年末运营公交车辆数（辆）Number of Public Transportation under Operation(set)		公共交通客运总量（万人）Bus,Trolley Bus (10000 persons)		公共交通运营线路网长度（公里）Network Length (km)	公共交通标准运营车辆（标台）Number of Standard Public Vehicles under Operation(set)
		公共汽车 Public Vehicles	出租汽车 Taxis	公共汽车 Public Vehicles	出租汽车 Taxis		
福建省	**Fujian**	**9084**	**15905**	**196154**	**59611**	**3607**	**9442**
福州市	Fuzhou	2626	4445	81003	14276	612	2893
厦门市	Xiamen	2478	4233	58800	22816	967	2794
莆田市	Putian	626	723	5961	1310	138	631
三明市	Sanming	426	339	9072	712	211	392
泉州市	Quanzhou	1394	2241	18901	7822	607	1303
漳州市	Zhangzhou	287	1110	2882	2503	298	277
南平市	Nanping	520	1463	9387	5083	428	479
龙岩市	Longyan	378	544	4608	2445	140	378
宁德市	Ningde	349	807	5540	2644	206	295

8–5 各城市绿地和园林(2008年)

Basic Statistics on Parks and Green Areas in Cities by Region,2008

地区	Area	绿化覆盖面积（公顷） Green Areas (hectare)	#建成区 Green Areas of Developed City	园林绿地面积（公顷） Park and Green Areas (hectare)	#建成区 Green Areas of Developed City	公园个数（个） Number of Parks and Zoos (unit)	公园面积（公顷） Area of Parks and Zoos (hectare)
福建省	**Fujian**	**62202**	**34090**	**38487**	**30892**	**313**	**6882**
福州市	Fuzhou	9711	8553	8622	7705	87	2499
厦门市	Xiamen	13998	7564	13248	6833	46	1386
莆田市	Putian	2798	2244	2016	1974	13	210
三明市	Sanming	2299	1828	1646	1627	19	250
泉州市	Quanzhou	6674	5808	5415	5283	47	792
漳州市	Zhangzhou	2600	2576	2447	2447	35	606
南平市	Nanping	4936	2445	2221	2218	37	516
龙岩市	Longyan	1854	1617	1580	1513	12	278
宁德市	Ningde	17332	1455	1292	1292	17	345

8–6 各城市市容环境卫生情况(2008年)

Basic Statistics on Urban Sanitation in Cities by Region,2008

地区	Area	清扫保洁面积（万平方米） Area under Cleaning Program (10000 sq.m)	生活垃圾清运量（万吨） Volume of Garbage Disposal (10000 tons)	粪便清运量（万吨） Volume of Excrement and Urine Disposal (10000 tons)	市容环卫专用车辆设备总数（台） Number of Special Vehicles for Environmental Sanitation (unit)	公共厕所（所） Number of Public Lavatories (unit)	#三类以上 Third Grade and Above
福建省	**Fujian**	**9233**	**398.95**	**14.81**	**1889**	**1864**	**945**
福州市	Fuzhou	2595	103.00	0.72	424	648	98
厦门市	Xiamen	1766	87.05		724	212	212
莆田市	Putian	495	22.45	0.04	23	88	56
三明市	Sanming	251	15.33		69	92	92
泉州市	Quanzhou	2066	92.78		404	402	135
漳州市	Zhangzhou	695	16.55		90	99	99
南平市	Nanping	489	26.46	14.05	85	138	98
龙岩市	Longyan	350	17.06		32	76	76
宁德市	Ningde	526	18.27		38	109	79

8−7 各城市设施水平(2008年)

Level of Public Facilities in Cities by Region,2008

地区	Area	城市用水普及率(%) Pecentage of Population with Access to Tap Water (%)	城市燃气普及率(%) Percentage of City Population with Access to Gas (%)	每万人拥有公交车辆(标台) Number of public Transportation Vehicles Per 10000 Population (unit)	人均城市道路面积(平方米) Per Area of Paved Roads (sq.m)	人均公园绿地面积(平方米) Per Capita Public Green Areas (sq.m)	生活垃圾无害化处理率(%) Percentage of Garbage Disposal with Standard (%)	建成区绿化覆盖率(%) Ratio of Green Areas to City Areas(%)
福建省	**Fujian**	**97.47**	**97.23**	**10.42**	**12.05**	**10.42**	**87.97**	**38.86**
福州市	Fuzhou	96.16	97.36	11.70	10.64	10.39	82.62	38.24
厦门市	Xiamen	97.93	100.00	12.74	12.31	11.04	100.00	38.40
莆田市	Putian	97.75	94.60	12.04	12.96	11.26	100.00	42.98
三明市	Sanming	97.42	95.68	9.84	12.45	9.61	96.09	42.98
泉州市	Quanzhou	99.35	98.32	9.12	14.61	9.17	99.83	38.52
漳州市	Zhangzhou	98.24	95.49	4.61	13.29	10.75	98.67	40.97
南平市	Nanping	95.73	92.90	8.22	10.78	11.31	27.59	37.48
龙岩市	Longyan	98.70	93.96	10.42	11.75	10.12	95.49	37.60
宁德市	Ningde	96.43	94.88	5.95	9.53	9.90	49.64	36.32

主要统计指标解释

供水综合生产能力　指按供水设施取水、净化、送水、出厂输水干管等环节设计能力计算的综合生产能力。包括在原设计能力的基础上，经挖、革、改增加的生产能力。计算时，以四个环节中最薄弱的环节为主确定能力。

年末供水管道长度　指从送水泵到用户水表之间所有管道的长度。但不包括新安装未使用的管道长度。

全年供水总量　指报告期供水企业(单位)供出的全部水量。包括有效供水量和漏损水量。

生活用水量　包括公共服务用水和居民家庭用水。公共服务用水指为城市社会公共生活服务的用水。包括行政事业单位、部队营区和公共设施服务、社会服务业、批发零售贸易业、旅馆饮食业以及其他公共服务业等单位的用水。居民家庭用水指城市范围内所有居民家庭的日常生活用水。包括城市居民、农民家庭、公共供水站用水。

城市人口用水普及率　指城市用水的非农业人口数(不包括临时人口和流动人口)与城市非农业人口总数之比。计算公式为：

用水普及率＝(城市用水的非农业人口数／城市非农业人口数)×100%

城市用气普及率　指使用煤气(包括人工煤气、液化石油气、天然气)的城市非农业人口数(不包括临时人口和流动人口)与城市非农业人口总数之比。计算公式为：

城市煤气普及率＝(城市用气的非农业人口数／城市非农业人口总数)×100%

年底实有铺装道路长度　指除土路外，路面经过铺装宽度在 3.5 米以上的道路，包括高级、次高级道路和普通道路。

城市桥梁　指城市范围内，修建在河道上的桥梁和道路与道路立交、道路跨越铁路的立交桥及人行天桥。包括永久性桥和半永久性桥，不包括临时性桥、铁路桥、涵洞。

城市污水日处理能力　指污水处理厂每昼夜处理污水量的设计能力。

年末实有公共汽(电)车　指年底可参加营运的全部车辆数，包括营运车辆数和库存查封未参加营运的车辆。不包括非营运车辆，如架线车、油罐车、工程车、货车及其他专用车辆和借入的客运车辆。

城市园林绿地面积　指城市公共绿地、专用绿地、生产绿地、防护绿地、郊区风景名胜区的全部面积。

公共绿地　指供游览休息的各种公园、动物园、植物园、陵园以及花园、游园和供游览休息用的林荫道绿地、广场绿地，不包括一般栽植的行道树及林荫道的面积。

Explanatory Notes on Main Statistical Indicators

Production Capacity of Water Supply refers to the designed comprehensive production capacity of water facilities, covering the 4 links of water collection, purification, conveyance, and outflow through trunk pipelines. Increase capacity through transformation and innovation projects are included as well. The capacity is determined mainly on the weakest of the above-mentioned 4 links.

Length of Water Supply Pipelines at the Year-end refers to the total length of all the pipelines between the water pumps and the user water meters, excluding pipelines newly installed but not used yet.

Annual Volume of Water Supply refers to the total volume of water supplied by water-works (units) during the reference period, including both the effective water supply and loss during the water supply.

Consumption of Water for Residential Use refers to the water consumption of households for daily life and the water consumption of public service facilities. The latter refers to water consumption for urban public services, including the consumption of government agencies and public institutions, military barracks, public facilities, wholesale and retail outlets, restaurants, hotels, and other units providing public services. Household water consumption refers to consumption of water for daily life of all households in the boundary of cities, including households of urban residents and farmers, and public water supply stations.

Percentage of Urban Population with Access to Tap Water refers to the ratio of the urban non-agricultural population (excluing temporary and mobile population) with access to tap water to the total urban non-agricultural population.The formula is:

Percentage of Population with Access to Tap Water =（Urban Non-agricultural Population with Access to Tap Water /Urban Non-agricultural Population）×100%

Percentage of Urban Population with Access to Gas refers to the ratio of the urban non-agricultural population with access to gas (including gas, liquefied petroleum gas and natural gas) to the urban non-agricultural population(excluding temporary and mobile population). The formula is:

Percentage of Population with Access to Gas =(Urban Non-agricultural Population with Access to Gas/Urban Non-agricultural Population)×100%

Length of Paved Roads at the Year-end refers to the length of roads with a paved surface, and with a width of more than 3-5 meters, including high quality,medium quality and ordinary roads.

Urban Bridges refer to bridges over river courses, great separated junctions and overpasses in urban areas.Permanent bridges and semi-permanent bridges are included.Temporary bridges,railway bridges and culverts are excluded.

Daily Disposal Capacity of Urban Sewage refers to the designed 24 hour capacity of sewage disposal at the sewage treatment works.

Number of Public Vehicles (Buses and Trolley buses) at the Year-end refers to the total number of operational buses available at the year-end, including the year-end operational vehicles and vehicles in stock.Non-operational vehicles such as stringing cars,tank cars,machine shop cars,trucks and other special vehicles and the borrowed passenger vehicles are excluded.

Area of Urban Gardens and Green Areas refers to the total area of urban public green land,special green land,production green land,protection green land and suburban scenic spots.

Public Green Area refers to green areas of various parks, zoos, botanical gardens, cemeteries, amusement parks, tree-flanked boulevards greenland squares for tourism and relaxing.Areas with trees planted along-side the streets and boulevards are excluded.

财政金融

9

Finance

简要说明

本篇资料的主要内容及来源

本篇资料反映了全省财政收支、金融和保险、证券方面的情况，主要包括财政收入、财政支出、金融机构存贷款、现金收支、保险机构、保险业务开展和福建省辖区证券市场等方面的资料。

财政部分的资料来源于省财政厅；金融方面的资料来源于中国人民银行福州分行;保险方面的资料来源于中国保监会福建监管局;证券方面的资料来源于中国证监会福建监管局。

本篇资料由省统计局综合统计处、社会和科技统计处根据以上资料整理。

Brief Introduction

Main Content and Source of Data

Data in this chapter show the conditions of local government budgetary finance, banking and insurance and securities, including government revenue and expenditure, credit funds, cash income and expenses, statistics on insurance companies and basic situation of securities markets under Fujian province.

Data on local government finance are provided by Fujian Provincial Department of Finance; Data on banking are provided by Fuzhou Branch of the People's Bank of China; Data on insurance are provide by China Insurance Regulatory Commission of Fujian Bureau; Data on securities are provided by China Securities Regulatory Commission of Fujian Bureau.

Data in this chapter are collected and compiled by the Division of Comprehensive Statistics and the Division of Social, Science and Technology Statistics of Fujian Provincial Bureau of Statistics on the basic of data from the relative departments.

9–1 主要年份财政收支总额及增长速度

Budgetary Revenue and Expenditures in Selected Years

单位：亿元 (100 million yuan)

年份 Year	财政总收入 Total Revenue 数值 Value	财政总收入 Total Revenue 比上年增长(%) Ratio(%)	地方财政收入 Expenditure of Local Government 数值 Value	地方财政收入 Expenditure of Local Government 比上年增长(%) Ratio(%)	财政支出 Total Expenditure 数值 Value	财政支出 Total Expenditure 比上年增长(%) Ratio(%)
1952	2.20				1.25	
1957	3.22				2.47	
1962	5.07				3.60	
1965	6.60				4.99	
1970	6.45				8.34	
1975	9.59				9.86	
1978	15.13				15.14	
1979	12.72	-15.9			16.03	5.9
1980	15.33	20.5			15.05	-6.1
1981	14.52	-5.3			14.27	-5.2
1982	13.67	-5.9			16.42	15.1
1983	12.37	-9.5			17.55	6.9
1984	16.78	35.7			20.52	16.9
1985	25.08	49.5			30.64	49.3
1986	29.14	16.2			37.62	22.8
1987	33.16	13.8			39.99	6.3
1988	40.16	21.1			49.29	23.3
1989	53.01	32.0			60.48	22.7
1990	57.06	7.6			68.45	13.2
1991	69.70	22.2			78.13	14.1
1992	75.35	8.1			84.50	8.2
1993	110.58	46.8			113.88	34.8
1994	149.66	35.3			137.73	20.9
1995	184.58	23.3	117.37		171.58	24.6
1996	215.11	16.5	142.12	21.1	200.31	16.7
1997	251.30	16.8	162.91	14.6	224.36	12.0
1998	281.42	12.0	187.92	15.4	254.87	13.6
1999	312.57	11.1	208.92	11.2	279.24	9.6
2000	369.67	18.3	234.11	12.1	324.18	16.1
2001	428.33	15.9	274.28	17.2	373.19	15.1
2002	476.20	11.2	272.89	-0.5	397.56	6.5
2003	551.00	15.7	304.71	10.6	452.30	13.8
2004	622.57	13.0	333.52	10.5	516.68	14.2
2005	788.11	26.6	432.60	29.7	593.07	14.8
2006	1012.77	28.5	541.17	25.1	728.70	22.9
2007	1282.84	26.7	699.46	29.2	910.64	25.0
2008	1516.51	18.2	833.40	19.1	1137.72	24.9

注：本部分所采用的财政数字均为当年决算定案数。2002年起口径有调整。

Note:Financial figures in this chapter are all final accounts of current year. The Statistic scope from 2002 is adjusted.

9-2 财政地方级一般预算收入

General Budgetary Revenue of Local Government

单位：万元 (10000 yuan)

项目 Item	2000	2003	2005	2007	2008
收入合计 Total Revenue	**2341061**	**3047100**	**4326003**	**6994577**	**8334032**
1.增值税 Value-added Tax	353461	543961	731267	1070785	1241126
2.营业税 Operation Tax	582053	847298	1246076	2087305	2268933
3.企业所得税 Enterprises' Income Tax	321959	368133	542646	925849	1172533
4.企业所得税退税 Return for Enterprises' Income Tax	-3243	-63			
5.个人所得税 Individual Income Tax	247517	212552	274137	414223	449835
6.资源税 Resources Tax	7007	14501	21436	43128	54626
7.固定资产投资方向调节税 Tax on the Adjustment of the Investment in the Fixed Assets	8784	69	103	150	6
8.城市维护建设税 Tax on Town Maintenance and Construction	97646	139206	185544	289389	334975
9.房产税 Tax on Real Estates	95496	131463	169576	212451	246332
10.印花税 Stamp Tax	18309	34770	55267	92309	108788
11.城镇土地使用税 Tax on the Use of Urban Land	15746	20168	29400	88823	290413
12.土地增值税 Land Value Added Tax	4326	9874	40785	197014	301650
13.车船使用和牌照税 Tax on the Use of Vehicles and Ships	6055	9804	12662	19167	41571
14.烟叶税 Tobacco Leaf Tax				27499	37567
15.耕地占用税 Tax on The Occupancy of Cultivated Land	13474	20931	32003	65264	100443
16.契税 Contract Tax	55799	115484	209093	406880	395728
17.国有资本经营收入 State-downed Assets Profit				101259	116377
18.国有资源(资产)有偿使用收入 Income from use of State-downed resources				66782	146195
19.行政性收费收入 Income from Adiministr-ative Fees	74946	214450	290876	368661	422683
20.罚没收入 Penalty and Confiscatory Income	101764	165018	213993	275598	289606
21.专项收入 Expert Project Income	64036	82689	120693	213206	271093
22.其他收入 Other Income	127716	43619	48254	28835	43552

9–3 财政一般预算支出

General Budgetary Expenditure of Local Government

单位：万元 (10000 yuan)

项目 Item	2007	2008	2008年比上年增长(%) Ratio(%)
支出合计 Total Expenditure	**9106446**	**11377159**	**24.9**
1.一般公共服务 Expenditure for General Public Service	1619087	1891974	16.9
2.外交 Expenditure for Foreign Affairs			
3.国防 Expenditure for National Defense	32004	31468	-1.7
4.公共安全 Expenditure for Public Safety	765591	915985	19.6
5.教育 Expenditure for Operating Expense of Education	1836550	2332923	27.0
6.科学技术 Expenditure for Operating Expense of Department of Science	212670	256281	20.5
7.文化体育与传媒 Expenditure for Operating Expense of Culture , Sport Broadcasting	182941	224251	22.6
8.社会保障和就业 Expenditure for Operating Expense of Social Welfare and Employment	905712	1092914	20.7
9.医疗卫生 Expenditure for Public Health	519887	742741	42.9
10.环境保护 Expenditure for Enviromental Protection	87563	140264	60.2
11.城乡社区事务 Expenditure for Neithbourhood Service Centre of Urbam and Rural	615597	750936	22.0
12.农林水事务 Expenditure for Agriculture , Foresty and Water Conservancy	614904	804268	30.8
13.交通运输 Expenditure for Transportation	266274	456079	71.3
14.工业商业金融等事务 Expenditure for Industry Trade and Finance	605311	880165	45.4
15.其他支出 Other Expenditure	842355	856910	1.7

9–4 金融机构人民币各项存款和贷款余额（1990–2008年）

Deposits and Loans of Financial Institutions,1990-2008

单位：亿元 (100 million yuan)

项目 Item	各项存款 Total Deposits	#企业存款 Enterprise	#财政存款 Fiscal Deposits	#城乡居民储蓄存款 Savings Deposit in Urban and Rural Household	各项贷款 Total Loans	#农业贷款 Agricultural Loans
1990	359.45	105.06		183.26	381.93	34.75
1991	477.45	135.55		245.60	453.10	42.44
1992	667.01	213.51		327.00	589.74	51.49
1993	824.37	288.05		394.06	774.65	35.90
1994	1101.81	379.77		558.97	954.73	41.50
1995	1451.68	477.84		795.43	1176.63	51.10
1996	1901.71	602.98		1106.33	1467.79	61.29
1997	2192.74	721.00	15.40	1324.37	1750.38	78.23
1998	2557.30	768.19	28.11	1565.18	1942.78	106.59
1999	2924.61	890.61	41.24	1739.01	2255.50	118.16
2000	3114.32	1002.17	39.59	1767.59	2438.82	140.12
2001	3614.26	1163.26	45.94	2030.94	2864.76	151.56
2002	4253.07	1262.12	55.21	2430.46	3110.05	182.44
2003	5178.29	1561.01	51.74	2924.65	3837.51	243.51
2004	5984.32	1834.69	92.63	3322.26	4360.64	279.37
2005	7248.40	2164.86	128.33	3903.05	5068.68	335.42
2006	8836.26	2767.76	219.38	4478.26	6447.72	395.98
2007	10040.15	3222.76	328.32	4711.23	8065.67	484.40
2008	11804.40	3494.62	457.26	5861.17	9585.92	559.55

9–5 金融机构年末分项人民币存贷款余额

RMB Deposits and Loans Balance of Financial Institutions by Item

单位：亿元 (100 million yuan)

项目 Item	2000	2003	2005	2007	2008
各项存款 Deposits	**3114.32**	**5178.29**	**7248.40**	**10040.15**	**11804.40**
企业存款 Deposits of Enterprises	1002.17	1561.01	2164.86	3222.76	3494.62
活期 Demand	779.09	1228.48	1571.17	2360.65	2410.16
定期 Time	223.08	332.53	593.69	862.11	1084.46
财政存款 Treasury Deposits	39.59	51.74	128.33	328.32	457.26
机关团体存款 Deposits of Agencies and Social Organizations	75.27	238.33	358.67	679.60	671.39
储蓄存款 Saving Deposits	1767.59	2924.00	3903.05	4711.23	5861.17
活期 Demand	692.69	1236.79	1661.50	2345.75	2589.71
定期 Time	1074.90	1687.86	2241.55	2365.48	3271.46
农业存款 Agricultural Deposits	54.87	84.94	131.92	219.63	243.43
信托存款 Truste Deposits	39.33		16.13		
委托存款 Commission Deposits	34.74	-0.06	6.43	14.42	50.16
其他存款 Others Deposits	100.78	317.66	539.02	864.19	1026.37
各项贷款 Loans	**2438.82**	**3837.51**	**5068.68**	**8065.67**	**9585.92**
#短期贷款 Short-term Loans	1728.01	2039.25	2366.93	3555.92	3895.16
#工业贷款 Industrial Loans	405.56	595.35	785.19	1278.04	1340.80
商业贷款 Commercial Loans	328.68	329.18	241.33	347.60	379.75
农业贷款 Agricultural Loans	140.12	243.51	335.42	484.40	559.55
三资企业贷款 Loans to Sino-foreign Joint Venture and Cooperative Enterprises and Foreign-Funded Enterprises	205.45	159.20	144.96	137.67	162.90
中长期贷款 Medium-term &Long-term Loans	510.32	1422.42	2350.80	4318.81	5146.37
#基本建设贷款 Capital Construction Loans	309.74	672.62	1049.28	1991.32	2365.79
信托贷款 Credit Loans	18.73	4.37	21.85		
融资贷款 Collecting Capital Loans	0.53	0.18	0.30	0.13	0.11
委托贷款 Commission Loans	26.69	1.07	0.98	0.34	0.33
商业银行年末贷款余额 Loans of Commercial Banks at the Year-end	1991.38	3257.25	4191.44	6826.71	8032.66

注：1.2001年及以后年份商业银行包括范围与以前年份不一致；2.2004年起含外资银行。

Note:a)Commercial Banks Coverage from 2001 is not the same as that of previons years.b)The data from 2004 is include foreign banks.

9–6 银行现金收入及支出

Case Income and Expenditures of Banking System

单位：亿元　(100 million yuan)

项目　Item	2000	2003	2005	2007	2008
现金收入 Cash Income	**14799.25**	**19289.67**	**23592.72**	**29366.09**	**25464.27**
#商品销售收入 Income from Commodity Sales	1127.24	1310.45	1614.52	1669.40	1456.54
服务业收入 Income from Service Trade	527.24	639.75	754.91	886.43	835.14
税款收入 Income from Taxes	78.74	101.09	135.70	145.43	123.23
城乡个体经营收入 Income from Incividual Business	310.64	278.81	263.20	265.62	211.49
储蓄存款收入 Income from Savings Deposits	11275.47	15421.43	18891.68	24036.46	20512.21
其他金融机构收入 Income from other Finacial Institutions	71.31	31.99	36.02	17.33	26.21
汇兑收入 Income from Remittances	468.89	293.88	265.42	203.78	129.86
现金支出 Cash Expenditures	**14837.47**	**19340.97**	**23655.89**	**29430.36**	**25474.86**
#工资性支出 Expenditure for Wage	604.27	804.95	941.09	1090.91	980.99
农副产品采购支出 Expenditure for Purchase Form Crops	360.62	457.59	567.40	616.09	458.60
工矿及其他产品采购支出 Expenditure for Purchase Mineral and other Products	379.83	524.47	671.14	714.47	461.29
行政企事业管理费支出 Expenditure for Administrative Management	500.12	758.40	890.11	964.59	910.36
城乡个体经营支出 Expenditure for Individual Business	374.34	359.47	375.30	373.37	278.93
储蓄存款支出 Expenditure for Savings Deposits	11438.26	15068.85	18598.24	23640.24	20599.79
其他金融机构支出 Expenditure for Other Financial Institutions	61.49	14.97	27.97	60.92	30.08
汇兑支出 Expenditure for Remittances	275.52	153.58	136.87	83.94	66.99

9–7 主要年份银行现金收支总额

Case Income and Expenditure of Banking System and Year-end Savings Deposit Balance in Selected Years

单位：亿元 (100 million yuan)

项目 Item	收入 Income	支出 Expenditure	当年差额 货币投放（+）或回笼（–） Currency Issuance(+) Cash With drawn(-)	项目 Item	收入 Income	支出 Expenditure	当年差额 货币投放（+）或回笼（–） Currency Issuance(+) Cash With drawn(-)
1952	5.95	6.16	0.21	1991	706.03	706.26	0.23
1957	15.09	15.27	0.18	1992	1065.66	1091.58	25.91
1962	18.66	18.72	0.06	1993	1784.13	1800.04	15.91
1965	19.98	20.38	0.40	1994	2527.68	2567.54	39.86
1970	20.42	20.25	-0.17	1995	3531.20	3540.42	9.22
1975	27.81	28.00	0.19	1996	4939.15	4952.50	13.35
1978	35.38	35.70	0.32	1997	8717.91	8733.35	15.44
1980	55.87	58.07	2.20	1998	10787.83	10821.58	33.75
1981	67.73	69.01	1.28	1999	12661.88	12772.64	110.76
1982	79.76	79.09	-0.67	2000	14799.25	14837.47	38.21
1983	91.09	92.00	0.91	2001	17870.46	17916.91	46.45
1984	112.07	115.94	3.87	2002	17009.54	17055.22	45.68
1985	158.79	160.91	2.12	2003	19289.67	19340.97	51.30
1986	190.69	190.48	-0.21	2004	23037.42	23071.47	34.05
1987	262.22	261.90	-0.32	2005	23592.72	23655.89	63.17
1988	385.88	395.04	9.16	2006	26856.83	26938.39	81.56
1989	477.17	460.49	-16.69	2007	29366.09	29430.36	64.27
1990	555.13	537.62	-17.51	2008	25464.27	25474.86	10.60

注：1997年起现金收支含信用社现金收支。

Note:Cash income and expenditures from 1997 include cash income and expenditure of credit banks.

9-8 金融机构人民币存贷款基准利率

Benchmark Intetests rate of RMB Deposit and Loan for Financial Institutions

单位：年利率 % (%)

调整时间 Adjust Time	金融机构存款基准利率 Deposit	金融机构贷款基准利率 Loan
1978	3.24	5.04
1980	3.96-5.76	5.04
1985	5.40-7.20	3.60-7.92
1990.01.01	11.34	11.34
1990.04.15	10.08	10.08
1990.08.21	8.64	9.36
1991.04.21	7.56	8.64
1993.05.15	9.18	9.36
1993.07.11	10.98	10.98
1995.07.01	10.98	12.06
1996.05.01	9.18	10.98
1996.08.23	7.47	10.08
1997.10.23	5.67	8.64
1998.03.25	5.22	7.92
1998.07.01	4.77	6.93
1998.12.07	3.78	6.39
1999.06.10	2.25	5.85
2002.02.21	1.98	5.31
2004.03.25	1.98	5.31
2004.10.29	2.25	5.58
2006.04.28	2.25	5.85
2006.08.19	2.52	6.12
2007.03.18	2.79	6.39
2007.05.19	3.06	6.57
2007.07.21	3.33	6.84
2007.08.22	3.60	7.02
2007.09.15	3.87	7.29
2007.12.21	4.14	7.47
2008.09.16	4.14	7.20
2008.10.09	3.87	6.93
2008.10.30	3.60	6.66
2008.11.27	2.52	5.58
2008.12.23	2.25	5.31

注：本表数据由中国人民银行提供。

Note: Date in this table are provided by People's Bank of China.

9–9 企业在证券市场融资情况（1997–2008年）

Raised Capital of Enterprises on Securities Markets,1997-2008

年份 Year	年底累计上市公司数(家) Number of Listed Companies at the Year-end			当年融资数(家) Number of Listed Companies Raised Capital Current Year			融资金额(亿元) Value of Issued (100 millian yuan)		
	福建 Fujian	全国 National	占全国比重(%) Proportion of National (%)	福建 Fujian	首发 First Issue	再融资 Repeat Issue	总计 Total	首发 First Issue	再融资 Repeat Issue
1997	32	657	4.87	11	7	4	28.22	18.95	3.66
1998	34	768	4.43	9	2	7	14.56	6.07	8.48
1999	38	866	4.39	10	4	6	24.02	11.30	12.72
2000	41	1020	4.02	10	3	7	41.18	20.41	20.78
2001	40	1108	3.61	3	1	2	17.00	13.00	4.00
2002	41	1205	3.40	4	4		13.97	13.97	
2003	43	1287	3.34	4	2	2	21.94	8.10	13.84
2004	45	1378	3.27	3	3		8.14	8.14	
2006	48	1434	3.35	5	4	1	11.65	8.75	2.90
2007	50	1550	3.23	9	3	6	209.54	166.99	42.55
2008	55	1625	3.38	7	6	1	121.12	114.78	6.34

注:1.2001年发行1家,迁往外省2家;2.2002年发行4家,迁往外省1家,退市2家;3.2004发行3家,迁往外省1家;4.2005年未发行新股。

Note: a) In 2001, one company issued, two move to other provinces; b) In 2002,four company issued, one move to other provinces, two shut; c) In 2004,three company issued, one move to other provinces; d) In 2005, no shares issued.

9–10 上市公司经营效益情况(1999–2008年)

Financial Indicators of Listed Companies,1999-2008

年 份 Year	加权平均每股收益（元） Weighted Average Income of per(yuan)		整体平均净资产收益率（%） Average Ratio of Income to Net Assets(%)	
	福建 Fujian	全国 National	福建 Fujian	全国 National
1999	0.14	0.18	1.84	2.08
2000	0.10	0.20	4.71	6.95
2001	0.02	0.12	5.09	6.45
2002	0.19	0.14	7.89	5.75
2003	0.18	0.18	6.28	6.09
2004	0.10	0.24	4.09	9.01
2005	0.02	0.15	4.41	15.08
2006	0.29	0.24	11.99	10.54
2007	0.67	0.42	17.65	14.79
2008	0.65	0.52	17.36	12.10

9–11 保险系统机构数(2008年)

Number of Institutions in Insurances System,2008

项目 Item	财产保险公司 Property Insurance Companies			人寿保险公司 Life Insurance Companies		
	机构数(个) Institutions (unit)	职工人数(人) Staff and Workers (person)	营销员人数(人) Salements (person)	机构数(个) Institutions (unit)	职工人数(人) Staff and Workers (person)	营销员人数(人) Salements (person)
保险公司 Total	**1022**	**10183**	**14618**	**1218**	**11473**	**75945**
省级分公司 Provincial Branches	28	2133	794	26	3440	2904
中心支公司 Central Branches	93	3590	2371	75	4715	15362
支公司 Branches	211	2477	3997	106	2573	13533
营业部 Business Departments	7	269	599	2	53	313
营销服务部 Business Services	683	1714	6857	1008	692	43833

9–12 保险费收入和赔款给付(2000–2008年)

Premium Income and Claims Payments,2000-2008

单位：万元 (10000 yuan)

项目 Item	保险费收入 Premium Income	赔款及给付支出 Claims Payments
2000	524713	177563
2001	683682	189676
2002	982806	236087
2003	1236609	273257
2004	1356324	316793
2005	1490886	405525
2006	1743516	448086
2007	2173592	689124
2008	2906729	901825

9-13 保险公司业务经济技术指标(2008年)

Economic and Technical Indicators of Insurance Companies,2008

单位：万元 (10000 yuan)

项目 Item	保险金额 Amount Insured	保　费 Premium	赔款及给付 Claim and Payment
财产保险公司 Property Insurance Companies			
#财产保险 Property Insurance	**587999136**	**812073**	**495692**
企业财产险 Enterprise Property Insurance	98057655	62369	43434
家庭财产险 Family Property Insurance	12676737	5543	1841
机动车辆险 Motor Vehicle Insurance	85404458	581840	368991
船舶险 Ship Insurance	14442500	27755	10999
货物运输险 Freight Transport Insurance	34612025	23841	11113
特殊风险保险 Special Risk Insurance	3370864	5171	2589
建筑、安装工程 Construction and Installation Projects	7555772	10532	3988
责任险 Liability Insurance	151935688	30050	14509
信用险 Credit Insurance	720221	15536	7951
保证保险 Guarantee Insurance	900794	2907	812
农业险 Agriculture Insurance	1121228	7062	4937
其他			
人寿保险公司 Life Insurance Companies	**372008469**	**2094656**	**406133**
人身保险	**25837088**	**1860973**	**337949**
个人业务 Ondividual	24646085	1793830	328001
团体业务 Team	1191003	67143	9948
健康险 Health Insurance	**66852757**	**191046**	**54801**
人身意外伤害险 Unforeseen Human Insurance	**279318624**	**42636**	**13382**

9–14 分设区市主要社会保险指标(2008年)

Basic Statistics on Social Insurance by city, 2008

单位：万人 (10000 persons)

地区	Area	城镇基本养老保险 Basic Pension Insurance in Urban	农村社会养老保险 Pension Insurance in Rural	基本医疗保险 Basic Medical Insurance	失业保险 Unemployment Insurance	工伤保险 Work Injury Insurance	生育保险 Maternity Insurance
全　省	**Total**	**557.23**	**150.85**	**435.73**	**338.69**	**346.12**	**273.95**
省　直	**Province**	**32.25**		**26.32**		**7.67**	**6.95**
福州市	Fuzhou	118.70	23.04	71.45	80.01	77.89	62.03
厦门市	Xiamen	115.80	16.20	112.50	100.98	104.02	92.94
莆田市	Putian	25.18	9.53	21.85	14.59	14.69	8.96
三明市	Sanming	41.19	14.09	36.20	21.51	21.98	14.36
泉州市	Quanzhou	67.19	24.85	54.50	46.81	50.23	44.85
漳州市	Zhangzhou	57.56	16.56	29.51	23.42	22.89	14.61
南平市	Nanping	41.18	23.34	35.68	22.18	16.30	10.10
龙岩市	Longyan	33.15	14.55	28.62	17.61	17.60	12.72
宁德市	Ningde	25.03	8.68	19.11	11.57	10.85	6.43

9–15 分设区市城镇基本养老保险参保情况(2008年)

Basic Statistics on Covered Basic Pension Insurance in Urban by City,2008

单位：万人 (10000 persons)

地区	Area	参加城镇基本养老保险职工人数 Population Vovered Pension Insurance in Urban	#参加城镇企业基本养老保险人数 Coverd Enterprises Pension Insurance in Urban	#参加城镇机关事业养老保险人数 Covered Institutions and state organs Insurance	期末领取基本养老保险金离退休人数 Retirees Beneficiary of Pension Insurance at the Year-end	#企业单位领取人数 Enterprises	#机关事业单位领取人数 Institutions and State Organs
全　省	**Total**	**454.62**	**401.49**	**53.13**	**102.61**	**84.11**	**18.50**
省　直	**Province**	**24.31**	**19.01**	**5.30**	**25.09**	**21.17**	**3.92**
福州市	Fuzhou	93.61	85.08	8.53	11.31	11.31	
厦门市	Xiamen	104.49	104.49		3.30	2.78	0.52
莆田市	Putian	21.88	19.25	2.63	10.94	8.95	1.99
三明市	Sanming	30.25	24.02	6.23	8.45	6.58	1.87
泉州市	Quanzhou	58.74	52.16	6.58	11.51	9.20	2.31
漳州市	Zhangzhou	46.05	38.66	7.39	11.43	9.86	1.57
南平市	Nanping	29.75	25.65	4.10	7.58	4.84	2.74
龙岩市	Longyan	25.57	18.12	7.45	5.05	3.69	1.36
宁德市	Ningde	19.98	15.05	4.93	7.94	5.73	2.21

主要统计指标解释

地方财政收入 属于地方财政的收入包括营业税，地方企业所得税，个人所得税，城镇土地使用税，固定资产投资方向调节税，城镇维护建设税，房产税，车船使用税，印花税，屠宰税，牧业税，耕地占用税，契税，增值税25%部分，证券交易税(印花税)50%部分和除海洋石油资源税以外的其他资源税。

地方财政支出 包括地方行政管理和各项事业费，地方统筹的基本建设、技术改造支出，支援农村生产支出，城市维护和建设经费，价格补贴支出等。

信贷资金 指金融机构以信用方式积聚和分配的货币资金。金融机构信贷资金的来源有各项存款、对国际金融机构负债、流通中货币、银行自有资金及当年结益等；信贷资金的运用有各项贷款、黄金占款、外汇占款、财政借款及在国际金融机构中的资产等。

存款 指企业、机关、团体或居民根据资金必须收回的原则，把货币资金存入银行或其他信用机构保管并取得一定利息的一种信用活动形式。根据存款对象的不同可划分为企业存款、财政存款、机关团体存款、基本建设存款、城镇储蓄存款、农村存款等科目。它是银行信贷资金的主要来源。

贷款 指银行或其他信用机构根据资金必须归还的原则，按一定利率，为企业、个人等提供资金的一种信用活动形式。我国银行贷款分为流动资金贷款、固定资产贷款、城乡个体工商户贷款以及农业贷款等科目。

保险金额 指保险人承担赔偿或者给付保险金责任的最高限额。

保费 指投保人为取得保险人在约定范围内所承担赔偿责任而支付给保险人的费用。

赔款 指保险人根据保险合同的规定，向被保险人支付的赔偿保险责任损失的金额。

给付 包括死伤医疗给付和满期给付。死伤医疗给付是指保险人根据人寿保险及长期健康保险合同的规定，因被保险人在保险期内发生保险责任范围内的保险事故支付给被保险人(或受益人)的金额。满期给付是指被保险人生存期满，保险人按人寿保险合同规定支付给被保险人的满期保险金额。

基本养老保险

1.参加保险人数：指报告期末按照国家法律、法规和有关政策规定参加基本养老保险的职工人数。包括不能正常缴费、已中断缴费但未终止保险关系的职工人数。

2.社会统筹基金收入：指根据国家规定，由纳入基本养老保险范围的单位，按照国家规定的缴费基数和缴费比例缴纳的社会统筹基金，以及通过其他方式取得的形成基金来源的收入，包括：单位缴纳的社会统筹基金收入、财政补贴收入、利息收入、其他收入。

3.社会统筹基金支出：指按照国家政策规定的开支范围和开支标准从社会统筹基金中支付给参加基本养老保险的离休、退休、退职人员个人的养老金、丧葬抚恤补助，以及由于保险关系转移、上下级之间调剂资金等原因而发生的支出。包括：基础性养老金、过渡性养老金、离休金、退休金、退职金、补贴、丧葬抚恤补助、其他支出。

4.社会统筹基金结余：指截止报告期末基本养老保险的社会统筹基金结余金额。包括银行存款、财政专户、债券投资和其他。

基本医疗保险

1.参保人数：指报告期末按国家有关规定参加基本医疗保险的人数。包括参加保险的职工人数和退休人员人数。

2.基金收入：指根据国家有关规定，由纳入基本医疗保险范围的缴费单位和个人，按国家规定的缴费基数和缴费比例缴纳的基金，以及通过其他方式取得的形成基金来源的款项，包括：单位缴纳的社会统筹基金收入、个人缴纳的个人账户基金收入、财政补贴收入、利息收入、其他收入。

3.基金支出：指按照国家政策规定的开支范围和开支标准从社会统筹基金中支付给参加基本医疗保险的职工和退休人员的医疗保险待遇支出，和从个人帐户基金中支付给参加基本医疗保险的职工和退休人员的医疗费用支出，以及其他支出。包括：住院医疗费用支出、门急诊医疗费用支出、个人账户基金支出、其他支出。

4.基金累计结余：指截止报告期末基本医疗保

险的社会统筹和个人帐户基金累计结余金额。包括银行存款、财政专户、债券投资和其他。

失业保险

1.参加保险人数：指报告期末按照国家法律、法规和有关政策规定参加了失业保险的城镇企业事业单位的职工及地方政府规定参加失业保险的其他人员的人数。

2.失业保险金：指为保障失业人员的基本生活而按规定支付的失业保险金金额。

Explanatory Notes on Main Statistical Indicators

Revenue of the Local Governments The revenue of the local governments includes business tax, income tax of the enterprises subordinate to the local government, personal income tax, tax on the use of urban land, tax on the adjustment of the investment in fixed assets, tax on town maintenance and construction, tax on real estates, tax on the use of vehicles and ships, stamp tax, slaughter tax, tax on animal husbandry, tax on the occupancy of cultivated land, contract tax, 25% of the value added tax, 50% of the tax on stock dealing (stamp tax) and tax on resources other than the ocean petroleum resources.

Expenditure of the Local Governments The expenditure of the local governments includes mainly the administrative expenses and various operating expenses at the vel of local governments, the expenditure for capital construction and technological innovation with the funds raised by the local government, expenditure for supporting rural production, expenditure for city maintenance and construction and expenditure for price subsidies, etc.

Credit Funds refer to the funds issued as loans by banking institutions. The sources of credit funds of the banking institutions included deposits, liabilities to international financial institutions, currency in circulation, self-owned funds and current retained profits, etc. The credit funds can be used in forms of loans, gold, foreign exchange, government debt and assets in the international financial institutions.

Deposit is a form of credit by which enterprises, institutions, organizations or households can put money into banks and other credit institutions for safekeeping and interest earning under the principle of free withdrawal. According to different depositors, deposits are divided into enterprise deposits,treasury deposits, deposits of government agencies and organizations,capital construction deposits, urban savings deposits, rural deposits and other deposits. Deposits are major sources of the credit funds of banks.

Loan is a form of credit by which banks and other credit institutions provide funds at certain interest rate to enterprises and individuals in the light of the principle of unconditional repayment. Loans from Chinese banks include circulating capital loans, fixed assets loans, loans to urban and rural individuals engaged in industrial and commercial business and agricultural loans.

Amount Insured refers to the maximum that the insurant will get for the claim of the case insured.

Premium is the fee paid by the insurant to the insurer to obtain the obligation of compensation from the insurance within the agreed terms.

Settled Claim is the compensation paid by the insurer to the insurant in accordance with the insurance contract.

Payment includes payment for death, injury or medical treatment and mature payment. Payment for death, injury or medical treatment refers to the money paid to the insurant (or the beneficiary) in accordance with the life or health insurance contract when the insurant encounters accidents within the insured period covered in the contract. Mature payment refers to the mature payment to the insurant in accordance with the life insurance contract at the end of the insured period.

Basic Endowment Insurance

1. Number of people participating in the insurance program: by the end of reference period, number of staff and workers participating in the insurance program in line with national laws, regulations and related policies, including those who can not make regular payment or interrupt payment but not terminate the insurance program.

2. Revenue of social comprehensive funds: according to national provision, payments made by units covered in basic endowment insurance program, and income from other resources, including: income of social comprehensive funds paid by unites, financial subsidies, interest income and others.

3. Expenditure of social comprehensive funds: refer to payment made to those retired and resigned

people covered in endowment insurance program in terms of pens ion or compensation within the expenditure scope and standards according to related national policies, and the expenditure occurred due to shift of the insurance relationship or adjustment funds among agencies, including: basic pension, transitional pension, pension for resigned people, pension for retired people, pension for people quitting jobs, subsidies, funeral subsidies and other expenditure.

4. Balance of social comprehensive funds: refer to the balance of basic endowment insurance of social comprehensive funds at the end of the reference period, including: bank savings, special fiscal account, investment in bonds and others.

Basic Medical Care Insurance:

1. Number of people participated in the insurance program: refer to number of people participated in the basic medical care insurance program according to related regulation by the end of reference period, including: number of staff and workers and retired persons participated in this insurance program.

2. Revenue of social comprehensive funds: according to national provision, payments made by units covered in basic medical care insurance program, and income from other resources, including: income of social comprehensive funds paid by unites, financial subsidies, interest income and others.

3. Expenditure of social comprehensive funds: refer to payment made to those retired and resigned people covered in basic medical care insurance within the expenditure scope and standards according to related national policies, including: expenditure on fee-for-service in hospital, expenditure on fee-for-service in clinic and other expenditure.

4. Balance of social comprehensive funds: refer to the balance of medical care insurance of social comprehensive funds at the end of the reference period, including: bank savings, special fiscal account, investment in bonds and others.

Unemployment Insurance

1. Number of people participated in unemployment insurance program: number of staff and workers in urban enterprises or institutions and other people according to local government regulations participated in unemployment insurance program in line with national law, regulations and related policies by the end of the reference period.

2. Sum of Unemployment Insurance: refer to total amount of insurance paid to un-employees to guarantee their basic lives according to related regulations.

农业

10

Agriculture

简要说明

本篇资料的主要内容及来源

本篇资料反映了全省农业生产和农村经济的基本情况，主要包括农林牧渔业总产值、增加值，农村劳动力，主要农产品产量，耕地、农业机械年末拥有量，农村电气化以及农田水利建设等方面的统计资料。

本篇资料的统计范围包括省内所属的各种经济类型、各个系统的全部农林牧渔业生产单位以及各非农行业附属的农林牧渔业生产活动单位。军委系统的农业生产（除军马外）也包括在内，但不包括农业科学试验机构进行的农业生产。

本篇资料中 2003 年及以后年份的农林牧渔业总产值、增加值按新口径计算。即取消农业中种植业和其他农业的分类，将原属于其他农业的农民家庭兼营商品性工业剔除，作为附记指标统计，采集的野生植物一部分划归农业，一部分划归林业；林业中竹木采运统计范围由村及村以下改为全社会；增加农林牧渔服务业统计。2006、2007 年主要农产品的生产情况以及农林牧渔业产值等数据，以全省第二次农业普查数据为基础，进行了调整和衔接。

本篇资料来源于农村综合统计年报，由省统计局农村统计处整理提供。

Brief Introduction

Main Content and Source of Data

Data in this chapter show the basic conditions of agricultural production and rural economy, mainly including agricultural output, value added, rural labor force, output of main agricultural produces, cultivated land, agricultural machinery and basic construction on irrigation and drainage.

The coverage of the comprehensive statistical reporting includes all productive units of farming, forestry, animal husbandry and fishery and those related non agricultural affiliated units with various ownership and the activities of horse raising for military purpose and those undertaken by agricultural research institutions are excluded.

Since 2003, data on the gross output value and value added have been calculated under the new classification of economic activities. Crop plantation and other agricultural activities have been excluded according to the classification. Value of industrial output by rural households is not included in agriculture and used only as supplementary indicators. Part of collection of wild plants belongs to farming and the rest of it belongs to forestry. Transport of bamboo and timber cover all the units related. Services to farming, forestry, animal husbandry are included in farming In order to be comparable; data on Farming, Forestry, Animal Husbandry and Fishery in 2006 and 2007 have been adjusted according to the data obtained from the Second National Agricultural Census.

Data in this chapter are based on the statistical reporting summary tables and are prepared and compiled by the Division of Countryside Statistics of Fujian Provincial Bureau of Statistics.

10-1 农村基层组织和劳动力情况

Basic Rural Units and Resource of Rural Labour

项目 Item	2000	2003	2005	2007	2008
农村基层组织情况 Basic Rural Units					
乡(镇)政府（个） Township and Town Governments(unit)	942	960	934	928	928
乡政府（个） Township Governments(unit)	365	352	341	338	338
镇政府（个） Town Governments(unit)	577	608	593	590	590
村民委员会（个） Villagers' Committees(unit)	14988	14894	14630	14420	14436
乡村户数（万户） Number of Rural Households(10000 households)	660.04	679.35	682.23	681.08	696.38
乡村人口（万人） Population of Rural Households(10000 persons)	2689.39	2675.75	2667.03	2647.45	2670.88
自来水受益村数（个） Number of Villages which have Running Water(unit)	8341	8901	9589	10700	11654
通汽车村数（个） Number of Villages Where cars can arrived(unit)	14696	14667	14448	14270	14345
通电话村数（个） Number of Villages Where Telephone can used(unit)	14653	14812	14590	14397	14419
农村劳动力资源情况 Resource of Rural Labour					
乡村劳动力资源总数（万人） Amount Resource of Rural Labour (10000 persons)	**1367.65**	**1436.59**	**1490.55**	**1499.96**	**1539.10**
#劳动年龄内 Population at Working Age	1292.05	1336.07	1370.21	1362.81	1403.96
乡村从业人员（万人） Actural Employment in Rural (10000 persons)	**1253.46**	**1292.55**	**1320.51**	**1325.61**	**1357.76**
#劳动年龄内 Employment at Working Age			1244.55	1230.40	1258.75
#国有农林牧渔业从业人员 Employment of State-owned, Parming, Forestry,Animal Husbandy and Fishery	9.34	8.87	7.50	7.20	7.28
按性别分类 By Male					
男 Male	674.32	696.44	712.20	712.50	731.01
女 Female	579.15	596.10	608.31	613.11	626.75
国民经济行业分类 (GB/T 4754－2002) By Sector					
#农业 Farming	778.07	744.79	699.67	637.46	636.55
工业 Industry	141.12	174.46	209.18	258.27	285.75
建筑业 Construction	79.40	85.03	87.40	96.98	98.29
交通运输、仓储和邮政业 Transport, Storage and Post Services	36.40	38.80	40.50	41.27	41.98
批发和零售业 Wholesale and Retail Trade			69.46	82.00	87.32
住宿和餐饮业 Lodgings and Catering Services			18.90	26.83	29.92

注：2006年以前的"乡村从业人员"及其"劳动年龄内"、按性别分类的"男"和"女"、按国民经济行业分类的"农业"从业人员数据按现有制度口径调整。

Note: According to the existing system, the data of population of rural households and Population at Working Age, male and female, Employment of Parming in GB/T 4754－2002 has been adjusted.

10–2 农业机械化情况

Statistics on Agriculture Machinery

项目　Item	2000	2003	2005	2007	2008
农业机械动力（万千瓦）Total Agricultural Machinery(10000 kw)	**873.28**	**951.91**	**999.99**	**1063.08**	**1112.47**
柴油发动机 Diesel Engines	700.59	770.79	810.27	851.08	856.33
汽油发动机 Petrol Engines	38.46	36.63	37.47	23.81	39.71
电动机 Electric Engines	133.85	144.41	152.25	188.19	216.44
其它机械 Other	0.38	0.08			
农业机械化拥有量情况 Major Agricultural Machinery and Equipment					
大中型拖拉机(台) Large and Medium Tractors(set)	1897	1602	1409	1496	1636
动力(万千瓦) Capacity(10000 kw)	6.5	6.37	99.23	5.36	5.84
小型拖拉机(台) Mini-tractors(set)	153250	110800	98806	86171	96193
动力(万千瓦) Capacity(10000 kw)	158.7	105.6	94.01	79.75	93.48
大中型拖拉机配套农具(台) Number of Large and Medium Tractor Towing Farm Machinery(set)	435	380	406	880	1921
小型拖拉机配套农具(台) Number of Mini-Tractor Towing Farm Machinery(set)	58986	60970	69970	86256	91707
农用排灌电动机(台) Agricultural Electromotors(set)	31845	45600	60351	50135	50151
动力(万千瓦) Capacity(10000 kw)	27.8	31.32	41.96	35.92	35.67
农用排灌柴油机(台) Agricultural Diesel Engines(set)	59150	77360	81036	90631	90673
动力(万千瓦) Capacity(10000 kw)	41.4	49.6	49.45	57.68	57.75
联合收割机(台) Combine Harvesters(set)	577	810	1253	2337	2717
动力(万千瓦) Capacity(10000 kw)	0.8	1.41	3.02	7.05	8.68
自走式机动割晒机(台) Motorized Autormatic Cutter-rowers(set)		20	33	301	330
动力(万千瓦) Capacity(10000 kw)		0.02	0.02	0.08	0.08
机动脱粒机(台) Motorized Threshing Machines(set)	46512	51560	59932	78363	84034
农用运输车(台) Agricultural Transport Trucks(set)	55252	50220	47758	48627	45541
动力(万千瓦) Capacity(10000 kw)	119.33	115.59	112.61	126.75	130.71
渔用机动船(艘) Motorized Fishing Boats(set)	67632	76400	57210	63004	65680
动力(万千瓦) Capacity(10000 kw)	151.5	173.6	202.15	221.18	230.28
机电井(眼) Electrical Wells(set)	14781	15512	15794	17802	17793
节水灌溉类机械(套) Water Saving Irrigation Machines(set)		8620	8351	9990	10221
农用水泵(台) Farm Water Pump(set)	71404	107240	123181	132745	137227

10-3 主要年份农业生产条件

Agricultural Production Basic Conditions in Selected Years

年份 Year	农业机械动力（万千瓦） Total Power of Agricultural Machinery (10000 kw)	有效灌溉面积（千公顷） Irrigated Area (1000 hectare)	化肥施用量（吨） Consumption of Chemical Fertilizers (ton)	农村用电量（万千瓦小时） Electricity Consumed in Rural Area(10000 kwh)	农作物总播种面积（千公顷） Total Sown Area (1000 hectare)	#粮食 Grain Crops	#油料 Oil-Bearing Crops
1952	0.25	643.33	7000		2109.80	1938.87	93.81
1957	1.97	774.00	20300		2377.67	2148.73	106.71
1962	6.83	950.00	24300		2061.27	1897.60	74.26
1965	15.07	1066.67	80800	3900	1976.27	1726.13	79.60
1970	34.64	852.00	105800	9800	2350.53	2000.47	
1975	87.83	904.21	118600	32239	2756.40	2290.87	106.08
1978	167.72	862.55	212800	48946	2701.05	2213.13	108.39
1979	204.60	878.63	295075	57597	2662.27	2149.54	126.43
1980	240.19	933.07	369918	64315	2573.93	2175.55	130.30
1981	271.27	836.05	389908	71252	2526.59	2137.51	135.65
1982	310.76	812.62	455196	79882	2469.47	2083.54	135.24
1983	323.99	822.90	475615	80056	2428.38	2008.99	108.36
1984	344.42	804.22	502265	89244	2386.71	2017.04	102.50
1985	374.85	925.00	491010	112380	2335.71	1888.49	105.71
1986	455.77	917.62	572200	146500	2401.03	1897.72	107.76
1987	508.10	921.66	624300	140600	2543.93	1961.53	119.54
1988	546.94	924.00	670606	165286	2588.62	1961.95	113.09
1989	574.17	910.61	749095	200384	2656.64	2045.34	109.20
1990	587.09	933.63	763900	203900	2745.92	2080.57	111.69
1991	614.44	939.67	807194	233902	2826.85	2087.23	115.11
1992	645.62	943.87	930581	269194	2881.05	2085.05	116.76
1993	693.50	945.20	922399	291718	2786.95	1967.21	114.22
1994	729.70	937.57	1014537	360372	2800.97	2002.25	114.36
1995	757.25	936.52	1049699	456814	2835.09	2017.35	118.19
1996	786.49	935.18	1109907	500352	2900.75	2031.85	121.62
1997	792.42	933.66	1164151	578096	2943.63	2041.29	119.56
1998	818.42	931.88	1180778	609966	2918.81	2028.64	119.81
1999	838.71	932.23	1243322	650923	2915.41	2009.52	121.62
2000	873.28	940.18	1233311	724290	2793.25	1828.51	125.04
2001	889.59	942.35	1173704	868090	2713.07	1725.72	123.65
2002	915.84	938.80	1199068	1065019	2661.37	1630.28	121.87
2003	951.91	939.95	1202870	1184550	2486.90	1424.40	123.48
2004	980.99	941.45	1216646	1375738	2457.12	1389.77	125.10
2005	999.99	949.71	1220157	1605843	2392.92	1308.41	122.40
2006	1027.83	950.48			2236.35	1226.94	105.88
2007	1063.08	952.91	1196930	1834388	2191.18	1201.05	101.54
2008	1112.47	955.45	1186741	2096791	2220.68	1210.27	107.36

10-4 农业基础设施

Agricultural Fundamental Facilities

项目 Item	2000	2003	2005	2007	2008
1.农村机械使用					
Use of Motorized Cultivation					
机耕地面积（千公顷） Cultivated Areas by Tractors(1000 hectares)	405.49	413.47	421.85	446.00	744.78
机械播种面积（千公顷） Sown Area by Machinery(1000 hectares)	1.95		0.75	1.57	3.50
机械收获面积（千公顷） Cut Area by Machinery(1000 hectares)	18.48	35.15	64.25	108.00	147.01
2.农村电力设施					
Rural Power Equitment					
乡村办水电站（处） Hydropower Stations in Rural(unit)	3507	3998	4859	5148	5189
发电能力（万千瓦） Generating Capacity of Hydropower Station(10000 kw)	92.78	144.55	222.61	279.54	293.64
农村用电量（亿千瓦小时） Electricity Consumed in Aural(100 million kwh)	72.43	118.46	160.58	183.44	209.68
3.化肥施用量					
Consumption of Chemical Fertilizer					
按实物量计算(万吨) By Actual(10000 tons)	423.04	409.53	419.09	415.67	411.45
氮肥 Nitrogenous Fertilizer	197.62	182.83	182.15	174.51	171.01
磷肥 Phosphate Fertilizer	104.34	98.85	100.26	96.01	95.55
钾肥 Potash Fertilizer	50.11	50.83	53.40	54.44	54.32
复合肥 Compound Fertilizer	70.97	77.02	83.27	90.71	90.56
按折纯量计算（万吨） By Pure(10000 tons)	123.33	120.29	122.02	119.69	118.67
氮肥 Nitrogenous Fertilizer	55.66	51.39	51.29	48.44	47.35
磷肥 Phosphate Fertilizer	16.83	16.33	16.48	16.26	16.62
钾肥 Potash Fertilizer	23.78	23.83	24.41	24.86	24.15
复合肥 Compound Fertilizer	27.07	28.74	29.84	30.12	30.56
4.农药使用量（万吨） **Consumption of Agricultural Chemical(10000 tons)**	**5.18**	**5.53**	**5.60**	**5.70**	**5.75**
5.农用塑料薄膜使用量（万吨） **Consumption of Agricultural Plastic Film(10000 tons)**	**2.12**	**2.65**	**3.60**	**6.09**	**6.18**
#农用塑料薄膜地膜使用量（万吨） (10000 tons)	0.98	1.42	1.65	2.48	2.58
6.农用柴油使用量（万吨） **Consumption of Agricultural Diesel(10000 tons)**	**47.95**	**80.55**	**74.19**	**78.92**	**81.00**
7.水利					
Water Conservancy					
有效灌溉面积(千公顷) Effective Irrigated Area(1000 hectares)	940.18	939.95	949.71	952.91	955.45
旱涝保收面积(千公顷) Dried and Flooded Areas under Control and Ensuring Stable Yeilds(1000 hectares)	623.83	654.88	681.22	679.65	682.30
机电排灌面积(千公顷) Irrigation and Drainage Area by Power(1000 hectares)	176.31	159.42	160.23	372.43	147.90

10–5 主要年份农作物播种面积

Total Sown Areas of Farm Crops in Selected Years

单位：千公顷 (1000 hectares)

年份 Year	总计 Total	粮食作物 Grain Crops	#谷物 Cereal	#稻谷	非粮作物 Non-grain Crops
1952	2109.80	1938.87	1537.27	1431.07	170.93
1957	2377.67	2148.73	1646.67	1474.49	228.94
1962	2061.27	1897.60	1448.87	1303.49	163.67
1965	1976.27	1726.13	1425.40	1316.40	250.14
1970	2350.53	2000.47	1611.61	1477.67	350.06
1975	2756.40	2290.87	1892.23	1715.40	465.53
1978	2701.05	2213.13	1879.52	1689.13	487.92
1979	2662.27	2149.54	1843.79	1670.13	512.73
1980	2573.93	2175.55	1800.39	1673.87	398.38
1981	2526.59	2137.51	1782.74	1650.77	389.08
1982	2469.47	2083.54	1729.99	1613.19	385.93
1983	2428.38	2008.99	1738.06	1617.99	419.39
1984	2386.71	2017.04	1686.64	1587.18	369.67
1985	2335.71	1888.49	1568.08	1477.22	447.22
1986	2401.03	1897.72	1602.25	1484.61	503.31
1987	2543.93	1961.53	1653.20	1493.69	582.40
1988	2588.62	1961.95	1606.84	1483.25	626.67
1989	2656.64	2045.34	1647.45	1509.22	611.30
1990	2745.92	2080.57	1657.72	1512.30	665.35
1991	2826.85	2087.23	1641.69	1492.51	739.62
1992	2881.05	2085.05	1628.47	1476.97	796.00
1993	2786.95	1967.21	1502.76	1383.12	819.74
1994	2800.97	2002.25	1512.07	1402.60	798.72
1995	2835.09	2017.35	1510.46	1406.25	817.74
1996	2900.75	2031.85	1507.09	1405.19	868.90
1997	2943.63	2041.29	1501.25	1401.53	902.34
1998	2918.81	2028.64	1484.80	1387.95	890.17
1999	2915.41	2009.52	1466.49	1373.21	905.89
2000	2793.25	1828.51	1303.21	1222.31	964.74
2001	2713.07	1725.72	1227.13	1156.57	987.35
2002	2661.37	1630.28	1146.67	1082.98	1031.09
2003	2486.90	1424.40	1016.87	957.88	1062.50
2004	2457.12	1389.77	1036.27	975.54	1067.36
2005	2392.92	1308.41	1003.53	937.78	1084.52
2006	2236.35	1226.94	932.99	890.64	1009.42
2007	2191.18	1201.05	911.88	868.69	990.13
2008	2220.68	1210.27	906.86	861.22	1010.41

10-6 粮食作物播种面积

Sown Areas of Grain

单位：千公顷 (1000 hectares)

项目	Item	2000	2003	2005	2007	2008
总　计	**Total**	**1828.51**	**1471.82**	**1441.29**	**1201.05**	**1210.27**
按收获季节分	By Harvest Season					
春收粮食	Spring Harvest	163.24	117.42	111.82	74.30	75.97
夏收粮食	Summer Harvest	509.57	371.41	354.95	280.27	275.79
秋收粮食	Autumn Harvest	1155.70	982.25	974.52	846.48	858.51
按品种分	By Crop					
稻谷	Rice					
早稻	Early Rice	414.30	285.61	271.88	221.98	212.21
中稻	Middle Rice	393.59	411.67	300.26	305.96	312.23
晚稻	Late Rice	414.41	265.27	379.41	340.75	336.77
大小麦	Barley and Wheat	51.13	10.97	7.47	5.36	5.26
#小麦	Wheat	38.68	8.77	5.88	4.48	4.40
甘薯	Sweet Potato	280.73	248.26	237.58	160.41	167.29
马铃薯	Potato	88.56	85.43	87.03	60.80	62.91
杂粮	Food Grains other than Wheat and Rice	47.03	43.34	44.51	37.82	40.38
大豆	Soybean	105.38	89.67	85.76	52.04	55.85
杂豆	Sundry Soybean	33.37	30.85	27.39	15.92	17.37

10-7 非粮作物播种面积

Sown Areas of Non-grain Crops

单位：千公顷 (1000 hectares)

项目	Item	2000	2003	2005	2007	2008
油料	Oil-bearing Crops	125.04	123.48	122.40	101.54	107.36
#花生	Peanuts	106.05	108.27	107.16	90.62	96.05
油菜籽	Rape Seeds	17.40	13.79	13.76	9.53	9.79
芝麻	Sesame	1.41	1.25	1.25	1.26	1.32
甘蔗	Sugercane and Fruitcane	14.40	18.25	14.93	9.11	10.70
麻类	Fiber Crops	0.33	0.17	0.14	0.13	0.13
烟叶	Tobacco	55.30	59.61	66.78	62.97	67.28
#烤烟	Flue-cured Tobacco	53.72	58.63	65.85	62.52	66.86
莲籽	Lotus Seed	6.70	5.58	5.40	5.47	5.46
蔬菜	Vegetables	538.12	613.81	632.05	635.56	643.99
西瓜	Watermelon	25.41	29.11	29.46	27.63	27.65
绿肥	Green Manure	71.82	54.35	43.53	37.01	36.94
青饲料	Greenfeed	58.24	65.22	62.18	56.09	55.09

10–8 主要年份茶叶和水果实有面积

Actual Areas of Tea and Fruit in Selected Years

单位：千公顷 (1000 hectares)

年份 Year	茶叶 Tea	水果 Fruit	年份 Year	茶叶 Tea	水果 Fruit
1952	23.16	12.10	1994	133.53	504.76
1957	35.37	25.20	1995	132.04	532.37
1962	31.04	31.57	1996	130.41	556.55
1965	36.40	40.98	1997	126.62	576.28
1970	51.93	40.33	1998	124.23	568.60
1975	70.49	57.52	1999	128.91	567.08
1978	94.15	70.84	2000	129.21	563.70
1980	109.87	83.07	2001	130.65	558.19
1986	119.85	183.43	2002	133.35	553.81
1987	122.52	227.89	2003	138.58	554.43
1988	120.33	250.65	2004	145.06	547.65
1989	118.55	278.33	2005	155.23	550.67
1990	116.74	298.40	2006	159.82	542.08
1991	119.44	355.24	2007	169.76	536.43
1992	125.22	415.79	2008	189.07	541.43
1993	130.74	459.18			

10–9 年末各类水果实有面积

Actually Areas of Fruit and Subtropical Plant at the Year-end

单位：公顷 (hectare)

项目	Item	2000	2003	2005	2007	2008
水果合计	**Fruits**	**563700**	**554425**	**550669**	**536431**	**541429**
#柑　桔	Citrus	137888	164031	170327	170419	174039
龙　眼	Longan	90809	88280	81605	75786	73556
荔　枝	Lychee	40210	39977	39010	34624	37124
香　蕉	Banana	33017	29207	29792	29401	29334
枇　杷	Loquat	19091	28568	32728	34085	34229
菠　萝	Pineapple	3609	4415	4031	4222	4153
橄　榄	Chinese Olive	13027	11195	9966	9645	10426
柿	Persimmon	29326	27908	27091	25153	24839
桃	Peach	25037	26274	25735	25941	26788
李	Plum	35066	35573	33593	33367	32733
梨	Pear	20921	22455	22956	22277	22149
苹　果	Apple	234	36	31	28	17
葡　萄	Grape	2615	4469	4993	5246	5484
杨　梅	Red Bayberry	13808	14095	15149	15501	16359

10-10 主要年份农林渔业总产值和指数

Gross Output Value of Farming,Forest,Animal Husbandry and Fishery in Selected Years

年份	农林牧渔业总产值（亿元） Gross Output Value(100 million yuan)					农林牧渔业总产值指数（1952年为100） Indices of Gross Output (1952=100)				
Year	总产值 Total	#农业 Agriculture	#林业 Forestry	#牧业 Animal Husbandry	#渔业 Fishery	总指数 Total	#农业 Agriculture	#林业 Forestry	#牧业 Animal Husbandry	#渔业 Fishing
1952	11.07	8.44	0.65	1.42	0.56	100.0	100.0	100.0	100.0	100.0
1957	17.05	11.32	2.16	2.35	1.22	143.8	126.6	283.6	165.0	189.6
1962	14.81	11.23	0.63	1.75	1.20	93.6	94.5	91.7	69.8	142.2
1965	18.80	13.50	1.23	2.84	1.23	140.4	130.7	188.5	162.6	175.8
1970	21.12	15.49	1.49	2.66	1.48	153.6	147.4	186.8	152.3	213.3
1975	27.06	20.45	1.86	3.24	1.51	181.6	166.0	249.8	209.6	237.0
1978	36.33	28.22	2.31	3.82	1.98	217.3	204.2	280.3	216.8	282.8
1979	43.11	29.29	3.27	7.00	3.55	232.0	214.5	301.1	257.0	304.1
1980	45.49	31.13	3.41	7.38	3.57	244.0	227.8	313.6	260.3	305.7
1981	56.11	37.93	4.62	8.75	4.81	258.2	239.4	366.3	276.5	312.2
1982	63.73	42.74	4.90	10.38	5.71	277.8	257.5	382.4	300.2	343.6
1983	68.08	44.11	5.57	11.48	6.92	292.0	259.8	447.7	339.8	403.8
1984	80.66	50.81	7.07	14.39	8.39	332.6	286.6	593.6	410.9	447.4
1985	99.05	59.34	9.13	19.62	10.96	360.6	302.9	644.5	478.7	515.5
1986	107.07	60.76	10.29	22.02	14.00	368.7	300.3	642.8	529.3	581.8
1987	132.97	72.08	13.57	27.75	19.57	402.1	324.6	703.0	553.0	722.2
1988	182.00	94.08	17.50	39.65	30.77	433.1	341.2	789.5	609.7	826.0
1989	209.92	108.10	18.41	51.95	31.46	461.4	360.9	834.4	646.9	926.3
1990	227.12	118.31	21.54	51.93	35.34	478.9	368.4	911.6	675.4	991.7
1991	253.51	133.34	25.40	54.36	40.40	517.7	398.6	974.0	722.0	1089.9
1992	295.24	150.64	29.21	61.75	53.63	560.7	424.1	1076.1	784.1	1212.8
1993	386.34	190.28	36.39	74.86	84.82	621.8	453.6	1220.0	838.2	1482.3
1994	574.05	260.69	46.95	113.35	153.06	710.1	493.1	1370.9	950.5	1882.9
1995	738.63	340.48	59.24	144.45	194.47	806.7	547.3	1510.7	1062.7	2288.2
1996	850.67	383.18	66.94	165.50	235.05	893.0	599.8	1654.2	1122.2	2613.1
1997	925.56	391.30	75.80	193.66	264.80	1002.8	645.4	1819.6	1268.1	3138.3
1998	973.37	410.96	78.35	200.18	283.78	1064.0	667.3	1874.2	1373.4	3439.6
1999	1010.82	425.19	80.16	201.99	303.48	1132.1	726.7	1932.3	1421.5	3642.5
2000	1037.27	420.98	82.29	208.18	325.82	1167.6	714.3	2046.2	1499.1	3907.6
2001	1061.61	433.25	82.34	215.50	330.52	1213.7	752.0	2021.9	1556.7	4073.3
2002	1125.29	450.75	78.49	213.08	332.92	1256.2	775.3	2064.4	1623.6	4236.2
2003	1170.54	461.72	79.25	234.54	341.40	1284.4	786.8	2095.5	1691.1	4307.6
2004	1315.10	514.53	86.18	284.86	374.26	1326.3	807.9	2217.0	1773.1	4438.7
2005	1373.01	552.74	96.92	266.82	396.78	1368.8	820.7	2383.3	1874.9	4539.3
2006	1449.78	602.00	105.79	266.75	410.75	1389.6	833.0	2500.1	1891.7	4554.2
2007	1692.16	685.34	120.72	340.27	474.32	1448.4	881.8	2663.8	1822.6	4835.7
2008	1965.02	763.02	149.76	425.68	549.35	1524.4	922.1	2880.1	1907.1	5136.8

注：1.2003年起采用国民经济行业分类GB/T 4754—2002，其他年份均采用GB/T 4754—94。2.2002—2007年数据根据2006年农普结果进行了调整。

Note: a)The data from 2003 are adopted the national economic classified standard of GB/T 4754-2002, others are adopted GB/T 4754-94. b) The data from 2002 to 2007 are adjusted according to the result of Agriculture census in 2006.

10-11 农林牧渔业分类产值和指数

Gross Output Value of Farming,Forestry,Animal Husbandry and Fishery by Item

单位：万元 (10000 yuan)

项目	Item	2007	2007年比上年增长(%) Ratio(%)	2008	2008年比上年增长(%) Ratio(%)
农林牧渔业总产值	**Total**	**16921572**	**4.2**	**19650151**	**5.2**
一、农业产值	**Agriculture**	**6853370**	**5.9**	**7630154**	**4.6**
谷物及其他作物	Cereal and Others	1892282	1.8	2061703	-2.7
谷物	Cereal	1116449		1134160	
薯类	Sweet Potato	259485		316764	
油料	Oil-bearing Crops	121032		122487	
豆类	Bean	62410		98897	
棉花	Cotton	710		403	
麻类	Fiber Crops	227		305	
糖料	Sugar	24993		26394	
烟叶	Tobacco	172443		208342	
其他农作物	Other Crops	134533		153950	
蔬菜、园艺作物	Vegetable and Gardening Crops	3080695	4.5	3498780	5.4
#蔬菜	Vegetable	2853597		3214840	
作物蔬菜	Vegetable Crops	1988969		2325813	
食用菌	Edible Fungus	864629		889027	
花卉	Flower	227098		283940	
水果、饮料和香料作物	Fruit , Drink and Perfume Crops	1832638	12.6	2013873	10.5
水果	Fruit	1200801		1265322	
园林水果	Gardening Fruit	1114315		1162243	
果用瓜类	Fruited Melon	86486		103079	
茶叶	Tea	623329		741939	
香料作物	Perfume Crops	8508		6611	
中药材	Traditional Chinese Medicine Materials	47756	6.6	55799	11.3
二、林业产值	**Forestry**	**1207193**	**6.5**	**1497643**	**8.1**
林木的培育和种植	Breeding and Planting of Forest	59027	12.1	71845	5.7
竹木采运	Cutting and Transport of Bamboo and Trees	747043	5.0	896497	11.7
#村及村以下	Rural and under Rural	593117		544611	
林产品	Forest Products	401124	8.5	529302	1.8
三、牧业产值	**Animal Husbandry**	**3402732**	**-3.6**	**4256791**	**4.6**
牲畜饲养	Livestock Raising	163090	-1.7	234508	11.4
牛的饲养	Cow Raising	61216		74714	
羊的饲养	Sheep Raising	58880		99033	
奶类	Dairy	42995		60761	
#牛奶（吨）	Milk(ton)	39196		54967	
猪的饲养	Hogs Raising	2418971	-7.4	3030643	3.4
家禽饲养	Poultry Raising	729532	7.9	859924	4.4
#肉禽	Meat Poultry	425594		584175	
禽蛋	Poultry Eggs	303938		275749	
狩猎和捕捉动物	Hunting Animals	13894	7.8	16597	-0.9
其他畜禽产品	Other Poultry Products	77245	-8.8	115119	31.3
四、渔业产品	**Fishery**	**4743206**	**6.2**	**5493460**	**6.2**
海水产品	Seawater Products	3684127	6.3	4376391	8.1
内陆水域水产品	Freshwate Products	1059079	5.7	1117069	-0.2
五、农林牧渔服务业	**Services of Agriculture , Forestry , Animal Husbandry and Fishery**	**715070**	**5.4**	**772102**	**3.2**

注：2005年起牧业产值中的猪、禽产量用抽样数计算。

Note:Output value of Hog and Poultry since 2005 are from sample surrey.

10−12 主要年份主要农业产品产量

Output of Major Farm Products in Selected Years

年份 Year	粮食 (万吨) Grain (10000 tons)	棉花 (吨) Cotton (tons)	油料 (万吨) Oil- bearing Crops (10000 tons)	蔬菜 (万吨) Vegetable (10000 tons)	水果 (万吨) Fruits (10000 tons)
1952	372.00	73	9.89		6.01
1957	444.00	16	9.42		11.77
1962	358.50	4	6.46		4.64
1965	455.50	498	8.03		8.26
1970	566.50		11.14		11.04
1975	640.50	44	13.56		9.01
1978	744.89	8	13.80		10.10
1980	801.90		13.48		12.66
1986	751.50		17.18		34.72
1987	839.30		17.48		45.68
1988	837.43		14.89		53.54
1989	884.57		16.20		69.90
1990	879.64		17.66		75.78
1991	889.65		15.64		110.53
1992	897.08		19.90		117.18
1993	869.00		20.66		153.75
1994	887.40		21.60		198.13
1995	919.93		23.28		239.33
1996	952.20		22.99		283.81
1997	961.78		24.36		334.34
1998	958.11	500	24.62		343.04
1999	942.17		25.81		394.10
2000	854.68		25.79	1161.11	356.44
2001	817.28	100	26.08	1099.96	401.19
2002	763.23	59	25.86	1233.77	424.93
2003	695.04	59	26.03	1289.23	441.68
2004	699.50	68	27.82	1317.83	468.90
2005	662.04	44	27.42	1346.66	479.36
2006	632.90	33	23.63	1358.16	495.40
2007	635.06	667	23.30	1376.10	517.29
2008	652.21	395	25.40	1409.15	553.37

10−13 水产品养殖面积

Cultivated Areas of Aquatic Products

单位：千公顷　　(1000 hectares)

项目	Item	2000	2003	2005	2007	2008
总　计	**Total**	**221.46**	**223.18**	**205.62**	**193.83**	**206.98**
1.海水养殖	Seawter Culturing	130.28	130.08	124.01	110.12	120.70
#滩涂养殖	Beach Culturing	57.64	57.79	54.09	46.49	48.11
2.淡水养殖	Freshwater Culturing	91.18	93.11	81.61	83.71	86.27
#池塘养殖	Pond Culturing	35.53	35.00	32.15	30.94	31.83
湖泊养殖	Lakes Culturing	0.73	1.40	0.97	1.14	0.99
河沟养殖	Stream Culturing	6.20	6.27	5.16	3.95	5.10
水库养殖	Reservoir Culturing	44.91	46.81	40.29	44.79	45.86

10–14 主要年份粮食总产量及单产

Gross Output and Output Per Mu of Grain in Selected Years

年份 Year	粮食总产量（万吨） Total Output of Grain(10000 tons)		粮食单产（公斤/亩） Output of Grain Rice per Mu(kg/mu)	
	产量 Value	#稻谷 Rice	产量 Value	#稻谷 Rice
1952	372.00	281.00	128	131
1957	444.00	328.50	138	149
1962	358.50	268.50	126	138
1965	455.50	355.00	176	180
1970	566.5	452.5	189	204
1975	640.50	511.00	186	199
1978	744.90	618.69	219	240
1980	801.90	669.25	246	267
1986	751.49	654.95	264	294
1987	839.26	715.80	285	319
1988	837.43	687.74	278	322
1989	884.57	744.36	288	338
1990	879.64	731.24	282	322
1991	889.65	725.66	284	324
1992	897.08	732.96	287	331
1993	869.00	694.47	295	335
1994	887.40	699.17	296	332
1995	919.93	724.92	304	344
1996	952.20	743.34	312	353
1997	961.78	739.24	314	352
1998	958.11	728.81	315	350
1999	942.17	712.28	313	346
2000	854.68	632.75	312	345
2001	817.28	606.80	316	350
2002	763.23	557.52	312	367
2003	695.04	520.89	322	363
2004	699.50	540.32	328	369
2005	662.04	518.91	326	372
2006	632.90	499.00	344	374
2007	635.06	501.00	353	385
2008	652.21	508.81	362	394

注：1988年起粮食总产量及单产中稻谷部分为抽样调查数据。(下表同)

Note:Total Output of grain and Output of grain Per Mu since 1988 are from the sample survey ,similarly in following tables.(same the other)

10–15 主要年份非粮作物总产量及单位播种面积产量

Gross Output and Output per Mu of Non-grain Crops in Selected Years

年份	总产量（万吨） Total Output(10000 tons)				单产（公斤） Output of per(kg)			
Year	油料 Oil-bearing Grops	花生 Peanuts	甘蔗 Sugarcane and Fruit Cane	烤烟 Flue-cured Tobacco	油料 Oil-bearing Grops	花生 Peanuts	甘蔗 Sugarcane and Fruit Cane	烤烟 Flue-cured Tobacco
1952	9.89	9.15	71.26	0.10	70	84	2620	40
1957	9.42	8.64	123.57	0.14	59	78	3325	60
1962	6.46	6.05	41.55	0.12	58	72	1721	43
1965	8.03	7.51	130.35	0.27	67	80	3656	97
1970	11.14	10.60	125.48	0.45	91	106	3244	78
1975	13.56	12.56	120.83	0.85	85	111	2868	66
1978	13.80	12.68	288.03	1.23	85	110	4500	74
1980	13.48	11.17	351.21	1.30	69	92	4985	79
1985	17.39	16.34	536.67	3.40	110	126	4882	82
1986	17.18	16.20	472.90	2.38	106	121	4593	79
1987	17.48	16.32	413.46	2.61	97	119	4735	80
1988	14.89	13.53	387.37	3.59	88	101	4586	73
1989	16.20	14.83	338.67	3.59	99	113	4570	76
1990	17.66	16.05	344.28	4.26	105	121	4595	82
1991	15.64	13.64	385.43	5.48	91	101	4813	87
1992	19.90	17.91	364.85	8.59	114	132	4803	93
1993	20.66	19.03	279.34	12.43	121	135	4625	89
1994	21.60	20.08	276.77	6.06	126	139	4602	87
1995	23.28	21.35	248.60	5.72	131	146	4416	94
1996	22.99	20.91	253.94	7.56	126	140	4467	102
1997	24.36	22.25	249.90	12.32	136	150	4568	110
1998	24.62	22.64	219.33	7.18	137	151	4461	106
1999	25.81	23.69	138.76	8.57	142	155	4153	112
2000	25.79	23.82	82.71	9.14	138	150	3830	113
2001	26.08	24.17	95.54	9.87	141	152	4116	115
2002	25.86	24.05	117.91	10.72	141	151	4258	112
2003	26.03	24.25	118.12	10.13	141	149	4316	115
2004	27.82	25.88	101.57	11.31	148	157	4260	122
2005	27.42	25.47	93.33	11.51	149	158	4169	117
2006	23.63	22.15	58.10	12.20	148	157	4127	124
2007	23.30	21.91	56.36	12.39	153	161	4122	132
2008	25.40	23.95	70.90	13.85	158	166	4416	138

10-16 各类粮食产量

Output of Grain by Sort

单位：万吨 (10000 tons)

项目	Item	2000	2003	2005	2007	2008	2008年比上年增长(%) Ratio(%)
合　计	**Total**	**854.68**	**695.04**	**662.04**	**635.06**	**652.21**	**2.7**
按收获季节分	**By Harvest Season**						
春收粮食	Spring Harvest	51.24	38.29	35.46	27.19	28.11	3.4
夏收粮食	Summer Harvest	229.86	175.20	158.45	140.04	140.94	0.6
秋收粮食	Autumn Harvest	573.58	481.55	468.12	467.82	483.16	3.3
按品种分	**By Crop**						
稻谷	Rice	632.75	520.89	518.91	501	508.81	1.6
早稻	Early Rice	206.63	156.80	146.33	123.72	121.98	-1.4
中稻	Middle Rice	221.96	227.16	173.12	186.03	194.34	4.5
晚稻	Late Rice	204.16	136.93	199.46	191.25	192.49	0.6
大小麦	Barley and Wheat	14.29	3.34	2.40	1.75	1.72	-1.7
#小麦	Wheat	11.01	2.77	1.95	1.49	1.47	-1.3
甘薯	Sweet Potato	136.81	108.45	88.20	82.24	86.42	5.1
马铃薯	Potato	29.04	27.13	25.55	21.84	23.14	6
杂粮	Food Grains other than Wheat and Rice	14.22	10.06	10.22	12.89	14.86	15.3
豆类	Bean						
大豆	Soybean	20.48	17.96	12.38	11.70	13.05	11.5
杂豆	Sundry Soybean	7.09	7.21	4.38	3.65	4.21	15.3

注：2004年之前中稻含一季晚稻，晚稻为双季晚稻。
Note:The data of middle rice before 2004 include one crop late rice,that of late rice include two crops.

10-17 非粮作物产量

Output of Non-grain Crops

单位：吨 (ton)

项目	Item	2000	2003	2005	2007	2008	2008年比上年增长(%) Ratio(%)
蔬菜	Vegetables	11611096	12892297	13466611	13760994	14091533	2.4
油菜籽	Rape Seeds	18404	16209	18007	12392	12590	1.6
芝麻	Sesame	1120	1333	1242	1280	1494	16.7
黄(红)麻	Jute and Ambary Hemp	462	282	251	278	290	4.3
苎麻	Ramie	300	118	109	75	77	2.7
烟叶	Tobacco	93996	102859	116643	124839	139145	11.5
莲籽	Lotus Seed	4678	4619	5638	6086	6137	0.8
西瓜	Watermelon	533486	638824	658063	632446	637109	0.7

10-18 主要年份茶叶水果产量

Output of Tea and Fruit in Selected Years

单位：万吨 (10000 tons)

年份 Year	茶叶 Tea	水果 Fruit	年份 Year	茶叶 Tea	水果 Fruit
1952	0.49	6.01	1994	8.24	198.13
1957	0.69	11.77	1995	9.45	239.33
1962	0.43	4.64	1996	10.18	283.81
1965	0.56	8.26	1997	10.99	334.34
1970	1.05	11.04	1998	11.89	343.04
1975	1.67	9.01	1999	12.35	394.10
1978	2.03	10.10	2000	12.60	356.44
1980	2.58	12.66	2001	13.39	401.19
1986	4.42	34.72	2002	14.33	424.93
1987	4.99	45.68	2003	15.02	441.68
1988	5.54	53.54	2004	16.44	468.90
1989	5.52	69.90	2005	18.48	479.36
1990	5.82	75.78	2006	20.01	495.40
1991	6.53	110.53	2007	22.39	517.29
1992	7.05	117.18	2008	24.73	553.37
1993	7.70	153.75			

10-19 各类茶叶 水果 食用菌产量

Output of Tea, Fruit and Edible Fungus by Sort

单位：吨 (ton)

项目	Item	2000	2003	2005	2007	2008	2008比上年增长(%) Ratio(%)
茶叶	**Tea**						
红毛茶	Red Mao Tea	1615	2393	1652	2479	2765	11.5
绿毛茶	Green Mao Tea	72431	80919	88923	101978	108278	6.2
乌龙茶	Wulong Tea	50685	65345	85924	111138	126273	13.6
水果	**Fruit**						
柑桔	Critrus	1306027	1943977	2153154	2385521	2565274	7.5
龙眼	Longyan	104068	194785	216452	210074	250627	19.3
荔枝	Lychee	79580	128721	160289	110695	163901	48.1
香蕉	Banana	746454	837605	855398	884221	882332	-0.2
枇杷	Loquat	54268	116248	112596	197533	215921	9.3
菠萝	Pineapple	30267	39482	37731	40510	40736	0.6
橄榄	Chinese Olive	24009	30927	33714	36383	43971	20.9
柿	Persimmon	99896	135110	160475	177025	187829	6.1
桃	Peach	143377	195809	199653	212800	226214	6.3
李	Plum	179121	248749	243224	245804	247904	0.9
梨	Pear	96394	129980	147755	164479	169303	2.9
苹果	Apple	380	151	198	201	310	54.2
葡萄	Grape	38702	55801	59066	86808	95912	10.5
杨梅	Red Bayberry	42734	55667	63235	72262	77960	7.9
食用菌	Edible Fungus	462484	490062	559993	646068	711047	10.1
#蘑菇	Mushroom	272106	249330	283828	325499	359162	10.3
香菇	Xianggu Mushroom	88292	78868	77680	83134	86657	4.2
白木耳	Tremella	12401	14435	16508	20148	23952	18.9
黑木耳	Black Tremella	29105	29284	28009	29435	32148	9.2

10-20 主要年份林业、牧业、水产品产量

Output of Forestry,Animal Husbandry and Fishery in Selected Years

年份 Year	造林面积（千公顷） Afforested Areas (1000 hectares)	肉类总产量（万吨） Output of Pork Beef and Mutton (10000 tons)	猪出栏数（万头） Number of Slaughtered Fattened Hogs (10000 heads)	奶类（万吨） Milk (10000 tons)	水产品产量（万吨） Output of Aquatic Products (10000 tons)
1952	34.31				15.93
1957	127.60				28.34
1962	55.89				23.82
1965	172.65				32.55
1970	173.49		219.18		38.75
1975	192.75		336.66	0.61	39.61
1978	194.71		321.86	0.93	54.44
1980	175.13		401.48	1.47	59.80
1985	282.83	49.70	578.09	4.21	100.26
1986	209.67	54.23	617.29	4.60	105.23
1987	166.12	59.32	665.12	5.05	126.22
1988	192.39	65.07	713.40	5.08	132.66
1989	242.94	69.44	750.40	4.82	137.97
1990	303.91	71.83	766.46	4.87	145.59
1991	306.02	75.07	780.72	5.12	166.23
1992	223.03	78.93	820.61	5.72	200.57
1993	63.77	84.10	863.20	5.94	237.04
1994	45.56	92.23	908.78	6.06	278.78
1995	41.74	102.66	1000.84	6.32	317.56
1996	34.45	107.49	1047.48	6.49	358.23
1997	29.99	125.02	1231.98	6.07	429.31
1998	25.12	135.24	1365.13	6.71	475.92
1999	23.93	138.84	1453.38	7.95	502.32
2000	24.50	145.92	1560.81	9.91	527.89
2001	21.01	153.91	1665.55	11.39	542.49
2002	17.49	162.09	1770.33	14.16	558.71
2003	24.22	161.96	1803.61	19.28	553.13
2004	16.31	163.92	1850.65	20.67	551.36
2005	24.22	164.85	1881.92	19.10	542.37
2006	23.18	161.81	1866.14	16.65	523.59
2007	35.45	150.65	1645.94	15.85	532.00
2008	32.81	169.42	1840.13	15.23	554.20

10–21 造林面积
Areas of Afforestation

项目 Item	2000	2003	2005	2007	2008	2008年比上年增长(%) Ratio(%)
1.当年造林面积（千公顷） Afforested Area in Current Year(1000 hectares)	24.51	16.72	24.22	35.45	32.81	-7.5
#用材林 Commercial Forest	8.07	6.88	15.20	27.62	26.22	
经济林 Economic Forest	6.47	2.76	3.14	2.12	1.03	
防护林 Shelter Forest	8.04	6.86	5.66	5.67	5.39	
薪炭林 Fuel Forest	1.90	0.20	0.19	0.04	0.11	
2.迹地更新面积（千公顷） Areas of Slash Reforestation(1000 hectares)	54.91	34.09	80.59	87.61	91.99	5.0
3.零星植树（万株） Fragmentary Forest(10000 trees)	3559.00	2702.68	1745.14	2186.00	2022.46	-7.5
4.封山育林面积（千公顷） Areas of Afforestation in Hill(1000 hectares)	1060.37	533.37	412.41	223.18	241.51	8.2
5.育苗面积（千公顷） Areas of Grown Seedings(1000 hectares)	0.32	0.36	0.54	0.72	0.76	6.0
6.幼林抚育作业面积（千公顷） Areas of Tending Young Forest(1000 hectares)	232.00	195.83	223.00	268.95	311.16	15.7
7.成林抚育作业面积（千公顷） Areas of Tending Grown Forest(1000 hectares)	188.05	129.53	150.56	93.40	79.16	-15.2

注：1985年以前造林面积成活率45%以上统计，1986年及以后各年成活率85%以上统计。

Note: Data of Afforested Areas Before 1985 cover the afforested areas with Survival Rate Over 45%. From 1986, the Survival Rare should be over 85%.

10–22 主要林产品产量
Output of Major Forest Products

项目	Item	2000	2003	2005	2007	2008	2008年比上年增长(%) Ratio(%)
木材产量（万立方米）	Output of cut wood(10000 cu.m)	334.9	139.7	1446.4	1456.8	1526.4	4.8
毛竹采伐量（万根）	Mao Bamboo(10000 units)	15872	145.26	15504	20485	22091	7.8
篙竹采伐量（万根）	Lofty Bamoo(10000 units)	6631	7902	10061	11307	11686	3.4
油桐籽（吨）	Tung-oil Seeds(ton)	18121	19237	20928	21700	22123	1.9
油茶籽（吨）	Tea-oil Seeds(ton)	62983	64606	72597	80690	85951	6.5
乌桕籽（吨）	Chinese Tallow Tree Seeds(ton)	121	360	1145	516	487	-5.6
棕片（吨）	Piece of Palm(ton)	10891	10194	12162	12792	13234	3.5
松脂（吨）	Rosin(ton)	72949	67732	72299	80310	83332	3.8
笋干（吨）	Dried Bamboo Shoots(ton)	120970	150992	153497	181948	190669	4.8
板栗（吨）	Chinese Chestnut(ton)	19439	30175	49134	65439	72473	10.7
山苍籽（吨）	Litsea Cueba(ton)	7845	8316	9552	10692	10857	1.5

10–23 主要畜禽产品产量

Output of Main Livestock Products

项目 Item	2000	2003	2005	2007	2008	2008年比上年增长(%) Ratio(%)
1.肉类产量（万吨） Output of Meat(10000 tons)	**145.92**	**161.96**	**164.85**	**150.65**	**169.42**	**12.5**
猪肉 Pork	114.79	128.76	134.69	121.87	136.60	12.1
牛肉 Beaf	2.12	2.25	2.17	2.06	2.14	4.1
羊肉 Mutton	1.33	1.45	1.45	1.44	1.65	14.3
禽肉 Meat of Poultry	26.21	27.70	24.57	23.13	26.18	13.2
兔肉 Rabbit Meat	1.47	1.80	1.97	2.15	2.14	-0.5
2.牛奶产量（万吨） Output of Cow Milk(10000 tons)	**9.60**	**18.98**	**18.77**	**15.51**	**14.85**	**-4.3**
羊奶产量（万吨） Output of Ewe Milk(10000 tons)	0.31	0.31	0.34	0.34	0.38	10.9
3.蜂蜜产量（万吨） Output of Honey(10000 tons)	**0.54**	**0.72**	**0.85**	**0.82**	**0.80**	-3.1
4.禽蛋产量（万吨） Output of Poultry Eggs(10000 tons)	**40.69**	**40.37**	**37.91**	**39.69**	**33.02**	-16.8
5.肉猪出栏数（万头） Number of Slaughtered Fattened Hogs (10000 heads)	**1560.81**	**1803.61**	**1881.92**	**1645.94**	**1840.13**	11.8
出栏率（%） Rate of Slaughter(%)	148.70	155.14	152.26	132.48	142.14	
肉羊出栏数（万头） Number of Slaughtered Fattened Sheep (10000 heads)	97.80	105.98	107.00	105.28	120.58	14.5
出栏率（%） Rate of Slaughter(%)	104.30	99.61	96.24	131.00	147.37	
肉牛出栏数（万头） Number of Slaughtered Fattened Cows (10000 heads)	21.31	23.00	21.60	20.01	21.28	6.4
6.家禽出栏数（万头） Number of Slaughtered Poultry (10000 heads)	**20633.89**	**22102.64**	**19140.51**	**17636.83**	**19917.66**	12.9
7.家兔出栏数（万头） Number of Slaughtered Domestic Rabbit (10000 heads)	1178.96	1427.64	1559.27	1524.18	1532.47	0.5

10–24 畜禽存栏数

Number of Livestock and Poultry on Hand

单位：万头 (10000 units)

项目	Item	2000	2003	2005	2007	2008	2008年比上年增长(%) Ratio(%)
1.牛存栏数	**Bull**	111.44	97.78	75.63	63.13	70.83	12.2
#乳牛	Cow	3.59	5.80	4.99	5.36	4.69	-12.5
2.猪存栏数	**Number of Hogs on Hand**	1087.66	1198.51	1249.83	1294.62	1324.09	2.3
#能繁殖母猪	Number of Female Hogs with Fertility	76.27	87.15	97.97	105.58	131.49	24.5
3.羊存栏数	**Number of sheep on Hand**	96.22	109.26	93.56	81.82	96.59	18.05
4.蜜蜂年末箱数	**Number of Beehive at the Year-end**	23.09	30.79	35.32	37.09	36.98	-0.3
5.家兔年末数	**Number of Domestic Rabbit at the Year-end**	714.40	763.35	822.67	814.49	812.41	-0.3
6.家禽年末数	**Number of Poultry at the Year-end**	10930.19	11089.02	9937.04	9928.88	9339.30	-5.9

10–25 淡水产品产量

Output of Freshwater Products

单位：万吨 (10000 tons)

项目	Item	2000	2003	2005	2007	2008	2008年比上年增长(%) Ratio(%)
淡水产品产量	**Output of Freshwater Aquatic Products**	**57.39**	**62.67**	**63.47**	**65.52**	**67.35**	**2.8**
#养殖产量	Output of Freshwater Culturing	49.73	54.54	55.81	57.70	59.55	3.2
1.按类别分	By Kind						
#淡水鱼类		50.11	53.45	54.05	55.54	56.95	2.5
虾蟹类	Shrimps,Prawns and Crabs	1.14	3.22	3.34	4.24	4.17	-1.7
贝类	Shell-fish	4.46	4.33	4.43	4.37	4.78	9.5
2.主要品种产量	**By Product**						
淡水鳗	Freshwater Eel	6.99	8.04	8.29	9.11	9.52	4.5
草鱼	Grass Carp	10.97	12.38	12.24	10.64	11.51	8.2
鲢鱼	Silver Carp	8.27	6.21	6.06	5.22	5.40	3.4
鲤鱼	Carp	4.36	5.74	5.48	4.53	4.84	6.8
罗非鱼	Ribber Carp	10.56	9.20	9.50	9.95	9.80	-1.5

10–26 海水产品产量

Output of Seawater Aquatic Products

单位：吨 (ton)

项目	Item	2000	2003	2005	2007	2008	2008年比上年增长(%) Ratio(%)
海水产品产量	**Output of Seawater Aquatic Products**	**4705066**	**4904580**	**4788957**	**4664713**	**4868507**	**4.4**
#鱼类	Fish	1668816	1728737	1678551	1616989	1728537	6.9
虾蟹类	Shrimps,Prawns and Crabs	357794	359979	319406	327248	350973	7.2
贝类	Shell-fish	2318397	2262160	2226300	2114471	2144411	1.4
藻类	Algac	317830	402881	420709	478951	523526	9.3
#海水养殖产量	**Output of Seawater Culturing**	**2627057**	**2768425**	**2782535**	**2743753**	**2836841**	**3.4**
#鱼类	Fish	102040	115138	133450	140381	144965	3.3
虾蟹类	Shrimps,Prawns and Crabs	42875	60332	64973	68870	75828	10.1
贝类	Shell-fish	2161334	2188743	2163472	2056522	2093068	1.8
藻类	Algac	317106	399854	417929	476031	520734	9.4
主要品种产量	**Output of Main Seawater Culturing**						
大黄鱼	Big Yellow Croaker	48146	54497	59398	57703	66212	14.7
带鱼	Hairtail	173578	207154	198905	185923	222574	19.7
鲳鱼	Butterfish	52443	66118	66244	60805	62662	3.1
鳓鱼	Chinese Herring	11477	19421	18640	11955	21127	76.7
马鲛鱼	Spanish Mackerel	59519	45493	40739	27153	41255	51.9
鲷鱼	Porgy	10052	37928	36078	50569	56253	11.2
鲐鱼	Chub mackerel	52789	64119	57966	68342	70182	2.7
鳗鱼	Eel	50705	61136	68734	57343	62883	9.7
墨鱼	Inkfish	57263	29663	27379	28166	26468	-6.0
海蜇皮	Jellyfish	13260	10382	6944	10227	11388	11.4
对虾	Prawn	28490	43910	48767	53427	57843	8.3
毛虾	Shrimp	65262	57213	49057	47825	53753	**12.4**
梭子蟹	Swimming Crab	58705	73109	70032	75336	80950	7.5
蛏	Razor Clam	168095	188147	177891	172293	173181	0.5
蛤	Clam	214264	236619	260168	256908	270955	5.5
蚶	Blood Clam	24203	38449	40687	37838	35904	-5.1
牡蛎	Oyster	1558984	1570418	1539167	1432697	1449234	1.2
海带	Kelp	276867	327178	337892	382422	427931	11.9
紫菜	Laver	26828	29396	34258	39756	35207	-11.4

主要统计指标解释

农林牧渔业总产值 指以货币形式表现的农、林、牧、渔业全部产品的总量，它反映一定时期内农业生产总规模和总成果。农林牧渔业总产值的计算方法通常是按农、林、牧、渔业产品及其副产品的产量分别乘以各自单位产品价格求得;少数生产周期较长，当年没有产品或产品产量不易统计的，则采用间接方法匡算其产值; 然后将四业产品产值相加即为农林牧渔业总产值。1957 年以前的农林牧渔业总产值中包括了厩肥和农民自给性手工业(如农民自制衣服、鞋、袜，自己从事粮食初步加工等)。1958 年及以后，林业中增加了村及村以下竹木采伐产值; 牧业中取消了厩肥产值; 副业中取消了农民自给性手工业产值，增加了村及村以下办的工业产值;渔业中增加了海洋捕捞水产品产值。1980 年及以后，在副业中增加了农民家庭兼营工业商品部分的产值。从 1984 年起村及村以下工业产值划归工业。从 1993 年起取消副业，将野生动物的捕猎划入牧业、野生植物采集和农民家庭兼营商品性工业划归农业。1996 年第一次农业普查以后，由于畜牧业产品年报数据与普查数据之间存在一定的差距，国家统计局对畜牧业年报数据与普查数据进行衔接，相应的畜牧业产值进行调整。

粮食产量 指稻谷、小麦、玉米、高粱等谷物及薯类和豆类的全社会产量。包括国有经济经营的、集体统一经营的和农民家庭经营的粮食产量，还包括工矿企业办的农场和其他生产单位的产量。其产量计算方法，豆类按去豆荚后的干豆计算; 薯类(包括甘薯和马铃薯，不包括芋头和木薯)1963 年以前按每 4 公斤鲜薯折 1 公斤粮食计算，从 1964 年开始改为按 5 公斤鲜薯折 1 公斤粮食计算。城市郊区作为蔬菜的薯类(如马铃薯等)按鲜品计算，并且不作粮食统计。其他粮食一律按脱粒后的原粮计算。1989 年以前全国粮食产量数据的取得主要是靠全面报表取得，1989 年以后开始使用抽样调查数据。

棉花产量 指春播棉和夏播棉的全社会产量。产量按皮棉计算。3 公斤籽棉折 1 公斤皮棉，不包括木棉。

油料产量 指全部油料作物的生产量。包括花生、油菜籽、芝麻、向日葵籽、胡麻籽(亚麻籽)和其他油料。不包括大豆、木本油料和野生油料。花生以带壳干花生计算。

水产品产量 指人工养殖的水产品和天然生长的水产品的捕捞量。包括海水的鱼类、虾蟹类、贝类和藻类以及内陆水域的鱼类、虾蟹类和贝类，不包括淡水生植物。水产品产量是通过各级水产和统计部门逐级上报取得数据。1995 年及以前，贝类中牡蛎按鲜肉计算; 蚶、蛤、蛙按 5 斤鲜品折 1 斤计算。1996 年以后则统一按鲜品计算。

猪、牛、羊肉产量 指当年出栏并已屠宰、除去头蹄下水后带骨肉(即胴体重) 的重量。其统计范围为全社会。1996 年前为各级逐级上报数据。1996 年第一次农业普查以后，由于畜牧业产品年报数据与普查数据之间存在一定的差距，国家统计局对畜牧业年报数据与普查数据进行了衔接。1999 年以后，国家统计局开展了猪、牛、羊、禽等主要畜禽品种的抽样调查，并用抽样数据作为国家定案数据使用。未开展抽样调查的品种，仍使用各级统计部门逐级上报数据。

期初(末)畜禽存栏头(只)数 指报告期初(末)农村各种合作经济组织和国营农场、农民个人、机关、团体、学校、工矿企业、部队等单位以及城镇居民饲养的大牲畜、猪、羊、家禽等畜禽的存栏数。数据上报方式及数据调整情况同猪、牛、羊肉产量。

常用耕地 指耕地总资源中专门种植农作物并经常进行耕种、能够正常收获的土地。包括当年实际耕种的熟地;弃耕、休闲不满三年，随时可以复耕的地; 开荒利用三年以上的土地。在统计口径上包括南方小于 1 米、北方小于 2 米宽的沟、渠、路和田埂。不包括临时种植农作物的坡度在 25 度以上的陡坡地; 在河套、湖畔、库区临时开发的成片或零星土地; 也不包括已列为国家和省(区、市)退耕计划但临时耕种的土地。常用耕地是国家需要重点保护的耕地，可以反映我国农业的综合生产能力。

农作物播种面积 指实际播种或移植有农作物的面积。凡是实际种植农作物的面积，不论种植在耕地上还是种植在非耕地上，均包括在农作物播种面积中。在播种季节基本结束后，因遭灾而重新改种和补种的农作物面积，也包括在内。该指标可以反映我国耕地面积的利用情况。目前，农作物播种面积主要包括粮食、棉花、油料、糖料、麻类、烟叶、蔬菜和瓜类、药材和其它农作物九大类。

有效灌溉面积 指具有一定的水源，地块比较平整，灌溉工程或设备已经配套，在一般年景下当年能够进行正常灌溉的耕地面积。在一般情况下，有效灌溉面积应等于灌溉工程或设备已经配备，能够进行正常灌溉的水田和水浇地面积之和。该指标可以反映我国耕地的抗旱能力。

农用化肥施用量 指本年内实际用于农业生产的化肥数量，包括氮肥、磷肥、钾肥和复合肥。化肥施用量要求按折纯量计算数量。折纯量是指把氮肥、磷肥、钾肥分别按含氮、含五氧化二磷、含氧化钾的百分之百成份进行折算后的数量。复合肥按其所含主要成分折算。公式:折纯量= 实物量×某种化肥有效成份含量的百分比

农业机械总动力 指主要用于农、林、牧、渔业的各种动力机械的动力总和。包括耕作机械、排灌机械、收获机械、农用运输机械、植物保护机械、牧业机械、林业机械、渔业机械和其他农业机械〔内燃机按引擎马力折成瓦(特)计算、电动机按功率折成瓦(特)计算〕。不包括专门用于乡、镇、村、组办工业、基本建设、非农业运输、科学试验和教学等非农业生产方面用的动力机械与作业机械。这个指标的统计数据主要来源于农机部门。

乡村从业人员 指乡村人口中劳动年龄在 16 周岁以上实际参加生产经营活动并取得实物或货币收入的人员，包括劳动年龄内经常参加劳动的人员，也包括超过劳动年龄但经常参加劳动的人员，但不包括户口在家的在外学生、现役军人和丧失劳动能力的人，也不包括待业人员和家务劳动者。从业人员按从事主业时间最长(时间相同按收入)分为农业从业人员、工业从业人员、建筑业从业人员、交运仓储及邮电业从业人员、批零贸易及餐饮业从业人员、其它从业人员。

乡镇企业 指农村集体经济组织或者农民投资为主， 在乡镇(包括所辖村)举办的承担支援农业义务的各类企业。投资为主是指农村集体经济组织或农民投资超过百分之五十，或者虽不足百分之五十，但能起到控股或者实际支配作用。其范围包括乡(镇)办企业、村办企业、联户办企业、户(私营、个体)办企业，以及这些企业之间或者这些企业与国有企业、城镇集体企业、私营企业以及外资(包括我国港澳台地区)等多种经济成分联合投资建立的企业。

Explanatory Notes on Main Statistical Indicators

Gross Output Value of Farming, Forestry, Animal Husbandry and Fishery refers to the total value of products of farming, forestry, animal husbandry and fishery, which reflects the total scale and result of agricultural production during a given period. Gross output value of agriculture is obtained by first multiplying the output of each product or by product by its price, resulting in t he output value of each s ingle item. For a small number of products, annual output of which is not available or difficult to get due to the long production growing process involved, t he output value is estimated through an indirect approach. The sum of out put value of all products of farming, forestry, animal husbandry, and fishery is then equal to the gross output value of agriculture. Prior to 1957, Chinas gross agricultural output value included barnyard manure and handicraft products for self-consumption (clothes, shoes, stockings, and initial grain processing undertaken by peasants). Since 1958, cutting and felling of bamboo and trees by villages and other cooperative organizations under villages have been included in forestry; value of barnyard manure has been excluded from animal husbandry; self consumed handicraft s has been excluded from sideline occupations, while the output value of industries run by villages and cooperative organizations under village had been included inside line occupations and the out put value of fish catches by motor fishing boats has been added to fishery. Since 1980, the value of handicraft products made for sale by individuals in households had been added to sideline occupations. Since 1984, industries run by villages and under villages have been included in the sector of industry. Since 1993, the subdivision of sideline occupations has been canceled, and the hunting of wild animals has been classified into animal husbandry, and the gathering of wild plants and commodity industry run by rural household have been included in farming. The Firs t Agriculture Census of China in 1996 revealed some discrepancy between the production of animal products from the annual reports and that from the census. Efforts were made by NBS to adjust the output value of animal husbandry to make the figures from the annual reports consistent with the census data.

Grain Output refers to the total output of rice, wheat, corn, sorghum, millet and other miscellaneous grains as well as tubers and bean in the whole region including grains produced by state farms, collective units, industrial enterprises and mines. Output of beans refers to dry beans without pods. The output of tubers (sweet potatoes and potatoes, not including taros and cassava) was converted into that of grain at the ratio 4:1, i.e. 4 kilograms of fresh tubers was equivalent to 1 kilogram of grain up to 1963. Since 1964 the ratio for conversion has been 5:1.Tubers supplied as vegetables (such as potatoes) in cities and suburbs are calculated as fresh vegetables and their output is not included in the output of grain. Output of all other grains refers to husked grain. Data on grain production before 1989 were obtained through Comprehensive Statistical Reporting System, since then, sample survey data are used.

Cotton Output refers to the cotton production in the whole Region including cotton sown in spring and in autumn. Output is measured as the weight of ginned cotton. Three kilograms of seed-cotton are equivalent to 1 kilogram of ginned cotton, excluding ceiba.

Output of Oil-bearing Crops refers to the total production of oil-bearing crops of various kinds, including peanuts, (dry, in shell) rapeseeds, sesame, sunflower seeds, flax seeds, and other oil-bearing crops. Soybeans, oil-bearing woody plants, and wild oil-bearing crops are not included.

Output of Aquatic Products refers to catches of both artificially cultured and naturally grown aquatic products, including fish, shrimps, crabs and shellfish in sea and inland water as well as seaweed. Freshwater plants are not included. Data on output of aquatic products are reported by aquatic product and statistical agencies level by level. Before 1995, among the shellfish, the oyster was counted as fresh meat; 5 kilograms of ark shell, clams and frogs are equivalent to 1 kilogram of fresh aquatic products; they are all counted as fresh aquatic products since1996.

Output of Pork, Beef, and Mutton refers to the meat of slaughtered hogs, cattle, sheep and goats wit h head, feet, and offal taken away. The statistical scope is of the whole society. The first agriculture census of China in 1996 revealed some discrepancy between the production of animal products from the annual reports and that from the census. Efforts were made by NBS to adjust the output value of animal husbandry to make the figures from the annual rep orts consistent with the census data. Since 1999, NBS conducted sample survey for t he major animal husbandry products, such as hogs, cattle, sheep and goats and fowls, and the data from sample surveys are used as national finalized data. Those products, which are not covered by the sample survey, are still reported by statistical agencies level by level.

Number of Livestock or Poultry in Stock at Beginning (or End) of period refers to the total number of large animals, pigs, sheep, fowls, etc. raised by rural cooperative organizations, state farms, rural individuals, government agencies, schools, industrial and mining enterprises, army, and urban residents at the beginning (or end) of the reference period. Data reporting system and data adjustment are the same as that in the output of pork, beef and mutton.

Regularly Cultivated Land refers to farmland among the total land resources, which is exclusively used for farming and is under regular cultivation with harvest in normal years. Include dare currently cultivated land, land that has been abandoned or put in idle for less than 3 years and could be re-used for cultivation at any time, and new-claimed land that has been put into cultivation for more than 3 years. According to statistical coverage, it includes the gouges, dykes, roads and ridges of field with 1 meter wide in Southern areas and 2 meters wide in Northern areas. Excluded under this category are steep slope land over 25 degrees under temporary cultivation, land (large or small plots) that is claimed along river bends, lake sides or banks of reservoirs, as well as land that has been designated under the "Green for Grain" programs of the state and provincial governments but is still temporarily under cultivation. The regularly cultivated land is the key protection land of the nation, which reflects the comprehensive productivity of agriculture of China.

Sown Area of Crops refers to area of land sown or transplanted with crops regardless of being in cultivated area or no cultivated area. Area of land re-sown due to natural disasters is also included. The indicator can reflect the utilization condition of the cultivated land in China. At p resent, t he sown area of crops mainly include the following 9 categories of crops: grain, cotton, oil-bearing crops, sugar crops, fiber crops, Tobacco, Vegetables and melons, medicinal materials and other farm crops.

Irrigated Area refers to areas that are effectively irrigated, i.e. level land, which has water source and complete sets of irrigation facilities to lift and move adequate water for irrigation purpose under normal conditions. Under normal conditions, irrigated area is the sum of watered fields and irrigated fields where irrigation systems or equipment have been installed for regular irrigation purpose. This indicator can reflect drought resistance capacity of the cultivated land in China.

Consumption of Chemical Fertilizers in Agriculture refers to the quantity of chemical fertilizers applied in agriculture in the year, including nitrogenous fertilizer, phosphate fertilizer, potash fertilizer, and compound fertilizer. The consumption of chemical fertilizers is required in calculation to convert the gross weight into weight containing 100% effective component (e.g. 100% nitrogen content in nitrogenous fertilizer, 100%phosphorous pent oxide contents in phosphate fertilizer, 100%potassium oxide contents in potash fertilizer). Compound fertilizer is converted with its major component. The formula is:

Volume of effective component = physical quantity × effective component of certain chemical fertilizer (%)

Total Power of Farm Machinery refers to total mechanical power of machinery used in farming, forestry, animal husbandry, and fishery, including ploughing, irrigation and drainage, harvesting, transport, plant protection, stock breeding, forestry and fishery. The power of internal combust ion engines is required to convert horsepower into watts and the power of electric motors is required to be converted into watts. Machinery employed for non-agricultural purposes, such as the machines used in township run and village-run industry, construction, nonagricultural transport, scientific experiments and teaching, is excluded. Data are mainly from agricultural machinery agencies.

Rural Employed Persons refer to rural labor forces aged over 16 years old who are engaged in real production and management activities and receive payment in kind or wages, including those covered within the age frame and regularly participating in production activities, and those who are out of the range of age frame and also participating in production activities regularly. Excluding students studying in other places with their permanent residence registered in local areas, servicemen and persons incapable of working; also excluding those who are waiting for jobs and those engaged in household work. Persons employed are classified as rural employed persons; industrial employed persons; construction industry employed persons; transport, storage and telecommunications industries employed persons; whole sales and retail sales Trades and catering industry employed persons and others according to the longest period of persons engaged in major activities (or using income indicator when periods are the same).

Township Enterprises refer to collective economic organization in rural areas or various enterprises bearing the responsibilities of supporting the agricultural sector in town (including related village), which mainly invested by farmers. The share of rural economic organizations or farmers should account for over50%, if it were below 50%,it should play the leading role or hold the share. Those enterprises include: township enterprises, village enterprises, joint-household enterprises, household (private, individual) enterprises; and also the joint venture enterprises with various ownerships among above-mentioned enterprises, or with state-owned enterprises, urban collective enterprises, private enterprises and foreign funded (including Hong Kong, Macao and Taiwan) enterprises.

11 工业

Industry

简要说明

本篇资料的主要内容及来源

本篇资料反映了全省工业生产和基本效益情况，主要包括历年工业总产值及指数、规模以上工业、国有控股工业、国有工业、集体工业、外商投资和港澳台投资工业、大中型工业企业的主要经济指标、相关的财务分析指标和主要工业产品产量等方面的内容。

本篇资料由省统计局工业交通统计处根据工业统计年报中有关资料整理。

Brief Introduction

Main Content and Source of Data

Data in this chapter show the basic condition of industry in Fujian, the output of major industrial products and major economic and relevant financial indicators of industrial enterprises , mainly including the gross industrial output value and indices.Industrial enterprises include enterprises above designated size, state share holding enterprises, state owned enterprises, collective owned enterprises, foreign funded enterprises, enterprises with funds from Hong Kong, Macao and Taiwan, large and medium sized enterprises.

Data in this chapter are based on the annual report of industrial statistics and are prepared and provide by the Division of Industry and Transport Statistics of Fujian Provincial Bureau of Statistics.

11-1 主要年份全部工业单位数、工业总产值及指数

Number of Industrial Enterprises and Gross Industrial Output Value and the Realated Index

年份 Year	工业单位数（个、户） Number of Industrial Enterprises(unit)			工业总产值（亿元） Gross Industrial Output Value (100 million yuan)			工业总产值指数（1952=100） Indices of Gross Industrial Output Value(1952=100)		
	总计 Total	国有企业 State-owned	集体企业 Collective owned	总计 Total	国有企业 State-owned	集体企业 Collective owned	总计 Total	国有企业 State-owned	集体企业 Collective owned
1952	6131			4.2	0.51	0.02	100	100.0	100.0
1957	6127			8.57	5.93	1.64	209.8	1190.2	8550.0
1962	6369			11.23	8.87	2.48	279.5	1780.3	12929.3
1965	4933			17.24	14.68	3.06	434.2	2946.4	15953.0
1970	4553			24.41	21.78	3.80	626.1	4371.4	19811.0
1975	7001			43.37	33.90	10.54	1132.5	7182.3	53688.6
1978	8619	2410	6209	63.14	47.62	16.56	1635.5	10089.1	84353.2
1979	9663	2538	7125	72.01	52.53	19.30	1830.5	11129.4	98310.2
1980	12338	2629	7909	81.45	57.65	23.77	2068.8	12173.9	120672.0
1981	13354	2659	8025	87.76	60.50	26.11	2260.4	12955.7	134425.3
1982	14716	2795	8267	95.77	65.97	28.29	2425.8	13814.7	142670.7
1983	17011	2811	8434	103.97	70.66	30.85	2640.1	14657.1	155963.3
1984	23446	2744	9004	131.11	82.74	40.53	3308.2	16952.0	203636.8
1985	118738	2848	49563	173.13	101.71	57.84	4149.1	19473.0	289888.8
1986	144496	2895	53743	205.1	114.28	72.75	4786.3	21157.8	350355.2
1987	161175	2912	60564	265.87	139.55	92.48	5894.3	23774.3	430360.7
1988	178963	2960	63985	388.85	192.69	132.41	7854	27911.6	580627.2
1989	181760	3054	59757	488.96	242.17	156.98	9044.6	29955.4	662981.4
1990	178767	3059	57621	531.48	239.82	166.91	10205	30086.1	719949.7
1991	189702	3016	59507	658.86	268.28	209.81	12489.5	32848.3	897745.8
1992	220570	2906	67610	915.51	314.17	323.69	17149.9	37953.2	1360582.9
1993	258904	2592	75397	1522.37	391.55	566.47	25624.1	38810.8	2193320.1
1994	318584	2493	87182	2128.61	422.58	785.29	34914.6	39505.1	3062020.4
1995	215096	2919	61500	2638.52	448.93	940.41	41709.8	38550.9	3254811.9
1996	238879	3060	71017	2840.51	450.37	1060.49	50427.1	39444.8	4293096.9
1997	226896	2467	43172	3066.76	433.55	946.14	60916	36994.0	4288803.8
1998	183706	1381	4737	3218.51	368.30	219.60	70175.2	33664.5	3628328.0
1999	207949	1198	7883	3479.84	376.66	202.71	80210.3	34708.1	3726292.9
2000	237211	1000	7433	3994.86	395.67	211.49	91519.9	35228.7	3934965.3
2001	240083	910	8010	4398.08	360.54	192.92	103234.5	31987.7	3635907.9
2002	246262	737	9108	5260.2	329.12	216.11	121403.8	25750.1	3857698.3
2003	234008	577	7707	6616.61	358.20	236.63	143256.5	29303.6	4328337.5
2004	230996	557	5249	8544.5	598.92	171.41	168183.1	32849.3	4233114.1
2005	242796	431	5729	9995.89	403.26	184.51	196269.7	35280.2	4643726.2
2006	223555	386	5079	11855.68	753.56	211.69	234738.6	40783.9	5307779.0
2007	212878	243	5052	14425.06	720.16	242.94	287789.5	45351.7	6167639.2
2008	216868	705	3169	17141.44	750.36	221.15	337000.9	45623.8	6846079.5

注：1.国有企业、集体企业1997年及以前年份的是按经济类型划分，1998年及以后年份是按登记注册类型划分，所以两者不可比。2.1984年及以前未包括村及村以下工业生产单位数。

Note:1)The Stated-owned Enterprises and Collective-owned Enterprises were grouped by ownership before 1997, grouped by status of registration after 1998.They are not comparable.2)The Stated-owned Enterprises and Collective-owned Enterprises were not include village.

11–2 主要年份全部工业总产值

Gross Output value of Industry in Selected Years

年份 Year	工业总产值（亿元） Cross Industrial Output Value(100 million yuan)			工业总产值比上年增长(%) Ratio(%)			工业增加值（亿元） Value added of Industry(100 million yuan)		工业增加值率(%) Value-added of Industry (%)
	总计 Total	轻工业 Light Industry	重工业 Heavy Industry	总计 Total	轻工业 Light Industry	重工业 Heavy Industry	绝对数 Value added of Industry	增长速度(%) Growth rate	
1952	4.20	3.74	0.46	31.3	25.5	109.1	2.17	45.7	51.7
1957	8.57	7.11	1.46	17.2	13.5	38.9	4.23	24.2	49.4
1962	11.23	8.17	3.06	-18.2	-10.5	-33.5	4.00	-20.6	35.6
1965	17.24	11.89	5.35	24.2	22.7	27.8	6.55	26.2	38.0
1970	24.41	15.72	8.69	16.9	10.3	31.1	8.56	12.9	35.1
1975	43.37	25.17	18.20	9.4	5.2	15.9	14.29	8.7	33.0
1978	63.14	36.91	26.23	19.7	17.1	23.6	23.85	38.7	37.8
1979	72.01	42.48	29.53	11.9	13.0	10.5	26.20	7.0	36.1
1980	81.45	49.48	31.97	13.0	16.4	8.2	29.55	13.5	36.3
1981	87.76	55.52	32.24	9.3	13.8	2.3	33.16	13.8	37.8
1982	95.77	60.04	35.73	7.3	6.5	8.6	35.25	4.5	36.8
1983	103.97	65.50	38.47	8.8	6.4	12.6	37.76	7.4	36.3
1984	131.11	82.60	48.51	25.3	24.8	26.1	47.47	24.9	36.2
1985	173.13	103.68	69.45	25.4	27.4	22.3	62.09	24.2	35.9
1986	205.10	122.61	82.49	15.4	15.6	14.9	67.06	5.2	32.7
1987	265.87	157.85	108.02	23.1	23.8	22.1	82.69	17.1	31.1
1988	388.85	237.87	150.98	33.2	38.2	24.9	120.45	32.9	31.0
1989	488.96	296.52	192.44	15.2	14.4	16.3	142.45	8.5	29.1
1990	531.48	329.72	201.77	12.8	15.4	8.1	150.55	9.3	28.3
1991	658.86	413.28	245.58	22.4	23.5	20.4	188.29	23.7	28.6
1992	915.51	587.20	328.31	37.3	40.2	32.2	241.78	26.8	26.4
1993	1522.37	908.20	614.17	49.4	43.8	60.1	381.95	39.5	25.3
1994	2128.61	1281.72	846.89	36.3	35.1	38.2	618.06	33.9	29.5
1995	2638.52	1600.51	1038.01	23.3	20.8	27.4	748.92	16.4	26.7
1996	2840.51	1789.69	1050.82	20.9	27.1	11.0	875.50	15.2	26.7
1997	3066.76	1910.15	1156.61	20.8	19.0	24.0	1039.62	16.5	26.7
1998	3218.51	2056.40	1162.11	15.2	17.9	10.4	1132.79	12.5	26.3
1999	3479.84	2190.87	1288.97	14.3	10.9	20.6	1230.22	12.5	26.0
2000	3994.86	2317.02	1677.84	14.1	11.6	17.8	1422.34	12.2	26.1
2001	4398.08	2374.96	2023.12	12.8	7.9	19.5	1586.48	10.8	27.2
2002	5260.20	2630.10	2630.10	17.6	15.4	20.8	1808.95	15.1	28.1
2003	6616.61	3109.81	3506.80	18.0	15.0	21.0	2061.31	15.4	27.7
2004	8544.50	3809.41	4735.09	17.4	17.8	17.0	2438.62	15.3	27.8
2005	9995.89	4484.89	5511.00	16.7	20.5	13.5	2842.43	13.8	27.8
2006	11855.68	5363.49	6492.19	19.6	18.6	20.2	3311.59	16.9	27.3
2007	14425.06	6515.95	7909.11	22.6	20.6	23.1	4018.42	19.3	27.2
2008	17141.44	7931.00	9210.43	17.1	16.9	17.2	4755.45	15.2	27.6

注：2008年工业增加值为初步汇总数。

Note:The Value added of Industry in 2008 is intial data.

11-3 全部工业主要经济指标(2008年)

Main Economic Indicators of Industry, 2008

项目 Item	单位数（个） Number of Enterprises (unit)	从业人员（万人） Number of Employed Persons (10000 persons)	工业总产值（亿元） Cross Industrial Output Value (100 million yuan)
合　计 Total	**216868**	**585.07**	**17141.44**
企业 Enterprises	65438	486.91	16410.07
个体户 Private	151430	98.16	731.37
一、按登记注册分 Grouped by Status of Registration			
（一）内资企业 Domestically funded enterprises	**56473**	**274.48**	**8364.24**
国有 State-owned Enterprises	705	9.75	750.36
集体 Collective-owned Enterprises	3169	9.14	221.15
股份合作 Cooperative Enterprises	1100	6.96	239.48
联营 Cooperative	219	1.22	98.72
国有联营 State-owned Joint Ownership Enterprises	33	0.57	72.82
集体联营 Collective Joint Ownership Enterprises	100	0.21	7.92
国有与集体联营 Joint State-collective Enterprises	23	0.17	9.71
其它联营 Others	63	0.28	8.26
有限责任公司 Limited-Liability Corporations	4487	40.87	1788.40
国有独资公司 State Sole Funded Corporations	48	3.35	341.54
其它有限责任公司 Other Limited Liability Corporations	4439	37.51	1446.86
股份有限公司 Share Holding Enterprises	773	10.44	505.15
私营企业 Private Enterprises	44927	193.66	4723.32
私营独资 Private-funded Enterprises	14364	34.41	480.07
私营合伙 Private Partnership Enterprises	6982	15.26	213.70

注：本表工业增加值为初步汇总数。

Note:This table Value added of Industry is intial data.

11−3 续表1

Continued

项目 Item	单位数（个） Number of Enterprises (unit)	从业人员（万人） Number of Employed Persons (10000 persons)	工业总产值（亿元） Cross Industrial Output Value (100 million yuan)
私营有限责任公司 Private Limited Liability Corporations	22081	137.30	3862.24
私营股份有限公司 Private Share-holding Corporations Ltd.	1500	6.69	167.30
其它企业 Other Enterprises	1093	2.44	36.76
（二）港澳台商投资企业 **Enterprises with Funds from HongKong, Macao,TaiWan and Foreign**	**5686**	**130.98**	**4210.33**
合资经营企业 Joint Ventures Enterprises	1000	29.20	1147.22
合作经营企业 Cooperative Operation Enterprises	57	1.31	52.95
独资企业 Sole Investment	4552	99.11	2895.53
股份有限公司 Share-holding Corporations Ltd.	77	1.36	114.63
（三）外商投资企业 **Foreign Funded Enterprises**	**3279**	**81.45**	**3835.50**
中外合资经营企业 Joint Ventures Enterprises	862	19.68	1294.66
中外合作经营企业 Cooperative Operation Enterprises	44	0.80	29.85
外资企业 Sole Foreign Investment Enterprises	2310	59.60	2422.35
外商投资股份有限公司 Foreign Investment share Enterprises	63	1.38	88.65
（四）个体户 Private	151430	98.16	731.37
二、按规模分 **Grouped by Size of Enterprises**			
大型 Large	95	40.89	2994.62
中型 Medium	1729	143.08	6045.44
小型 Small	63614	302.94	7370.01
个体户 Private	151430	98.16	731.37
三、按轻重分 **Grouped by Light &Heavy Industry**			

11-3 续表2

Continued

项目 Item	单位数（个） Number of Enterprises (unit)	从业人员（万人） Number of Employed Persons (10000 persons)	工业总产值（亿元） Cross Industrial Output Value (100 million yuan)
轻工业 Light Industry	107705	357.02	7931.00
重工业 Heavy Industry	109163	228.05	9210.43
四、按行业分 **Grouped by Sector**			
煤炭开采和洗选业 Coal Mining and Dressing	502	5.96	118.20
黑色金属矿采选业 Ferrous Metals Mining and Dressing	681	1.97	131.11
有色金属矿采选业 Nonferrous Metals Mining and Dressing	697	1.52	57.89
非金属矿采选业 Nonmetal Minerals Mining and Dressing	5721	6.77	110.69
农副食品加工业 Agricultural and Sideline Products Processing	8482	18.87	851.38
食品制造业 Food Manufacturing	5455	13.25	389.43
饮料制造业 Beverage Manufacturing	8263	12.52	313.89
烟草加工业 Tobacco Processing	5	0.41	144.15
纺织业 Textile Industry	8348	33.86	894.62
纺织服装、鞋、帽制造业 Textile Garments , Shoes and Caps Products	15556	63.18	1038.22
皮革、毛皮、羽毛(绒)及其制品业 Leather , Furs , Down and Relate Products	8522	70.51	1164.18
木材加工及木、竹、藤、棕、草制品业 Timber Processing , Bamboo , Cane , Palm Fiber and Straw Products	11029	20.71	366.62
家具制造业 Furniture Manufacturing	3454	9.37	190.05
造纸及纸制品业 Papermaking and Paper Products	6870	15.36	430.13
印刷业和记录媒介的复制 Printing and Record Medium Reproduction	6576	7.93	131.50
文教体育用品制造业 Cultural , Educational and Sports Goods	1876	9.40	150.36
石油加工、炼焦及核燃料加工业 Petroleum Processing , Coking and Nuclear Fuel Processing	247	0.66	211.24

11–3 续表3

Continued

项目 Item	单位数（个） Number of Enterprises (unit)	从业人员（万人） Number of Employed Persons (10000 persons)	工业总产值（亿元） Cross Industrial Output Value (100 million yuan)
化学原料及化学制品制造业 Raw Chemical Materials and Chemical Products	6510	12.54	593.02
医药制造业 Medical and Pharmaceutical Products	778	2.73	113.49
化学纤维制造业 Chemical Fiber	245	2.33	239.45
橡胶制品业 Rubber Products	2563	10.73	254.86
塑料制品业 Plastic Products	11020	26.76	647.89
非金属矿物制品业 Nonmetal Minerals Products	25580	56.34	1226.04
黑色金属冶炼及压延加工业 Smelting and Pressing of Ferrous Metals	812	5.89	764.56
有色金属冶炼及压延加工业 Smelting and Pressing of Nonferrous Metals	851	3.73	340.60
金属制品业 Metal Products	9116	16.53	441.40
通用设备制造业 General Equipment	9176	17.97	521.12
专用设备制造业 Special Purpose Equipment	6800	11.80	377.12
交通运输设备制造业 Transport Equipment	6550	17.90	703.69
电气机械及器材制造业 Electric Equipment and Machinery	6537	21.56	767.42
通信设备、计算机及其他电子设备制造业 Telecommunications , Computer , and Other Electronic Equipment	3651	26.66	1749.65
仪器仪表及文化、办公用机械制造业 Instruments , Meters , Cultural and Clerical Machinery	1750	7.81	161.24
工艺品及其他制造业 Handicraft Article and Other Manufacturing	9982	32.87	470.97
废弃资源和废旧材料回收加工业 Waste Resources and Materials Recovering	522	0.42	10.01
电力、热力的生产和供应业 Production and Supply of Electric Power and Hot Power	19182	14.83	1009.64
燃气生产和供应业 Production and Supply of Gas	136	0.29	14.81
水的生产和供应业 Production and Supply of Water	2826	3.08	40.82

11-4 规模以上工业企业主要指标(1998-2008年)

Main Indicators of Industrial Enterprises above Designated Size,1998-2008

单位：亿元 (100 million yuan)

年份 Year	企业单位数（个） Number of Enterprises (unit)	工业总产值 Gross Industrial Output Value	工业增加值 Value- added of Industry	资产总计 Total Assets	流动资产合计 Circulating Funds	主营业务收入 Revenue from Principal Business	利润总额 Total Profits	税金总额 Total Tax
1998	6106	2037.52	601.54	2626.33	1101.12	1860.76	55.76	103.85
1999	5549	2210.28	665.02	2890.62	1209.61	2060.31	87.38	113.67
2000	6011	2616.12	797.12	3368.64	1401.27	2468.69	110.80	135.80
2001	6583	2945.02	875.39	3632.22	1514.43	2789.09	118.22	146.16
2002	7462	3676.37	1177.59	4059.60	1781.70	3522.47	204.30	164.90
2003	9208	4953.74	1448.50	4902.48	2306.49	4822.24	314.40	204.23
2004	11918	6783.42	1917.65	6034.04	2994.25	6581.07	382.00	253.11
2005	12396	8135.98	2291.26	6841.37	3393.30	7848.24	407.55	285.73
2006	13755	10005.08	2847.81	8168.75	4111.21	9661.48	586.52	377.21
2007	15178	12517.91	3598.69	10157.20	5056.06	12227.31	894.51	481.21
2008	17212	15212.81	4432.23	11694.91	5700.78	14816.17	896.11	560.87

11-5 规模以上工业企业主要经济效益指标(1998-2008年)

Main Indicators on Economic Benefit of Industrial Enterprises above Designated Size ,1998-2008

单位：% (%)

年份 Year	工业增加值率 Ratio of Value-added to Industrial Output Value	总资产贡献率 Ratio of Assets to Industrial Output Value	资产负债率 Assets- Liability Ratio	流动资产周转次数（次） Number of Times of Turnover of Circulating Fund(time)	成本费用利润率 Ratio of Profits to Industrial Cost	全员劳动生产率（元/人） Overall Labor Productivity(yuan /person)	产品销售率 Proportion of Products Sold
1998	26.99	7.95	56.10	1.76	3.13	38250	95.52
1999	27.29	8.95	57.35	1.78	4.50	44967	96.39
2000	27.46	9.26	57.52	1.89	4.76	51244	96.95
2001	26.82	8.84	56.76	1.91	4.47	53016	96.99
2002	29.06	10.91	55.82	2.10	6.22	65802	97.50
2003	26.43	12.74	54.34	2.30	7.07	65168	97.59
2004	25.54	12.74	52.96	2.39	6.21	70420	97.13
2005	27.47	11.89	52.71	2.41	5.52	78898	97.33
2006	27.74	14.08	53.81	2.51	6.58	87655	96.96
2007	27.98	16.27	55.53	2.58	8.05	100197	97.71
2008	27.89	14.86	53.72	2.67	6.44	116619	97.54

11-6 主要年份规模以上工业企业主要经济指标

单位：亿元

年份 Year	固定资产原值年末数 Original Value of Fixed Assets at the Year-end				固定资产净值年末数 Net Value of Fixed Assets at the Year-end			
	合计 Total	国有 State-owned	集体 Collective-owned	其他 Others	合计 Total	国有 State-owned	集体 Collective-owned	其他 Others
1978	44.84	40.62	4.22			29.52		
1980	56.78	49.65	7.13		41.11	35.83	5.28	
1985	103.41	83.83	17.26	2.32	74.01	59.40	12.57	2.04
1990	244.56	173.52	38.76	32.28	180.75	127.49	26.37	26.89
1995	991.98	482.24	93.97	415.77	783.88	368.76	69.46	345.66
1996	1197.03	551.93	107.01	538.09	923.98	411.57	77.81	434.60
1997	1444.47	585.53	128.06	730.88	1106.79	434.63	95.68	576.48
1998	1539.99	613.18	84.78	842.03	1150.38	450.25	62.28	637.85
1999	1768.61	681.74	82.28	1004.59	1307.18	493.17	59.01	755.00
2000	2032.18	679.99	85.13	1267.06	1479.53	477.71	60.21	941.61
2001	2351.09	711.63	76.29	1563.17	1690.78	492.17	53.55	1145.06
2002	2596.43	591.72	59.92	1944.79	1812.38	410.75	41.84	1359.79
2003	2979.24	624.78	58.20	2296.26	2020.47	416.94	40.99	1562.54
2004	3435.92	640.44	35.79	2759.69	2343.14	427.74	22.86	1892.53
2005	3838.40	330.01	36.72	3471.67	2565.23	204.17	24.82	2336.23
2006	4499.35	710.81	40.54	3747.99	2970.84	450.69	25.57	2494.57
2007	5227.60	712.79	45.22	4469.59	3504.89	472.30	28.72	3003.87
2008	5994.98	785.89	45.36	5163.73	4043.82	507.56	28.52	3507.74

注：1.表内1998年起统计口径为规模以上工业企业,以前为乡及乡以上独立核算工业企业；2.1995年起产品销售收入不含销项税；3.1998年及以后年份“国有、集体、其他”为登记注册类型；4.本表及以下各表规模以上工业增加值按生产法计算。

Note:Statistics scope from 1998 covers industrial enterprises above designated size. b)Sales income from 1995 excludes tax on sales.c)"State-owned, Collective-owned, Others" from 1998 refers to the registation type of enterprises. d)Value added of Industrial enterprises above designed size in this table and following are calculated by produce method.

Main Financial Indicators of Industrial Enterprises above Designated Size in Selected Years

(100 million yuan)

流动资产年平均余额 Annual Average Balance Circulating Funds				主营业务收入 Sale Revenue			
合计 Total	国有 State-owned	集体 Collective-owned	其他 Others	合计 Total	国有 State-owned	集体 Collective-owned	其他 Others
				67.25	52.86	14.38	0.01
				136.58	99.06	30.79	6.73
189.07	116.61	33.50	38.96	352.56	213.01	68.65	70.90
813.89	266.83	93.41	453.65	1469.28	442.04	225.29	801.95
922.83	297.21	99.39	526.23	1617.13	438.70	242.70	935.73
1032.84	272.35	110.87	649.62	1858.56	417.02	269.98	1171.56
1054.48	261.10	81.27	712.11	1860.76	387.59	183.71	1289.46
1157.92	266.13	79.19	812.60	2060.31	424.73	170.05	1465.53
1307.81	264.57	77.25	965.99	2468.69	445.30	176.52	1846.87
1463.02	249.35	68.21	1145.46	2789.09	431.74	169.13	2188.22
1678.59	189.70	60.43	1428.46	3522.47	344.91	146.80	3030.76
2095.48	164.42	60.93	1870.12	4822.24	390.11	163.67	4268.46
2752.06	235.86	42.30	2473.90	6581.07	590.08	101.07	5889.92
3260.86	166.05	40.18	3054.64	7848.24	398.85	106.91	7342.48
3852.73	235.96	45.72	3571.05	9661.48	738.51	137.89	8785.08
4747.80	200.25	49.76	4497.79	12227.31	709.38	168.53	11349.40
5539.85	188.05	48.10	5303.70	14816.17	727.08	176.15	13912.93

11–6 续表

单位：亿元

年份 Year	利税总额 Total Profit and Tax 合计 Total	国有 State-owned	集体 Collective-owned	其他 Others	利润总额 Total Profit 合计 Total	国有 State-owned	集体 Collective-owned	其他 Others
1978	12.21	10.25	1.96		6.75	5.53	1.22	
1980	14.44	12.13	2.31		8.26	6.82	1.44	
1985	25.74	21.10	3.98	0.66	13.55	11.07	2.15	0.33
1990	44.97	33.14	5.98	5.85	16.09	11.91	1.79	2.39
1995	130.54	58.91	18.30	53.33	48.16	15.17	5.35	27.64
1996	145.20	72.80	18.73	53.67	55.12	25.28	5.31	24.53
1997	170.38	75.02	21.96	73.40	68.62	30.24	6.40	31.98
1998	159.61	69.24	12.57	77.80	55.76	18.47	3.40	33.89
1999	201.05	74.54	12.80	113.71	87.38	22.22	4.38	60.78
2000	246.60	81.60	14.16	150.84	110.80	24.21	5.29	81.30
2001	264.38	86.09	14.98	163.31	118.22	26.37	6.21	85.64
2002	369.21	73.79	12.49	282.93	204.30	20.11	5.73	178.46
2003	518.62	85.46	16.65	416.51	314.40	24.82	7.97	281.60
2004	635.11	91.22	8.95	534.94	382.00	21.92	3.73	356.35
2005	693.28	85.47	9.41	598.40	407.55	19.84	3.47	384.25
2006	963.72	113.02	16.01	834.69	586.52	26.61	8.04	551.87
2007	1375.71	122.57	22.34	1230.81	894.51	44.99	12.39	837.13
2008	1456.97	101.75	20.00	1335.22	896.11	25.45	9.68	860.98

Continued

(100 million yuan)

工业增加值 Value Added of Industry				工业总产值 Gross Industrial Output Value			
合计 Total	国有 State-owned	集体 Collective- owned	其他 Others	合计 Total	国有 State-owned	集体 Collective-owned	其他 Others
				55.46	43.69	11.77	
				71.86	55.47	16.38	0.01
				141.40	98.35	34.00	9.05
				393.65	225.17	78.77	89.71
410.29	145.42	60.78	204.09	1558.04	433.67	240.51	883.86
488.04	144.34	78.45	265.25	1770.54	436.10	282.04	1052.40
581.40	137.84	92.35	351.21	2028.43	417.00	307.45	1303.98
601.54	158.49	57.99	385.06	2037.52	389.20	205.99	1442.33
665.02	167.73	51.10	446.19	2210.28	406.11	184.70	1619.47
797.12	172.80	52.37	571.95	2616.12	447.09	189.96	1979.07
875.39	183.37	49.19	642.83	2945.02	421.07	180.11	2343.84
1177.59	153.43	45.06	979.10	3676.37	329.12	154.34	3192.91
1448.50	157.92	52.23	1238.35	4953.74	358.20	171.78	4423.76
1917.65	179.53	31.43	1706.69	6783.42	598.92	103.58	6080.91
2291.26	148.85	38.24	2104.16	8135.98	403.27	111.97	7620.74
2847.81	209.66	48.85	2589.30	10005.08	753.56	139.52	9112.00
3598.69	205.47	55.56	3337.66	12517.91	717.16	168.56	11632.19
4432.23	231.01	66.53	4134.68	15212.81	740.26	174.96	14297.59

11-7 规模以上工业企业单位数

Number of Industrial Enterprises above Designated Size

单位：个 (unit)

项目 Item	2000	2003	2005	2007	2008
合 计 Total	**6011**	**9208**	**12396**	**15178**	**17212**
一、按轻重分 Grouped by Light &Heavy Industry					
轻工业 Light Industry	3656	5663	7131	8445	9471
以农产品为原料 Using Farm Products as Raw Materials	2264	3542	4812	5670	6366
以非农产品为原料 Using Non-Farm Products as Raw Materials	1392	2121	2319	2775	3105
重工业 Heavy Industry	2355	3545	5265	6733	7741
采掘工业 Mining and Quarrying	183	228	421	600	644
原料工业 Raw Materials Industry	797	1340	1882	2391	2737
加工工业 Manufacturing Industry	1375	1977	2962	3742	4360
二、按注册类型分 Grouped by Status of Registration					
内资企业 Pomestic Funded Enterprises	3320	5304	7453	9591	11381
港澳台商投资企业 Enterprises With Funds from HongKong,Macao and TaiWan	2076	2715	3165	3534	3712
外商投资企业 Foreign Funded Enterprises	615	1189	1778	2053	2119
三、按经济类型分 Grouped by Ownership					
国有 Stated-owned	1046	616	481	300	292
集体 Collective-owned	1077	1092	800	744	682
其他 Others	3888	7500	11115	14134	16238
#外商及港澳台商投资 Funds from HongKong,Macao,Taiwan and Foreign Area	2691	3904	4943	5587	5831
四、按经济组织分 Grouped by Organization					
独资 Sole Funded	3572	4247	4871	5297	5607
合作、合伙 Cooperated and Partnership	494	781	715	718	698
股份有限公司 Share Holding Enterprises	189	330	381	408	393
有限责任公司 Limited Liability Corporations	1756	3850	6429	8755	10514
五、按规模分 Grouped by Size					
大型 Large Scale	92	41	60	85	95
中型 Medium Scale	209	809	1142	1563	1729
小型 Small Scale	5710	8358	11194	13530	15388

注：2003年起大中企业划分标准改变，故大中型企业数与往年不可比。

Note: Changed by the standard of enterprise , number of enterprises by Large and Medium size from 2003 is not comparable with the previous years.

11–8 规模以上工业企业增加值

Gross Output Value of Industrial Enterprises above Designated Size

单位：亿元 (100 million yuan)

项目 Item	2000	2003	2005	2007	2008
合　计 Total	**797.12**	**1448.50**	**2291.26**	**3598.69**	**4432.23**
国有及国有控股企业 State-owned and State-holding Enterprises	**292.66**	**413.39**	**442.61**	**554.05**	**618.86**
一、按轻重分 Grouped by Light &Heavy Industry					
（一）轻工业 Light Industry	415.58	687.07	1121.49	1720.30	2201.87
以农产品为原料 Using Farm Products as Raw Materials	244.65	439.96	765.40	1221.78	1594.45
以非农产品为原料 Using Non-Farm Products as Raw Materials	170.93	247.10	356.10	498.52	607.42
（二）重工业 Heavy Industry	381.54	761.44	1169.76	1878.39	2230.35
采掘工业 Mining and Quarrying	15.50	23.93	64.38	118.24	197.63
原料工业 Raw Materials Industry	156.14	342.90	521.12	789.09	867.57
加工工业 Manufacturing Industry	209.90	394.61	584.26	971.06	1165.15
二、按经济类型分 Grouped by Ownership					
国有 Stated-owned	172.80	205.88	244.22	336.00	377.28
集体 Collective-owned	52.37	74.12	69.14	107.07	147.32
股份制 Share Holding	70.05	150.92	314.51	489.24	566.37
联营 Cooperation	1.87	2.73	3.91	5.60	6.12
私营 Private	36.55	147.06	395.39	784.80	1172.44
外商及港澳台商投资 Funds from HongKong,Macao, TaiWan and Foreign	462.12	863.91	1262.75	1869.97	2157.95
其他 Others	1.36	3.88	1.34	6.02	4.75

注：工业增长速度按月报同口径计算，表内绝对数为年报数，因年度间调查单位数不同，不可直接对比。

Note:Increase rate of Industrial enterprises is according to monthly statistics.

11-8 续表

Continued

单位：亿元　(100 million yuan)

项目　Item	2000	2003	2005	2007	2008
三、按登记注册分 Grouped by Status of Registration					
国有 State-owned Enterprises	172.80	157.92	148.85	205.47	231.01
集体 Collective-owned Enterprises	52.37	52.23	38.24	55.56	66.53
股份合作 Cooperative Enterprises	7.16	19.47	29.40	49.54	78.54
联　营 Cooperative	19.65	21.80	28.40	33.31	30.61
有限责任公司 Limited-Liability Corporations	29.72	120.37	291.38	455.13	534.43
股份有限公司 Share Holding Corporations Ltd.	46.39	61.86	95.50	138.89	155.97
私营企业 Private Enterprises	36.55	147.06	395.39	784.80	1172.44
港澳台商投资企业 Enterprises with Funds from HongKong, Macao,TaiWan and Foreign	333.05	514.95	670.47	960.55	1213.36
外商投资企业 Foreign Funded Enterprises	129.07	348.96	592.28	909.42	944.59
其他企业 Other Enterprises	1.36	3.88	1.34	6.02	4.75
四、按经济组织分 Grouped by Organization					
独资 Sole Funded	480.16	699.52	987.98	1548.46	1788.90
合作、合伙 Cooperated and Partnership	44.36	76.95	96.10	141.55	166.23
股份有限公司 Share Holding Enterprises	49.57	119.73	170.39	211.47	255.08
有限责任公司 Limited Liability Corporations	223.03	552.30	1036.78	1697.20	2222.01
五、按规模分 Grouped by Size					
大型 Large Scale	136.82	263.07	416.15	556.06	722.11
中型 Medium Scale	355.61	613.97	926.30	1571.87	1805.42
小型 Small Scale	517.81	571.46	948.80	1470.76	1904.70

11–9 按行业分工业增加值

Value-add of Industry by Sector

单位：亿元 (100 million yuan)

项目 Item	2003	2005	2006	2007	2008
合　计 Total	**1448.50**	**2291.26**	**2847.81**	**3598.69**	**4432.23**
一、采矿业 Mining and Quarrying	**22.42**	**61.26**	**80.33**	**113.69**	**192.27**
煤炭开采和洗选业 Coal Mining and Dressing	10.22	27.32	38.71	46.26	79.70
石油和天然气开采业 Petroleum and Natural Gas Mining					
黑色金属矿采选业 Ferrous Metals Mining and Dressing	2.50	17.70	15.63	27.76	54.97
有色金属矿采选业 Nonferrous Metals Mining and Dressing	2.89	5.17	11.89	19.33	28.95
非金属矿采选业 Nonmetal Minerals Mining and Dressing	6.80	11.06	14.10	20.33	28.64
其他采矿业 Others Mining and Quarrying					
二、制造业 Manufacturing	**1268.22**	**2014.18**	**2512.28**	**3202.62**	**3972.13**
农副食品加工业 Agricultural and Sideline Products Processing	44.24	84.39	108.55	139.97	196.44
食品制造业 Food Manufacturing	24.60	48.03	58.26	76.78	95.91
饮料制造业 Beverage Manufacturing	25.96	42.43	49.69	68.82	92.01
烟草制品业 Tobacco Processing	53.48	65.63	79.79	102.96	115.83
纺织业 Textile Industry	69.08	137.14	163.81	201.49	226.94
纺织服装、鞋、帽制造业 Textile Garments , Shoes and Caps Products	76.87	133.95	180.05	224.44	296.58
皮革、毛皮、羽毛(绒)及其制品业 Leather , Furs , Down and Relate Products	90.20	155.17	192.79	264.95	377.16
木材加工及木、竹、藤、棕、草制品业 Timber Processing , Bamboo , Cane , Palm Fiber and Straw Products	15.32	29.46	40.62	60.26	90.20
家具制造业 Furniture Manufacturing	12.78	28.27	30.30	34.14	48.28
造纸及纸制品业 Papermaking and Paper Products	31.02	55.43	69.30	80.82	105.29
印刷业和记录媒介的复制 Printing and Record Medium Reproduction	10.75	14.54	17.02	19.13	24.00
文教体育用品制造业 Cultural , Educational and Sports Goods	14.01	19.89	24.50	29.22	35.56
石油加工、炼焦及核燃料加工业 Petroleum Processing , Coking and Nuclear Fuel Processing	14.54	17.07	4.09	22.38	-2.19

11–9 续表

Continued

单位：亿元　　(100 million yuan)

项目 Item	2003	2005	2006	2007	2008
化学原料及化学制品制造业 Raw Chemical Materials and Chemical Products	52.34	88.00	82.71	104.89	130.89
医药制造业 Medical and Pharmaceutical Products	18.30	23.54	30.52	33.64	39.65
化学纤维制造业 Chemical Fiber	15.88	30.07	42.95	48.81	51.51
橡胶制品业 Rubber Products	17.37	36.06	47.25	57.90	66.84
塑料制品业 Plastic Products	53.56	72.82	94.16	119.89	166.96
非金属矿物制品业 Nonmetal Minerals Products	85.43	154.22	196.53	264.14	337.06
黑色金属冶炼及压延加工业 Smelting and Pressing of Ferrous Metals	48.06	68.77	91.46	131.97	165.31
有色金属冶炼及压延加工业 Smelting and Pressing of Nonferrous Metals	15.83	29.24	53.30	79.85	96.89
金属制品业 Metal Products	22.64	39.67	56.44	71.01	98.16
通用设备制造业 General Equipment	25.73	48.59	62.90	87.97	122.98
专用设备制造业 Special Purpose Equipment	24.84	47.86	55.58	68.32	79.32
交通运输设备制造业 Transport Equipment	78.59	75.50	96.25	140.99	207.92
电气机械及器材制造业 Electric Equipment and Machinery	60.77	105.43	117.59	156.92	196.87
通信设备、计算机及其他电子设备制造业 Telecommunications , Computer , and Other Electronic Equipment	189.03	259.66	347.09	363.29	333.56
仪器仪表及文化、办公用机械制造业 Instruments , Meters , Cultural and Clerical Machinery	21.48	37.40	34.72	38.28	44.54
工艺品及其他制造业 Handicraft Article and Other Manufacturing	55.45	65.58	83.59	108.99	130.07
废弃资源和废旧材料回收加工业 Waste Resources and Materials Recovering	0.09	0.35	0.48	0.38	1.61
三、电力、燃气及水的生产和供应业 Production and Supply of Electric Power, Gas,Water	**157.86**	**215.82**	**255.20**	**282.38**	**267.83**
电力、热力的生产和供应业 Production and Supply of Electric Power and Hot Power	148.91	205.39	242.03	267.65	254.30
燃气生产和供应业 Production and Supply of Gas	0.77	0.27	1.15	1.86	-0.87
水的生产和供应业 Production and Supply of Water	8.18	10.17	12.01	12.87	14.40

11-10 主要年份主要工业产品产量

Output of Major Industrial Products in Selected Years

年份 Year	化学纤维(万吨) Chemical Fiber (10000 tons)	原煤(万吨) Coal (10000 tons)	发电量(亿千瓦小时) Electricity (100 million kwh)	粗钢(万吨) Crude Steel (10000 tons)	水泥(万吨) Cement (10000 tons)	化学肥料(万吨) Chemical Fertilizer (10000 tons)	汽车(辆) Motor Vehicles (unit)	移动通信手持机(万部) Mobile Telephone (10000 units)	微型电子计算机(万部) Micro-computer (10000 sets)
1952		0.30	0.12						
1957		8.25	0.57		5.26				
1962	...	55.77	4.99	0.12	6.05	0.31			
1965	0.03	60.19	7.41	0.66	20.37	4.46			
1970	0.10	110.03	13.12	3.62	32.85	5.22	317		
1975	0.28	280.67	26.83	9.84	89.13	9.54	765		
1978	1.19	423.05	40.69	16.16	120.45	16.40	907		
1979	1.13	479.04	44.40	20.93	139.84	19.51	1110		
1980	1.35	462.99	49.47	24.16	155.30	24.32	1029		
1981	1.50	416.55	52.46	21.90	161.62	24.88	60		
1982	1.35	440.23	57.18	24.90	163.71	27.21	40		
1983	1.04	524.26	61.55	23.79	206.66	28.14	257		
1984	1.03	575.94	67.53	28.71	234.03	32.37	641		
1985	1.65	606.53	77.20	31.75	290.69	32.88	652		
1986	2.06	678.52	86.21	34.42	321.76	32.89	870		
1987	2.50	787.19	98.54	39.23	379.50	39.93	1201		
1988	2.62	864.36	114.14	40.39	452.97	40.62	3225		
1989	2.55	944.83	129.56	43.23	499.63	42.28	1607		
1990	3.13	925.37	136.65	51.66	540.04	43.64	676		
1991	3.40	857.19	151.76	56.47	646.87	44.09	1796		
1992	3.56	909.68	176.55	61.87	747.62	47.31	3407		
1993	3.60	982.52	195.27	61.72	902.39	44.39	3949		
1994	4.95	977.38	228.93	56.24	1104.20	47.34	3299		
1995	12.96	1134.18	261.55	55.49	1511.17	51.04	3636		
1996	24.12	1167.97	284.10	80.49	1504.52	56.66	3223		
1997	26.91	776.04	310.18	89.34	1522.42	54.74	6083		
1998	31.59	727.18	322.70	113.32	1594.46	63.51	6276		
1999	37.17	577.14	356.00	128.98	1825.81	61.15	9279		
2000	41.22	375.03	403.73	124.94	1513.64	61.38	29606		88.77
2001	47.95	512.33	446.32	155.27	1525.53	55.84	32498		88.79
2002	65.97	644.51	533.08	211.98	1698.69	60.69	48356		174.25
2003	59.39	778.22	610.70	256.04	2116.27	56.69	86679		241.74
2004	71.47	1076.05	659.64	319.20	2245.34	60.27	65811		295.02
2005	79.12	1331.74	778.25	382.33	2713.62	60.27	70260	1165.96	371.44
2006	106.32	1759.18	904.25	465.48	3343.93	64.76	73215	1358.78	445.73
2007	137.69	1991.74	1038.28	588.43	4449.69	62.95	86514	1097.48	513.23
2008	169.78	2306.07	999.14	727.28	4593.36	69.60	96089	716.56	647.32

11-11 规模以上工业企业主要工业产品产量

Output of Major Industrial Products of Industrial Enterprise above Designated size

项目　Item	2000	2003	2005	2007	2008
原煤(吨) Coal(ton)	3750300	7782200	13317400	19917426	23060656
铁矿石原矿量(吨) Primary Iron ore(ton)	1690400	1801900	4838600	10147973	17507360
硫铁矿(折硫35%)（吨） Sulphur Iron(ton)	35000	10400	16600	47868	91948
原盐(吨) Salt(ton)	283700	411800	344900	333969	355878
配混合饲料(吨) Mixed Feed(ton)	974900	1666000	2185200	2601466	3222800
食用植物油(吨) Eatened Vegetable(ton)	62400	295400	434800	712596	573069
糖(吨) Sugar(ton)	61100	86800	62500	53632	75332
罐头(吨) Tin(ton)	267800	477400	785700	1110298	1653772
味精(吨) Monosodium Glutamate(ton)	68856	113800	71437	62917	70705
啤酒(千升) Beer(1000 L)	1104000	1372700	1573300	1896573	1984418
软饮料(吨) Soft Drink(ton)	398200	696600	1112800	1897574	2722313
精制茶(吨) Highly Finished Tea(ton)	17000	29300	39500	58184	135413
卷烟(万箱) Cigarette(10000 cases)	98.62	107.81	121.00	142.06	150.10
纱(吨) Yarn(ton)	143641	396500	680042	1098109	1475401
布(万米) Cloth(10000 m)	55867	103700	201266	242365	316801
棉布(万米) Cottoned Cloth(10000 m)	2938	3856	13020	16730	36884
棉混纺交织布(米) 　Blending Cloth(m)	11022	22291	35790	62813	74487
纯化纤布(米) 　Pure Chemical Fibre Cloth(m)	41907	77523	152456	162822	205430
印染布(万米) Printing and Dyeing Cloth(10000 m)	38744	97993	162653	303798	379514
毛线(吨) Kitting Wool(ton)	7523	10840	9997	7257	3707
服装(万件) Clothes(10000 pieces)	39877	44110	81539	130256	274670

注：本表民用钢质船2008年计量单位为综合吨。

Note:The civil steelen boats' measurement unit in 2008 is comprehensive tons.

11-11 续表1

Continued

项目 Item	2000	2003	2005	2007	2008
轻革(平方米) Light Leather(10000 sq.m)	3591200	18611900	33335800	33185642	105963478
皮革鞋靴(万双) Leather Shoes(10000 pairs)	20931	32659	50426	69681	121350
人造板(立方米) Man-made Wood(cu.m)	677000	1522900	2664900	5352301	7345679
胶合板 Plywood	224800	535300	1082700	1831805	2761776
纤维板 Fiberboond	294900	813600	1145500	1667428	1794820
刨花板 Honghed Wood	145000	130600	193600	1142501	1656636
机制纸及纸板(吨) Machine-made Paper and Paperboard(ton)	850700	1438400	1871100	2378500	3718679
新闻纸(吨) Newsprint(ton)	241800	341900	375300	302123	272824
焦炭(吨) Coke(ton)	448900	490900	909400	908931	997374
硫酸(折100%)(吨) Sulfuric Acid(ton)	338700	390200	410600	540155	469559
盐酸(含量31%以上)(吨) Hydrochloric(ton)	124500	152100	140200	136139	136596
烧碱(折100%)(吨) Caustic Soda(ton)	156400	246700	255100	313573	291413
纯碱(吨) Soda Ash(ton)	94500	161800	192300	197890	188578
电石(吨) Calcium Carbide(ton)	154900	123800	142600	147543	132288
合成氨(吨) Synthetic Ammonia(ton)	800900	922400	941500	1005242	1007263
农用化肥(吨) Chemical Fertilizer(ton)	613800	566900	602700	629507	695979
#氮肥(吨) Nitrogerous Fertilizer(ton)	509600	517200	557000	591913	654387
#尿素(吨) Carbamine(ton)	278600	303600	313400	338878	340924
磷肥(吨) Phosphate Fertilizer(ton)	79600	49800	45600	36697	25907
化学农药(吨) Chemical Pesticide(ton)	9866	9958	9075	12359	17676
油漆(吨) Paint(ton)	19096	21475	44851	108453	345767
塑料(吨) Plastics(ton)	143470	338176	337876	319741	388187
肥皂(吨) Soap(ton)	2683	2266	2401	9389	14379

11-11 续表2

Continued

项目 Item	2000	2003	2005	2007	2008
合成洗涤剂(吨) Synthetic Detergents(ton)	68	4649	7004	14141	25874
化学原料药(吨) Chemical Medicine(ton)	1205	2000	2779	4369	6778
中成药(吨) Mid-product chineses Medicine(ton)	3781	3714	3904	4799	6284
化学纤维(吨) Chemical Fiber(ton)	412198	593938	791167	1376888	1697772
轮胎外胎(条) Tires(pcs)	9839600	16263300	17809700	21532084	21095023
塑料制品(吨) Plastics(ton)	557000	684800	863000	1065543	2146663
水泥(吨) Cement(ton)	15136400	21162700	27136200	44496948	45933602
砖(万块) Bricks(10000 pcs)	23400	13600	20700	74748	170898
花岗石板材(平方米) Granite board(sq.m)	11266800		68322600	84560845	139436941
平板玻璃(重量箱) Plate glass(case)	4798700	5118500	6415100	18671225	16378117
日用玻璃制品(吨) Glass Products(ton)	108200	112800	120200	146045	141127
日用陶瓷(万件) Daily-use Ceramics(10000 pcs)	36300	47300	10200	18626	77698
生铁(吨) Pig Iron(ton)	1493700	2148300	3939600	4718343	5257102
粗钢(万吨) Crude Steel(10000 tons)	125	256	382	588	727
钢材(吨) Steel Products(ton)	2837900	4529400	7359000	10463990	10780165
铁合金(吨) Iron Alloy(ton)	39700	31300	59000	120847	153841
十种有色金属(吨) Ten Nonferrous Metals Total(ton)	34474	33769	60362	96039	97992
工业锅炉(蒸发量吨) Industrial Boiler(steam ton)	1318	309	9		185
金属切削机床(台) Metal-cutting Machine Tools(set)	584	1066	1815	2379	5726
锻压机械(台) Forging Press(set)	2692	4859	5213	1786	2969
起重机械(吨) Crane Machine(ton)	1988	2808	4105	4107	19037
叉车(台) Fork Truck(set)	3301	5997	6720	10010	11479
泵(台) Pump(set)	1676900	4499000	4907200	7199968	8187069

11-11 续表3

Continued

项目 Item	2000	2003	2005	2007	2008
风机(台) Wind Machine(set)	5700	1900	4600	4592	46782
气体压缩机(台) Gas Compressor(set)	28506	33929	42836	38238	572992
轴承(万套) Bearing(10000 units)	1767	2280	4690	6688	9290
小型拖拉机(台) Small Tractors Motor(set)	17400	17800	24700	19046	15702
汽车(辆) Vehicles(unit)	29606	86679	70260	86514	96089
#载货汽车 Cargo Vehicles	10244		4158	17852	15501
改装汽车(辆) Refitted Vehicles(unit)	7107	20603	26555	49712	24581
民用钢质船舶(总吨) Civil Steelen Boats	44457	93790	146816	327426	399293
交流电动机(千瓦) Alternating Current Electromotor(kw)	1799600	2257700	2484300	4032862	5518107
电力变压器(千伏安) Power Transformer(kva)	2549000	3722900	3489300	4617475	4110840
电力电缆(千米) Electric Cable(km)	14629	130044	18381	53548	112920
钢芯铝绞线(吨) Steel Wire with Aluminium Twist	17330	16839	18084	18204	22061
电话单机(台) Telephone Set(set)	6646300	12613500	9728900	5717121	12826860
微型电子计算机(台) Personal Computers(set)	887678	2417415	3714387	5132277	6473184
半导体分立器件(万只) Semiconductor Parts(10000 units)	13235	17731	22290	42053	504881
集成电路(万块) Semiconductor Integrated Circuit(10000 units)	6888.00	9847.58	13996.22	5948.00	102596.00
彩色电视机(台) Color TV Sets(set)	2041900	2526600	3739000	5136335	6208070
照相机(台) Cameras(set)	3221684	2535630	1101899	2210952	3603478
钟(台) Clocks(set)	27474800	45246800	92983300	47774001	100636119
发电量(万千瓦小时) Electricity(10000 kwh)	4037300	6107000	7782500	10382800	9991361
#水电 Hydropower	1952200	1889900	2910000	3115900	2743029

11−12 规模以上工业企业主要指标(2008年)

单位：万元

项目 Item	工业总产值 Gross Industrial Output Value	工业增加值 Value added of Industry	资产总额 Total Assets	固定资产原值年末数 Original Value of Fixed Assets at the year-end
合　计 **Total**	**152128065**	**44322262**	**116949127**	**59949824**
#国有控股企业 State-holding Enterprises	21114198	6188624	31258127	20025196
#农村工业 Industy in Country	727237	288398	277649	173821
#亏损企业 Deficitted Enterprises	21507916	5138338	28697729	18649366
一、按轻重分 **Group by Light & Heary Industry**				
轻工业 Light Industry	69010872	22018746	45274109	20530974
以农产品为原料 Using Farm Products as Raw Materials	48344772	15944501	30480389	13711000
以非农产品为原料 Using Non-Farm Products as Raw Materials	20666100	6074245	14793720	6819974
重工业 Heavy Industry	83117193	22303516	71675018	39418851
采掘工业 Mining and Quarrying	3686980	1976268	2233174	988401
原料工业 Raw Materials Industry	35529937	8675698	40539694	27118949
加工工业 Manufacturing Industry	43900276	11651550	28902150	11311500
二、按经济类型分 **Grouped by Ownership**				
国有 Stated-owned	11539649	3772826	15506219	12372299
集体 Collective-owned	3992264	1473225	1985834	1016881
股份 Share Holding	18642099	5663660	19552473	10049359
联营 Cooperation	167905	61159	114690	68105
私营 Private	38279704	11724381	21628727	9343133
外商及港澳台商投资 Funds from HongKong,Macao,TaiWan and Foreign Area	79353183	21579532	58058349	27058651
其他 Others	153262	47479	102836	41395
三、按登记注册分 **Grouped by Status of Registration**				
内资企业 Sole Funded	72774882	22742730	58890778	32891174
港、澳、台商投资 Enterprises with Funds from HongKong,Macao and TaiWan	41405873	12133596	27708514	12592457
外商投资企业 Foreign Funded Enterprises	37947309	9445937	30349835	14466194
四、按经济组织分 **Grouped by Organization**				

Main Financial Indicators of Industrial Enterprises above Designated Size, 2008

(10000 yuan)

固定资产净值年末数 Net Value of Fixed Assets at the year-end	流动资产年末数 Circulating Finds at the year-end	主营业务收入 Sale Revenue	利润总额 Total Profit	利税总额 Total Profits and Tax	应交所得税 Income Tax Payable	本年应交增值税 Value Added Tax Payable in Current Year
40438169	**57007761**	**148161695**	**8961065**	**14569729**	**1095525**	**4093584**
12788371	8770971	20962357	833042	2583986	247253	945868
112826	132597	725650	54516	100569	7193	30045
12696744	8915447	20902434	-1128591	-442256	5907	563958
13840309	25743098	66868161	4325845	7193571	505611	1862566
9298470	17434599	47036110	3309578	5644781	371205	1408842
4541840	8308499	19832052	1016267	1548790	134406	453724
26597859	31264663	81293534	4635219	7376158	589914	2231018
730336	1025921	3655032	541554	857823	64570	212487
18262140	12314880	34797493	1216084	2583279	231313	1184200
7605383	17923862	42841009	2877582	3935056	294031	834331
8183309	3472775	11402812	460524	1781068	128449	644108
710503	933256	3975810	403426	621039	27770	168017
6876560	8635796	18322543	1223259	1874950	201147	523184
46196	61241	169784	6677	11510	999	3821
7212881	11803075	37012345	2173991	3498977	252804	975923
17377753	32048872	77113731	4686757	6772149	483675	1775683
30967	52746	164670	6430	10036	681	2848
23060416	24958890	71047964	4274308	7797580	611850	2317901
8026624	16243355	40276783	2711787	3814253	220184	951139
9351129	15805516	36836948	1974970	2957896	263491	824544

11-12 续表1

单位：万元

项目 Item	工业总产值 Gross Industrial Output Value	工业增加值 Value added of Industry	资产总额 Total Assets	固定资产原值年末数 Original Value of Fixed Assets at the year-end
独资企业 Sole Funded	63136103	17889035	47257162	25256273
合作、合伙 Cooperated and Partnership	4933610	1662272	4040330	3647049
股份有限公司 Share Holding Enterprises	8202098	2550811	11084074	4786403
有限责任公司 Limited Liability Corporations	75856254	22220144	54567562	26260099
五、按规模分 **Grouped by Size of Enterprises**				
大型企业 Large Scale	29946161	7221130	25601173	12641256
中型企业 Medium Scale	60454439	18054179	48179712	25111342
小型企业 Small Scale	61727465	19046954	43168242	22197227
六、按行业分 **Grouped by Sector**				
煤炭开采和洗选业 Coal Mining and Dressing	1149397	797043	727877	289380
石油和天然气开采业 Petroleum and Natural Gas Mining				
黑色金属矿采选业 Ferrous Metals Mining and Dressing	1244252	549664	665330	339965
有色金属矿采选业 Nonferrous Metals Mining and Dressing	520347	289541	417987	152851
非金属矿采选业 Nonmetal Minerals Mining and Dressing	601462	286444	319003	156050
其他采矿业 Others Mining and Quarrying				
农副食品加工业 Agricultural and Sideline Products Processing	7752699	1964405	3863031	1443117
食品制造业 Food Manufacturing	3480957	959148	1891906	847969
饮料制造业 Beverage Manufacturing	2437184	920117	1768892	995143
烟草制品业 Tobacco Processing	1441503	1158253	1181492	475646
纺织业 Textile Industry	7959867	2269353	6426328	3574081
纺织服装、鞋、帽制造业 Textile Garments , Shoes and Caps Products	8620293	2965797	4860156	1547448
皮革、毛皮、羽毛(绒)及其制品业 Leather , Furs , Down and Relate Products	10526083	3771608	5178155	2041841
木材加工及木、竹、藤、棕、草制品业 Timber Processing , Bamboo , Cane , Palm Fiber and Straw Products	2795941	901971	1593328	783665
家具制造业 Furniture Manufacturing	1606509	482755	1033468	428920

Continued

(10000 yuan)

固定资产净值年末数 Net Value of Fixed Assets at the year-end	流动资产年末数 Circulating Finds at the year-end	主营业务收入 Sale Revenue	利润总额 Total Profit	利税总额 Total Profits and Tax	应交所得税 Income Tax Payable	本年应交增值税 Value Added Tax Payable in Current Year
16313773	24208168	61771784	4052670	6272976	425835	1613483
2305747	1306846	4943521	470068	728934	49053	216577
2692142	5341223	8218953	837741	1129431	135279	228273
19126506	26151524	73227438	3600586	6438388	485358	2035251
8285020	10389015	29780684	1725605	2574297	228345	693572
16105744	24615125	58734573	4016545	6584915	483864	1693625
16047404	22003621	59646438	3218915	5410518	383316	1706386
194994	359087	1187224	165033	285425	26332	81053
274746	212655	1235897	271655	360328	16458	75393
113410	239324	470193	65174	100804	14751	26126
114886	164788	607605	40724	107661	6612	26172
986146	2423643	7431378	341730	484375	25673	120190
596778	1028034	3352671	220613	321199	23769	83798
627109	849490	2394764	261126	448578	23269	119723
228085	801105	1427601	267813	1059302	59389	165446
2575456	3135575	7655809	399947	578373	37953	140980
1106409	3256324	8441959	653339	962473	66941	252943
1400128	3228051	10441097	793374	1192335	88877	333618
569756	825668	2676764	114197	213437	11309	78637
301710	627572	1547306	48104	86113	6859	33662

11—12 续表2

单位：万元

项目 Item	工业总产值 Gross Industrial Output Value	工业增加值 Value added of Industry	资产总额 Total Assets	固定资产原值年末数 Original Value of Fixed Assets at the year-end
造纸及纸制品业 Papermaking and Paper Products	3637252	1052875	3408383	1921134
印刷业和记录媒介的复制 Printing and Record Medium Reproduction	770643	240006	727414	422174
文教体育用品制造业 Cultural , Educational and Sports Goods	1313481	355643	869988	368778
石油加工、炼焦及核燃料加工业 Petroleum Processing , Coking and Nuclear Fuel Processing	2094336	-21899	3912829	429704
化学原料及化学制品制造业 Raw Chemical Materials and Chemical Products	5422715	1308925	4070359	2476939
医药制造业 Medical and Pharmaceutical Products	1083255	396524	1180947	495563
化学纤维制造业 Chemical Fiber	2373155	515057	2349565	1298104
橡胶制品业 Rubber Products	2293821	668392	1919654	1130216
塑料制品业 Plastic Products	5415162	1669618	3256165	1492442
非金属矿物制品业 Nonmetal Minerals Products	9758881	3370628	7325533	4134267
黑色金属冶炼及压延加工业 Smelting and Pressing of Ferrous Metals	7572631	1653057	4988181	2296838
有色金属冶炼及压延加工业 Smelting and Pressing of Nonferrous Metals	3334455	968884	3577768	1106657
金属制品业 Metal Products	3606205	981580	2379723	879512
通用设备制造业 General Equipment	4298859	1229769	2856233	1098623
专用设备制造业 Special Purpose Equipment	3184690	793202	2958900	769641
交通运输设备制造业 Transport Equipment	6471547	2079162	5244181	2047319
电气机械及器材制造业 Electric Equipment and Machinery	7068846	1968652	4421958	1362849
通信设备、计算机及其他电子设备制造业 Telecommunications , Computer , and other Electronic Equipment	17178570	3335557	8891593	3135460
仪器仪表及文化、办公用机械制造业 Instruments , Meters , Cultural and Clerical Machinery	1458446	445408	989936	429600
工艺品及其他制造业 Handicraft Article and Other Manufacturing	3767892	1300721	2015592	786610
废弃资源和废旧材料回收加工业 Waste Resources and Materials Recovering	45152	16105	44116	17051
电力、热力的生产和供应业 Production and Supply of Electric Power and Hot Power	9423945	2543035	17610405	17557787
燃气生产和供应业 Production and Supply of Gas	133350	-8694	666173	95089
水的生产和供应业 Production and Supply of Water	284285	143955	1356577	1121389

Continued

(10000 yuan)

固定资产净值年末数 Net Value of Fixed Assets at the year-end	流动资产年末数 Circulating Finds at the year-end	主营业务收入 Sale Revenue	利润总额 Total Profit	利税总额 Total Profits and Tax	应交所得税 Income Tax Payable	本年应交增值税 Value Added Tax Payable in Current Year
1187126	1677159	3494300	227003	360082	26986	113143
260678	382810	770938	43878	74949	7516	26566
225215	558045	1262831	39251	61611	5190	19107
357965	799628	1986388	-54702	-9398	3584	4401
1600742	2017108	5436905	194794	356298	30083	139895
323298	609778	972206	105069	156378	16503	46809
944443	1043317	2300033	78259	133404	5303	50789
750823	910765	2344533	136701	216550	11162	61656
939634	2003123	5224062	234659	356649	32688	102334
2733752	3529033	9501297	790930	1213307	72790	312393
1666925	2565310	7341737	237035	495561	33126	239606
749573	1544375	3293159	417901	497129	68603	56918
579920	1441919	3466836	186250	267021	20616	66587
771866	1726071	4231163	255665	370865	26380	94503
550197	1925141	3149027	230677	309667	24853	66604
1359221	3256648	6157834	355190	560229	40742	160315
902617	3019712	6780201	530764	742163	56621	192644
2070179	6313663	16729171	881022	1028999	97873	126429
262922	619866	1431177	59501	83810	11611	20997
565164	1244695	3614875	225271	342059	27804	92491
15335	17462	47025	1862	2702	254	764
11736664	2285933	9351844	114216	704671	62180	546255
58024	90164	131509	4572	6904	123	2153
736273	274722	272377	22469	37722	4743	12481

11-13 规模以上工业企业主要经济效益指标(2008年)

Main Financial Ratios of Industrial Enterprises above Designated Size, 2008

单位：% (%)

项目 Item	工业企业增加值率 Ratio of Value Added to Gross Industrial Output Value	总资产贡献率 Ratio of Total Assets to Industrial Output Value	资产负债率 Ratio of Assets to Liability	流动资产周转率（次） Number of Times of Annual of Turnover Circulating Funds (time)	成本费用利润率 Ratio of Profits to Industrial Cost	产品销售率 Proportion of Products Sold
合计 Total	**28.37**	**14.86**	**53.72**	**2.67**	**6.44**	**97.54**
#国有控股企业 State-holding Enterprises	28.05	10.76	60.27	2.48	4.20	99.01
#农村工业 Industy in Country	38.08	27.95	44.22	5.82	8.38	99.47
一、按轻重分 Group by Light & Heary Industry						
轻工业 Light Industry	31.07	18.21	47.10	2.71	7.00	96.92
以农产品为原料 Using Farm Products as Raw Materials	32.05	21.59	45.77	2.83	7.70	97.23
以非农产品为原料 Using Non-Farm Products as Raw Materials	28.76	11.78	49.85	2.45	5.41	96.21
重工业 Heavy Industry	26.13	12.72	57.90	2.65	5.99	98.06
采掘工业 Mining and Quarrying	50.68	43.96	43.19	3.77	18.10	97.86
原料工业 Raw Materials Industry	23.63	9.11	59.54	2.89	3.60	98.00
加工工业 Manufacturing Industry	26.05	15.31	56.73	2.42	7.09	98.12
二、按经济类型分 Grouped by Ownership						
国有 Stated-owned	30.97	14.61	61.06	3.40	4.40	98.90
集体 Collective-owned	35.41	34.48	40.50	4.51	11.46	98.57
股份 Share Holding	29.55	12.17	54.61	2.27	7.13	97.16
联营 Cooperation	35.61	10.92	58.50	3.03	4.14	98.89
私营 Private	29.87	19.67	50.43	3.35	6.32	97.15
外商及港澳台商投资 Funds from HongKong, Macao,TaiWan and Foreign Area	26.60	13.47	53.14	2.41	6.40	97.59

11-13 续表1

Continued

单位：%　　　　(%)

项目 Item	工业企业增加值率 Ratio of Value Added to Gross Industrial Output Value	总资产贡献率 Ratio of Total Assets to Industrial Output Value	资产负债率 Ratio of Assets to Liability	流动资产周转率（次） Number of Times of Annual of Turnover Circulating Funds (time)	成本费用利润率 Ratio of Profits to Industrial Cost	产品销售率 Proportion of Products Sold
其他 Others	30.41	10.71	42.43	3.35	4.10	84.92
三、按登记注册分 Grouped by Status of Registration						
内资企业 Sole Funded	30.29	16.27	54.28	3.03	6.49	97.49
港、澳、台商投资企业 Enterprises with Funds from HongKong, Macao and TaiWan	28.65	15.87	50.23	2.46	7.11	97.62
外商投资企业 Foreign Funded Enterprises	24.36	11.29	55.80	2.37	5.63	97.57
四、按经济组织分 Grouped by Organization						
独资企业 Sole Funded	27.63	15.40	52.08	2.60	6.99	97.83
合作、合伙 Cooperated and Partnership	32.28	19.97	51.22	4.08	10.43	97.85
股份有限公司 Share Holding Enterprises	30.26	12.49	46.35	1.66	11.06	97.87
有限责任公司 Limited Liability Corporations	28.53	14.46	56.82	2.88	5.21	97.25
五、按规模分 Grouped by Size of Enterprises						
大型企业 Large Scale	23.57	12.72	60.39	2.80	6.00	99.00
中型企业 Medium Scale	29.05	15.76	52.30	2.45	7.40	97.48
小型企业 Small Scale	30.03	15.07	51.34	2.87	5.74	96.89
六、按行业分 Grouped by Sector						
煤炭开采和洗选业 Coal Mining and Dressing	64.78	46.02	45.16	3.51	17.18	99.40
石油和天然气开采业 Petroleum and Natural Gas Mining						
黑色金属矿采选业 Ferrous Metals Mining and Dressing	41.65	59.31	34.69	5.83	28.33	98.40

11-13 续表2

Continued

单位：%　　　　　　　　　　　　　　　　　　　　　　　　(%)

项目 Item	工业企业增加值率 Ratio of Value Added to Gross Industrial Output Value	总资产贡献率 Ratio of Total Assets to Industrial Output Value	资产负债率 Ratio of Assets to Liability	流动资产周转率（次） Number of Times of Annual of Turnover Circulating Funds (time)	成本费用利润率 Ratio of Profits to Industrial Cost	产品销售率 Proportion of Products Sold
有色金属矿采选业 Nonferrous Metals Mining and Dressing	52.98	28.90	50.20	2.13	16.60	91.70
非金属矿采选业 Nonmetal Minerals Mining and Dressing	45.64	38.23	41.09	4.22	7.72	99.77
其他采矿业 Others Mining and Quarrying						
农副食品加工业 Agricultural and Sideline Products Processing	24.95	15.89	57.58	3.27	4.80	95.14
食品制造业 Food Manufacturing	26.91	19.99	47.43	3.48	7.04	95.60
饮料制造业 Beverage Manufacturing	35.99	28.93	44.01	2.79	12.60	97.74
烟草制品业 Tobacco Processing	72.08	92.50	20.84	1.73	48.92	98.52
纺织业 Textile Industry	28.01	11.23	44.70	2.45	5.55	97.56
纺织服装、鞋、帽制造业 Textile Garments , Shoes and Caps Products	33.42	23.32	42.13	2.91	8.43	96.61
皮革、毛皮、羽毛(绒)及其制品业 Leather , Furs , Down and Relate Products	34.73	26.83	45.71	3.37	8.22	99.52
木材加工及木、竹、藤、棕、草制品业 Timber Processing , Bamboo , Cane , Palm Fiber and Straw Products	31.38	17.40	50.57	3.47	4.51	96.56
家具制造业 Furniture Manufacturing	29.43	10.55	50.63	2.57	3.25	96.59
造纸及纸制品业 Papermaking and Paper Products	28.07	12.78	48.55	2.17	6.93	96.53
印刷业和记录媒介的复制 Printing and Record Medium Reproduction	30.11	12.46	48.12	2.21	6.03	101.35
文教体育用品制造业 Cultural , Educational and Sports Goods	26.69	8.25	47.83	2.36	3.22	96.81
石油加工、炼焦及核燃料加工业 Petroleum Processing , Coking and Nuclear Fuel Processing	-1.04	-0.06	72.81	2.63	-2.54	95.65
化学原料及化学制品制造业 Raw Chemical Materials and Chemical Products	23.53	11.46	52.23	2.65	3.73	98.82
医药制造业 Medical and Pharmaceutical Products	35.09	15.94	50.35	1.68	12.08	91.69

11-13 续表3

Continued

单位：%　　(%)

项目 Item	工业企业增加值率 Ratio of Value Added to Gross Industrial Output Value	总资产贡献率 Ratio of Total Assets to Industrial Output Value	资产负债率 Ratio of Assets to Liability	流动资产周转率（次） Number of Times of Annual of Turnover Circulating Funds (time)	成本费用利润率 Ratio of Profits to Industrial Cost	产品销售率 Proportion of Products Sold
化学纤维制造业 Chemical Fiber	21.25	5.92	47.75	2.22	3.52	95.35
橡胶制品业 Rubber Products	28.38	13.69	50.21	2.49	6.20	102.19
塑料制品业 Plastic Products	30.26	13.05	48.08	2.76	4.70	96.15
非金属矿物制品业 Nonmetal Minerals Products	33.47	18.91	46.33	2.82	9.03	97.38
黑色金属冶炼及压延加工业 Smelting and Pressing of Ferrous Metals	21.16	12.56	65.36	2.89	3.36	97.78
有色金属冶炼及压延加工业 Smelting and Pressing of Nonferrous Metals	28.57	17.60	35.62	2.44	14.44	96.94
金属制品业 Metal Products	26.73	13.38	47.89	2.45	5.68	97.40
通用设备制造业 General Equipment	27.99	15.96	53.78	2.54	6.45	97.58
专用设备制造业 Special Purpose Equipment	24.40	11.85	56.27	1.70	7.85	96.12
交通运输设备制造业 Transport Equipment	31.35	12.37	59.82	1.98	6.17	97.18
电气机械及器材制造业 Electric Equipment and Machinery	27.11	18.68	54.22	2.33	8.44	97.17
通信设备、计算机及其他电子设备制造业 Telecommunications , Computer , and other Electronic Equipment	19.28	12.32	66.82	2.52	5.37	98.58
仪器仪表及文化、办公用机械制造业 Instruments , Meters , Cultural and Clerical Machinery	30.11	9.85	41.52	2.39	4.40	97.10
工艺品及其他制造业 Handicraft Article and Other Manufacturing	33.69	19.37	44.98	3.01	6.71	96.07
废弃资源和废旧材料回收加工业 Waste Resources and Materials Recovering	35.07	10.57	42.22	2.44	4.14	103.25
电力、热力的生产和供应业 Production and Supply of Electric Power and Hot Power	25.51	7.28	64.67	4.05	1.22	99.63
燃气生产和供应业 Production and Supply of Gas	-6.42	1.69	70.04	2.61	3.23	100.00
水的生产和供应业 Production and Supply of Water	48.51	3.75	42.83	1.01	8.51	99.02

11-14 大中型工业企业主要经济指标(2008年)

单位：万元

项目 Item	企业单位数(个) Number of Enterprises (unit)	工业总产值 Gross Industrial Output Value	工业增加值 Value added Of Industry	资产总额 Total Assets
合 计 **Total**	**1824**	**90400600**	**25275309**	**73780885**
煤炭开采和洗选业 Coal Mining and Dressing	11	283768	196878	403277
石油和天然气开采业 Petroleum and Natural Gas Mining				
黑色金属矿采选业 Ferrous Metals Mining and Dressing	8	846008	373370	445556
有色金属矿采选业 Nonferrous Metals Mining and Dressing	3	52989	22448	72175
非金属矿采选业 Nonmetal Minerals Mining and Dressing	3	37119	14661	27363
其他采矿业 Others Mining and Quarrying				
农副食品加工业 Agricultural and Sideline Products Processing	65	2622492	644372	1327294
食品制造业 Food Manufacturing	58	1769213	496742	981921
饮料制造业 Beverage Manufacturing	24	1391513	535758	1055215
烟草制品业 Tobacco Processing	3	1423050	1142184	1104907
纺织业 Textile Industry	157	4621383	1291925	3973552
纺织服装、鞋、帽制造业 Textile Garments , Shoes and Caps Products	162	4874694	1676666	3077056
皮革、毛皮、羽毛(绒)及其制品业 Leather , Furs , Down and Relate Products	225	7054251	2547573	3626609
木材加工及木、竹、藤、棕、草制品业 Timber Processing , Bamboo , Cane , Palm Fiber and Straw Products	21	504143	161620	501913
家具制造业 Furniture Manufacturing	36	791044	230287	598731
造纸及纸制品业 Papermaking and Paper Products	48	1533810	441853	1882295
印刷业和记录媒介的复制 Printing and Record Medium Reproduction	15	217749	68413	170582
文教体育用品制造业 Cultural , Educational and Sports Goods	36	749371	193991	504507
石油加工、炼焦及核燃料加工业 Petroleum Processing , Coking and Nuclear Fuel Processing	3	1755440	-23216	3753682

Main Financial Indicators of Large and Medium Industrial Enterprises, 2008

(10000 yuan)

固定资产原值年末数 Original Value of Fixed Assets at the year-end	固定资产净值年末数 Net Value of Fixed Assets at the year-end	流动资产年末数 Circulating Funds at the year-end	主营业务收入 Sale Revenue	利润总额 Total Profit	利税总额 Total Profits and Tax	应交所得税 Income Tax Payable	本年应交增值税 Value Added Tax Payable In Current Year
37752598	**24390765**	**35004140**	**88515257**	**5742149**	**9159211**	**7122086**	**2387198**
150264	96863	165323	333668	58599	100940	161077	31184
255545	216070	96744	842854	233409	292690	106771	54513
36853	31860	31947	52011	2771	5345	7630	749
7048	4529	20843	38969	568	4761	672	1450
542082	387143	766620	2538768	173512	240820	89159	61165
451267	310801	510357	1697026	131526	184818	148903	46951
642135	368569	508477	1375589	162218	298327	155249	86155
423494	204866	755922	1410491	261334	1050157	577491	163001
2239413	1602675	1885205	4453641	253379	337908	235723	72701
901122	644081	2090675	4782127	444146	612724	468715	146001
1384164	940577	2289659	7072883	571128	848894	671402	239344
285858	197567	241216	474436	21791	40899	17690	17843
275793	189942	358983	767413	18890	36419	30175	16841
1174717	652792	804322	1455840	126713	185970	164039	53774
107779	64831	90592	222184	12164	20586	21158	7478
213938	134143	330782	715984	25503	35235	28942	8516
346160	306631	702139	1654029	-72577	-32132		

11-14 续表

单位：万元

项目 Item	企业单位数(个) Number of Enterprises (unit)	工业总产值 Gross Industrial Output Value	工业增加值 Value added Of Industry	资产总额 Total Assets
化学原料及化学制品制造业 Raw Chemical Materials and Chemical Products	39	2442757	500680	2120242
医药制造业 Medical and Pharmaceutical Products	19	623959	219290	735638
化学纤维制造业 Chemical Fiber	17	1839296	393609	1857919
橡胶制品业 Rubber Products	42	1604080	444236	1426715
塑料制品业 Plastic Products	84	2254758	694788	1376256
非金属矿物制品业 Nonmetal Minerals Products	113	3625417	1265177	3720913
黑色金属冶炼及压延加工业 Smelting and Pressing of Ferrous Metals	30	5598693	1217090	4043116
有色金属冶炼及压延加工业 Smelting and Pressing of Nonferrous Metals	24	2288494	723173	3201313
金属制品业 Metal Products	47	1502094	405247	1134718
通用设备制造业 General Equipment	47	1765917	544320	1410498
专用设备制造业 Special Purpose Equipment	30	1491228	334652	1510471
交通运输设备制造业 Transport Equipment	73	4393355	1488155	3704409
电气机械及器材制造业 Electric Equipment and Machinery	100	4714035	1302268	2872478
通信设备、计算机及其他电子设备制造业 Telecommunications , Computer , and other Electronic Equipment	116	15749696	2995917	7596573
仪器仪表及文化、办公用机械制造业 Instruments , Meters , Cultural and Clerical Machinery	35	874052	273865	626794
工艺品及其他制造业 Handicraft Article and Other Manufacturing	64	1378324	463258	897740
废弃资源和废旧材料回收加工业 Waste Resources and Materials Recovering	1	9331	5116	4055
电力、热力的生产和供应业 Production and Supply of Electric Power and Hot Power	58	7527398	1912832	10671958
燃气生产和供应业 Production and Supply of Gas	2	37580	-2450	572237
水的生产和供应业 Production and Supply of Water	5	152103	78561	790207

Continued

(10000 yuan)

固定资产原值年末数 Original Value of Fixed Assets at the year-end	固定资产净值年末数 Net Value of Fixed Assets at the year-end	流动资产年末数 Circulating Funds at the year-end	主营业务收入 Sale Revenue	利润总额 Total Profit	利税总额 Total Profits and Tax	应交所得税 Income Tax Payable	本年应交增值税 Value Added Tax Payable In Current Year
1637049	1023769	877724	2488985	11671	72106	150975	55105
292398	181299	398149	536998	58350	89144	88140	29349
1054751	753689	794510	1782991	48506	89588	18128	39734
911696	590095	634341	1661787	104284	164002	82238	44867
668888	409551	821269	2159813	108560	147029	161946	33629
2065155	1360209	1679476	3531530	394585	537710	239125	113398
1976845	1448911	1998269	5448199	209705	423143	289607	200314
988304	664414	1291867	2297632	365559	424605	625495	38640
385323	240488	650526	1413692	114995	141035	116228	21271
527993	346309	866128	1800311	152732	188517	120876	29631
316569	212034	1062648	1528732	99460	130432	133858	28576
1417192	920119	2347460	4163279	220647	353513	286579	98352
930501	589175	1998206	4602627	384690	519078	404063	126261
2648930	1721013	5509124	15342905	808388	914005	885118	90952
296030	172674	389764	855379	23609	33346	85651	8459
327517	245660	577008	1325104	103004	139621	151055	31000
364	167	1828	6102	874	1201	1009	321
11152823	6700024	1282412	7499820	98213	510977	376270	383743
49615	25260	59273	37589		570		570
667024	431966	114352	143870	9246	15228	20929	5359

11–15 国有控股工业企业主要经济指标(2008年)

单位：万元

项目 Item	企业单位数(个) Number of Enterprises (unit)	工业总产值 Gross Industrial Output Value	工业增加值 Value added of Industry	资产总额 Total Assets
合计 **Total**	**540**	**21114198**	**6188624**	**31258127**
一、按隶属关系分 **Grouped by Subordination**				
中央企业 Central Enterprises	41	6737015	2484655	9858690
地方企业 Local Enterprises	499	14377183	3703969	21399437
二、按轻重分 **Grouped by Light &Heavy Industry**				
轻工业 Light Industry	166	2802362	1633859	4183388
以农产品为原料 Using Farm Products as Raw Materials	81	2327997	1432039	2641734
以非农产品为原料 Using Non-Farm Products as Raw Materials	85	474365	201820	1541654
重工业 Heavy Industry	374	18311836	4554764	27074739
采掘工业 Mining and Quarrying	41	539792	326817	729235
原料工业 Raw Materials Industry	223	14150647	3264408	22263844
加工工业 Manufacturing Industry	110	3621397	963540	4081661
三、按规模分 **Grouped by Size of Enterprises**				
大型企业 Large Scale	19	10144261	2194977	14560444
中型企业 Medium Scale	145	8362116	3120297	11037008
小型企业 Small Scale	376	2607821	873350	5660676
四、按行业分 Grouped by Sector				
煤炭开采和洗选业 Coal Mining and Dressing	15	321464	223032	408514
石油和天然气开采业 Petroleum and Natural Gas Mining				

Main Financial Indicators of Industrial Enterprise Stock Controlled by State, 2008

(10000 yuan)

固定资产原值年末数 Original Value of Fixed Assets at the Year-end	固定资产净值年末数 Net Value of Fixed Assets at the Year-end	流动资产年末数 Circulating Funds at the Year-end	主营业务收入 Sale Revenue	利润总额 Total Profit	利税总额 Total Profits and Tax	应交所得税 Income Tax Payable	本年应交增值税 Value Added Tax Payable in Current Year
20025196	**12788371**	**8770971**	**20962357**	**833042**	**2583986**	**247253**	**945868**
8453707	5470603	1529713	6659935	157246	1228357	62296	426544
11571489	7317768	7241258	14302423	675796	1355629	184957	519324
2738072	1529706	1751210	2728531	327896	1191937	71176	218168
1605525	802226	1345439	2287258	301278	1146471	66014	201568
1132547	727480	405771	441273	26619	45466	5162	16601
17287124	11258665	7019761	18233826	505145	1392049	176076	727700
271156	169766	311016	588053	136779	201553	33467	53416
15702299	10280587	4034130	14012285	341738	1052717	121067	600556
1313669	808312	2674615	3633488	26629	137780	21543	73728
7862275	4985368	3521573	10159573	199348	639931	86025	330975
7455047	4263954	3953726	8210838	539651	1653744	124786	439515
4707875	3539049	1295673	2591946	94043	290310	36442	175379
152389	96935	167055	369868	62532	99326	16057	31178

11-15 续表1

单位：万元

项目 Item	企业单位数(个) Number of Enterprises (unit)	工业总产值 Gross Industrial Output Value	工业增加值 Value added of Industry	资产总额 Total Assets
黑色金属矿采选业 Ferrous Metals Mining and Dressing	5	134192	60242	205183
有色金属矿采选业 Nonferrous Metals Mining and Dressing	7	34109	17798	40388
非金属矿采选业 Nonmetal Minerals Mining and Dressing	20	58184	31629	118289
其他采矿业 Others Mining and Quarrying				
农副食品加工业 Agricultural and Sideline Products Processing	12	104000	24724	48197
食品制造业 Food Manufacturing	10	95609	25638	152533
饮料制造业 Beverage Manufacturing	7	125500	60411	131304
烟草制品业 Tobacco Processing	5	1441503	1158253	1181492
纺织业 Textile Industry	4	92924	25873	108778
纺织服装、鞋、帽制造业 Textile Garments , Shoes and Caps Products	6	22254	7660	29042
皮革、毛皮、羽毛(绒)及其制品业 Leather , Furs , Down and Relate Products	1	5045	1520	2578
木材加工及木、竹、藤、棕、草制品业 Timber Processing , Bamboo , Cane , Palm Fiber and Straw Products	5	114256	34768	199346
家具制造业 Furniture Manufacturing	1	736	180	2583
造纸及纸制品业 Papermaking and Paper Products	10	330183	86434	754428
印刷业和记录媒介的复制 Printing and Record Medium Reproduction	25	102685	34927	127985
文教体育用品制造业 Cultural , Educational and Sports Goods				
石油加工、炼焦及核燃料加工业 Petroleum Processing , Coking and Nuclear Fuel Processing	6	1727271	-41445	3743603
化学原料及化学制品制造业 Raw Chemical Materials and Chemical Products	23	680104	176288	669008
医药制造业 Medical and Pharmaceutical Products	8	76185	33494	197379

Continued

(10000 yuan)

固定资产原值年末数 Original Value of Fixed Assets at the Year-end	固定资产净值年末数 Net Value of Fixed Assets at the Year-end	流动资产年末数 Circulating Funds at the Year-end	主营业务收入 Sale Revenue	利润总额 Total Profit	利税总额 Total Profits and Tax	应交所得税 Income Tax Payable	本年应交增值税 Value Added Tax Payable in Current Year
76645	47947	74341	131819	51795	68936	11944	13620
14886	7688	25150	31437	8005	11394	2281	2919
42599	29312	74066	64226	14331	23314	3190	6826
28191	12694	31712	100302	1172	3735	75	2438
88534	59343	70428	93190	1705	4340	394	2265
169537	77909	49231	129022	7947	31749	1855	9088
475646	228085	801105	1427601	267813	1059302	59389	165446
75893	46309	45629	88525	1474	4610	269	2773
11755	7029	16733	17304	3137	4710	65	1340
2122	460	2090	4950	-144	-60		78
151914	87120	81627	108172	1667	7090	20	4913
329	55	690	572	1	18	...	15
623477	295903	220115	317356	-3860	6824	410	9738
94640	48460	68138	95331	5080	10112	924	4549
346603	298801	711855	1627491	-76090	-33663	2044	2247
572827	290774	317114	700380	24352	43348	2745	16681
78455	50305	95721	73741	22852	30186	3528	6719

11-15 续表2

单位：万元

项目 Item	企业单位数(个) Number of Enterprises (unit)	工业总产值 Gross Industrial Output Value	工业增加值 Value added of Industry	资产总额 Total Assets
化学纤维制造业 Chemical Fiber				
橡胶制品业 Rubber Products				
塑料制品业 Plastic Products	7	24128	7339	37824
非金属矿物制品业 Nonmetal Minerals Products	45	421982	137336	421868
黑色金属冶炼及压延加工业 Smelting and Pressing of Ferrous Metals	6	2123731	481722	1490295
有色金属冶炼及压延加工业 Smelting and Pressing of Nonferrous Metals	12	1308069	515532	2403949
金属制品业 Metal Products	4	95043	24976	260262
通用设备制造业 General Equipment	19	254938	75392	312994
专用设备制造业 Special Purpose Equipment	14	658922	140536	785650
交通运输设备制造业 Transport Equipment	20	1875179	515824	1798889
电气机械及器材制造业 Electric Equipment and Machinery	16	188498	58257	286926
通信设备、计算机及其他电子设备制造业 Telecommunications , Computer , and other Electronic Equipment	18	408322	94965	592075
仪器仪表及文化、办公用机械制造业 Instruments , Meters , Cultural and Clerical Machinery	2	14524	4638	62267
工艺品及其他制造业 Handicraft Article and Other Manufacturing	2	6988	2527	1170
废弃资源和废旧材料回收加工业 Waste Resources and Materials Recovering	2	4661	2555	14531
电力、热力的生产和供应业 Production and Supply of Electric Power and Hot Power	141	7982450	2047985	12866089
燃气生产和供应业 Production and Supply of Gas	4	46412	-3026	583427
水的生产和供应业 Production and Supply of Water	58	234150	120641	1219281

Continued

(10000 yuan)

固定资产原值年末数 Original Value of Fixed Assets at the Year-end	固定资产净值年末数 Net Value of Fixed Assets at the Year-end	流动资产年末数 Circulating Funds at the Year-end	主营业务收入 Sale Revenue	利润总额 Total Profit	利税总额 Total Profits and Tax	应交所得税 Income Tax Payable	本年应交增值税 Value Added Tax Payable in Current Year
24945	11542	25582	23676	710	2661	121	1826
354471	169848	210314	416380	9412	34103	2822	22082
801203	532332	644595	2122125	31707	132940	10091	91044
545353	329053	986568	1333981	309646	353555	58923	25308
37919	24060	81696	99387	11543	11754	57	176
93051	59825	186796	252103	18437	24761	2526	5456
168896	124452	564631	713237	27288	38391	6016	9766
547827	354017	1302971	1760871	14611	82082	7888	37258
72763	51843	149359	204644	8096	13786	456	4883
242354	128832	324259	436758	-65490	-57434	2172	4664
25634	24392	37776	13132	5818	7306	766	1452
649	388	782	6918	484	761	46	208
11103	10677	2176	4342	-459	-395	-114	62
13009423	8588469	1103779	7924563	54149	539043	46460	448259
60455	32292	62419	46422	190	991	106	787
1022708	661222	234471	222534	13129	24411	3728	9808

11-16 规模以上外商及港澳台投资工业企业主要经济指标(2008年)

单位：万元

项目 Item	企业单位数(个) Number of Enterprises(unit)	工业总产值 Gross Industrial Output Value	工业增加值 Value added of Industry	资产总额 Total Assets
合计 Total	**5831**	**79353183**	**21579532**	**58058349**
一、按登记注册类型分 Grouped by Status of Registration	**5831**	**79353183**	**21579532**	**58058349**
港、澳、台商投资企业 Enterprises with Funds from HongKong, Macao and TaiWan	**3712**	**41405873**	**12133596**	**27708514**
合资经营企业 Joint Ventures Enterprises	756	11376851	3569785	7337830
合作经营企业 Cooperative Operation Enterprises	33	519656	179067	661241
独资企业 Sole Investment	2904	28390957	8103085	18294572
股份有限公司 Share-holding Corporations Ltd with Investment	19	1118409	281659	1414872
外商投资企业 Foreign Funded Enterprises	**2119**	**37947309**	**9445937**	**30349835**
中外合资经营企业 Joint Ventures Enterprises	579	12830654	2774436	11546239
中外合作经营企业 Cooperative Operation Enterprises	26	293550	85380	239467
外资企业 Sole Foreign Investment Enterprises	1488	23948443	6301170	17235546
外商投资股份有限公司 Foreign Investment share Enterprises	26	874663	284951	1328584
二、按轻重分 Grouped by Light &Heavy Industry				
轻工业 Light Industry	**3885**	**38405135**	**11893381**	**26049793**
以农产品为原料 Using Farm Products as Raw Materials	2567	25155705	8161541	16557038
以非农产品为原料 Using Non-Farm Products as Raw Materials	1318	13249430	3731840	9492756
重工业 Heavy Industry	**1946**	**40948048**	**9686151**	**32008556**
采掘工业 Mining and Quarrying	49	263029	105234	193163
原料工业 Raw Materials Industry	619	14218841	3010941	15115855
加工工业 Manufacturing Industry	1278	26466178	6569977	16699538
三、按规模分 Grouped by Size of Enterprises				

Main Finanical Indicators of Industrial Enterprises with Foreign Capital above Designated Size, 2008

(10000 yuan)

固定资产原值年末数 Original Value of Fixed the year-end	固定资产净值年末数 Net Value of Fixed Assets year-end	流动资产年末数 Circulating the year-end	主营业务收入 Sale Revenue	利润总额 Total Profit	利税总额 Total Profits and Tax	应交所得税 Income Tax Payable	本年应交增值税 Value Added Tax Payable in Current Year
27058651	**17377753**	**32048872**	**77113731**	**4686757**	**6772149**	**483675**	**1775683**
27058651	**17377753**	**32048872**	**77113731**	**4686757**	**6772149**	**483675**	**1775683**
12592457	**8026624**	**16243355**	**40276783**	**2711787**	**3814253**	**220184**	**951139**
3373556	2177017	4261201	10689203	486085	816045	61790	284384
825760	426957	206096	515583	26481	63525	5139	34226
7861162	5105833	11124457	27903607	2085657	2800271	146695	613441
531979	316817	651602	1168390	113564	134412	6560	19088
14466194	**9351129**	**15805516**	**36836948**	**1974970**	**2957896**	**263491**	**824544**
4554430	3233797	4972600	12411653	441016	804537	78261	277310
155472	80403	150891	364534	9733	18766	1262	6311
8753410	5581176	10221300	23201113	1510617	2085702	183897	507310
1002883	455753	460725	859649	13604	48890	71	33613
11288430	**7410432**	**15644404**	**37182215**	**2555672**	**3734375**	**265634**	**1014657**
7067357	4669589	9961586	24476880	1898784	2789876	184702	751855
4221074	2740843	5682817	12705335	656889	944499	80932	262802
15770221	**9967320**	**16404468**	**39931517**	**2131085**	**3037774**	**218041**	**761026**
70877	45120	120541	240371	8922	19755	1584	8246
8718661	5424993	5803967	13788317	452884	876956	64442	364923
6980683	4497208	10479961	25902829	1669279	2141063	152015	387858

11-16 续表1

单位：万元

项目 Item	企业单位数(个) Number of Enterprises(unit)	工业总产值 Gross Industrial Output Value	工业增加值 Value added of Industry	资产总额 Total Assets
大型企业 Large Scale	63	19677084	4401348	13371418
中型企业 Medium Scale	1058	37491961	10560528	28052929
小型企业 Small Scale	4710	22184138	6617656	16634002
四、按行业分 **Grouped by Sector**				
煤炭开采和洗选业 Coal Mining and Dressing	1	2825	1960	3147
石油和天然气开采业 Petroleum and Natural Gas Mining				
黑色金属矿采选业 Ferrous Metals Mining and Dressing	4	13558	5964	11779
有色金属矿采选业 Nonferrous Metals Mining and Dressing	8	52436	27786	37037
非金属矿采选业 Nonmetal Minerals Mining and Dressing	13	91134	35282	34211
其他采矿业 Others Mining and Quarrying				
农副食品加工业 Agricultural and Sideline Products Processing	243	3170220	785316	1674619
食品制造业 Food Manufacturing	126	1298416	366523	731926
饮料制造业 Beverage Manufacturing	75	1482524	545780	1199864
烟草制品业 Tobacco Processing				
纺织业 Textile Industry	415	3594155	1026252	3502316
纺织服装、鞋、帽制造业 Textile Garments , Shoes and Caps Products	771	6053603	2082900	3483029
皮革、毛皮、羽毛(绒)及其制品业 Leather , Furs , Down and Relate Products	621	7229903	2595529	3877816
木材加工及木、竹、藤、棕、草制品业 Timber Processing , Bamboo , Cane , Palm Fiber and Straw Products	116	470681	152066	368566
家具制造业 Furniture Manufacturing	93	904800	267624	690504
造纸及纸制品业 Papermaking and Paper Products	153	1426030	424577	1330551
印刷业和记录媒介的复制 Printing and Record Medium Reproduction	43	184512	55118	194526
文教体育用品制造业 Cultural , Educational and Sports Goods	149	1069036	287334	742120

Continued

(10000 yuan)

固定资产原值年末数 Original Value of Fixed the year-end	固定资产净值年末数 Net Value of Fixed Assets year-end	流动资产年末数 Circulating the year-end	主营业务收入 Sale Revenue	利润总额 Total Profit	利税总额 Total Profits and Tax	应交所得税 Income Tax Payable	本年应交增值税 Value Added Tax Payable in Current Year
4753752	3220577	6733712	19506166	1087752	1506652	127888	311192
14439906	9022913	15642044	36353964	2332546	3341021	237905	903535
7864993	5134263	9673115	21253601	1266459	1924477	117881	560956
		2987	1342		2		
8182	6121	5468	13596	3442	4708	754	1137
7488	5515	26059	44811	5449	8412	261	2235
7366	4358	24842	92472	2259	6055	279	2344
620865	354726	1157270	2976361	164941	228653	12428	57856
359906	235208	400557	1234121	98026	140114	8863	38448
626424	380109	578849	1453352	167204	293719	13839	87165
1939458	1318547	1768559	3499943	206395	294222	22324	71345
1085310	757633	2362698	5954066	516800	732322	49042	181990
1475245	980258	2480723	7181804	568259	835763	55886	232544
172990	126140	195633	443916	11178	23857	699	11721
308494	206607	421062	871181	17615	37685	3407	19132
610501	422709	783019	1339310	137680	193215	17616	51572
124664	72266	104574	184859	11437	17621	2189	5983
331818	195754	474930	1022493	34893	49178	4495	12584

11–16 续表2

单位：万元

项目 Item	企业单位数(个) Number of Enterprises(unit)	工业总产值 Gross Industrial Output Value	工业增加值 Value added of Industry	资产总额 Total Assets
石油加工、炼焦及核燃料加工业 Petroleum Processing , Coking and Nuclear Fuel Processing	11	1868483	-57549	3798071
化学原料及化学制品制造业 Raw Chemical Materials and Chemical Products	179	2586742	501267	2113087
医药制造业 Medical and Pharmaceutical Products	32	360655	146884	403327
化学纤维制造业 Chemical Fiber	50	1784213	385650	1876224
橡胶制品业 Rubber Products	102	1788376	508730	1542853
塑料制品业 Plastic Products	351	3132631	960686	2130960
非金属矿物制品业 Nonmetal Minerals Products	403	3016043	1059569	3149529
黑色金属冶炼及压延加工业 Smelting and Pressing of Ferrous Metals	49	3256362	713205	1935405
有色金属冶炼及压延加工业 Smelting and Pressing of Nonferrous Metals	33	1035253	224564	910761
金属制品业 Metal Products	208	2194309	590592	1505540
通用设备制造业 General Equipment	162	1222845	348768	1100769
专用设备制造业 Special Purpose Equipment	139	1258713	316843	1114659
交通运输设备制造业 Transport Equipment	213	3578868	1270712	2862753
电气机械及器材制造业 Electric Equipment and Machinery	192	4241505	1202294	2640995
通信设备、计算机及其他电子设备制造业 Telecommunications , Computer , and other Electronic Equipment	255	15786535	3013082	7513758
仪器仪表及文化、办公用机械制造业 Instruments , Meters , Cultural and Clerical Machinery	111	1157819	357712	722708
工艺品及其他制造业 Handicraft Article and Other Manufacturing	462	2460920	837191	1402414
废弃资源和废旧材料回收加工业 Waste Resources and Materials Recovering	3	18603	8551	19832
电力、热力的生产和供应业 Production and Supply of Electric Power and Hot Power	33	1446574	511666	3248551
燃气生产和供应业 Production and Supply of Gas	5	68283	-4452	70525
水的生产和供应业 Production and Supply of Water	7	45617	23561	113618

Continued

(10000 yuan)

固定资产原值年末数 Original Value of Fixed the year-end	固定资产净值年末数 Net Value of Fixed Assets year-end	流动资产年末数 Circulating the year-end	主营业务收入 Sale Revenue	利润总额 Total Profit	利税总额 Total Profits and Tax	应交所得税 Income Tax Payable	本年应交增值税 Value Added Tax Payable in Current Year
383071	322912	736595	1759675	-75345	-33156	1581	2123
1282381	890075	1010336	2635819	46748	108205	6164	57995
157443	105409	222787	323197	39630	62961	3788	22837
1063900	766894	793657	1724637	46264	75904	2422	27523
1001955	656449	672902	1857594	114168	175623	8685	48196
1041451	611366	1330965	3019016	148274	208620	18936	54351
1772200	1131743	1510463	2882581	311206	417776	14798	86026
925575	652833	1091202	3068703	153893	267211	18455	109465
495704	364266	377159	1001186	70522	85838	6524	13762
620733	376577	1001862	2119121	105774	152156	13272	42382
494592	320400	677774	1260896	67965	92837	6425	22795
321287	214389	688839	1233085	130415	164188	11080	29140
1408244	873033	1601724	3475194	160019	276022	18995	83023
903872	565346	1824223	3993606	389380	517965	42089	124238
2638530	1755119	5482670	15382747	774668	878339	82455	93151
330984	186099	457402	1135804	40451	52663	8385	10455
583123	408830	850956	2351759	152591	228313	17696	64227
2782	2232	10499	21163	922	1359	114	428
3836977	2029700	874457	1442773	53983	159944	8780	103539
25398	17208	25040	66517	5040	6293	108	1214
89744	60924	20131	45033	4613	7566	843	2757

主要统计指标解释

工业　指从事自然资源的开采，对采掘品和农产品进行加工和再加工的物质生产部门。具体包括：(1)对自然资源的开采，如采矿、晒盐等(但不包括禽兽捕猎和水产捕捞)；(2)对农副产品的加工、再加工，如粮油加工、食品加工、缫丝、纺织、制革等；(3)对采掘品的加工、再加工，如炼铁、炼钢、化工生产、石油加工、机器制造、木材加工等，以及电力、自来水、煤气的生产和供应等；(4)对工业品的修理、翻新，如机器设备的修理、交通运输工具(包括小卧车)的修理等。

1984 年以前农村的村及村以下办工业归属农业，1984 年以后划归工业。

工业统计调查单位为独立核算法人工业企业。

独立核算法人工业企业指从事工业生产经营活动的单位。独立核算法人工业企业应同时具备以下条件：①依法成立，有自己的名称、组织机构和场所，能够承担民事责任；②独立拥有和使用资产，承担负债，有权与其他单位签订合同；③独立核算盈亏，并能够编制资产负债表。

轻工业

指主要提供生活消费品和制作手工工具的工业。按其所使用的原料不同，可分为两大类：(1)以农产品为原料的轻工业，是指直接或间接以农产品为基本原料的轻工业。主要包括食品制造、饮料制造、烟草加工、纺织、缝纫、皮革和毛皮制作、造纸以及印刷等工业；(2)以非农产品为原料的轻工业，是指以工业品为原料的轻工业。主要包括文教体育用品、化学药品制造、合成纤维制造、日用化学制品、日用玻璃制品、日用金属制品、手工工具制造、医疗器械制造、文化和办公用机械制造等工业。

重工业

指为国民经济各部门提供物质技术基础的主要生产资料的工业。按其生产性质和产品用途，可以分为下列三类：(1)采掘(伐)工业，是指对自然资源的开采，包括石油开采、煤炭开采、金属矿开采、非金属矿开采等工业；(2)原材料工业，指向国民经济各部门提供基本材料、动力和燃料的工业。包括金属冶炼及加工、炼焦及焦炭、化学、化工原料、水泥、人造板以及电力、石油和煤炭加工等工业；(3)加工工业，是指对工业原材料进行再加工制造的工业。包括装备国民经济各部门的机械设备制造工业、金属结构、水泥制品等工业，以及为农业提供的生产资料如化肥、农药等工业。

根据上述划分原则，修理业中以重工业产品为修理作业对象的划为重工业，反之划为轻工业。

工业总产值

(1)定义：工业总产值是以货币形式表现的，工业企业在一定时期内生产的工业最终产品或提供工业性劳务活动的总价值量。它反映一定时间内工业生产的总规模和总水平。

(2)计算原则：

工业生产的原则，即凡是企业在报告期生产的经检验合格的产品，不管是否在报告期销售，均包括在内。

最终产品的原则，即凡是计入工业总产值的产品，必须是本企业生产的经检验合格的，不需要再进行任何加工的最终产品。如果企业有中间产品(半成品)对外销售，则对外销售的中间产品应视为企业的最终产品。

工厂法原则，即工业总产值是以工业企业作为基本计算(核算)单位，即按企业的最终产品计算工业总产值。按这种方法计算的工业总产值，不允许同一产品价值在企业内部重复计算，不能把企业内部各个车间(分厂)生产的成果相加，但允许企业间的重复计算。

(3)内容及计算方法：1995 年全国工业普查对工业总产值(原规定)的内容及计算原则和方法做了某些修订，修订后的工业总产值(新规定)包括三项内容：即本期生产成品价值、对外加工费收入、在制品半成品期末期初差额价值三部分。

本期生产成品价值：指企业本期生产，并在报告期内不再进行加工，经检验、包装入库的全部工业成品(半产品)价值合计，包括企业生产的自制设备及提供给本企业在建工程、其他非工业部门和福利部门等单位使用的成品价值。本期生产成品价值为按自备原材料生产的产品的数量乘以本期不含增值税(销项税额)的产品实际销售平均单价计算；会计核算中按成本价格转帐的自制设备和自产自用的成品，按成本价格计算生产成品价值。生产成品价值中不包括用定货者来料加工的成品(半产品)价值。

对外加工费收入：指企业在报告期内完成的对外承接的工业品加工(包括用定货者来料加工产品)的加工费收入和对外工业修理作业所取得的加工费收入。对外加工费收入按不含增值税(销项税额)的价格计算，可根据会计“主营业务收入”科目的有关资料取得。

对于本企业对内非工业部门提供的加工修理、设备安装的劳务收入，如果企业会计核算基础较好，能取得这部分资料，而且这部分价值所占比重较大，应包括在对外加工费收入中。

自制半成品在制品期末期初差额价值：指企业报告期在制品期末减期初的差额价值，本指标一般可以从会计核算资料中取得。如果会计产品成本核算中不计算半成品、在制品的成本，则总产值中也不包括这部分价值，反之则包括。

(4)工业总产值统计范围变化和计算方法修订情况：

1984 年以前工业总产值不包括村办工业，村办工业总产值划归农业。1984 年以后工业总产值包括村办工业。

1995 年工业普查对工业总产值计算方法做了修订，即从 1995 年始按新修订(新规定)方法计算工业总产值。新规定与原规定的区别如下：

全价与加工费的计算原则不同：新规定为凡自备原材料，不论其生产繁简程度如何，一律按全价计算工业总产值；凡来料加工，允许按加工费计算工业总产值。原规定则视生产加工的繁简程度不同，规定哪些行业按全价，哪些行业按加工费计算工业总产值。

自制半成品、在产品期末期初差额价值的计算原则不同：新规定要求，凡会计产品成本核算时计算了成本的差额价值，总产值中就应包括，否则可不包括；原规定则按生产周期六个月的界限区分，凡生产周期六个月以上的企业，总产值计算中应包括这部分差额价值，否则可不包括。

计算价格不同：新规定按不含增值税(销项税额)的价格计算；原规定则按含增值税(销项税额)的价格计算。

工业增加值

指工业企业在报告期内以货币表现的工业生产活动的最终成果。

工业增加值有两种计算方法：一是生产法，即工业总产出减去工业中间投入加上应交增值税；二是收入法，即从收入的角度出发，根据生产要素在生产过程中应得到的收入份额计算，具体构成项目有固定资产折旧、劳动者报酬、生产税净额、营业盈余，这种方法也称要素分配法。本年鉴中的工业增加值是以生产法计算的。

生产法工业增加值的计算方法为：

工业增加值=工业总产出-工业中间投入+应交增值税

(1)工业总产出：指工业企业在一定时期内工业生产活动的总成果。工业总产出包括：成品生产价值，对外加工费收入，自制半成品、在产品期末期初差额价值。1995 年后用新规定计算的工业总产值代替。

(2)工业中间投入：指工业企业在工业生产活动中消耗的外购物质产品和对外支付的服务费用。服务费用包括支付给物质生产部门(工业、农业、批发零售贸易业、建筑业、运输邮电业)的服务费用和支付给非物质生产部门(如保险、金融、文化教育、科学研究、医疗卫生、行政管理等)的服务费用。工业中间投入的确定须遵循以下原则：必须从外部购入的，并已计入工业总产出的产品和服务价值；必须是本期投入生产，并一次性消耗掉(包括本期摊销的低值易耗品等)的产品和服务价值。

工业中间投入包括直接材料费用、制造费用中的工业中间投入、管理费用中的工业中间投入、销售费用中的工业中间投入和利息支出五部分。

资产总计

指企业拥有或控制的能以货币计量的经济资源，包括各种财产、债权和其他权利。资产按流动性分为流动资产、长期投资、固定资产、无形资产、递延资产和其他资产。该指标根据企业会计“资产负债表”中“资产总计”项目的期末数增列。

流动资产平均余额

指企业在报告期内全部流动资产的平均余额。

固定资产净值年平均余额

指固定资产净值在报告期内余额的平均数。计算公式为：

固定资产净值年平均余额=1 至 12 月各月月初、月末固定资产净值之和/24

该指标根据“资产负债表”中“固定资产原价”、“累计折旧”指标的期初、期末数计算填列。

固定资产净值指固定资产原价减去历年已提折旧额后的净额。计算公式为：

固定资产净值=固定资产原价-累计折旧

负债合计

指企业所承担的能以货币计量，将以资产或劳务偿付的债务，偿还形式包括货币、资产或提供劳务。负债一般按偿还期长短分为流动负债和长期负债。根据会计“资产负债表”中“负债合计”的年末数填列。

所有者权益

指企业投资人对企业净资产的所有权。企业净资产等于企业全部资产减去全部负债后的余额，包括企业投资人对企业的最初投入的实际到位的资产及资本公积金、盈余公积金和未分配利润。所有者权益合计数小于零，表示企业资不抵债。

主营业务收入

指企业销售产品和提供劳务等主要经营业务取得的业务总额。

主营业务成本

指企业销售产品和提供劳务等主要经营业务的实际成本。

主营业务税金及附加

指企业销售产品和提供工业性劳务等主要经营业务应负担的城市维护建设税、消费税、资源税和教育费附加。

利润总额

指企业生产经营活动的最终成果，是企业在一定时期内实现的盈亏相抵后的利润总额(亏损以“-”号表示)，它等于营业利润加上补贴收入加上投资收益加上营业外净收入再加上以前年度损益调整。

本年应交增值税

指企业在报告期内应交纳的增值税额。它等于本年销项税额加上出口退税加上进项税额转出数减去本年进项税额。小规模纳税企业直接按全年计税销售额乘以征收率计算取得。

从业人员平均人数　是指报告期内每天拥有的从业人员人数。其计算公式为：

月平均人数=报告月内每天实有人数之和/报告月日历日数

季平均人数=季内各月平均人数之和/3

年平均人数=年内各月平均人数之和/12

工业经济效益综合指数

是指现行综合评价工业经济效益总体水平及工业经济运行质量的指数。它是以若干项代表性经济效益指标，分别除以各项指标的标准值，再乘以各自的权数，加总后除以总权数求得。其计算公式为：

工业经济效益综合指数=(某项经济效益指标报告期数值/该项指标标准值×权数)/总权数

上式总权数为 100。

总资产贡献率

反映企业全部资产的获利能力，是企业经营业绩和管理水平的集中体现，是评价和考核企业盈利能力的核心指标。计算公式为：

总资产贡献率（%）=(利润总额+税金总额+利息支出/平均资金总额)×100%

公式中：税金总额为产品销售税金及附加与应交增值税之和；平均资产总额为期初期末资产之和的算术平均值。

资产负债率

该指标既反映企业经营风险的大小，也反映企业利用债权人提供的资金从事经营活动的能力。计算公式为：

资产负债率（%）=(负债总额/资产总额)×100%

资产与负债均为报告期期末数。

流动资产周转次数

指一定时期内流动资产完成的周转次数，反映投入工业企业流动资金的周转速度。计算公式为：

流动资产周转次数=产品销售收入/全部流动资产平均余额

公式中：全部流动资产平均余额为期初和期末的流动资产之和的算术平均值。

成本费用利润率

反映企业投入的生产成本及费用的经济效益，同时也反映企业降低成本所取得的经济效益。计算公式为：

成本费用利润率（%）=(利润总额/成本费用总额)×100%

公式中：成本费用总额为产品销售成本、销售费用、管理费用、财务费用之和。

Explanatory Notes on Main Statistical Indicators

Industry refers to the material production sector which is engaged in extraction of natural resources and processing and reprocessing of minerals and agricultural products, including (1) extraction of natural resources, such as mining, salt production (but not including hunting and fishing); (2) processing and reprocessing of farm and sideline produces, such as rice husking, flour milling, wine making, oil pressing, silk reeling, spinning and weaving, and leather making; (3) manufacture of industrial products, such as steel making, iron smelting, chemicals manufacturing, petroleum processing, machine building, timber processing; water and gas production and electricity generation and supply; (4)repairing of industrial products such as the repairing of machinery and means of transport (including cars).

Prior to 1984, the rural industry run by villages and cooperative organizations under village was classified into agriculture. Since 1984, it has been grouped into industry.

Units of industrial statistics survey corporate industrial enterprises with independent accounting system.

Corporate industrial enterprises with independent accounting system refer to enterprises engaging in industrial production activities, which meet the following requirements: ① They are established legally, having their own names, organizations, location, able to take civil liability; ②They possess and use their assets independently, assume liabilities, and are entitled to sign contracts with other units; ③ They are financially independent and compile their own balance sheets.

Light Industry refers to the industry that produces consumer goods and hand tools. It consists of two categories, depending on the materials used:

(1) Industries using farm products as raw materials. These are branches of light industry which directly or indirectly use farm products as basic raw materials, including the manufacture of food and beverages, tobacco processing, textile, clothing, fur and leather manufacturing, paper making, printing, etc.

(2) Industries using non farm products as raw materials. These are branches of light industry which use manufactured goods as raw materials, including the manufacture of cultural, educational articles and sports goods, chemicals, synthetic fiber, chemical products for daily use, glass products for daily use, metal products for daily use, hand tools, medical apparatus and instruments, and the manufacture of cultural and office machinery.

Heavy Industry refers to the industry which produces capital goods, and provides various sectors of the national economy with necessary material and technical basis. It consists of the following three branches according to the purpose of production or the use of products:

(1) Mining, quarrying and logging industry refers to the industry that extracts natural resources, including extraction of petroleum, coal, metal and non-metal ores.

(2) Raw materials industry refers to the industry that provides various sectors of the national economy with raw materials, fuels and power. It includes smelting and processing of metals, coking and coke chemistry, chemical materials and building materials such as cement, plywood, and power, petroleum refining and coal dressing.

(3) Manufacturing industry refers to the industry that processes raw materials. It includes machine-building industry which equips sectors of the national economy, industries of metal structure and cement products, industries producing means of agricultural production, such as chemical fertilizers and pesticides.

According to the above principle of classification, the repairing tradesss, which are engaged primarily in repairing products of heavy industry are classified as heavy industry while these engaged in repairing products of light industry are classified as light industry.

Gross Industrial Output Value

(1) Definition: Gross industrial output value is the total volume of final industrial products produced and industrial services provided during a given period. It reflects the total achievements and overall scale of industrial production during a given period.

(2) Principles for calculation:

Statistics on industrial production follow the principle that all products produced by the enterprises and accepted during the reference period are to be included no matter whether they are sold or not during the reference period.

Determination of final products follow the principle that all products that are included in the calculation of grow industrial output value are the final products of the enterprise which have been accepted through quality check and require no further processing. If an enterprise has intermediate (semi-finished) products to sell, these intermediate products are considered as the final products of the enterprise.

Gross industrial output value is calculated following the principle of factory approach, i.e. industrial enterprise is used as the basic accounting unit in calculating the gross industrial output value. By this approach, value of the same product is not to be double counted, and the output value of different workshops (branch factories) should not be added. However, this approach does not exclude the possibility of double counting between enterprises.

(3) Content and calculation method: The old definition of gross industrial output value was modified during the national industrial census in 1995. The revised (new) definition of gross industrial output value consists of 3 components: value of the finished products during the reference period, income from external processing, and value of change in semi-finished products at the end and at the beginning of the reference period.

Value of the finished products during the reference period: refers to the value of all finished (semi-finished) industrial products that are produced during the reference period without the need for further processing, checked for acceptance, packed and put into the warehouse of the enterprise, including the value of own-produced equipment and the value of products provided to the projects under construction of the enterprise, and to other non-industrial or welfare units. Value of finished products during the reference period is calculated by the quantity of products produced using own materials multiplied by the average unit prices at which products are sold (excluding value-added tax). Own-produced equipment and products produced for own use are value at cost prices as in the case of enterprise accounting. Value of finished products does not include the value of finished products (semi-finished products) that are produced using the materials from the clients who make the orders.

Income from external processing: refers to income from contracted external processing of industrial products (including processing of industrial products using materials from the clients), and the income from industrial repairing work provided to other units. Income from external processing is calculated using information from the item "products sales income" in the enterprise accounting at the prices excluding value-added tax.

For income from services such as processing, repairing and installation of equipment provided to non-industrial units within the enterprise, if the accounting work of the enterprise is good enough to separate it from other records, and the share of such services is significant, it should also be included in the income from external processing.

Value of change in semi-finished products at the end and at the beginning of the reference period: refers to the value of change in semi-finished products at the end and at the beginning of the reference period, which generally can be obtained from accounting records of enterprises. If the enterprise accounting excludes the cost of semi-finished products, then it should not be included in the gross industrial output value, and vice versa.

(4) Changes in the coverage and method of calculation of gross industrial output value

Prior to 1984, the value of rural industry run by

villages was classified into agriculture instead of industry. Since 1984, it has been included in the gross industrial output value. Method of calculation for the gross industrial output value was modified in the industrial census in 1995. The difference in the new method as compared with the old one is outlined below:

Principle in using full value vs. processing fee: The new method stipulates that all products produced using own materials are to be calculated with full value in reporting the gross industrial output value irrespective of sophistication of production, and for external processing, it allows calculation using processing fee. In the old method, however, the use of full value or processing fee was determined by the degree of sophistication of production in different branches of industries.

Principle in determining the value of change in semi-finished products: The new method requires that value of the change in semi-finished products should be included in the gross industrial output value if it is included in the accounting record of the enterprise, otherwise it should not be included. By the old method, it is determined by the type of enterprises in terms of production cycle. If the production cycle is over 6 months, the value of change in semi-finished products is included in the gross industrial output value, otherwise it is excluded.

Difference in prices: The new method uses prices excluding value-added tax in the calculation of gross industrial output value, while the old method used prices including value-added tax.

Value-added of Industry refers to the final results of industrial production of industrial enterprises in money terms during the reference period.

Industrial value-added can be calculated by two approaches: the production approach, i.e. gross industrial output value minus intermediate input plus value-added tax, and the income approach, i.e. income for various factors used in the course of production, including depreciation of fixed assets, remuneration of labourers, net of production tax, and operating surplus. Value-added of industry in the Yearbook is calculated by production approach as following:

Value-added of industry = gross industrial output industrial intermediate input + value-added tax

(1) Gross industrial output: refers to the total achievements of industrial production during a given period. Gross industrial output includes value of finished products, income from external processing, and value of change in semi-finished products at the end and at the beginning of the reference period. Since 1995, it was substituted by the gross industrial output value by new method.

(2) Industrial intermediate input: refers to purchased goods and paid services consumed during the industrial production of enterprises. Fees paid for services include fees paid for the services provided by material production sectors (industry, agriculture, wholesale and retail Tradess, construction, transport, post and telecommunications) and by non-material production sectors (insurance, banking, culture, education, scientific research, health and medical care, public administration, etc.). The determination of industrial intermediate input follows the principle that the goods and services must be purchased from outside and included in the gross industrial output, and that the goods and services are inputted into production and consumed (include low-value consumables) during the reference period.

Industrial intermediate input includes 5 components, namely direct consumption of materials, industrial intermediate input in manufacturing cost, industrial intermediate input in management cost, industrial intermediate input in marketing cost and expenditure on interest.

Total Assets refer to all economic resources, in monetary terms, that is owned or controlled by enterprises, including properties, creditors Equities and other economic rights of all forms. Classified by the degree of equitability, total assets include circulating assets, long-term investment, fixed assets, intangible assets and deferred assets, and other assets. Data on this indicator can be obtained by the year-end figures of total assets in the Assets and Liability Table of accounting records of enterprises.

Annual Average Value of Working Capitals refers to the average value of all working capitals of the enterprise during the reference period.

Annual Average of Net Value of Fixed Assets refer to average of the net value of fixed assets during the reference period, calculated with the following formula:

Annual Average of Net Value of Fixed Assets = sum of net value of fixed assets at the beginning and at the end of each month from January to December / 24.

Information on this indicator can be obtained from the beginning and ending figures of the original value of fixed assets and cumulative depreciation from the Assets and Liability Table of enterprises.

Net value of fixed assets refers to the original value of fixed assets minus depreciation over the years, i.e.:

Net value of fixed assets = original value of fixed assets -cumulative depreciation

Total Liabilities refer to payable liabilities of enterprises that have to repay in terms of money, assets or labour services. In terms of payment, it can be divided into Total Working liabilities and long-term liabilities. Data on this item is obtained from the ending figures on total liabilities from the Assets and Liability Table from the enterprises.

Owner's Equities refers to the wonershiip of net assets of enterprises by its investors.The net assets equal the total assets minus total liabilities of the enterprise,including the actual assets invested into the enterprise by investors,accumulation of capitals and operating surplus and non-distributed profits.The enterprise's assets is less than its liabilities if the sum of owner's Equities is smaller than zero.

Revenue from Principal Business refers to the annual accumulation of corresponding item in the "profit table"of the accountant. For enterprises that do not follow the 2001 Enterprises Accounting Standards,the year-end accumulation of revenue from the sales of products is used as a substitute.

Cost of Principal Business refers to the annual accumulation of corresponding item in the "profit table" of the accountantForenterprises that do not follow the 2001 Enterprise Accounting Standards,the year-end accumulation of cost for the sales of products is used as a substitute.

Tax and Extra Charges from Principal Business refers to the annual accumulation of correspongding item in the "profit table"of the accountant.For enterprises that do not follow the 2001 Enerprise Accounting Standards,the year-end accumulation of tax and extra charges from the sales of products is used as a substitute.

Total Profits refer to the final achievements of production and operation of the enterprises, represented by the total profits after deducting losses (loss is expressed by the negative figure). It is the sum of profits from operation, income from subsidies, investment earnings, net income from activities other than operation, and adjustment of profits and losses of previous years.

Value-added Tax Payable refers to the amount of the value-added tax which should be paid by the enterprises during the reference period. It is the sum of tax on sales, export rebate, and transferred tax on purchases of the current year, minus the tax on purchases of the current year. Value-added tax payable of small-size enterprises is determined by the taxable sales of the year multiplied by the tax rate.

Average Annual Number of Employed Persons Employed persons refer to all those who are employed in enterprises and receive remunerations there from, including currently working employees, retirees who are re-employed, teachers of local-run schools, as well as foreigners, staff from Hong Kong, Macao and Taiwan, part-time employees and persons with second job who are employed by the enterprise, and employees of other units temporarily working in the enterprises, but excluding former employees who left the enterprise with their employment records still kept by the enterprises.

Average number of employed persons refers to the number of employees everyday during the reference period, calculated with the following formula:

Monthly average number = sum of actual employees everyday in reference month/number of calendar dates in reference month

Quarterly average number = sum of monthly average number in reference quarter/3

Annual average number = sum of monthly average number in reference year/12

Aggregative Index on Economic Results of Industry refers to the current comprehensive index to evaluate the general level of economic results of industry and the performance quality of industrial economy. It is calculated as follows:

Aggregative Index on Economic Results of Industry=(Value of an Indicator on Economic Results in Reference Period/Standard Value of the Indicator×Weight) ÷Total Weight

Total Weight=100

Ratio of Profits, Taxes and Interests to Average Assets reflects the profit-making capability of all assets of the enterprise and is a key indicator manifesting the performance and management and evaluating the profit-making potential of the enterprise. It is calculated as follows:

Ratio of Profits, Taxes and Interests to Average Assets (%) = [(total profits + total taxes + interest payment) / average assets]×100%

In the above formula, total taxes is the sum of tax and extra charges on the sales of products and value-added tax payable; and average assets is the arithmetic mean of the sum of beginning assets and ending assets.

Ratio of Debts to Assets reflect both the operation risk and the capability of the enterprise in making use of the capital from the creditors. It is calculated as follows:

Ratio of Debts to Assets (%) = (total debts / total assets)×100%

Both assets and debts are figures at the end of the reference period.

Turnover of Working Capita refers to the number of times of turnover of working capital in a given period of time, which reflects the speed of the turnover of working capital of industrial enterprises, and is calculated as follows:

Turnover of Working Capital=(sales revenue of products) / (average balance of total working capital)

In the above formula, average balance of total working capital refers to the arithmetic mean of the sum of working capital at the beginning and at the end of the reference period.

Ratio of Profits to Total Industrial Costs refers to the ratio of profits realized in a given period to the total costs in the same period, which reflects the economic efficiency of input cost and is calculated as follows:

Ratio of Profits to Total Industrial Cost (%)=(total profits/ total costs)×100%

Total Costs in the above formula is the sum of cost of products sold, marketing cost, management cost and financial cost.

建筑业

12

Construction

简要说明

本篇资料的主要内容及来源

本篇资料反映了全省建筑业基本情况，主要包括主要年份建筑业总产值及从业人员、建筑企业生产指标、财务指标等方面的内容。

本篇资料来源于建筑业统计年报，由省统计局固定资产投资统计处整理提供。

Brief Introduction

Main Content and Source of Data

Data in this chapter show the basic conditions of the construction industry in Fujian Province, mainly including the gross output value of construction, number of employed persons, major production indices and financial indicators.

Data in this chapter are based on the annual report of construction industry, and are compiled and provided by the Division of Investment and Construction Statistics of Fujian Provincial Bureau of Statistics.

12-1 建筑企业基本情况(1978–2008年)

Basic Situation of Construction Enterprises,1978-2008

年份 Year	建筑业企业单位数(个) Number of Construction Enterprises (unit)	#国有 State- owned	#集体 Collective - owned	建筑业企业从业人员(万人) Number of Persons Employed (10000 persons)	#国有 State- owned	#集体 Collective - owned	建筑业企业总产值(亿元) Gross Output Value (100 million yuan)	#国有 State- owned	#集体 Collective - owned
1978	146	65	91	4.54	2.34	2.20	3.31	1.88	1.32
1979	152	33	119	12.79	6.60	6.19	4.33	2.39	1.94
1980	241	34	207	15.15	7.11	8.04	4.93	2.30	2.63
1981	257	41	216	15.88	7.58	8.30	5.44	2.43	3.01
1982	273	41	232	15.99	7.56	8.39	6.33	2.91	3.42
1983	267	43	224	17.06	8.30	8.76	7.11	3.49	3.62
1984	832	51	243	30.45	9.17	9.79	12.97	4.88	4.22
1985	956	51	278	30.62	9.12	11.18	16.66	6.80	5.87
1986	951	47	280	30.48	9.17	11.01	17.40	7.44	5.78
1987	1037	47	296	33.25	10.55	11.50	20.75	9.12	6.74
1988	1028	47	293	28.99	8.85	9.76	23.20	10.58	6.95
1989	1001	48	307	30.67	8.48	11.17	29.87	12.33	9.95
1990	1009	49	308	30.98	8.24	11.51	32.54	13.36	11.30
1991	967	49	315	31.75	9.07	11.98	39.11	16.32	14.09
1992	985	70	314	34.45	10.42	13.03	54.13	22.65	19.43
1993	1236	146	441	41.00	13.37	14.81	101.97	46.89	35.61
1994	1379	163	567	40.60	13.50	14.86	149.69	73.91	53.60
1995	1376	170	552	46.90	15.24	20.36	190.85	97.53	62.56
1996	1576	202	1051	47.15	15.44	27.11	211.88	106.21	84.94
1997	1585	236	1056	47.36	17.44	22.46	227.00	107.49	84.43
1998	1707	263	1133	47.93	13.96	28.65	244.67	115.66	95.61
1999	1849	295	1069	47.28	13.53	23.54	251.17	123.23	90.74
2000	1846	283	976	41.37	13.46	19.99	271.15	131.82	89.53
2001	1708	237	787	44.09	12.49	19.12	369.06	139.51	129.47
2002	1672	224	465	49.34	12.42	16.09	408.81	149.02	102.91
2003	1606	138	326	59.99	10.48	15.15	557.31	158.37	107.40
2004	1782	141	266	58.45	9.37	9.66	679.35	181.08	91.05
2005	1878	132	210	81.72	12.93	9.30	889.41	194.89	88.01
2006	1914	106	113	95.33	11.05	5.99	1189.37	198.12	57.81
2007	2022	104	114	124.97	11.96	8.09	1596.69	243.22	90.29
2008	2398	101	90	153.90	18.15	6.51	1921.26	282.88	85.13

注：1996年及以前年份含农村建筑队；1997至2002年为乡及乡以上四级以上建筑企业；2003年起统计范围为具有新资质等级的建筑企业。

Note: In this table,the data in 1996 and before include the individual construction team in rural,the data since 1997 to 2002 include the construction enterprises over town and town level, from 2003 the statistical coverage include the construction enterprises with new grade.

12-2 建筑企业主要指标(1978-2008年)

Main Indicators on Construction Enterprises,1978-2008

单位：亿元 (100 million yuan)

年份 Year	建筑业企业增加值 Total Value-added of Construction Enterprises	资产合计 Total Assets	利润总额 Total Profits	税金总额 Total Tax	按总产值计算劳动生产率（元/人） Overall Labor Productivity by Gross Output Value (yuan/person)	房屋建筑面积(万平方米) Floor Space of Building Construction(10000 sq.m) 施工面积 Under Construction	竣工面积 Completed
1978					3038	416.57	183.40
1979					3326	610.14	275.90
1980					3461	673.38	30.70
1981	1.87		0.30		3801	758.34	358.86
1982	1.74		0.46		4083	802.22	366.12
1983	2.80		0.59		4296	805.37	385.80
1984	3.53		0.65		7366	832.13	426.68
1985	3.34		0.70		8425	951.87	475.25
1986	3.50		0.60		9226	892.56	457.40
1987	4.58		0.66		9998	930.84	463.20
1988	5.03		0.44		12053	987.97	399.30
1989	6.12		0.48		15359	1033.22	502.70
1990	7.16		0.50		16788	969.35	499.30
1991	5.90		0.70		19246	1061.58	519.10
1992	11.78		0.77		23863	1313.86	588.73
1993	22.24	127.32	1.69	2.96	28480	1863.70	747.20
1994	31.78	189.05	2.16	4.21	37976	2462.50	1029.30
1995	41.72	237.86	1.86	5.43	48560	3283.60	1371.10
1996	57.14	312.93	2.39	7.42	47347	3523.30	1424.10
1997	63.32	357.46	2.84	8.16	47043	3478.50	1546.70
1998	74.74	410.03	2.61	10.34	56860	3742.41	1494.34
1999	81.39	427.84	2.55	9.54	63364	3991.20	1825.00
2000	82.26	445.80	2.55	11.65	64884	4085.40	1729.00
2001	101.56	461.10	8.85	14.72	86280	4931.31	2436.95
2002	76.26	511.06	9.04	13.28	93020	5237.11	2393.50
2003	103.23	631.12	11.58	19.10	108288	6440.08	2952.12
2004	132.71	641.72	15.70	23.10	117831	7587.15	3587.05
2005	205.50	784.23	19.46	31.42	120406	10268.29	4191.35
2006	298.41	906.31	30.98	40.60	127097	13854.50	4825.62
2007	440.45	1061.70	37.91	57.51	123490	17743.89	6010.26
2008	632.77	1274.49	52.40	71.76	111960	20028.29	7637.76

注：1.自2002年起,建筑业增加值核算口径有所调整。2.从2004年第一次全国经济普查开始，建筑业增加值按新核算方法核算。

Note:1)Since 2002,the Scope of value-added of construction has been adjusted.2)Starting from 2004 economic census,value-added of construction is calculated by new accounting approach.

12-3 建筑企业主要经济指标

Major Indicators of Construction Enterprises

项目 Item	2000	2003	2005	2007	2008
一、企业单位数（个） Number of Enterprises(unit)	**1846**	**1606**	**1878**	**2022**	**2398**
二、总产值（亿元） Gross Output Value(100 million yuan)	**271.15**	**557.31**	**889.41**	**1596.69**	**1921.26**
增加值 Value Added	82.26	103.23	205.50	440.45	632.77
竣工产值 Output Value of Completed	196.70	395.83	608.01	980.70	1243.69
三、房屋施工面积（万平方米） Floor Space of Building under(10000 sq.m)	**4085.40**	**6440.08**	**10268.29**	**17743.89**	**20028.29**
#本年新开工 Newly Started Building in Current Year	1937.23	3843.05	5282.23	9142.47	8700.55
四、房屋竣工面积（万平方米） Floor Space of Building(10000 sq.m)	**1729.00**	**2952.12**	**4191.35**	**6010.26**	**7637.76**
#住宅 Residential Building	995.08	1712.69	2257.72	3100.71	4370.06
五、年末从业人员（万人） Number of Staff & Workers at the Year-end(10000 person)	**41.37**	**59.99**	**81.72**	**124.97**	**153.90**
六、全员劳动生产率（元/人） Overall Labor productivity (yuan/person)					
按总产值计算 In Terms of Gross Output Value	64884	108288	120406	123490	111960
按增加值计算 In Terms of Value-added	20402	20379	26597	34065	36874
七、工资总额（亿元） Total Wages(100 million yuan)	**34.21**	**69.41**	**146.97**	**309.19**	**454.30**
八、财务指标（亿元） Financial Indicators(100 million yuan)					
资本金合计 Total Capital	103.39	198.45	247.70	302.62	369.70
流动资产年末数 Circulating Funds at Year-end	343.64	460.14	608.16	832.35	982.78
固定资产原值 Original Value of Fixed Assets	96.59	129.43	161.89	198.70	262.82
固定资产净值 Net Value of Fixed Assets	72.15	113.95	129.21	155.75	206.01
企业总收入 Total Income	274.06	550.86	883.22	1500.17	1857.24
工程结算收入 Project Settle Accounts	267.96	527.76	872.12	1485.75	1839.69
工程结算成本 Actual Cost of Projects Settle	239.53	473.93	787.44	1332.66	1653.08
利润总额 Total Profits	2.55	11.58	19.46	37.91	52.40
#工程结算利润 Profits of Project Settle Accounts	17.24	35.42	51.10	83.46	109.97
利税总额 Total Pre-Tax Profits	14.20	30.95	51.46	95.42	124.16

12-4 国有经济建筑企业主要经济指标

Major Indicators of State-Owned Construction Enterprises

项目 Item	2000	2003	2005	2007	2008
一、企业单位数（个） Number of Enterprises(unit)	**283**	**138**	**132**	**104**	**101**
二、总产值（亿元） Gross Output Value(100 million yuan)	**131.82**	**158.37**	**194.89**	**243.22**	**282.88**
增加值 Value Added	42.15	27.90	41.90	58.24	82.98
竣工产值 Output Value of Completed	90.38	96.26	136.78	131.70	148.98
三、房屋施工面积（万平方米） Floor Space of Building under(10000 sq.m)	**1574.56**	**1487.55**	**1862.81**	**2053.71**	**2436.24**
#本年新开工 Newly Started Building in Current Year	606.60	704.00	774.05	847.72	794.08
四、房屋竣工面积（万平方米） Floor Space of Building(10000 sq.m)	**546.36**	**533.10**	**655.17**	**574.63**	**693.09**
#住宅 Residential Building	381.47	333.17	401.27	333.49	456.45
五、年末从业人员（万人） Number of Staff & Workers at the Year-end(10000 person)	**13.46**	**10.48**	**12.93**	**11.96**	**18.15**
六、全员劳动生产率（元/人） Overall Labor productivity (person/yuan)					
按总产值计算 In Terms of Gross Output Value	96111	140804	140828	163073	111694
按增加值计算 In Terms of Value-added	30731	24805	30277	39050	32765
七、工资总额（亿元） Total Wages(100 million yuan)	**14.46**	**16.28**	**26.56**	**40.90**	**56.48**
八、财务指标（亿元） Financial Indicators(100 million yuan)					
资本金合计 Total Capital	29.60	48.85	33.00	31.76	38.29
流动资产年末数 Circulating Funds at Year-end	123.18	136.63	163.22	174.88	199.82
固定资产原值 Original Value of Fixed Assets	41.23	38.18	38.45	34.46	63.28
固定资产净值 Net Value of Fixed Assets	28.66	26.89	26.73	22.58	48.79
企业总收入 Total Income	133.52	163.47	219.39	241.41	328.94
工程结算收入 Project Settle Accounts	129.93	156.99	215.85	238.12	325.48
工程结算成本 Actual Cost of Projects Settle	115.89	142.09	196.03	215.72	293.83
利润总额 Total Profits	0.27	1.55	2.35	3.71	5.28
#工程结算利润 Profits of Project Settle Accounts	8.08	9.69	12.19	13.20	17.61
利税总额 Total Pre-Tax Profits	6.40	6.90	9.72	12.04	18.53

12–5 集体经济建筑企业主要经济指标

Major Indicators of Collective-Owned Construction Enterprises

项目 Item	2000	2003	2005	2007	2008
一、企业单位数（个） Number of Enterprises(unit)	**976**	**326**	**210**	**114**	**90**
二、总产值（亿元） Gross Output Value(100 million yuan)	**89.53**	**107.40**	**88.01**	**90.29**	**85.13**
增加值 Value Added	26.99	22.33	21.85	25.80	27.56
竣工产值 Output Value of Completed	69.59	82.42	63.57	55.21	52.07
三、房屋施工面积（万平方米） Floor Space of Building under(10000 sq.m)	**1783.01**	**1725.70**	**1657.55**	**1369.72**	**1227.93**
#本年新开工 Newly Started Building in Current Year	944.55	1045.04	724.47	693.10	490.06
四、房屋竣工面积（万平方米） Floor Space of Building(10000 sq.m)	**846.18**	**776.31**	**643.80**	**422.44**	**434.47**
#住宅 Residential Building	496.95	466.51	427.31	252.46	312.05
五、年末从业人员（万人） Number of Staff & Workers at the Year-end(10000 person)	**19.99**	**15.15**	**9.30**	**8.09**	**6.51**
六、全员劳动生产率（元/人） Overall Labor productivity (yuan/person)					
按总产值计算 In Terms of Gross Output Value	44526	81207	91269	99888	94988
按增加值计算 In Terms of Value-added	13423	16884	22659	28545	30745
七、工资总额（亿元） Total Wages(100 million yuan)	**15.71**	**15.23**	**15.65**	**20.28**	**21.24**
八、财务指标（亿元） Financial Indicators(100 million yuan)					
资本金合计 Total Capital	43.55	38.21	26.27	18.74	11.76
流动资产年末数 Circulating Funds at Year-end	144.02	78.81	67.18	45.15	33.89
固定资产原值 Original Value of Fixed Assets	35.50	26.66	18.98	11.84	8.57
固定资产净值 Net Value of Fixed Assets	28.83	25.32	16.07	9.12	6.79
企业总收入 Total Income	93.00	97.52	89.07	82.84	73.28
工程结算收入 Project Settle Accounts	91.48	95.42	88.05	82.26	72.58
工程结算成本 Actual Cost of Projects Settle	82.83	87.22	80.92	75.23	66.49
利润总额 Total Profits	1.03	1.59	1.39	1.09	1.22
#工程结算利润 Profits of Project Settle Accounts	5.19	4.72	3.75	3.45	3.42
利税总额 Total Pre-Tax Profits	4.72	5.32	4.70	4.31	3.92

12-6 各种资质等级建筑企业主要经济指标(2008年)

Major Indicators of Construction Enterprises by Grade,2008

项目 Item	合计 Total	#总承包 General Contract	一级及以上 First and Above	二级 Second	三级 Third	#专业承包 Special Contract	一级 First and Above	二级 Second	三级及不分等级 Third and Others
一、企业单位数（个） **Number of Enterprises(unit)**	**2398**	**1084**	**107**	**447**	**530**	**1014**	**112**	**436**	**466**
二、总产值（亿元） **Gross Output Value(100 million yuan)**	**1921.26**	**1596.23**	**861.17**	**569.64**	**165.42**	**256.51**	**101.89**	**99.74**	**54.88**
增加值 Value Added	632.77	493.23	254.13	186.16	52.94	83.81	32.80	31.71	19.30
竣工产值 Output Value of Completed	1243.69	1078.64	553.80	399.46	125.38	165.06	56.27	69.32	39.46
三、房屋施工面积（万平方米） **Floor Space of Building under (10000 sq.m)**	**20028.29**	**19624.78**	**10013.67**	**7652.46**	**1958.65**	**403.51**	**113.56**	**256.92**	**33.03**
#本年新开工 Newly Started Building in Current Year	8700.55	8405.86	4107.98	3347.59	950.30	294.69	97.06	175.55	22.07
四、房屋竣工面积（万平方米） **Floor Space of Building(10000 sq.m)**	**7637.76**	**7385.52**	**3451.52**	**3064.79**	**869.21**	**252.24**	**99.74**	**140.01**	**12.49**
#住宅 Residential Building	4370.06	4328.46	2034.74	1896.64	397.08	41.59		41.04	0.56
五、年末从业人员（万人） **Number of Staff & Workers at the Year-end(10000 person)**	**153.90**	**108.46**	**53.95**	**40.67**	**13.84**	**17.41**	**5.91**	**7.40**	**4.10**
六、全员劳动生产率（元/人） **Overall Labor productivity(yuan/person)**									
按总产值计算 In Terms of Gross Output Value	111960	129746	130023	131325	123282	133959	150693	124037	126284
按增加值计算 In Terms of Value-added	36874	40092	38369	42919	39455	43767	48513	39433	44404
七、工资总额（亿元） **Total Wages(100 million yuan)**	**454.30**	**347.63**	**180.79**	**132.46**	**34.37**	**52.94**	**22.34**	**19.63**	**10.96**
八、财务指标（亿元） **Financial Indicators(100 million yuan)**									
资本金合计 Total Capital	369.70	280.93	93.67	124.36	62.90	84.29	18.71	38.84	26.74
流动资产年末数 Circulating Funds at Year-end	982.78	798.38	380.75	281.39	136.25	184.40	39.27	93.48	51.65
固定资产原值 Original Value of Fixed Assets	262.82	214.70	94.24	81.59	38.87	44.78	11.59	19.07	14.12
固定资产净值 Net Value of Fixed Assets	206.01	167.21	68.90	62.18	36.13	35.64	9.33	14.30	12.01
企业总收入 Total Income	1857.24	1532.03	838.95	531.23	161.85	259.87	98.50	100.30	61.07
工程结算收入 Project Settle Accounts	1839.69	1523.23	835.59	529.73	157.92	252.01	96.93	99.28	55.81
工程结算成本 Actual Cost of Projects Settle	1653.08	1380.04	763.53	478.57	137.95	210.31	83.61	81.63	45.06
利润总额 Total Profits	52.40	38.76	16.05	16.38	6.32	13.16	4.12	5.03	4.01
#工程结算利润 Profits of Project Settle Accounts	109.97	79.83	39.16	28.51	12.16	29.72	8.70	12.98	8.03
利税总额 Total Pre-Tax Profits	124.16	99.66	48.60	37.72	13.34	22.72	7.86	8.73	6.13

12-7 按行业分建筑企业主要经济指标(2008年)
Major Indicators of Construction Enterprises by Sector,2008

项目 Item	房屋和土木工程建筑业 Building and Civil Engineering	#房屋建筑业 Building	建筑安装业 Installation	建筑装饰业 Building Decontion	其他建筑业 Others
一、企业单位数（个）	**1254**	**924**	**376**	**491**	**277**
Number of Enterprises(unit)					
二、总产值（亿元）	**1623.41**	**1318.57**	**137.14**	**70.90**	**89.81**
Gross Output Value(100 million yuan)					
增加值	515.80	427.24	40.15	22.18	54.64
Value Added					
竣工产值	1082.98	899.33	99.89	41.42	19.41
Output Value of Completed					
三、房屋施工面积（万平方米）	**19863.45**	**19167.47**	**133.30**		**31.53**
Floor Space of Building under(10000 sq.m)					
#本年新开工	8639.42	8372.53	48.10		13.03
Newly Started Building in Current Year					
四、房屋竣工面积（万平方米）	**7564.07**	**7299.96**	**66.14**		**7.55**
Floor Space of Building(10000 sq.m)					
#住宅	4357.78	4211.06	12.28		
Residential Building					
五、年末从业人员（万人）	**116.89**	**98.12**	**7.83**	**5.23**	**23.96**
Number of Staff & Workers at the Year-end(10000 person)					
六、全员劳动生产率（元/人）					
Overall Labor productivity (yuan/person)					
按总产值计算	123770	118016	159590	125470	34285
In Terms of Gross Output Value					
按增加值计算	39324	38239	46723	39251	20859
In Terms of Value-added					
七、工资总额（亿元）	**368.07**	**309.66**	**23.54**	**14.07**	**48.61**
Total Wages(100 million yuan)					
八、财务指标（亿元）					
Financial Indicators(100 million yuan)					
资本金合计	287.29	219.06	35.88	32.02	14.51
Total Capital					
流动资产年末数	764.55	580.02	139.06	51.72	27.45
Circulating Funds at Year-end					
固定资产原值	213.77	150.64	22.48	12.12	14.44
Original Value of Fixed Assets					
固定资产净值	167.95	124.84	16.24	9.37	12.45
Net Value of Fixed Assets					
企业总收入	1550.29	1250.04	150.33	68.27	88.35
Total Income					
工程结算收入	1545.16	1246.04	139.38	67.19	87.97
Project Settle Accounts					
工程结算成本	1400.31	1132.81	115.68	56.15	80.94
Actual Cost of Projects Settle					
利润总额	39.03	31.00	8.00	3.89	1.48
Total Profits					
#工程结算利润	79.57	60.51	18.20	7.68	4.51
Profits of Project Settle Accounts					
利税总额	101.00	81.68	12.76	6.55	3.85
Total Pre-Tax Profits					

12-8 按经济类型分建筑企业主要经济指标(2008年)

Major Indicators of Construction Enterprises by Different Ownerships,2008

项目 Item	国有经济 State-owned	集体经济 Collect-owned	港澳台经济 Hong Kong, Macao and Taiwan Funded	外商经济 Foreign Funded	其他经济 Others
一、企业单位数（个） **Number of Enterprises(unit)**	**101**	**90**	**36**	**8**	**2163**
二、总产值（亿元） **Gross Output Value(100 million yuan)**	**282.88**	**85.13**	**28.59**	**5.18**	**1519.48**
增加值 Value Added	82.98	27.56	9.26	1.74	511.23
竣工产值 Output Value of Completed	148.98	52.07	13.94	3.81	1024.90
三、房屋施工面积（万平方米） **Floor Space of Building under(10000 sq.m)**	**2436.24**	**1227.93**	**196.22**	**30.83**	**16137.07**
#本年新开工 Newly Started Building in Current Year	794.08	490.06	84.16	24.62	7307.62
四、房屋竣工面积（万平方米） **Floor Space of Building(10000 sq.m)**	**693.09**	**434.47**	**103.03**	**12.38**	**6394.79**
#住宅 Residential Building	456.45	312.05	100.63	5.25	3495.67
五、年末从业人员（万人） **Number of Staff & Workers at the Year-end(10000 person)**	**18.15**	**6.51**	**1.67**	**0.31**	**127.26**
六、全员劳动生产率（元/人） **Overall Labor productivity(yuan/person)**					
按总产值计算 In Terms of Gross Output Value	111694	94988	144822	128154	112608
按增加值计算 In Terms of Value-added	32765	30745	46921	42934	37887
七、工资总额（亿元） **Total Wages(100 million yuan)**	**56.48**	**21.24**	**6.29**	**1.29**	**369.00**
八、财务指标（亿元） **Financial Indicators(100 million yuan)**					
资本金合计 Total Capital	38.29	11.76	5.34	1.75	312.56
流动资产年末数 Circulating Funds at Year-end	199.82	33.89	14.19	4.98	729.90
固定资产原值 Original Value of Fixed Assets	63.28	8.57	2.63	1.06	187.27
固定资产净值 Net Value of Fixed Assets	48.79	6.79	1.82	0.50	148.13
企业总收入 Total Income	328.94	73.28	27.55	5.60	1421.86
工程结算收入 Project Settle Accounts	325.48	72.58	27.42	5.58	1408.64
工程结算成本 Actual Cost of Projects Settle	293.83	66.49	24.56	4.50	1263.70
利润总额 Total Profits	5.28	1.22	1.40	0.20	44.29
#工程结算利润 Profits of Project Settle Accounts	17.61	3.42	1.89	0.86	86.18
利税总额 Total Pre-Tax Profits	18.53	3.92	2.37	0.43	98.91

12–9 建筑企业增加值(2008年)

Add-Value of Construction Enterprises,2008

单位：亿元 (100 million yuan)

项目 Item	总计 Total	国有经济 state- Owned	集体经济 Collective- Owned	其他经济 Others
增加值 Value added	**632.77**	**82.98**	**27.56**	**522.23**
#固定资产折旧 Depreciation of Fixed Assets	17.03	2.56	0.58	13.89
应付工资 Wages Payable	451.04	55.92	21.09	374.03
应付福利费 Welfare Expenses Payable	29.51	3.76	1.75	24.01
劳动失业保险费 Walfare Contributors	4.62	1.13	0.23	3.26
工程结算税金及附加 Taxes and Extra charges on project Settle Accounts	69.01	12.95	2.63	53.43
管理费用中的税金 Taxes in Management Expenses	2.75	0.30	0.07	2.38
营业利润 Profits of project settle Account	56.10	5.47	1.14	49.49

12–10 建筑企业技术装备情况

Basic Statistics of Technology Equipment of Construction Enterprises

项目 Item	2000	2003	2005	2007	2008
自有施工机械设备总台数（台） Number of Machinery and Equipment owned(set)	**139374**	**185389**	**208362**	**261317**	**247505**
自有施工机械设备总净值（万元） Total Net value of machinery and Equipment owned (10000 yuan)	**313552**	**509383**	**634457**	**833902**	**893267**
自有施工机械设备总功率（万千瓦） Total power of machinery and Equipment owned (10000 kw)	**196.77**	**250.05**	**308.48**	**422.65**	**451.87**
技术装备率（元/人） Value of machines per laborer(yuan/person)					
按全部职工计算 In terms of total staff & worker	7503	9170	7764	6673	5205
按工人计算 In terms of workers	10147	12402	10980	9090	7635
动力装备率(千瓦/人) Power of machines per laborer(kw/person)					
按全部职工计算 In terms of total staff & worker	4.70	4.50	3.78	3.38	2.63
按工人计算 In terms of workers	6.00	5.60	5.34	4.61	3.86

12-11 按类型分的建筑企业技术装备情况(2008年)

Basic Statistics of Technology Equipment of Construction Enterprises by Different Ownerships,2008

项目 Item	总计 Total	国有经济 State- Owned	集体经济 Collective-Owned	其他经济 Others
自有施工机械设备总台数(台) Number of Machinery and Equipment owned(unit)	**247505**	**25824**	**11994**	**209687**
自有施工机械设备总净值(万元) Total Net value of machinery and Equipment owned(10000 yuan)	**893267**	**89256**	**28915**	**775096**
自有施工机械设备总功率(千瓦) Total power of machinery and Equipment owned(kw)	**4518676**	**519471**	**145751**	**3853454**
技术装备率(元/人) Value of machines per laborer(yuan/person)				
按全部职工计算 In Terms of total staff & worker	5205	3524	3226	5645
按工人计算 In Terms of workers	7635	6050	6007	7955
动力装备率(千瓦/人) Power of machines per laborer(kw/person)				
按全部职工计算 In Terms of total staff & worker	2.63	2.05	1.63	2.81
按工人计算 In Terms of workers	3.86	3.52	3.03	3.95

12-12 竣工房屋建筑面积

Floor Space of Completed Building

单位：万平方米　(10000 sq.m)

项目　Item	2000	2003	2005	2007	2008
总计 Total	**1729.04**	**2952.12**	**4191.35**	**6010.26**	**7637.76**
厂房、仓库 Factory Building	181.26	573.50	1012.43	1749.90	1951.89
住宅 Residential Building	995.80	1712.69	2257.72	3100.71	4370.06
办公用房 Building for Office	163.53	222.68	314.46	457.67	538.11
批发和零售用房 Building for Wholesal and Retail Trade	34.38	36.80	66.77	90.48	116.38
住宿和餐饮用房 Building for Lodgings and Gatering Services	35.99	38.52	67.32	66.29	83.81
居民服务业用房 Building for Resident Services	62.35	66.74	42.04	57.61	57.94
教育用房 Building for Education	140.13	149.99	244.18	203.30	242.00
文化、体育和娱乐用房 Building for Culture, Sports and Enterainment	25.25	27.02	33.02	61.40	69.88
卫生医疗用房 Building for Medical	12.08	27.07	31.50	43.35	48.48
科研用房 Building for Scientific Research	2.79	8.57	5.48	11.32	15.47
其他用房 Others	74.68	88.54	116.44	168.24	143.75

12-13 设区市建筑企业数(2008年)

Number of Construction Enterprises by City,2008

单位：个 (unit)

地区 Area	合计 Total	#总承包 Gereral Contract	一级及以上 First and Above	二级 Second	三级 Third	#专业承包 Special Contract	一级 First	二级 Second	三级及不分等级 Third and Others
全 省 total	**2398**	**1084**	**107**	**447**	**530**	**1014**	**112**	**436**	**466**
福州市 Fuzhou	688	282	34	150	98	317	48	157	112
厦门市 Xiamen	448	122	23	35	64	233	29	85	119
莆田市 Putian	128	74	2	26	46	44	1	26	17
三明市 Sanming	120	65	5	26	34	43	3	6	34
泉州市 Quanzhou	425	214	25	88	101	176	22	87	67
漳州市 Zhangzhou	167	90	7	26	57	56	1	25	30
南平市 Nanping	137	77	1	23	53	55	1	21	33
龙岩市 Longyan	172	99	7	46	46	68	4	25	39
宁德市 Ningde	113	61	3	27	31	22	3	4	15

12-14 设区市建筑企业从业人员数(2008年)

Employment of Construction Enterprises by City,2008

单位：人 (person)

地区 Area	合计 Total	#总承包 Gereral Contract	一级及以上 First and Above	二级 Second	三级 Third	#专业承包 Special Contract	一级 First	二级 Second	三级及不分等级 Third and Others
全 省 total	**1539025**	**1084563**	**539517**	**406690**	**138356**	**174073**	**59078**	**73978**	**41017**
福州市 Fuzhou	527379	386796	185264	175783	25749	78906	34345	29587	14974
厦门市 Xiamen	404179	154845	108548	26929	19368	37043	14577	11890	10576
莆田市 Putian	48790	45608	2870	31774	10964	2991	136	1722	1133
三明市 Sanming	42711	38620	14365	18105	6150	3562	1128	566	1868
泉州市 Quanzhou	232690	213163	120033	62140	30990	17688	3761	9054	4873
漳州市 Zhangzhou	109671	94195	59808	19577	14810	12679	230	10800	1649
南平市 Nanping	31242	22166	3547	8627	9992	8975	309	6103	2563
龙岩市 Longyan	97958	87964	35692	38218	14054	9724	3716	4026	1982
宁德市 Ningde	44405	41206	9390	25537	6279	2505	876	230	1399

12–15 设区市建筑企业劳动生产率(2008年)

Gross Output Value per Capital of Construction Enterprises by City,2008

单位：元/人 (yuan/person)

地区 Area	按总产值计算 In terms of Total Output value	#国有企业 State- Owned	#集体企业 Collective- Owned	按增加值计算 In terms of Added-value	#国有企业 State- Owned	#集体企业 Collective- Owned
全 省 total	**111960**	**111694**	**94988**	**36874**	**32765**	**30745**
福州市 Fuzhou	102066	96672	109445	35864	29803	34402
厦门市 Xiamen	91003	194580	38706	28604	47036	17426
莆田市 Putian	128159	125216	115134	42435	30108	33475
三明市 Sanming	169653	213013	126373	50880	52460	47855
泉州市 Quanzhou	137428	127477	144098	47242	38830	43915
漳州市 Zhangzhou	141830	149970	97035	40614	44857	27728
南平市 Nanping	140295	162429	199079	44630	46582	51333
龙岩市 Longyan	128976	108045	76505	40161	27223	30376
宁德市 Ningde	116838	122409	100999	33095	35482	27451

12–16 设区市建筑企业技术装备情况(2008年)

Basic Statistics of Technology Equipment of Construction Enterprises by City,2008

地区 Area	房屋建筑竣工面积（万平方米） Floor Space of Buildings Completed (10000 sq.m)	技术装备率（元/人） Value of Machines Per Laborer(yuan/person)	动力装备率（千瓦/人） Power of Machines per Laborer(kw/person)
全 省 total	**7637.76**	**5205**	**2.63**
福州市 Fuzhou	2489.99	3907	1.82
厦门市 Xiamen	966.05	2548	1.50
莆田市 Putian	303.36	5280	3.84
三明市 Sanming	236.45	8500	4.43
泉州市 Quanzhou	1870.72	10380	4.63
漳州市 Zhangzhou	842.00	5086	2.39
南平市 Nanping	139.22	9991	5.46
龙岩市 Longyan	527.09	8409	5.17
宁德市 Ningde	262.89	8992	4.77

12-17 设区市建筑企业总收入(2008年)

Gross Income of Construction Enterprises by City,2008

单位：万元 (10000 yuan)

地区 Area	企业总收入 Total Incomes of Enterprises	#工程结算收入 Incomes of Project Settle Accounts	#工程结算成本 Costs ofProject Settle Accounts	#工程结算利润 Profits of Project Settle Accounts	#其他业务收入 Other Incomes	#其他业务利润 Profits of Others
全 省 total	**18572378**	**18396939**	**16530814**	**1099650**	**175439**	**36118**
福州市 Fuzhou	7180818	7096432	6405826	401184	84387	18943
厦门市 Xiamen	3620549	3595299	3294915	183077	25250	3484
莆田市 Putian	592500	589411	516172	44828	3090	1505
三明市 Sanming	572987	559439	496710	33385	13548	1972
泉州市 Quanzhou	3105327	3100121	2734733	226276	5205	1637
漳州市 Zhangzhou	1321432	1284437	1165309	67124	36996	5664
南平市 Nanping	395872	393277	343508	31076	2595	1115
龙岩市 Longyan	1264193	1260885	1101443	91835	3308	1090
宁德市 Ningde	518700	517638	472198	20865	1062	708

12-18 设区市建筑企业利税总额(2008年)

Total Pre-tax Profits of Construction Enterprises by City,2008

单位：万元 (10000 yuan)

地区 Area	利税总额 Total Pre-tax Profits	利润总额 Total Profits	工程结算税金及附加 Taxes and Extra Charges on Project Settle Accounts	管理费用中的税金 Taxes in Management Expenses	产值利税率(%) Ratio of pre-tax Profits to Gross Output Value (%)	资产利税率(%) Ratio of pre-tax Profit to Assets (%)
全 省 Total	**1241561**	**523982**	**690123**	**27456**	**6.5**	**9.7**
福州市 Fuzhou	428329	159295	261730	7304	6.1	9.1
厦门市 Xiamen	189608	76822	110597	2189	5.1	6.3
莆田市 Putian	52781	26107	25890	784	8.1	10.9
三明市 Sanming	39598	13088	25650	861	5.8	8.8
泉州市 Quanzhou	281348	141760	127526	12062	8.9	16.3
漳州市 Zhangzhou	88024	39907	46602	1515	5.4	9.3
南平市 Nanping	28373	11631	16018	723	6.5	8.2
龙岩市 Longyan	104498	47507	55197	1794	7.8	14.5
宁德市 Ningde	29002	7864	20914	224	5.2	8.7

主要统计指标解释

建筑业统计单位　指从事房屋、构筑物建造和设备安装活动的法人企业。建筑业法人企业应同时具备的条件是：①依法成立，有自己的名称、组织机构和场所，能够承担民事责任；②独立拥有和使用资产，承担负债，有权与其他单位签订合同；③独立核算盈亏，能够编制资产负债表。

建筑业总产值(即自行完成施工产值)　指以货币表现的建筑安装企业在一定时期内生产的建筑业产品和提供的服务的总和。建筑业总产值包括：

(1)建筑工程产值：指列入建筑工程预算内的各种工程价值。

(2)设备安装工程产值：指设备安装工程价值，不包括被安装设备本身价值。

(3)房屋、构筑物修理产值：指房屋、构筑物修理所完成的价值，但不包括被修理房屋、构筑物本身的价值和生产设备的修理价值。

(4)非标准设备制造产值：指加工制造没有定型的、非标准的生产设备的加工费和原材料价值，以及附属加工厂为本企业承建工程制作的非标准设备的价值。

建筑业增加值　指建筑业企业在报告期内以货币表现的建筑业生产经营活动的最终成果。目前建筑业增加值采用分配法(收入法)计算，即从收入的角度出发，根据生产要素在生产过程中应得的收入份额计算。具体计算公式为：

建筑业增加值＝本年提取的固定资产折旧+主营业务应付工资+主营业务应付福利费+管理费用中的劳动待业保险费、税金+工程结算税金及附加+营业利润

房屋建筑施工面积　指在报告期内施工的全部房屋建筑面积，包括本期新开工的房屋面积、上期施工跨入本期继续施工的房屋面积、上期停缓建在本期恢复施工的房屋面积、本期竣工的房屋面积及本期施工后又停缓建的房屋面积。

房屋建筑竣工面积　指在报告期内房屋建筑按照设计要求全部完工，达到了住人和使用条件，经验收鉴定合格，正式移交使用单位的房屋建筑面积。

自有机械设备年末总台数 指归本企业所有，属于本企业固定资产的生产性机械设备年末总台数。包括施工机械、生产设备、运输设备以及其他设备。

自有机械设备年末总功率　指本企业自有施工机械、生产设备、运输设备以及其他设备等列为在册固定资产的生产性机械设备年末总功率，按设定能力或查定能力计算。包括机械本身的动力和为该机械服务的单独动力设备，如电动机等。计算单位用千瓦，动力换算可按 1 马力＝0.735 千瓦折合成千瓦数。电焊机、变压器、锅炉不计算动力。

工程结算收入　指企业承包工程实现的工程价款结算收入，以及向发包单位收取的除工程价款以外的按规定列作营业收入的各种款项，如临时设施费、劳动保险费、施工机械调迁费等以及向发包单位收取的各种索赔款。

工程结算利润　指已结算工程实现的利润，如亏损以“—”号表示。计算公式为：

工程结算利润＝工程结算收入－工程结算成本－工程结算税金及附加

企业总收入　指与企业生产经营直接有关的各项收入，包括工程结算收入和其他业务收入。计算公式为：

企业总收入＝工程结算收入＋其他业务收入

Explanatory Notes on Main Statistical Indicators

Statistical Unit in the Construction Industry refers to corporate enterprise engaged in the construction of buildings and structures and in the installation of equipment.A corporate construction enterprise should have qualification certifieates with independent accounting system,and should meet the following 3 requirements:①being set up in line with relevant legal basis,having its full name,organization and location,and capable of taking civil liabilities;② independently possessing and using its assets and assuming its liabilities,and entitled to sign contracts with other institutions;and ③ making independent accounts of its profits and losses,and capable of compiling its own balance sheet.

Gross Output Value of Construction (Output Value of Projects Under Construction) refers to total of construction products and services, expressed in money terms, completed by construction and installation enterprises during a given period of time. It includes:

(1) Output value of construction projects, that is the value of projects covered by the project budgets;

(2) Output value of installation projects, that is the value of the installation of equipment, (excluding the value of the equipment to be installed);

(3) Output value of repair of buildings and structures, that is the value created through the repairs of buildings or structures,but does not include the value of buildings or structures being repaired and the value of the repair of production equipment;

(4) Output value of manufactured non-standard equipment, that is the value of non-standard production equipment (including raw materials and manufacturing cost) made for the construction project, and the equipment manufactured by subsidiary workshops.

Value-added of Construction refers to the final result of the activities of production and management of construction in monetary terms in the reference period. At present, the value-added of construction is calculated with the income approach. In other words, it is the sum of income of various production factors in the production process. The formula is as follows:

Value-added of construction=depreciation of fixed assets in the year+wages payable+welfare expenses payable+insurance premium and tax for waiting for employment in the administrative expenses +taxes and surcharges on project settlement+profit gained from project settlement.

Floor Space of Buildings Under Construction refers to floor space of buildings under construction during the reference period, including newly started buildings,buildings started earlier and Continued during the reference period,and buildings suspended earlier but restarted during the reference period, buildings completed during the reference period, and buildings under construction and then suspended during the reference period.

Floor Space of Buildings Completed refers to the floor space of buildings that are completed in the reference period in accordance with the requirements of the design, up to the standard for putting them into use, and have been checked and accepted by concerned departments as qualified ones.

Total Number of Machinery and Equipment Owned by the End of Year refers to the number of machines and equipment owned by the enterprises, and listed as the fixed assets of the enterprises by the end of the year, including machinery and equipment for construction, production and transportation.

Total Power of Machinery and Equipment Owned by the End of Year refers to the total power of machinery and equipment owned by the enterprises,and listed as the fixed assets of the enterprises by the end of the year, including machinery and equipment for construction,production and transportation.The power of the machinery is calculated on basis of the designed or verified capacity,covering the power of the machinery/equipment and the separate power equipment serving the machinery/equipment (such as electric motors), but excluding welders, transformers and boilers.The unit used for the calculation of power is kilowatt, with horsepower converted to kilowatt by 1 horsepower=0.735 kilowatt.

Income from Settlement of Projects refers to the income received by the construction enterprise from the contracted project through settlement procedures, and other charges to the contractoree as operational costs in addition to the value of the project, such as temporary facility fee,labour insurance premium,moving cost of construction equipment,as well as various types of claims to the contractee.

Profit from Settlement of Projects refers to profit realized through settled projects. It is calculated with the following formula:

Profit from Settlement of Projects=Income from Settlement of Projects-Settled Cost-Settled Taxes and Other Cost

Total Revenue of Enterprises refers to the sum of income from production and operation of enterprises, including income from settlement of projects and other operational income, namely:

Total Revenue of Enterprises=Income from Settlement of Projects+Other Operational Income

13

交通运输与邮电通信业

Transportation, Postal and Telecommunication Services

简要说明

本篇资料的主要内容及来源

本篇资料反映了全省交通运输业与邮电通讯业发展的基本状况，主要包括交通设施基本情况、客货运量及周转量、交通运输企业主要技术经济指标、沿海主要港口货物吞吐量、邮政和电信基本情况、民用汽车拥有量等方面的内容。

铁路资料来源于福州铁路局，公路资料来源于福建省交通厅，民航运输资料来源于省民航局，电信资料来源于省通信管理局和省邮政局。

本篇资料由省统计局工业交通统计处收集整理。

Brief Introduction

Main Content and Source of Data

Data in this chapter cover mainly the basic conditions of the development of transport, post and telecommunications in Fujian Province, including the basic conditions of transport, the freight traffic and passenger traffic accomplished by various means, major financial indices of related enterprises, cargo handled at principal sea ports and the basic conditions of post and telecommunication services.

Data on railways transportation come from the Fuzhou Bureau of the Railway. Data on highways come from the Bureau of the Transportation. Data on the civil aviation transport come from the Bureau of Fujian Aviation Administration. Data on telecommunication services come from the Telecommunication Bureau. Data on post are provided by the Post Bureau.

Data in this chapter are compiled and provided by the Division of Investment and Construction Statistics of Fujian Provincial Bureau of Statistics.

13–1 主要年份各类运输总量

Passenger Traffic and Freight Traffic in Selected Years

年份 Year	客运量（万人） Passenger Traffic (10000 person)	旅客周转量（亿人公里） Passenger-Kilometers (100 million person-km)	货运量（万吨） Freight Traffic (10000 tons)	货物周转量（亿吨公里） Freight ton-kilometers (100 million ton-km)
1952	251	1.72	156	1.44
1957	1966	8.81	1553	10.07
1962	2634	16.97	1845	21.65
1965	3226	16.22	2948	39.47
1970	3324	17.59	2862	40.92
1975	5887	28.36	3747	53.73
1978	7928	35.73	4871	74.03
1979	9996	43.71	5149	80.63
1980	16676	62.37	7979	100.34
1981	20013	73.45	8302	103.34
1982	22570	82.01	9077	120.39
1983	24620	91.50	10175	131.78
1984	29155	109.50	11479	151.61
1985	33984	130.33	13317	161.97
1986	34426	137.09	16931	195.48
1987	35693	159.38	18231	225.02
1988	37216	175.91	20131	242.02
1989	39622	173.66	19859	270.06
1990	39495	175.40	20321	272.71
1991	34038	186.70	12124	267.26
1992	36283	205.17	19836	347.28
1993	40465	232.27	25824	434.02
1994	36416	240.56	28447	577.73
1995	40080	247.65	28922	608.61
1996	42956	267.20	30593	590.58
1997	43658	253.15	30496	605.78
1998	42047	279.76	30010	661.61
1999	41413	301.58	28637	746.71
2000	44203	333.97	29483	687.65
2001	47393	372.72	30547	779.92
2002	49134	392.00	31837	827.44
2003	48097	386.19	33422	1223.82
2004	53950	441.40	37279	1401.26
2005	55615	477.82	40400	1576.12
2006	59369	524.99	44304	1904.36
2007	64244	587.90	50500	2083.72
2008	72742	561.77	57254	2401.41

13-2 交通运输业基本情况
Basic Conditions of Transport

项目 Item	2000	2003	2005	2007	2008
铁路营业长度（公里） Length of Railways in Operation(km)	**1454**	**1467**	**1613**	**1616**	**1618**
公路通车里程（公里） Length of Highway(km)	**53506**	**54876**	**58286**	**86926**	**88607**
#高速公路 Expressway	351	727	1208	1366	1767
内河通航里程（公里） Length of Navigable Inland Waterways(km)	**3701**	**3245**	**3245**	**3245**	**3245**
客运量（万人） (10000 persons)	**44203**	**48097**	**55615**	**64244**	**72742**
铁路 Railways	1428	1417	1486	1911	2066
公路 Highways	41696	45483	52452	60088	68409
水运 Waterways	726	707	985	1320	1305
民航 Civil Aviation	353	491	692	925	962
旅客周转量（亿人公里） Passenger-kilometers(100 million persons-km)	**333.97**	**386.19**	**477.82**	**587.90**	**561.77**
铁路 Railways	71.57	74.85	87.90	100.98	108.30
公路 Highways	223.44	257.55	309.99	375.46	338.06
水路 Waterways	1.44	1.11	1.39	1.75	1.67
航空 Civil Aviation	37.52	52.68	78.54	109.74	113.73
货运量（万吨） (10000 tons)	**29483**	**33422**	**40400**	**50500**	**57254**
铁路 Railways	2475	3206	3601	3595	3681

13-2 续表
Continued

项目 Item	2000	2003	2005	2007	2008
公路 Highways	22924	23884	27579	34829	38367
水运 Waterways	4078	6324	9210	12130	15193
民航 Civil Aviation	6	8	10	12	12
货物周转量（亿吨公里） Freight Ton-Kilometers(100 million ton-km)	**687.65**	**1223.82**	**1576.12**	**2083.72**	**2401.41**
铁路 Railways	152.51	194.34	201.95	209.70	207.80
公路 Highways	175.83	193.50	238.25	317.44	483.57
水路 Waterways	358.63	835.07	1134.64	1553.84	1708.39
航空 Civil Aviation	0.67	0.91	1.27	1.57	1.65
全社会机动车拥有量（辆） Number of Motor Vehicles(unit)		**3298909**	**4198416**	**5482801**	**6005949**
汽车 Automobiles	321278	520751	742611	1143059	1339836
沿海主要港口货物吞吐量（万吨） (10000 tons)	**6944.17**	**12495.48**	**19605.25**	**23602.90**	**27070.06**
#福州港 Fuzhou	2425.48	4753.07	7443.45	6433.32	6702.59
厦门港 Xiamen	1965.26	3403.88	4770.76	8117.20	9701.96
泉州港 Quanzhou	1712.18	2511.53	4046.16	6215.32	7224.30
漳州港 Zhangzhou	418.72	1085.06	2081.31	533.19	631.69
湄州湾港 Meizhouwan	201.34	600.16	1050.03	1612.74	1802.26
宁德港 Ningde	221.19	141.78	213.54	691.13	1007.26

13–3 运输线路长度（年底数）

Length of Transportation Routes,End of Year

单位：公里　　(km)

项目 Item	2000	2003	2005	2007	2008
铁路营业长度 Length of Railways in Operation	**1454**	**1467**	**1613**	**1616**	**1618**
#电气化长度 Electrified Railways	821	892	821	821	821
公路通车里程 Length of Highway	**53506**	**54876**	**58286**	**86926**	**88607**
#二级以上公路里程 Above Second Class	6121	6762	7829	8329	9263
内河通航里程 Length of Navigable Inland Waterways	**3701**	**3245**	**3245**	**3245**	**3245**
公路通车里程中 Length of Highways					
干线公路 Main Highways	7894	8321	8892	8965	9723
国道 National Highways	2443	2783	3129	3129	3843
省道 Provincial Highways	5451	5538	5763	5836	5879
县级公路 County Highways	12527	12634	12814	13216	13254
乡镇公路 Village Highways	27101	27936	30579	35154	35369
专用公路 Highway for Special Purpose	5984	5985	6001	466	489
公路通车里程中 Length of Highways					
等级路里程合计 Total of Expressway and Class Highway	40637	42222	47986	63275	66461
高速公路 Expressway	351	727	1208	1366	1767
一级 First Class	255	312	358	388	509
二级 Second Class	5515	5723	6262	6575	6988
三级 Third Class	3440	3834	4518	5256	5650
四级 Fourth Class	31076	31626	35640	49690	51547
公路通车里程中 Length of Highways					
晴雨通车里程 Length of Highways in Any Weather	49435	50841	74715	74890	76290
绿化里程 Length of Greened Highways	28068	29058	31010	41891	43885
养护里程 Length of Maintenced Highways	52776	54116	57430	82037	85144

13-4 各类运输工具拥有量（年底数）

Number of Means of Transport, End of Year

项目	Item	2000	2003	2005	2007	2008
公路	**Highway**					
全社会机动车拥有量（辆）	**Number of Motor Vehicles(unit)**		**3298909**	**4198416**	**5482801**	**6005949**
汽车	Automobiles	321278	520751	742611	1143059	1339836
#载客汽车	Possenger Vehicles	156890	294034	449592	773989	947323
大型	Large-Size		14534	15623	19171	20815
中型	Medium-Size		32526	31203	37642	38216
小型	Small-Size		209701	362861	672830	842696
微型	Mini-Size		37273	39905	44346	45593
载货汽车	Trucks	154219	214292	231351	306995	328518
重型	Large-Capacity		9261	16437	25951	27647
中型	Medium-Capacity		49862	40678	49610	48799
轻型	Small-Capacity		117418	147566	213939	238084
微型	Mini-Capacity		37751	26670	17495	13986
水路	**Waterway**					
内河	**Island River**					
客轮	Passenger Vesssel					
艘数（艘）	Number of Passenger Vesssel(unti)	139	254	465	406	397
载客量（客位）	Passenger Capacity(seat)	7671	12002	15319	12857	9969
货轮	Cargo Vessel					
艘数（艘）	Number of Cargo Vessel(unit)	865	867	830	923	881
净载重量（吨位）	Payload(ton)	67493	108146	154777	228049	243088
沿海	**Coastal**					
客轮	Passenger Vesssel					
艘数（艘）	Number of Passenger Vesssel(unit)	167	180	212	237	258
总吨（吨位）	Total Weight(ton)	4527	8666	10706	12870	13499
载客量（客位）	Passenger Capacity(seat)	7221	11350	9764	11577	14016
货轮	Cargo Vessel					
艘数（艘）	Number of Cargo Vessel(unit)	1313	1017	1290	1134	1007
总吨（吨位）	Total Weight(ton)	787442	1023946	1681411	1844938	1799300
净载重量（吨位）	Payload(ton)	1128810	1499915	2736521	3004710	2918380
远洋	**Ocean**					
货轮	Cargo Vessel					
艘数（艘）	Number of Cargo Vessel(unit)	190	126	81	72	69
总吨（吨位）	Total Weight(ton)	384749	512096	543878	465653	513819
净载重量（吨位）	Payload(ton)	589392	704210	769838	673595	799198

13-5 主要年份客货平均运距

Average Transport Distance of Passenger and Freight Traffic in Selected Years

单位：公里 (km)

年份 Year	平均运距 Average Transport Distance	铁路 Railway	公路 Highway	水运 Waterway	民用航空 Civil Aviation
旅客运输平均运距					
1978	45	184	33	21	
1980	44	212	31	27	
1985	38	261	29	29	71
1990	44	309	35	26	897
1995	61	403	41	35	949
1996	62	400	44	32	963
1997	58	429	39	29	967
1998	67	438	47	22	982
1999	73	449	52	20	995
2000	76	501	54	20	1062
2001	79	539	57	17	1045
2002	80	530	57	16	1040
2003	80	528	57	16	1074
2004	82	544	56	15	1095
2005	86	592	59	14	1135
2006	88	570	60	13	1151
2007	92	528	62	13	1187
2008	77	524	49	13	1182
货物运输平均运距					
1978	151	400	31	166	
1980	125	429	41	188	
1985	122	537	42	280	391
1990	134	547	55	454	964
1995	210	593	62	1051	1062
1996	193	565	58	908	1139
1997	199	603	57	908	1008
1998	220	611	63	993	1145
1999	261	603	84	1021	1086
2000	233	616	77	879	1135
2001	255	586	81	942	1143
2002	260	595	81	935	1132
2003	366	606	81	1320	1167
2004	376	586	83	1275	1214
2005	390	561	86	1232	1254
2006	430	553	89	1324	1279
2007	413	583	91	1281	1296
2008	419	565	126	1124	1326

13-6 主要年份铁路运输情况

Railway Transportation in Selected Years

年份 Year	营业长度（公里） Length of Railways in Operation (km)	旅客发送量（万人） Passenger Traffic (10000 persons)	旅客周转量（亿人公里） Passenger-Kilometers (100 million person-km)	货物发送量（万吨） Freight Traffic (10000 tons)	货物周转量（亿吨公里） Freight Ton-kilometers (100 million ton-km)
1957	644	130	1.77	232	3.64
1962	841	476	8.17	267	12.47
1965	876	376	6.65	602	25.38
1970	876	432	7.56	694	27.97
1975	982	606	10.68	962	35.49
1978	1009	718	13.24	1261	50.40
1979	1009	840	16.20	1318	55.17
1980	1009	986	20.92	1320	56.56
1981	1009	997	23.16	1268	55.54
1982	1006	1102	24.34	1305	64.71
1983	1005	1223	28.44	1334	70.06
1984	1005	1349	32.71	1477	79.98
1985	1006	1349	35.25	1536	82.43
1986	1028	1363	37.18	1486	90.37
1987	1028	1423	40.40	1802	95.69
1988	1028	1551	46.24	1810	97.98
1989	1029	1485	44.49	1892	101.08
1990	1021	1234	38.13	1902	104.01
1991	1015	1235	41.10	1988	113.00
1992	1015	1332	49.01	2064	125.91
1993	1015	1556	62.28	2216	136.04
1994	1024	1685	68.01	2301	140.02
1995	1024	1662	67.05	2456	145.69
1996	1025	1466	58.63	2500	141.18
1997	1068	1401	60.09	2373	143.00
1998	1381	1399	61.25	2325	141.94
1999	1383	1480	66.38	2389	144.09
2000	1454	1428	71.57	2475	152.51
2001	1453	1372	73.90	2813	164.78
2002	1454	1446	76.65	2856	169.96
2003	1467	1417	74.85	3206	194.34
2004	1471	1568	85.30	3739	219.10
2005	1613	1486	87.90	3601	201.95
2006	1613	1730	98.60	3646	201.70
2007	1616	1911	100.98	3595	209.70
2008	1618	2066	108.30	3681	207.80

13-7 主要年份公路运输情况

Highway Transportation in Selected Years

年份 Year	公路通车里程（公里） Length of Highways (km)	汽车数(辆) Number of Vehicles(set)	客运量（万人） Passenger Traffic (10000 persons)	旅客周转量（亿人公里） Passenger-Kilometers (100 million person-km)	货运量（万吨） Freight Traffic (10000 tons)	货物周转量（亿吨公里） Freight Ton-kilometers(100 million ton-km)
1952	2839	1470	86	0.77	39	0.27
1957	6034	2118	1254	4.70	725	1.69
1962	13243	4872	1096	5.93	840	2.12
1965	14251	6304	2135	8.06	1455	3.30
1970	18136	7490	2195	8.52	1470	3.98
1975	24204	17189	4385	15.77	1972	6.46
1978	29109	26148	6285	20.53	2671	8.20
1979	32112	30611	8115	25.16	2832	9.14
1980	32577	35999	14593	38.54	5548	22.88
1981	32982	39862	17834	46.45	6041	24.54
1982	33827	44316	20197	53.73	6674	28.66
1983	34445	46662	22154	58.90	7633	31.72
1984	35020	50966	26487	72.51	8793	36.07
1985	35987	63062	31355	91.33	10531	44.54
1986	37175	74490	31643	96.04	13965	60.99
1987	38148	83405	32670	111.79	14970	78.65
1988	39124	92218	33955	121.30	16775	90.37
1989	39124	102413	36439	119.69	16276	89.53
1990	41011	110208	36639	128.27	16710	91.12
1991	41745	121247	31683	135.81	8924	74.43
1992	41882	137272	33668	142.47	15832	93.12
1993	43558	166299	37970	150.92	21276	111.48
1994	44608	210404	33916	149.08	23147	135.17
1995	46574	200765	37508	153.48	23444	145.41
1996	47196	201210	40474	177.30	24732	144.17
1997	47680	221208	41212	160.37	24562	139.18
1998	48021	248062	39618	187.37	23979	151.37
1999	50202	278218	38884	201.13	22162	185.35
2000	51073	321278	41696	223.44	22924	175.83
2001	53547	366707	44926	254.37	23193	187.03
2002	54155	436254	46570	264.89	24023	193.96
2003	54876	520751	45483	257.55	23884	193.50
2004	56208	632739	50862	286.52	25964	216.10
2005	58286	742611	52452	309.99	27579	238.25
2006	86560	935410	55713	335.28	29806	266.34
2007	86926	1143059	60088	375.46	34829	317.44
2008	88607	1339831	68409	338.06	38367	483.57

注：2006年及以后年份公路通车里程含村道,以前年份不含村道。

Note: Lengh of Highways in 2006 include village highways, but not the before.

13–8 主要年份水路运输情况

Waterway Transportation in Selected Years

年份 Year	内河航运里程（公里） Length of Navigable Inland Waterways (km)	#通航里程 Length of Waterways	客运量（万人） Passenger Traffic (10000 persons)	旅客周转量（亿人公里） Passenger-Kilometers (100 million person/km)	货运量（万吨） Freight Traffic (10000 tons)	货物周转量（亿吨公里） Freight Ton-kilometers(100 million tons km)
1952	4078		165	0.95	117	1.16
1957	4315		582	2.35	596	4.75
1962	5141		1062	2.87	742	7.06
1965	4723		715	1.51	891	10.79
1970	3726		697	1.51	698	8.97
1975	3793		895	1.91	812	11.78
1978	3629		924	1.96	939	15.43
1979	3857		1040	2.35	999	16.32
1980	3857		1095	2.91	1111	20.90
1981	3857		1179	3.54	993	23.26
1982	3857		1266	3.34	1098	27.02
1983	3857		1237	3.36	1208	30.00
1984	3849		1312	3.28	1209	35.56
1985	3888		1273	3.70	1250	35.00
1986	3888		1401	3.74	1480	44.09
1987	3888		1567	4.07	1458	50.63
1988	3888		1664	3.92	1545	53.59
1989	3888		1646	4.44	1689	79.36
1990	3888		1567	4.02	1708	77.50
1991	3888		1047	2.71	1211	79.72
1992	3888		1174	3.08	1938	128.08
1993	3888		784	3.53	2330	286.26
1994	3888		600	2.41	2996	302.28
1995	3888		649	2.30	3017	317.01
1996	3888		714	2.29	3355	304.57
1997	3725		729	2.13	3555	322.92
1998	3725		728	1.60	3700	367.55
1999	3701		721	1.44	4079	416.48
2000	3701		726	1.44	4078	358.63
2001	3701		680	1.13	4535	427.39
2002	3701		643	1.03	4950	462.62
2003	3955	3245	707	1.11	6324	835.07
2004	3955	3245	897	1.32	7567	964.99
2005	3955	3245	985	1.39	9210	1134.64
2006	3955	3245	1148	1.50	10841	1434.92
2007	3955	3245	1320	1.75	12130	1553.84
2008	3955	3245	1305	1.67	15193	1708.39

注：2003年起货物运输量及货物周转量含厦门远洋总公司，与往年不可比。

Note: Freight traffic and turnover ton-kilometers from 2003 include the data of Xiaman Ocean Company , and are not comparable with that in previous years.

13–9 民用航空情况（1978–2008年）

Civil Aviation,1978-2008

年份 Year	空港数（个） Number of Air Ports (unit)	旅客发送量（万人） Passenger Departing (10000 persons)	货物发送量（万吨） Freight Departing (10000 tons)	旅客周转量（万人公里） Passenger-kilometers (10000 person km)	货物周转量（万吨公里） Freight Ton-kilometers (10000 tons km)
1978	1	1.15	0.02		
1979	1	1.10			
1980	1	1.94	0.06		
1981	2	3.12	0.08		
1982	2	5.11	0.11		
1983	3	5.50	0.18		
1984	2	6.66	0.29		
1985	2	7.00	0.11	500	43
1986	2	18.94	0.28	1300	300
1987	2	32.61	0.54	31200	500
1988	2	45.55	0.69	44500	800
1989	2	51.55	0.82	50400	900
1990	2	55.49	0.83	49800	800
1991	2	72.90	1.06	70800	1100
1992	2	108.68	1.54	106100	1700
1993	3	155.20	2.27	155400	2400
1994	3	214.60	2.79	210600	2600
1995	3	261.50	4.71	248200	5000
1996	3	301.20	5.82	289799	6627
1997	4	316.10	5.81	305534	6856
1998	4	301.96	6.49	295519	7432
1999	4	327.85	7.20	326223	7816
2000	4	353.25	5.84	375163	6700
2001	4	414.56	6.30	433095	7200
2002	4	475.51	7.62	494742	8623
2003	4	490.61	7.84	526763	9146
2004	5	623.24	8.78	682610	10655
2005	5	692.19	10.09	785426	12655
2006	5	778.50	10.96	896084	14017
2007	5	924.92	12.15	1097429	15742
2008	5	961.89	12.41	1137307	16458

13–10 主要年份沿海港口货物吞吐量

Freight Handled at Principal Seaports in Selected Years

单位：万吨 (10000 tons)

年份 Year	总计 Total	福州港 Fuzhou	厦门港 Xiamen	泉州港 Quanzhou	宁德港 Ningde	湄州湾港 Meizhouwan	漳州港 Zhangzhou	吞吐总量指数(以1950年为100) Index (1950=100)
1952	56.68	32.00	5.76	6.50	5.00	7.42		169.6
1957	165.96	85.87	54.87	9.60	8.38	7.24		496.7
1962	135.14	49.33	48.68	13.49	5.56	18.08		404.5
1965	239.87	57.75	110.53	34.10	10.20	27.29		718.0
1970	211.23	59.26	102.94	25.37	9.91	13.75		632.2
1975	284.26	120.00	104.27	23.26	20.33	16.40		850.8
1978	408.13	172.04	120.44	29.54	18.75	22.11		1174.5
1980	685.40	208.89	164.87	31.30	25.60	19.77		1802.2
1981	761.05	217.98	162.28	25.36	26.49	17.85		1841.8
1982	816.44	259.87	190.44	21.54	28.26	21.77		2110.7
1983	869.55	311.15	200.02	24.29	29.31	22.06		2294.2
1984	943.46	347.00	250.52	23.36	30.36	22.38		2623.7
1985	1114.09	357.15	290.97	26.02	51.53	31.60	61.84	2813.8
1986	1159.90	442.46	203.89	38.04	44.39	33.52	107.90	3241.8
1987	1303.36	439.61	417.01	42.24	46.36	40.79	105.63	3565.0
1988	1396.79	445.36	457.12	60.01	43.67	57.88	124.34	3785.0
1989	1614.99	597.90	499.45	59.78	47.71	59.58	135.90	4833.9
1990	1496.50	560.89	519.11	52.65	49.27	27.55	115.60	4479.2
1991	1706.38	725.07	581.87	125.28	97.64	41.26	130.04	5107.4
1992	1862.12	720.51	661.07	217.27	46.53	92.75	120.24	5573.5
1993	2679.09	939.66	940.39	469.54	111.53	57.23	153.47	8018.8
1994	3002.33	914.39	1166.50	558.06	139.68	82.12	125.47	8986.3
1995	3460.80	1098.89	1313.87	680.47	137.94	99.65	116.61	10358.6
1996	3959.00	1248.00	1553.00	804.00	138.00	86.00	130.00	11849.7
1997	4485.00	1371.00	1754.00	1006.00	124.00	78.00	151.00	13424.1
1998	4518.00	1288.00	1639.00	1111.00	183.00	108.00	189.00	13522.9
1999	5285.00	1481.00	1773.00	1521.00	182.00	136.00	192.00	15818.9
2000	6944.17	2425.48	1965.26	1712.18	221.19	201.34	418.72	20785.1
2001	8278.42	2961.29	2098.91	2102.08	261.00	320.80	534.34	24778.7
2002	10200.62	3906.72	2734.51	2122.85	185.38	480.41	770.75	30532.2
2003	12495.48	4753.07	3403.88	2511.53	141.78	600.16	1085.06	37401.1
2004	15834.76	5938.63	4261.37	3093.82	184.17	836.04	1520.73	47396.1
2005	19605.25	7443.45	4770.76	4046.16	213.54	1050.03	2081.31	58681.8
2006	23687.61	8847.82	7792.07	5134.93	447.00	1301.11	164.68	70901.0
2007	23602.90	6433.32	8117.20	6215.32	691.13	1612.74	533.19	70647.5
2008	27070.06	6702.59	9701.96	7224.30	1007.26	1802.26	631.69	81025.2

注：2006年开始由于港区调整，漳州港所属部分港区划归厦门港。

Note:Since 2006, change by the seaports, which some of Zhangzhou seaports divided to Xiamen Seaports.

13-11 主要年份邮电通信业务情况

Basic Conditions of Postal and Telecommunication Services in Selected Years

年份 Year	邮电业务总量（亿元） Business Volume of Post and Telecommunications Service (100 million yuan)	邮政业务总量（亿元） Business Volume of Post (100 million yuan)	电信业务总量（亿元） Business Volume of Telecommunications Service (100 million yuan)	函件（万件） Number of Letters Delivered (10000 pieces)	本地电话用户（万户） Number of Fixed Telephone Subscribers at Year-end (10000 households)	移动电话用户（万户） Mobile Phones Users (10000 households)
1952	0.13			1780.8	0.60	
1957	0.26			5278.4	1.25	
1965	0.60			8039.3	3.24	
1970	0.60			6736.8	3.19	
1975	0.86			8449.3	4.46	
1978	1.01			8789.7	5.88	
1980	1.22			11508.9	6.57	
1981	1.35			11910.6	6.86	
1982	1.40			11941.1	7.28	
1983	1.53			12142.4	7.84	
1984	1.72			13172.9	8.83	
1985	2.08			15239.9	10.14	
1986	2.31			16057.5	11.15	
1987	2.80			17483.5	11.07	
1988	3.72			18972.2	14.45	
1989	5.42			17714.5	17.91	
1990	7.32			16227.8	22.82	
1991	9.51			16842.5	29.04	
1992	14.69			20412.5	42.75	
1993	24.22			25632.2	75.00	
1994	36.48			28359.0	117.73	
1995	52.75	4.26	48.50	31567.9	168.65	15.50
1996	73.02	4.85	68.17	32858.1	219.26	35.65
1997	99.52	5.62	86.98	30292.7	285.51	77.82
1998	131.84	6.59	125.25	29511.0	347.46	142.20
1999	179.93	7.98	171.95	24980.3	436.25	281.29
2000	246.34	10.22	236.12	24163.2	562.70	441.00
2001	194.43	17.71	176.72	23832.2	750.28	619.97
2002	257.49	19.49	238.00	26959.3	937.10	792.04
2003	318.24	22.36	295.88	28166.2	1124.87	965.00
2004	426.76	22.62	404.14	26223.9	1266.00	1134.00
2005	519.76	25.61	494.15	22878.9	1398.53	1302.00
2006	633.04	27.93	605.11	30463.5	1485.53	1538.91
2007	787.79	29.24	758.55	25445.0	1482.00	1809.00
2008	883.43	32.65	850.78	26671.0	1431.00	2368.00

13–12 邮电业务总量(1995–2008年)

Business Volume of Postal and Telecommunication Services,1995-2008

年份 Year	邮电业务总量(亿元) Business Volume of Post and Telecommunications Service (100 million yuan)	电信业务总量(亿元) Business Volume of Telecommu- nication Services (100 million yuan)	特快专递(万件) Express Mail Services (10000 pieces)	集邮业务(万枚) Stamp Collection Business(10000 pcs)	互联网用户(万户) Internet Service Users (10000 households)	固定电话交换机容量(万户) Capacity of Telephone Exchanges (10000 households)
1995	52.75	48.50				353
1996	73.02	68.17				396
1997	99.52	86.98				453
1998	131.84	125.25	315.20	13050.82	3.85	547
1999	179.93	171.95	582.14	13308.40	13.10	655
2000	246.34	236.12	701.38	11007.97	70.70	808
2001	194.43	176.72	743.80	8871.11	183.29	1048
2002	257.49	238.00	543.01	7775.50	253.57	1182
2003	318.24	295.88	682.10	5409.86	298.08	1445
2004	426.76	404.14	789.39	5569.77	285.44	1671
2005	519.76	494.15	898.36	4375.56	600.21	1813
2006	633.04	605.11	1040.60	4364.30	760.83	1959
2007	787.79	758.55	1250.00	4379.70	876.00	1941
2008	883.43	850.78	1663.90	4509.00	1240.00	1973

注：2004年起固定电话交换机容量含小灵通交换机。2005年起互联网用户含移动分组数据用户。

Note:Capacity of Telephone Exchanges since 2004 include small telephone exchangess.Internet Service Users include mobile data since 2005.

13–13 主要年份邮电通信条件

Condition of Postal and Telecommunication Services in Selected Years

年份 Year	邮路单程长度（公里） Length of Postal One-way Route (km)	农村投递路线（公里） Rural Delivery Routes (km)	长途电话业务电路（路） Long-distance Telephone Lines(line)	年份 Year	邮路单程长度（公里） Length of Postal One-way Route (km)	农村投递路线（公里） Rural Delivery Routes (km)	长途电话业务电路（路） Long-distance Telephone Lines(line)
1952	34224		126	1993	111069	72170	13496
1957	65092		178	1994	125534	72991	19969
1962	53188	20442	345	1995	123874	72627	52622
1965	33228	81199	326	1996	132759	73640	40786
1970	13227	85211	387	1997	139623	73513	58830
1975	12057	93305	565	1998	140781	73755	88937
1978	11143	92814	696	1999	139511	74786	112368
1980	12463	88884	773	2000	138037	74340	181255
1985	38159	69553	1390	2001	135521	75111	143927
1986	49104	69527	1657	2002	138195	79411	162694
1987	54867	70167	2206	2003	136627	78661	404340
1988	53525	70779	2824	2004	142804	79186	503304
1989	73624	70757	3778	2005	136434	81607	800640
1990	102316	71005	5436	2006	137001	85590	988590
1991	96348	71239	7332	2007	136176	89950	1349850
1992	105386	71931	10298	2008	151200	88314	2877480

注：本表长途电话业务电路2004年起包括固定长途电话、移动长途电话、长途数据通信的电路、出租给其他运营商使用的电路。
Note:In this table,the data of long-distance telephone lines from 2004 include fixed long-distance telephone,mobile long-distance telephone,long-distance data telepcommunication lines and that rent to other operators.

13–14 邮政局所技术经济指标

The Technical and Economic Indexes of Post Office

项目	Item	2002	2003	2004	2005	2006	2007	2008
邮电局数（所）	Telecommunication Post Bureau(unit)	1626	1635	1661	1628	1596	1507	1451
#提供邮政全力功能服务	Provide Postal Service	1229	1198	1200	1163	1159	1140	1103
#邮政局	post Office	67	67	67	67	67	67	67
邮政支局	Postal Branches	992	933	926	923	927	929	921
自办邮政所	Self-managing Post Office	143	153	148	142	178	174	171
代办所	Agency Post Office	423	481	519	496	424	337	292
邮政报刊图书销售点（处）	Newspapers and Books Outlets(unit)	1447	1455	1417	1282	1213	1239	1347
集邮品销售点（处）	Stamp Collecting Outlets(unit)	159	176	189	156	154	140	794
邮政储蓄点（处）	Postal Savings(unit)	791	789	788	790	842	849	869
邮路总条数（条）	The Total Number of Postal Route(unit)	849	815	753	720	721	742	782
邮政汽车总数（辆）	The Total Number of Postal Cars(unit)	1390	1396	1494	1523	1651	1906	2048
商函制作系统（套）	The Total Number of Business Letters Making System(sets)	69	69	68	68	68	67	69

主要统计指标解释

铁路营业里程　又称营业长度(包括正式营业和临时营业里程)，指办理客货运输业务的铁路正线总长度。凡是全线或部分建成双线及以上的线路，以第一线的实际长度计算复线、站线、段管线、岔线和特殊用途线以及不计算运费的联络线都不计算营业里程。该指标可以反映铁路运输业基础设施的发展水平，也是计算客货周转量、运输密度和机车车辆运用效率等指标的基础资料。

铁路电气化里程　指在全部铁路营业里程中已安装了供电线路及设备，可以供电力机车牵引列车运行的区段的总里程。

铁路自动、半自动闭塞里程　指装有列车自动或人工完成闭塞状态的铁路设备里程。为保证列车安全运行，在一个区间、同一时间内，一般只允许一列列车运行，这种保证列车在这个区间安全间隔运行的技术方法称为“闭塞”。自动或半自动闭塞里程占铁路营业里程的比重是反映铁路现代化的重要标志之一。

公路里程　指在一定时期内实际达到《公路工程［WTBZ］技术标准JTJ01-88》规定的等级公路，并经公路主管部门正式验收交付使用的公路里程数。包括大中城市的郊区公路以及通过小城镇街道部分的公路里程和桥梁、渡口的长度，不包括大中城市的街道、厂矿、林区生产用道和农业生产用道的里程。两条或多条公路共同经由同一路段，只计算一次，不得重复计算里程长度。该指标可以反映公路建设的发展规模，也是计算运输网密度等指标的基础资料。

民用航空航线里程　指民航运输定期班机飞行的航线长度的总和。航线长度按机场之间的距离计算，通常有两种计算方法: 一是将每条航线长度相加称为重复计算航线里程;一是将两线或两条以上航线经过同一区段里程，只计算一次航线长度称为不重复计算航线里程。一般常用的是后者，该指标可以确切反映民航运输网的规模，是表明民航事业为国民经济服务和方便人民生活程度的主要指标。

输油(气)管道长度　也称输油(气)里程，指油品(或天然气)的实际输送距离，一般按输油(气)管道的单线长度计算。若包括复线和备用线长度则称为输油(气)管道延展长度，是指管道铺设的实际长度。我们通常使用的是不包括复线的“输油(气)管道里程”，该指标可以反映管道运输的发展规模和水平。

货(客)运量　指在一定时期内，各种运输工具实际运送的货物(旅客)数量。该指标是反映运输业为国民经济和人民生活服务的数量指标，也是制定和检查运输生产计划、研究运输发展规模和速度的重要指标。货运按吨计算，客运按人计算。货物不论运输距离长短、货物类别，均按实际重量统计。旅客不论行程远近或票价多少，均按一人一次客运量统计；半价票、小孩票也按一人统计。

货(客)运密度　指在一定时期内某种运输方式在营运线路的某一区段平均每公里线路通过的货物(旅客)运输周转量。计算公式为:

货(客)运密度=Σ货物(旅客)周转量/营业线路长度

该指标可以反映交通运输线路上的货物(旅客)运输量运输繁忙程度，是平衡运输线路运输能力和通过能力，规划线路建设及改造、配备技术设备，研究运输网布局的重要依据。

货物(旅客)周转量　指在一定时期内，由各种运输工具运送的货物(旅客)数量与其相应运输距离的乘积之总和。该指标可以反映运输业生产的总成果，也是编制和检查运输生产计划，计算运输效率、劳动生产率以及核算运输单位成本的主要基础资料。计算货物周转量通常按发出站与到达站之间的最短距离，也就是计费距离计算。计算公式为:

货物(旅客)周转量= 货物(旅客)运输量×运输距离

铁路货车平均静载重　指铁路货车在始发站静止状态下平均每车装载的货物重量，用以分析货车完成装车时车辆载重力的利用情况。计算公式为:

货车平均静载重=货物发送吨数/装车数

静载重的多少取决于运送货物的性质、种类、车辆的类型和装载技术的高低。根据货车的平均标记载重与静载重进行对比，可以反映货车载重能力的利用程度。计算公式为:

货车载重力利用率(%)=(货车平均静载重/货车平均标记载重)×100%

铁路货运机车日产量　指在一定时期内，平均每台货运机车在一昼夜内所完成的总重吨公里数，包括载运货物的重量和车辆本身的自重。该指标从时间和牵引能力两方面反映了机车运用效率。计算公式为:

货运机车平均日产量=货运总重吨公里数/货运机车台日数

民用汽车拥有量　指报告期末，在公安交通管理部门按照《机动车注册登记工作规范》，已注册登记领有民用车辆牌照的全部汽车数量。汽车拥有量统计的主要分类: 根据汽车结构分为载客汽车、载货汽车及其他汽车; 根据汽车所有者不同分为个人(私人)汽车、单位汽车; 根据汽车的使用性质分为营运汽车、非营运汽车和特种汽车; 根据汽车大小规格不同载客汽车分为大型、中型、小型和微型，载货汽车分为重型、中型、轻型和微型。

邮电业务总量　指以价值量形式表现的邮电通信企业为社会提供各类邮电通信服务的总数量。邮电业务量按专业分类包括函件、包件、汇票、报刊发行、邮政快件、特快专递、邮政储蓄、集邮、公众电报、用户电报、传真、长途电话、出租电路、无线寻呼、移动电话、分组交换数据通信、出租代维等。计算方法为各类产品乘以相应的平均单价(不变价)之和，再加上出租电路和设备、代用户维护电话交换机和线路等的服务收入。该指标综合反映了一定时期邮电业务发展的总成果，是研究邮电业务量构成和发展趋势的重要指标。计算公式为:

邮电业务总量= Σ(各类邮电业务量×不变单价)+ 出租代维及其他业务收入= 邮电业务总量+电信业务总量

移动电话用户　指通过移动电话交换机进入移动电话网、占用移动电话号码的各类电话用户。包括签约用户和智能网预付费用户。一个移动电话号码统计为一户。

本地电话用户　指接入本地电信运营商固定电话网上的电话用户。包括: 住宅用户、单位用户、公用电话用户等。按电话用户位置又分为市内电话用户和农村电话用户。1997 年以前，“市内电话用户”是指接入县城及县以上城市的电话网上的电话用户; “农村电话用户”是指接入县邮电局农话台及县以下农村电话交换点，以县城为中心(除市话用户外)联通县、乡(镇)、行政村、村民小组的用户。从 1997 年起，电话用户数分组调整为以用户所在区域划分为“城市电话用户”和“乡村电话用户”，与过去的按市内电话和农村电话划分方法不同。而电话用户总数、电话机总部数统计范围不变。

城市电话用户　指直辖市、省辖市、地级市、县级市的市区、市郊区及县城(包括县人民政府所在地的县城关区或行政建制相当于县人民政府所在地的镇)范围内接入局用交换机的电话用户数，包括分布在农村地区的独立工矿区、林区、驻军等电话用户数。

乡村电话用户　指按行政区划属于城市范围以外的乡(镇)、村的电话用户数。

住宅电话用户　指安装在居民住宅或农民家里并按照住宅电话用户登记注册和收费的电话用户。包括私人付费、单位付费和按规定免费安装的住宅电话用户。

长途电话交换机容量　指用于接入长途电话网的电话交换机设备的额定容量，包括国际电话交换机容量。局用交换机容量指安装在电信运营企业内用于接续本地固定电话的电话交换机容量，包括现用和备用的人工或自动交换机的全部容量。不包括用户交换机容量。

移动电话交换机容量　指移动电话交换机根据一定话务模型和交换机处理能力计算出来的最大同时服务用户的数量。

Explanatory Notes on Main Statistical Indicators

Length of Railways in Operation refers to the total length of the trunk line under passenger and freight transportation (including both full operation and temporary operation). The calculation is based on the actual length of the first line even if this line has a full or partial double track or more tracks, excluding double tracks, station sidings, tracks under the charge of stations, branch lines, special-purpose lines and the non-payable connecting lines. The length of railways in operation is an important indicator to show the development of the infrastructure for the railway transport, and also the essential data to calculate volume of passenger freight transport, traffic density and utilization efficiency of the locomotives and carriages.

Length of Electrified Railways refers to the length of the section of railways in operation in which the power supply lines and other equipment are installed for the running of electrified locomotives. The proportion of the length of electrified railways to the total length of railways in operation is an important indicator to show the modernization of railways.

Automatic-blocking and Semi-automatic-blocking Length of Railways refer to length of railways installed with equipment to perform automatic or manual blocking of trains. Blocking is a spacing technique by which a section of the railway only allows one train to pass at a time in the aim of ensuring the traffic safety. the proportion of automatic/semi-automatic blocking length to the total length of railways in operation is an important indicator to show the modernization of railways.

Length of Highways refers to the length of highways which are built in conformity with the grades specified by the highway engineering standard formulated by the Ministry of Communications, and have been formally checked and accepted by the departments of highways and put into use. The length of highways includes that of the suburb highways at large and medium sized cities, highways passing through streets at small cities and towns, and also the length of bridges and ferries. It does not include the length of streets in big and medium-sized cities and highways built for the production purpose at factories, mines, forest areas and agricultural areas. If two or more highways go the same section of the·way, the length of the section is only calculated for once and no duplication is allowed. The length of highways is an important indicator to show the development of the highway construction and to provide essential information to calculate the transport network density.

Length of Civil Aviation Routes refers to the length of all routes for regular civil aviation flights. There are usually two ways to calculate the distance between airports connected by the route length: One is to put the length of all air routes together, called duplicated calculation of the length of the routes; the other is not to allow the duplication in calculation when two or more routes passing the same section of aviation routes. The latter is usually used, as it can precisely show the size of the civil aviation network and indicate the extent of civil aviation serving the national economy and the people.

Length of Oil (Gas) Pipelines used as an indicator to show the development, scale and level of the pipeline transportation, it refers to the actual transport distance of oil (or gas) products, and is in general calculated in the length of single pipeline. If the length of the double pipelines and alternate pipeline are included, it is called the extension length of the oil (gas) pipelines, which indicates the actual length of the pipelines built, excluding double pipelines.

Freight (Passenger) Traffic refers to the volume of freight (passenger) transported with various means within a specific period of time. This indicator reflects the service of the transport industry towards the national economy and people's living conditions, as well as an important indicator used in formulating and monitoring transport production plans and research into the scale and pace of transport development. Freight transport is calculated in tons and passenger traffic is calculated in terms of number of persons. Freight transport is calculated in terms of the actual weight of the goods and takes no account of the type of freight and distance of travel. Passenger traffic is calculated by the principle that one person can be counted only once in one trip and takes no account of the travelling distance and ticket price. The passengers who travel with a half price ticket or a child's ticket is also calculated as one person.

Freight (Passenger) Traffic Density refers to the freight (passenger) traffic volume carried by a particular means of transportation during a given period through one kilometer of a specific section of transportation route. The formula is as follows:

Freight (Passenger) Traffic Density =[Freight Ton-kilometers (Passenger-kilometers)] / (Length of Rout e in Operation)

Measuring unit: ton-kilometer / kilometer (or person-kilometer/ kilometer)

Freight (passenger) traffic density reflects the degree of business of freight (passenger) traffic on transportation routes, and therefore provides important information for balancing transport cap ability, planning const ruction and up grading of transport routes and studying t he distribution of transport network.

Freight Ton-kilometers (Passenger-kilometers) refer to the sum of the products of the volume of transported cargo (passengers) multiplying by the transport distance. It is an important indicator to reflect the achievement of transportation industry. Normally, the shortest distance between the departure station and the destination station (i.e., the payable distance) is the basis to calculate the freight ton-kilometers. This is an import ant indicator to show the total results of the transport industry, to prepare and examine the transport plan and to measure the efficiency, the lab our productivity and t he unit cost of transport.The formula is as follows:

Freight Ton-kilometers (Passenger-kilometers) =∑[Freight(Passenger) Traffic×Distance of Transportation]

Static Load of Freight Cars refers to the average cargo weight as loaded by each freight car under the static condition at the departure station. It is used to show the utilization extent of the loading capacity of the freight cars. The formula is:

Static Load (ton) of Freight Car= (Tonnage of Goods Dispatched)/ (Number of Freight Cars Loaded)

The static load of freight cars is determined by the nature and type of goods loaded, the type of vehicles, and the technique of loading. The difference between the average marked load and the static load of freight cars reflects the utilization of loading capacity of freight cars. For its calculation the following formula is app lied:

Utilization Rate of Capacity of Freight Cars(%)=[(Average Static Load)× 100%] / (Average Marked Load)

Average Daily Haul of Freight Locomotives refers to the average total ton-kilometers accomplished by each freight transport locomotive over day and night during a given period of time. It includes both the weight of the goods carried and the deadweight of the train itself. It is a comprehensive indicator reflecting the locomotive efficiency in terms of both time and the pulling force.

Average Daily Haul of Freight Transport Locomotive (ton kilometer)=[(Total Ton/(Kilometers of Freight)) / (Daily Number of Freight Transport Locomotive)

Possession of Civil Motor Vehicles refer to the total numbers of vehicles that are registered and received vehicles' license tags according to the Work Standard for Motor Vehicles Registration formulated by transport management office under department of public security at the end of reference period. They are divided into following categories according to the structure of motor vehicles: passenger vehicles, trucks and others; and private vehicles and vehicles for units use according to ownerships; working vehicles, non-working vehicles and special motor vehicles according to kind of usage; large passenger vehicles, medium passenger vehicles and small passenger vehicles, heavy trucks, light-heavy trucks and light trucks according to sizes of vehicles.

Business Volume of Post and Telecommunications refers to the total amount of post and telecommunication services, expressed in value terms, provided by the post and telecommunications departments for the society. Post and telecommunication services can be classified as letters, parcels, remittance, issue of newspapers and magazines, fast mail service, express mail service, savings deposits, stamps for collection, public and individual telegraph service, facsimiles, long-distance telephone service, leasing of telephone lines, urban paging service, mobile telephone service, data transfer and transmission, etc. The accounting approach is to multiply the service products of all types with their average unit price (constant price) to get sum of business value, plus income from other services such as leasing of telephone lines and equipment, maintenance of telephone switchboards and lines on behalf of customers . This indicator reflects the overall results of post and telecommunications service during a given period, and is important to study the composition of business service and the development of post and telecommunications service.The formula is as follows:

Business Volume of Post and Telecommunications= ∑(Transaction of Post and Telecommunication Service × Constant Price) + Income from Leasing, Maintenance and other Services

Mobile Telephone Subscribers refer to the persons who own mobile telephone numbers and are connected with the mobile telephone communication network through the mobile telephones witch boards, including contracted subscribers and prepaid subscribers for intelligent network. One mobile telephone is taken as a subscriber.

Local Telephone Subscribers refer to subscribers that are connected to the local telecommunication service provider through fix line network, including household subscribers, institutional subscribers and public telephones. They are also classified as city subscribers and rural subscribers according to locations. Before 1997, city subscribers referred to those connected to city telephone networks in county towns and cities, while village subscribers referred to those connected to village telephone stations at and below counties. Since 1997, the classification of telephone subscribers was modified on the basis of physical location of the subscribers as urban telephone subscribers and rural telephone subscribers , which is different from the previous classification of categorizing local telephones and rural telephones , while the definition of total subscribers and total number of telephones remain unchanged.

Urban Telephone Subscribers refer to number of telephone subscribers, located at municipalities, cities under the jurisdiction of province, cities at prefecture level, downtown and suburb of city at county level town and county towns (including country towns where county government located, and towns of count y level according to the administrative organizational system),that are connected to the public line telephone network, including rural mineral area, forest area, military area.

Rural Telephone Subscribers refer to telephone subscribers, located at counties (towns) and villages out side the range of cities according to administrative jurisdiction.

Household Telephone Subscribers refer to telephone sets in stalled in the dwelling units of urban or rural residents, and registered as residence subscribers for payment, including 3 types of payment for the service: private payment, public payment and free service.

Capacity of Long Distance Telephone Exchanges refers to the rated cap a city of telephone exchanges to connect long distance telephone network, including capacity of international telephone exchanges.Capacity of Office Telephone Exchanges refers to the capacity (measured in gate) of telephone exchanges installed in the offices of telecommunication service providers for communication between fixed telephones. It includes the capacity of both manual and automatic exchanges in use and for stand-by purpose, excluding the capacity of subscribers' exchanges.

Capacity of Mobile Telephone Exchanges refers to the capacity of the maximum services provided to subscribers at onetime basing on a certain model and transacting capacity of the mobile telephone exchanges.

批发零售与住宿餐饮业

14

Wholesales, Retail Sales, Hotels and Catering Service

简要说明

本篇资料的主要内容及来源

本篇资料反映了全省国内市场发展情况、批发和零售业、住宿和餐饮业经营情况和效益情况等，主要包括批发和零售业商品流转情况及财务状况、住宿和餐饮业经营情况及财务状况、社会消费品零售总额等内容。

本篇资料中除特别注明外，其余均来自 2008 年限额以上批发和零售业、住宿和餐饮业年报资料和 2008 年定期报表统计资料。

本篇资料由省统计局贸易外经统计处整理提供。

Brief Introduction

Main Content and Source of Data

Data in this chapter show the development of Fujian's domestic market, wholesale and retail trade, hotels and catering services, mainly including the circulation of commodities in the wholesale and retail trade, the total retail sales of consumer goods and the financial indices of related businesses.

Except the data noted, all data in this chapter are based on the annual report of wholesale, retail, hotels and catering services and periodic statistical statements of 2008.

Data in this chapter are collected and compiled by the Division of Trade and External Economic Relations Statistics of Fujian Provincial Bureau of Statistics.

14−1 主要年份社会消费品零售总额

Total Retail Sales of Consumer Goods by Sector in Selected Years

单位：亿元 (100 million yuan)

年份 Year	社会消费品零售总额 Total Retail Sale of Consumer Goods	按行业分 By Sector			按销售单位所在地分 By Location of Establishments		
		批发和零售业 Wholesale and Retail Trade	住宿和餐饮业 Hotel and Catering Services	其他行业 Others	市 City	县 County	县以下 Below County-Level
1952	5.54	4.77	0.23	0.54	1.68		
1957	10.70	9.21	0.57	0.92	3.25		
1962	13.96	12.19	0.99	0.78	4.82		
1965	16.03	14.36	0.76	0.91	4.94		
1970	16.91	15.23	0.54	1.14	4.94		
1975	23.68	20.78	0.86	2.04	7.00		
1978	30.56	27.14	0.97	2.45	8.83		
1979	35.92	32.11	1.31	2.50	9.56	8.96	17.40
1980	45.47	37.00	1.54	6.93	12.04	11.39	22.04
1981	51.47	42.22	1.65	7.60	13.69	13.55	24.24
1982	56.77	45.09	1.76	9.92	16.32	14.99	25.46
1983	62.59	48.81	1.98	11.80	18.80	17.75	26.04
1984	74.50	57.47	2.47	14.56	25.50	19.13	29.87
1985	96.05	71.84	3.13	21.07	32.45	24.48	39.11
1986	109.07	81.03	3.87	24.17	41.54	27.42	40.11
1987	126.06	93.72	5.06	27.28	49.63	31.17	45.25
1988	173.74	131.87	7.35	34.52	76.85	41.96	54.93
1989	202.30	147.36	9.67	45.27	89.24	48.82	64.25
1990	207.74	148.80	9.25	49.69	98.73	46.74	62.26
1991	230.99	164.77	10.66	55.56	116.08	48.83	66.09
1992	289.38	204.31	16.32	68.75	142.93	60.71	85.74
1993	374.10	297.52	23.39	53.19	192.30	67.07	114.74
1994	504.66	409.98	37.36	57.32	263.83	76.25	164.58
1995	645.47	518.63	52.64	74.20	338.50	90.82	216.15
1996	801.67	658.14	71.01	72.52	434.97	104.62	262.07
1997	950.78	785.16	93.10	72.52	535.89	112.99	301.90
1998	1089.59	898.22	120.00	71.37	617.88	129.60	342.11
1999	1198.55	999.72	136.44	62.39	679.05	143.73	375.78
2000	1320.80	1104.69	152.54	63.57	748.31	159.11	413.39
2001	1442.32	1211.96	165.96	64.40	818.65	175.34	448.33
2002	1593.76	1350.82	188.20	54.74	929.17	192.17	472.42
2003	1797.76	1534.80	201.21	61.75	1085.27	214.84	497.65
2004	2062.03	1775.36	241.19	45.48	1271.93	244.49	545.61
2005	2345.82	2011.87	286.84	47.11	1479.45	272.90	593.47
2006	2704.23	2324.31	329.72	50.20	1743.20	306.24	654.79
2007	3187.85	2733.75	398.25	55.85	2102.46	354.95	730.45
2008	3828.04	3275.95	487.24	64.85	2581.13	393.46	853.45

14–2 限额以上批发零售与住宿餐饮业基本情况

Basic Conditions of above Designated Size of Wholesale and Retail Trades, Hotels and Catering Services

项目	Item	2005	2006	2007	2008
法人企业（个）	**Number of Corporation(unit)**				
批发和零售业	Wholesale and Retail Trades	2499	2436	2500	3509
住宿和餐饮业	Hotels and Catering Services	608	664	794	961
产业活动单位（个）	**Number of Economic Active units(unit)**				
批发和零售业	Wholesale and Retail Trades	5190	4922	4258	4368
住宿和餐饮业	Hotels and Catering Services	930	1211	1422	470
年末从业人数（人）	**Persons Employed(person)**				
批发和零售业	Wholesale and Retail Trades	154735	147294	167761	212781
住宿和餐饮业	Hotels and Catering Services	85986	97219	102801	117495
批发和零售业（亿元）	**Wholesale and Retail Trades(100 million yuan)**				
商品购进总额	Total Goods Purchase	2796.41	3285.98	4619.72	4841.00
商品销售总额	Total Goods Sales	3051.03	3595.99	4198.44	5743.39
商品库存总额	Total Goods Inventory	192.07	214.51	285.09	448.67

14–3 限额以下批发零售业、住宿和餐饮业消费品零售总额

Total Value under Designated Size of Wholesale and Retail Trades, Hotels and Catering Services

单位：亿元　　(100 million yuan)

项目	Item	2005	2006	2007	2008
按销售单位所在地分	**By Location of Establishments**				
市	City	917.5	1013.8	1175.3	1395.4
县	County	223.4	247.0	278.5	327.2
县以下	Below County-Level	556.1	613.8	688.7	801.0
按行业分	**Grouped by Sector**				
批发业	Wholesale	181.0	207.8	243.7	286.8
零售业	Retail Trade	1278.1	1400.0	1581.4	1844.8
住宿业	Hotel	5.0	5.1	5.8	6.7
餐饮业	Catering services	232.9	261.7	311.6	385.3
按地市分					
福州市	Fuzhou	432.3	478.9	553.1	656.2
厦门市	Xiamen	101.9	109.0	122.5	143.8
莆田市	Putian	110.2	121.0	139.1	163.1
三明市	Sanming	87.0	96.4	110.0	129.8
泉州市	Quanzhou	456.1	502.4	573.6	672.8
漳州市	Zhangzhou	191.8	212.2	240.7	284.0
南平市	Nanping	114.0	124.3	141.9	166.6
龙岩市	Longyan	104.1	114.2	128.7	151.3
宁德市	Ningde	105.5	116.2	132.9	155.9

14-4 限额以上批发和零售业基本情况(2008年)

Total Purchases,Sales and Inventory of Wholesale Enterprises above Designated Size, 2008

项目 Item	法人企业（个） Number of Corporation (unit)	产业活动单位（个） Number of Economic Active Units (unit)	年末从业人员（人） Persons Employed (person)
合计 Total	**3509**	**4368**	**212781**
批发业 Wholesale	**2236**	**919**	**105651**
按登记注册类型分 By Registration Category			
内资企业 Domestic Funded Enterprises	2155	819	93690
国有企业 State-owned Enterprises	221	269	23072
集体企业 Collective-owned Enterprises	29	34	2080
股份合作企业 Cooperative Enterprises	12		530
联营企业 Joint Ownership Enterprises	18	18	538
国有联营企业 State-owned Joint Ownership Enterprises	9	18	324
集体联营企业 Collective Joint Ownership Enterprises			
国有与集体联营企业 Joint State-collective Enterprises	3		138
其他联营企业 Other Joint Ownership Enterprises	6		76
有限责任公司 Limited Liability Corporations	600	250	23975
国有独资企业 State Sole Funded Corporations	18	41	1249
其他有限责任公司 Other Limited Liability Corporations	582	209	22726
股份有限公司 Share-holding Corporations Ltd.	42	34	9538
私营企业 Private Enterprises	1220	207	33422
私营独资企业 Private-funded Enterprises	36	12	687
私营合伙企业 Private Partnership Enterprises	30		725
私营有限责任公司 Private Limited Liability Corporations	1118	195	30938
私营股份有限公司 Private Share-holding Corporations Ltd.	36		1072

14-4 续表1
Continued

项目 Item	法人企业（个） Number of Corporation (unit)	产业活动单位（个） Number of Economic Active Units (unit)	年末从业人员（人） Persons Employed (person)
其他企业 Other Enterprises	13	7	535
港澳台商投资企业 Funds from Hong Kong, Macao and Taiwan	38	92	7475
合资企业 Joint-venture Enterprises	12	74	5463
合作企业 Cooperative Enterprises	1		131
独资企业 Enterprises with Sole Investment	22	18	1792
股份有限公司 Fund Share-holding Corporations Ltd.	3		89
外商投资企业 Foreign Funded Enterprises	43	8	4486
中外合资 Joint-venture Enterprises	16	4	1327
中外合作 Cooperation Enterprises			
外资企业 Enterprises with Sole Foreign	25	4	2929
外商投资股份有限公司 Share-holding with Foreign Funds	2		230
按行业分 **By Sector**			
农畜产品批发业 Wholesale of Farm Crops and Livestock Products	37	51	1636
食品、饮料、烟草批发业 Wholesale of Food, Beverages and Tobaccos	216	216	25626
#米面制品及食用油批发业 Sholesale of Rice, Wheat Products and Rdible Oil	47	40	1805
烟草制品批发业 Wholesale of Tobaccos	33	95	13379
纺织、服装及日用品批发业 Wholesale of Textiles, Garments and Daily Consumer Articles	370	111	17472
#服装批发业 Wholesale of Garments	125	21	5213
文化、体育用品及器材批发业 Wholesale of Culture, Sports Products and Appliances	55	88	5792
医药及医疗器械批发业 Wholesale of Medicines and Medical Appliances	90	118	6659
矿产品、建材及化工产品批发业 Wholesale of Mineral Products, Building Materials and Chemical Products	929	206	25596

14-4 续表2
Continued

项目 Item	法人企业（个） Number of Corporation (unit)	产业活动单位（个） Number of Economic Active Units (unit)	年末从业人员（人） Persons Employed (person)
#煤炭及制品批发业 Wholesale of Coal and Its Products	52		851
石油及制品批发业 Wholesale of Petroleum and Its Products	79	48	3036
金属及金属矿批发业 Wholesale of Metal and Metal Mineral	304	27	10648
建材批发业 Wholesale of Building Materials	220	17	4527
化肥批发业 Wholesale of Chemical Fertilizer	25	88	1592
机械设备五金交电及电子产品批发业 Wholesale of Machinery, Equipment, Hardware,Transport and Electic Products	324	104	15145
#汽车摩托车及零配件批发业 Wholesale of Motor Vehicles, Motorcycles and Parts	66	8	2428
家用电器批发业 Whole of Family Electrical Equipments	52	4	4206
计算机软件及辅助设备批发业 Wholesale of Computer Software and Supplementary Equipments	27	23	1522
贸易经纪与代理 Trade Broker and Agent	39	2	1143
其他类未包括的批发业 Other Wholesale not Classified Elsewhere	176	23	6582
零售业 Retail Trade	**1273**	**3449**	**107130**
按登记注册类型分 By Registration Category			
内资企业 Domestic Funded Enterprises	1224	2710	86348
国有企业 State-owned Enterprises	70	402	6386
集体企业 Collective-owned Enterprises	51	598	2285
股份合作企业 Cooperative Enterprises	11	13	625
联营企业 Joint Ownership Enterprises	10	2	258
国有联营企业 State-owned Joint Ownership Enterprises	8	2	231
集体联营企业 Collective Joint Ownership Enterprises			
国有与集体联营企业 Joint State-collective Enterprises			

14-4 续表3
Continued

项目 Item	法人企业（个） Number of Corporation (unit)	产业活动单位（个） Number of Economic Active Units (unit)	年末从业人员（人） Persons Employed (person)
其他联营企业 Other Joint Ownership Enterprises	2		27
有限责任公司 Limited Liability Corporations	309	527	26349
国有独资企业 State Sole Funded Corporations	1	5	29
其他有限责任公司 Other Limited Liability Corporations	308	522	26320
股份有限公司 Share-holding Corporations Ltd.	36	334	4586
私营企业 Private Enterprises	722	817	45034
私营独资企业 Private-funded Enterprises	79	35	4870
私营合伙企业 Private Partnership Enterprises	29	24	1428
私营有限责任公司 Private Limited Liability Corporations	589	716	36581
私营股份有限公司 Private Share-holding Corporations Ltd.	25	42	2155
其他企业 Other Enterprises	15	17	825
港澳台商投资企业 Funds from Hong Kong, Macao and Taiwan	13	14	2138
合资企业 Joint-venture Enterprises	7	14	1033
合作企业 Cooperative Enterprises	1		86
独资企业 Enterprises with Sole Investment	5		1019
股份有限公司 Fund Share-holding Corporations Ltd.			
外商投资企业 Foreign Funded Enterprises	36	725	18644
中外合资 Joint-venture Enterprises	15	644	12108
中外合作 Cooperation Enterprises	1		11
外资企业 Enterprises with Sole Foreign	18	70	5760
外商投资股份有限公司 Share-holding with Foreign Funds	2	11	765

14-4 续表4
Continued

项目 Item	法人企业（个） Number of Corporation (unit)	产业活动单位（个） Number of Economic Active Units (unit)	年末从业人员（人） Persons Employed (person)
按行业分 By Sector			
综合零售业 General Retail	299	1062	46163
#百货零售业 Retail of Consumer Goods	68	180	9357
超级市场零售业 Retail of Supermarkets	187	280	33040
食品饮料及烟草制品零售业 Retail of Food, Beverages and Tobaccos	56	251	4115
纺织品、服装及日用品零售业 Retail of Textiles, Garments, Shoes and Hats	54	117	4334
#服装零售业 Retail of Garments	23	35	2544
文化、体育用品及器材零售业 Retail of Culture, Sports Products and Equipments	31	47	1679
#体育用品零售业 Retail of Sports Products	1	5	53
图书零售业 Retail of Books	5	18	264
医药及医疗器械零售业 Retail of Medicines and Medical Appliances	50	306	4238
#药品零售业 Retail of Medicines	46	300	4132
汽车摩托车燃料及零配件零售业 Retail of Motor Vehicles, Motorcycles Fule and Parts	517	1176	27665
#汽车零售业 Retail of Motor Vehicles	321	32	15112
机动车燃料零售业 Retail of Vehicles Fule	125	1060	10621
家用电器及电子产品零售业 Retail of Family Electric Equipment and Product	152	278	13799
#家用电器零售业 Retail of Family Electric Equipment	80	149	9594
计算机软件及辅助设备零售业 Retail of Computer Software and Supplementary Equipment	45	60	1762
通讯设备零售业 Retail of Telecommunicate Equipment	21	63	2210
五金家具及室内装修材料零售业 Retail of Hardware, Furniture and Inside Decoration Materials	52	25	1727
无店铺及其他零售业 Retail of No Stores and Others	62	187	3410

14–5 限额以上批发和零售业商品购、销、存总额(2008年)

Total Purchases,Sales and Inventory of Wholesale Enterprises above Designated Size, 2008

单位：万元 (10000 yuan)

项目 Item	购进总额 Total Goods Purchase	销售总额 Sales	批发 Wholesale	零售 Retail Sale	年末库存 Inventory at the Year-end
批发业 Wholesale	**40147186**	**45163566**	**44293491**	**870075**	**3498710**
按登记注册类型分 By Registration Category					
内资企业 Domestic Funded Enterprises	37685436	42166575	41357720	808856	3179930
国有企业 State-owned Enterprises	5635228	6993956	6961993	31963	352148
集体企业 Collective-owned Enterprises	441644	475347	467095	8252	80305
股份合作企业 Cooperative Enterprises	82852	112345	108357	3988	9319
联营企业 Joint Ownership Enterprises	508946	523433	503382	20051	42845
国有联营企业 State-owned Joint Ownership Enterprises	198875	209969	196295	13674	10731
集体联营企业 Collective Joint Ownership Enterprises					
国有与集体联营企业 Joint State-collective Enterprises	266296	267766	261389	6377	28960
其他联营企业 Other Joint Ownership Enterprises	43775	45698	45698		3154
有限责任公司 Limited Liability Corporations	11705365	12578970	12225324	353647	956542
国有独资企业 State Sole Funded Corporations	1420299	1453903	1453902	1	260104
其他有限责任公司 Other Limited Liability Corporations	10285066	11125067	10771422	353646	696438
股份有限公司 Share-holding Corporations Ltd.	6026472	6332466	6237221	95245	618179
私营企业 Private Enterprises	13156889	15003218	14708083	295135	1113062
私营独资企业 Private-funded Enterprises	272562	307695	304159	3535	14051
私营合伙企业 Private Partnership Enterprises	334813	448152	439341	8812	25281
私营有限责任公司 Private Limited Liability Corporations	12153142	13824127	13542396	281732	1043325
私营股份有限公司 Private Share-holding Corporations Ltd.	396372	423244	422188	1057	30405
其他企业 Other Enterprises	128040	146840	146265	575	7530

14–5 续表1

Continued

单位：万元 (10000 yuan)

项目 Item	购进总额 Total Goods Purchase	销售总额 Sales	批发 Wholesale	零售 Retail Sale	年末库存 Inventory at the Year-end
港澳台商投资企业 Funds from Hong Kong, Macao and Taiwan	1820117	2194692	2165136	29556	221171
合资企业 Joint-venture Enterprises	979378	1206748	1194825	11923	98703
合作企业 Cooperative Enterprises	15678	13772	13772		1906
独资企业 Enterprises with Sole Investment	804486	953014	935381	17632	118930
股份有限公司 Fund Share-holding Corporations Ltd.	20575	21159	21159		1632
外商投资企业 Foreign Funded Enterprises	641634	802299	770635	31664	97610
中外合资 Joint-venture Enterprises	332138	362780	358398	4383	70307
中外合作 Cooperation Enterprises					
外资企业 Enterprises with Sole Foreign	267494	383274	355993	27281	23866
外商投资股份有限公司 Share-holding with Foreign Funds	42002	56245	56245		3437
按行业分 **By Sector**					
农畜产品批发业 Wholesale of Farm Crops and Livestock Products	483906	444729	444700	29	214718
食品、饮料、烟草批发业 Wholesale of Food, Beverages and Tobaccos	4919531	6003941	5913892	90049	399200
#米面制品及食用油批发业 Sholesale of Rice, Wheat Products and Rdible Oil	652225	690101	683048	7053	109631
烟草制品批发业 Wholesale of Tobaccos	2251313	2970521	2967669	2852	139894
纺织、服装及日用品批发业 Wholesale of Textiles, Garments and Daily Consumer Articles	6494535	7759114	7706573	52541	406859
#服装批发业 Wholesale of Garments	2620022	3089368	3068727	20641	85516
文化、体育用品及器材批发业 Wholesale of Culture, Sports Products and Appliances	706709	735433	587514	147919	89324
医药及医疗器械批发业 Wholesale of Medicines and Medical Appliances	1112863	1250990	1210249	40741	112220
矿产品、建材及化工产品批发业 Wholesale of Mineral Products, Building Materials and Chemical Products	19580276	21228353	20951507	276846	1683850
#煤炭及制品批发业 Wholesale of Coal and Its Products	679671	867278	856631	10647	68848

14–5 续表2
Continued

单位：万元　　　　(10000 yuan)

项目 Item	购进总额 Total Goods Purchase	销售总额 Sales	批发 Wholesale	零售 Retail Sale	年末库存 Inventory at the Year-end
石油及制品批发业 Wholesale of Petroleum and Its Products	1666601	1847450	1753638	93812	80074
金属及金属矿批发业 Wholesale of Metal and Metal Mineral	10453177	11128130	11045110	83020	865572
建材批发业 Wholesale of Building Materials	2538509	2878217	2802929	75288	392084
化肥批发业 Wholesale of Chemical Fertilizer	546101	581173	574696	6477	89728
机械设备五金交电及电子产品批发业 Wholesale of Machinery, Equipment, Hardware,Transport and Electic Products	3629928	4152739	3914055	238685	420871
#汽车摩托车及零配件批发业 Wholesale of Motor Vehicles, Motorcycles and Parts	484828	577377	489481	87896	50636
家用电器批发业 Whole of Family Electrical Equipments	477182	583370	545740	37630	75964
计算机软件及辅助设备批发业 Wholesale of Computer Software and Supplementary Equipments	351837	424901	351701	73201	21626
贸易经纪与代理 Trade Broker and Agent	695033	887198	887198		19032
其他类未包括的批发业 Other Wholesale not Classified Elsewhere	2524405	2701070	2677805	23265	152637
零售业 Retail Trade	**8262801**	**12270341**	**1432298**	**10838044**	**988029**
按登记注册类型分 By Registration Category					
内资企业 Domestic Funded Enterprises	6671283	8671238	762412	7908827	890043
国有企业 State-owned Enterprises	593905	1086862	143680	943182	139016
集体企业 Collective-owned Enterprises	60718	71604	7772	63832	7982
股份合作企业 Cooperative Enterprises	67930	70332	11810	58522	7940
联营企业 Joint Ownership Enterprises	40297	69236	6087	63149	1425
国有联营企业 State-owned Joint Ownership Enterprises	37128	66028	6080	59948	1324
集体联营企业 Collective Joint Ownership Enterprises					
国有与集体联营企业 Joint State-collective Enterprises					
其他联营企业 Other Joint Ownership Enterprises	3170	3208	8	3201	101

14-5 续表3

Continued

单位：万元 (10000 yuan)

项目 Item	购进总额 Total Goods Purchase	销售总额 Sales	批发 Wholesale	零售 Retail Sale	年末库存 Inventory at the Year-end
有限责任公司 Limited Liability Corporations	2297901	2697144	196370	2500774	243171
国有独资企业 State Sole Funded Corporations	750	999		999	50
其他有限责任公司 Other Limited Liability Corporations	2297151	2696145	196370	2499774	243122
股份有限公司 Share-holding Corporations Ltd.	632567	1053339	197139	856200	86883
私营企业 Private Enterprises	2889270	3523337	199553	3323784	349124
私营独资企业 Private-funded Enterprises	255297	248721	9988	238733	26801
私营合伙企业 Private Partnership Enterprises	51312	52631	550	52081	7071
私营有限责任公司 Private Limited Liability Corporations	2472595	3072789	182286	2890504	302597
私营股份有限公司 Private Share-holding Corporations Ltd.	110067	149196	6730	142466	12656
其他企业 Other Enterprises	88695	99385		99385	54502
港澳台商投资企业 Funds from Hong Kong, Macao and Taiwan	155580	171147	13737	157410	26055
合资企业 Joint-venture Enterprises	97164	110505	13460	97045	9968
合作企业 Cooperative Enterprises	6084	6734		6734	886
独资企业 Enterprises with Sole Investment	52333	53908	277	53632	15202
股份有限公司 Fund Share-holding Corporations Ltd.					
外商投资企业 Foreign Funded Enterprises	1435939	3427956	656149	2771807	71931
中外合资 Joint-venture Enterprises	1015394	2979610	630790	2348820	31614
中外合作 Cooperation Enterprises	43170	38574		38574	4977
外资企业 Enterprises with Sole Foreign	295471	333210	19181	314029	27486
外商投资股份有限公司 Share-holding with Foreign Funds	81903	76562	6178	70384	7854
按行业分 **By Sector**					

14-5 续表4

Continued

单位：万元 (10000 yuan)

项目 Item	购进总额 Total Goods Purchase	销售总额 Sales	批发 Wholesale	零售 Retail Sale	年末库存 Inventory at the Year-end
综合零售业 General Retail	1767099	2201002	20742	2180260	284951
#百货零售业 Retail of Consumer Goods	363014	663108	6501	656608	95883
超级市场零售业 Retail of Supermarkets	1232324	1363253	3037	1360215	164865
食品饮料及烟草制品零售业 Retail of Food, Beverages and Tobaccos	238193	274530	28007	246523	18631
纺织品、服装及日用品零售业 Retail of Textiles, Garments, Shoes and Hats	147168	177672	13914	163759	24522
#服装零售业 Retail of Garments	107448	123405	9193	114211	17668
文化、体育用品及器材零售业 Retail of Culture, Sports Products and Equipments	96687	110841	6030	104811	29421
#体育用品零售业 Retail of Sports Products	1145	1299		1299	264
图书零售业 Retail of Books	13619	13644	814	12830	4404
医药及医疗器械零售业 Retail of Medicines and Medical Appliances	394566	447326	142774	304552	140206
#药品零售业 Retail of Medicines	390027	436070	142264	293806	137910
汽车摩托车燃料及零配件零售业 Retail of Motor Vehicles, Motorcycles Fule and Parts	4143419	7424388	1055720	6368668	348104
#汽车零售业 Retail of Motor Vehicles	2580175	3014690	198903	2815787	298949
机动车燃料零售业 Retail of Vehicles Fule	1360341	4172450	853337	3319113	24751
家用电器及电子产品零售业 Retail of Family Electric Equipment and Product	949750	1050652	93805	956847	109378
#家用电器零售业 Retail of Family Electric Equipment	731646	789066	69218	719848	85282
计算机软件及辅助设备零售业 Retail of Computer Software and Supplementary Equipment	135464	160921	15630	145291	10178
通讯设备零售业 Retail of Telecommunicate Equipment	71058	82675	6941	75735	10344
五金家具及室内装修材料零售业 Retail of Hardware, Furniture and Inside Decoration Materials	249655	272342	11654	260687	20228
无店铺及其他零售业 Retail of No Stores and Others	276263	311589	59652	251936	12588

14–6 限额以上批发和零售业商品销售数量(2008年)

Volume of Sales in Wholesale and Retail Sale Enterprises above Designated Size,2008

项目 Item	商品销售数量 Volume of Sales			2008年为2007年(%) (preceding year=100)		
	合计 Total	批发量 Wholesale	零售量 Retail	合计 Total	批发量 Wholesale	零售量 Retail
粮食(吨) Grain(ton)	1775712	1539436	236276	121.9	118.1	153.9
食用植物油(吨) Edible Vegetable Oil(ton)	479792	365058	114734	90.9	85.5	113.5
照相机(台) Camera(unit)	239199	43000	196199	75.7	55.1	82.5
#数码照相机 Numeral Camera	194662	41889	152773	103.3	55.3	135.5
彩色电视机(台) Television Set(unit)	872271	450398	421873	94.0	88.7	100.4
#液晶等离子电视机 Liquid Crystal and plasma TV	264902	145692	119210	200.4	261.7	155.8
组合音响(台) Hi-Fi Stereo Component System(unit)	48847	7128	41719	88.7	106.9	86.2
摄像机(台) Pickup Camera(unit)	20319	1208	19111	74.7	72.8	74.8
影碟机(台) Video Disc Player(unit)	252793	75861	176932	96.4	129.4	86.9
家用电冰箱(台) Household Refrigerator(unit)	668014	302600	365414	105.6	97.7	113.2
家用洗衣机(台) Household Washing Machine(unit)	394801	91114	303687	120.3	124.9	119.0
房间空调器(台) Room Air Conditioner(unit)	1490094	875249	614845	112.4	95.9	149.0
微波炉(台) Micro-Oven(unit)	449255	253246	196009	99.8	106.9	91.9
微型计算机(台) Personal Computer(unit)	759578	420864	338714	115.1	108.6	124.3
普通电话机(台) Telephone(unit)	432376	255313	177063	126.9	195.5	84.3
移动电话机(台) Mobile Phone(unit)	2782256	1362906	1419350	91.4	84.8	98.6
汽油(吨) Gasoline(ton)	2409731	597192	1812539	110.5	103.4	113.0
煤油(吨) Kerosene(ton)	19394	7575	11819	11.8	6.3	27.0
柴油(吨) Diesel Oil(ton)	4517905	1642077	2875828	114.9	106.9	120.0
汽车(辆) Motor Vehicle(set)	199843	36245	163598	103.6	73.6	113.9
#轿车 Car	103201	5680	97521	113.3	41.2	126.1

注：本表数据为快报定案数。

Note:The data in this table are from quick statistics data.

14–7 限额以上批发和零售业商品销售类值（2008年）

Value of Sales in Wholesale and Retail Sale Enterprises above Designated Size by Category

项目 Item	商品销售类值(万元) Value of Sales(10000 yuan) 合计 Total	批发额 Wholesale Trade	零售额 Retail Trade	2008年为2007年(%) (preceding year=100) 合计 Total	批发额 Wholesale Trade	零售额 Retail Trade
食品、饮料、烟酒类 Food,Beverages,Tobaccos and Liguor	7152476	5643938	1508538	112.5	108.1	133.0
服装、鞋帽、针纺织品类 Garments,shoes,Caps and Textiles	4634659	4010668	623990	109.2	106.5	130.2
化妆品类 Cosmetics	146238	12207	134031	127.4	70.7	137.4
金银珠宝类 Gold,Silver and Jewelry	274774	145210	129564	129.2	133.2	125.1
日用品类 Articles for Daily Use	1052319	727130	325188	117.7	116.4	120.9
五金、电料类 Hardware and Electrical Materials	325594	275436	50158	93.9	87.4	157.7
体育、娱乐用品类 Sports and Recreation Articles	134422	81588	52834	106.3	102.4	113.1
书报杂志类 Newspapers and Magazines	292077	148628	143449	109.1	111.1	107.2
电子出版物及音像制品类 E-journal and Video Products	12538	1169	11369	76.7	73.0	77.1
家用电器和音像器材类 Household Appliances and Video Appliances	1310574	508885	801689	110.0	101.1	116.5
中西药品类 Traditional Chinese and Western Medicines	1429707	1089416	340290	120.5	119.3	124.7
文化办公用品类 Cultural and Official Goods	556477	346745	209732	99.0	87.9	125.3
家具类 Furniture	216805	123107	93698	136.9	144.9	127.7
通讯器材类 Communication Appliances	787902	587894	200008	106.2	110.3	95.6
煤炭及制品类 Coal and Related Products	548053	532540	15513	140.2	138.8	208.3
木材及制品类 Wood and Wooden Products	844556	835789	8767	232.3	232.5	214.4
石油及制品类 Petroleum and Related Products	5551263	2253003	3298260	121.1	111.2	129.0
化工材料及制品类 Raw Chemical Materials	3516758	3478577	38181	97.8	97.7	109.1
金属材料类 Metal Materrials	6302899	6231173	71726	121.7	121.8	112.1
建筑及装潢材料类 Building and Decoration Materials	869313	731351	137962	102.8	106.6	86.1
机电产品及设备类 Mechanical and Electrical Products and Equipment	1931665	1822990	108675	120.5	122.5	95.1
汽车类 Vehicles	3175468	514596	2660873	115.0	84.6	123.6
种子饲料类 Seed and Feedstuff	212502	212502		122.2	122.2	
棉麻类 Cotton and Ramie	34527	34527		129.0	129.0	
其他类 Others	4120868	3641679	479189	105.3	100.0	176.6

14-8 限额以上住宿业基本情况(2008年)
Basic Conditions of Enterprises above Designated Size in Hotels , 2008

项目 Item	法人企业(个) Number of Corporation (unit)	产业活动单位(个) Number of Economic Active units (unit)	年末从业人员(人) Persons Employed (person)	床位数(个) Number of Beds at the year- end (unit)	餐位数(位) Number of seats(set)
住宿业 **Hotels**	**456**	**64**	**70115**	**98119**	**186965**
按登记注册类型分 **By Registration Category**					
内资企业 Domestic Funded Enterprises	373	38	48594	71484	140438
国有企业 State-owned Enterprises	90	8	12070	19520	39756
集体企业 Collective-owned Enterprises	13		1004	1667	2350
股份合作企业 Cooperative Enterprises	7		923	1298	2960
联营企业 Joint Ownership Enterprises	6		1922	2110	3246
国有联营企业 State-owned Joint Ownership Enterprises	5		1676	1808	2336
集体联营企业 Collective Joint Ownership Enterprises					
国有与集体联营企业 Joint State-collective Enterprises					
其他联营企业 Other Joint Ownership Enterprises	1		246	302	910
有限责任公司 Limited Liability Corporations	65	13	9410	15306	25170
国有独资企业 State Sole Funded Corporations	2		500	588	1020
其他有限责任公司 Other Limited Liability Corporations	63	13	8910	14718	24150
股份有限公司 Share-holding Corporations Ltd.	15		2308	3393	7271
私营企业 Private Enterprises	171	17	19812	27129	57810
私营独资企业 Private-funded Enterprises	44	3	3656	4989	14628
私营合伙企业 Private Partnership Enterprises	31	5	4530	4478	10946

14-8 续表
Continued

项目 Item	法人企业（个） Number of Corporation (unit)	产业活动单位（个） Number of Economic Active units (unit)	年末从业人员（人） Persons Employed (person)	床位数（个） Number of Beds at the year- end (unit)	餐位数（位） Number of seats(set)
私营有限责任公司 Private Limited Liability Corporations	85	9	10057	15855	29085
私营股份有限公司 Private Share-holding Corporations Ltd.	11		1569	1807	3151
其他企业 Other Enterprises	6		1145	1061	1875
港澳台商投资企业 Funds from Hong Kong, Macao and Taiwan	45	19	10909	12817	24191
合资企业 Joint-venture Enterprises	20	9	4711	5963	8646
合作企业 Cooperative Enterprises	3		950	1004	994
独资企业 Enterprises with Sole Investment	21	10	4715	5310	13951
股份有限公司 Fund Share-holding Corporations Ltd.	1		533	540	600
外商投资企业 Foreign Funded Enterprises	38	7	10612	13818	22336
中外合资 Joint-venture Enterprises	19		5165	7393	12919
中外合作 Cooperation Enterprises	5	5	1826	2127	2026
外资企业 Enterprises with Sole Foreign	12		3150	3392	6991
外商投资股份有限公司 Share-holding with Foreign Funds	2	2	471	906	400
按行业分 By Sector					
旅游饭店 Tourism Hotel	375	62	63038	84334	163393
一般饭店 General Hotel	76	2	6587	12517	22454
其他住宿服务 Other Hotel	5		490	1268	1118

14–9 限额以上餐饮业基本情况(2008年)

Basic Conditions of Enterprises above Designated Size in Catering Services, 2008

项目 Item	法人企业(个) Number of Corporation (unit)	产业活动单位(个) Number of Economic Active units (unit)	年末从业人员(人) Persons Employed (person)	营业面积(平方米) Operating Area (sq.m)	餐位数(位) Number of seats(set)
餐饮业 Catering Services	**505**	**406**	**47380**	**989351**	**365751**
按登记注册类型分 By Registration Category					
内资企业 Domestic Funded Enterprises	448	183	33257	803226	302885
国有企业 State-owned Enterprises	21	7	2514	62475	20448
集体企业 Collective-owned Enterprises	10	2	658	11423	2360
股份合作企业 Cooperative Enterprises	3		141	1882	600
联营企业 Joint Ownership Enterprises					
国有联营企业 State-owned Joint Ownership Enterprises					
集体联营企业 Collective Joint Ownership Enterprises					
国有与集体联营企业 Joint State-collective Enterprises					
其他联营企业 Other Joint Ownership Enterprises					
有限责任公司 Limited Liability Corporations	54	21	5674	91396	19923
国有独资企业 State Sole Funded Corporations					
其他有限责任公司 Other Limited Liability Corporations	54	21	5674	91396	19923
股份有限公司 Share-holding Corporations Ltd.	4		557	8690	1187
私营企业 Private Enterprises	339	153	22720	607682	252970
私营独资企业 Private-funded Enterprises	160	91	8048	202932	56119
私营合伙企业 Private Partnership Enterprises	47	3	3116	191088	16856

14-9 续表
Continued

项目 Item	法人企业（个） Number of Corporation (unit)	产业活动单位（个） Number of Economic Active units (unit)	年末从业人员（人） Persons Employed (person)	营业面积（平方米） Operating Area (sq.m)	餐位数（位） Number of seats(set)
私营有限责任公司 Private Limited Liability Corporations	120	54	10973	195620	176317
私营股份有限公司 Private Share-holding Corporations Ltd.	12	5	583	18042	3678
其他企业 Other Enterprises	17		993	19678	5397
港澳台商投资企业 Funds from Hong Kong, Macao and Taiwan	29	74	5587	94364	38815
合资企业 Joint-venture Enterprises	4		284	4200	996
合作企业 Cooperative Enterprises	1		136	4300	612
独资企业 Enterprises with Sole Investment	22	74	4986	80914	36981
股份有限公司 Fund Share-holding Corporations Ltd.	2		181	4950	226
外商投资企业 Foreign Funded Enterprises	28	149	8536	91761	24051
中外合资 Joint-venture Enterprises	8	7	817	10848	2556
中外合作 Cooperation Enterprises					
外资企业 Enterprises with Sole Foreign	18	140	7574	78783	20921
外商投资股份有限公司 Share-holding with Foreign Funds	2	2	145	2130	574
按行业分 By Sector					
正餐服务业 Dinner	469	122	36779	770518	331892
快餐服务业 Snack	17	191	8936	205045	27846
饮料及冷饮服务业 Drink and Cold Drink	3	5	99	1758	226
其他餐饮服务业 Other	16	88	1566	12030	5787

14-10 限额以上住宿和餐饮业经营情况(2008年)

Total Purchases,Sales and Inventory of Wholesale Enterprises above Designated Size, 2008

单位：万元 (10000 yuan)

项目 Item	营业额 Business Revenue	客房收入 From Hotel Rooms	餐费收入 From Meals	商品销售额 From Commodities Income	其他收入 From Others
住宿业 Hotel	**740953**	**312827**	**355139**	**15990**	**56997**
按登记注册类型分 By Registration Category					
内资企业 Domestic Funded Enterprises	461667	194616	218494	10915	37642
国有企业 State-owned Enterprises	122974	54520	58674	445	9336
集体企业 Collective-owned Enterprises	14170	4878	7694	342	1257
股份合作企业 Cooperative Enterprises	10890	2963	6606	481	840
联营企业 Joint Ownership Enterprises	29098	13456	13138	11	2493
国有联营企业 State-owned Joint Ownership Enterprises	26015	11914	11645		2456
集体联营企业 Collective Joint Ownership Enterprises					
国有与集体联营企业 Joint State-collective Enterprises					
其他联营企业 Other Joint Ownership Enterprises	3082	1542	1493	11	37
有限责任公司 Limited Liability Corporations	87433	40331	36645	1421	9037
国有独资企业 State Sole Funded Corporations	4895	2263	2081	21	530
其他有限责任公司 Other Limited Liability Corporations	82538	38068	34564	1399	8506
股份有限公司 Share-holding Corporations Ltd.	22988	9689	11575	518	1207
私营企业 Private Enterprises	163997	64409	80251	7699	11638
私营独资企业 Private-funded Enterprises	30325	8520	19609	547	1649
私营合伙企业 Private Partnership Enterprises	34710	11109	19157	3009	1435
私营有限责任公司 Private Limited Liability Corporations	89735	41364	36561	3693	8117
私营股份有限公司 Private Share-holding Corporations Ltd.	9227	3416	4924	450	438
其他企业 Other Enterprises	10118	4370	3912		1835
港澳台商投资企业 Funds from Hong Kong, Macao and Taiwan	120148	48488	63367	1702	6592
合资企业 Joint-venture Enterprises	44403	18956	21570	369	3508

14-10 续表1

Continued

单位：万元　　(10000 yuan)

项目 Item	营业额 Business Revenue	客房收入 From Hotel Rooms	餐费收入 From Meals	商品销售额 From Commodities Income	其他收入 From Others
合作企业 Cooperative Enterprises	19183	6714	10490	688	1290
独资企业 Enterprises with Sole Investment	49600	18910	28397	602	1690
股份有限公司 Fund Share-holding Corporations Ltd.	6963	3908	2909	42	105
外商投资企业 Foreign Funded Enterprises	159138	69723	73278	3373	12764
中外合资 Joint-venture Enterprises	77239	33384	38955	1020	3880
中外合作 Cooperation Enterprises	24094	11515	10848	359	1373
外资企业 Enterprises with Sole Foreign	46885	17589	20290	1993	7013
外商投资股份有限公司 Share-holding with Foreign Funds	10919	7235	3186		498
按行业分 By Sector					
旅游饭店 Tourism Hotel	670517	277422	324643	15419	53033
一般饭店 General Hotel	65505	32871	28408	568	3657
其他住宿服务 Other Hotel	4932	2534	2088	2	308
餐饮业 Catering Services	**672813**	**18399**	**627088**	**17537**	**9789**
按登记注册类型分 By Registration Category					
内资企业 Domestic Funded Enterprises	453167	15044	416452	14527	7145
国有企业 State-owned Enterprises	21438	2201	18749	385	103
集体企业 Collective-owned Enterprises	5395	422	4836	132	5
股份合作企业 Cooperative Enterprises	836	3	791		42
联营企业 Joint Ownership Enterprises					
国有联营企业 State-owned Joint Ownership Enterprises					
集体联营企业 Collective Joint Ownership Enterprises					
国有与集体联营企业 Joint State-collective Enterprises					
其他联营企业 Other Joint Ownership Enterprises					
有限责任公司 Limited Liability Corporations	63384	3427	58400	648	909

14–10 续表2
Continued

单位：万元 (10000 yuan)

项目 Item	营业额 Business Revenue	客房收入 From Hotel Rooms	餐费收入 From Meals	商品销售额 From Commodities Income	其他收入 From Others
国有独资企业 State Sole Funded Corporations					
其他有限责任公司 Other Limited Liability Corporations	63384	3427	58400	648	909
股份有限公司 Share-holding Corporations Ltd.	3947	313	3553		82
私营企业 Private Enterprises	347859	8208	320534	13174	5944
私营独资企业 Private-funded Enterprises	108808	1382	103477	2494	1455
私营合伙企业 Private Partnership Enterprises	41131	1582	35644	3846	60
私营有限责任公司 Private Limited Liability Corporations	190971	5162	174777	6628	4403
私营股份有限公司 Private Share-holding Corporations Ltd.	6950	82	6636	206	25
其他企业 Other Enterprises	10309	470	9590	189	61
港澳台商投资企业 Funds from Hong Kong, Macao and Taiwan	103694	2441	98282	1771	1200
合资企业 Joint-venture Enterprises	1928	677	1012	2	236
合作企业 Cooperative Enterprises	2525		2525		
独资企业 Enterprises with Sole Investment	96350	1743	93279	617	712
股份有限公司 Fund Share-holding Corporations Ltd.	2892	22	1466	1153	252
外商投资企业 Foreign Funded Enterprises	115952	914	112354	1239	1444
中外合资 Joint-venture Enterprises	10489	224	9905	210	151
中外合作 Cooperation Enterprises					
外资企业 Enterprises with Sole Foreign	103843	691	100829	1030	1294
外商投资股份有限公司 Share-holding with Foreign Funds	1620		1620		
按行业分 By Sector					
正餐服务业 Dinner	506455	17216	468253	12607	8379
快餐服务业 Snack	143769	215	142368	113	1074
饮料及冷饮服务业 Drink and Cold Drink	663		562	32	69
其他餐饮服务业 Other	21926	968	15905	4786	267

14-11 批发和零售业、住宿和餐饮业连锁经营情况(2008年)

项目 Item	连锁总店数(个) Number of Head Chain Stores (unit)	连锁门店数(个) Number of Stores (unit)	直销店 Regular Chain
合　计 **Total**	**129**	**2588**	**2330**
按登记注册类型分 **By Type of Registration**			
内资企业 Domestic Funded Enterprises	108	1623	1402
国有企业 State-owned Enterprises	13	315	221
集体企业 Collective-owned Enterprises	2	7	7
股份制合作企业 Cooperative Enterprises			
联营企业 Joint Ownership Enterprises	1	2	2
有限责任公司. Limited Liability Corporations	31	356	347
股份有限公司 Share-holding Corporations Ltd.	12	293	291
私营企业 Private Enterprises	47	635	519
其他企业 Other Enterprises	2	15	15
港澳台投资企业 Enterprises with Funds from Hong Kong, Macao and Taiwan	4	157	123
外资投资企业 Foreign Funded Enterprises	17	808	805
按行业分 **By Sector**			
批发业 Retail Trade	5	107	107
零售业 Department Stores	110	2166	1986
住宿业 Supermarkets			
餐饮业 Catering Trade	14	315	237

Sales of Chain Stores(Corporations) in Retail Sale and Catering Tradea bove Designated Size, 2008

加盟店 Franchise	营业面积（平方米） Operation Area (sq.m)	从业人数（人） Persons Employed (person)	商品购进总额（万元） Total Goods Purchase (10000 yuan)	销售总额(营业收入)（万元） Total Sales (10000 yuan)	零售额 Retail sales
258	**2426215**	**54225**	**3155730**	**5269088**	**4441768**
221	1314968	33443	1754836	2693493	2052827
94	120203	3201	110912	670836	648089
	4012	183	3437	3801	3801
	5831	128	85017	89818	13674
9	477352	14706	898990	1003981	539762
2	386321	2646	310944	448160	399846
116	317843	12436	343703	474526	445283
	3406	143	1834	2371	2371
34	36479	2801	10411	57583	57583
3	1074768	17981	1390483	2518012	2331358
	102518	5158	415882	381010	162160
180	2217228	36806	2717059	4632560	4024090
78	106469	12261	22789	255518	255518

14-12 亿元以上商品交易市场主要经济指标(2008年)

Main Financial Indicators of Commodity Markets over 100 Million Yuan, 2008

项目	Item	市场数(个) Number of Markets (unit)	摊位数(个) Number of Stalls (unit)	营业面积(平方米) Operation Area (sq.m)	市场成交额(万元) Transaction Value (10000 yuan)
合　计	**Total**	**153**	**62821**	**3159271**	**10703371**
按经营环境分	**By Operating Circumstance**				
露天式	Outdoor	9	1785	82518	260457
封闭式	Indoor	129	53621	2873989	9787075
其他	Others	15	7415	202764	655839
按营业状态分	**By Operating Status**				
常年营业	Perennial Operation	151	62321	3148991	10677497
季节性营业	Seasonal Operation	2	500	10280	25874
其它	Others				
按经营方式分	**By Operating Mode**				
批发	Whole Sale	65	28593	1859517	7344225
零售	Retail	88	34228	1299754	3359146
按市场类别分	**By Market Category**				
综合市场	General Markets	60	31765	849917	2415709
生产资料综合市场	Product Materials Markets				
工业消费品市场		6	6332	244998	194223
农产品综合市场	Agricaltural Products General Markets	44	19856	324331	1308267
其他综合市场	Other Markets	10	5577	280588	913219
专业市场	and Hats	93	31056	2309354	8287662
生产资料市场	Markets for Food, Beverage, Tobacco	11	2896	549436	2147636
农产品市场	and Liquor	39	9359	626048	2414300
食品、饮料及烟酒市场	Medicine and Medical Insurments	5	5795	115100	258944
纺织、服装、鞋帽市场	Markets for Furnitures	14	7311	311338	1290363
日用品及文化用品市场	Markets for Small Commodities	3	840	194601	125909
黄金、珠宝、玉器等首饰市场	Markets for Culture Products, VideoProducts	4	1543	23900	743870
电器、通讯器材、电子设备市场	Newspapers and Magazines	2	1113	46000	171961
医药、医疗用品及器材市场	Markets for Second Hand				
家具、五金及装饰材料市场	Markets for Mechanically-propelled Vehicles	8	1613	353848	598050
汽车、摩托车及零配件市场	Markets for Metal Materials	5	425	86070	439977
花、鸟、鱼、虫市场	Markets for Coal	1	87	1013	42152
旧货市场	Markets for Wood	1	74	2000	54500
其他市场	Other Markets				

14-13 亿元以上商品交易市场成交情况(2008年)

Statistics on Commodity Markets with Trade over 100 Million Yuan, 2008

项目	Item	出租摊位数（个） Number of Stalls (unit)	成交额（万元） Volume of Trade (10000 yuan)
合　计	**Total**	**54844**	**10703371**
食品、饮料、烟酒类	Food,Beverages,Tobaccos and Liguor	30324	4274379
粮油、食品类	Grain and Oil	24449	3888354
饮料类	Beverages	5373	272922
烟酒类	Tobacco and Liquor	502	113103
服装鞋帽、针、纺织品类	Garments,shoes,Caps and Textiles	11587	1563150
服装类	Clothing	9680	1161186
鞋帽类	Shoes and Hats	1018	86208
针纺织品类	Knitwear and Textiles	889	315756
化妆品类	Cosmetics	154	19336
金银珠宝类	Gold,Silver and Jewelry	949	662441
日用品类	Articles for Daily Use	2675	357383
#洗涤用品类	Washing Articles	431	89107
儿童玩具类	Children Toys	62	6825
五金电料类	Hardware and Electrical Materials	680	133924
体育、娱乐用品类	Sports and Recreation Articles	74	3884
书报杂志类	Newspapers and Magazines	26	1335
电子出版物及音像制品类	E-journal and Video Products	60	4334
家用电器和音像器材类	Household Appliances and Video Appliances	584	56268
中西药品类	Traditional Chinese and Western Medicines	58	2894
#西药类	Western Medicines	7	1307
中草药及中成药类	Chinese Herbal Medicine and Mid-product Medicine	35	304
文化办公用品类	Cultural and Official Goods	859	117013
家具类	Furniture	329	64810
通讯器材类	Communication Appliances	134	18120
木材及制品类	Wood and Wooden Products	370	49915
石油及制品类	Petroleum and Related Products	2	45
化工材料及制品类	Raw Chemical Materials	100	29186
金属材料类	Metal Materrials	223	981879
建筑及装璜材料类	Building and Decoration Materials	2644	1475711
机电产品及设备类	Mechanical and Electrical Products and Equipment	160	35653
汽车类	Vehicles	385	416497
种子饲料类	Seed and Feedstuff	190	66777
棉麻类	Cotton and Ramie		
其它类	Others	2277	368437

14–14 限额以上批发企业年末资产及负债情况(2008年)

Financial Indicators of Wholesale Enterprises above Designated Size,2008

单位：万元 (10000 yuan)

项目 Item	资产总计 Total Assess	#流动资产合计 Total Circulating Funds	固定资产原价 Oringinal Prices of Fixed Assets	负债总计 Total Liabilities	所有者权益合计 Total Creditors Equity
合　计 Total	**20172907**	**14792128**	**1777938**	**12446277**	**7726630**
按登记注册类型分 By Type of Registration					
内资企业 Domestic Funded Enterprises	18320888	13536047	1618466	11265546	7055342
国有企业 State-owned Enterprises	3607831	2437452	548578	1421381	2186450
集体企业 Collective-owned Enterprises	269364	236139	33586	211627	57737
股份合作企业 Cooperative Enterprises	54280	36789	9638	33476	20804
联营企业 Joint Ownership Enterprises	230970	216881	8589	184742	46227
有限责任公司 Limited Liability Corporations	4699847	3649501	367390	3315864	1383983
股份有限公司 Share-holding Corporations Ltd.	3801682	2181014	353184	2280067	1521615
私营企业 Private Enterprises	5539027	4695816	294933	3782326	1756701
其他企业 Other Onterprises	117887	82456	2569	36062	81825
港、澳、台商投资企业 Funds from Hong Kong, Macao and Taiwan	851227	729636	35823	608432	242795
外商投资企业 Enterprises with Sole Foreign Investment	1000792	526446	123649	572299	428493
按行业分 By Sector					
农畜产品批发业 Wholesale of Farm Crops and Livestock Products	391272	338944	32778	315419	75853
食品、饮料、烟草批发业 Wholesale of Food, Beverages and Tobaccos	2250253	1733074	378314	859695	1390557
#米面制品及食用油批发业 Sholesale of Rice, Wheat Products and Rdible Oil	329847	265224	49266	239308	90539
烟草制品批发业 Wholesale of Tobaccos	1193425	965163	227205	155056	1038369

14-14 续表
Continued

单位：万元 (10000 yuan)

项目 Item	资产总计 Total Assess	#流动资产合计 Total Circulating Funds	固定资产原价 Oringinal Prices of Fixed Assets	负债总计 Total Liabilities	所有者权益合计 Total Creditors Equity
纺织、服装及日用品批发业 Wholesale of Textiles, Garments and Daily Consumer Articles	2401820	1966173	111496	1620411	781409
#服装批发业 Wholesale of Garments	905804	772839	33582	635752	270052
文化、体育用品及器材批发业 Wholesale of Culture, Sports Products and Appliances	437802	310175	129808	236193	201609
医药及医疗器械批发业 Wholesale of Medicines and Medical Appliances	562028	485325	42051	437022	125006
矿产品、建材及化工产品批发业 Wholesale of Mineral Products, Building Materials and Chemical Products	10394843	6904126	807895	6509224	3885619
#煤炭及制品批发业 Wholesale of Coal and Its Products	284842	262123	13559	215900	68942
石油及制品批发业 Wholesale of Petroleum and Its Products	2010785	612795	318542	823401	1187384
金属及金属矿批发业 Wholesale of Metal and Metal Mineral	5247570	3819881	276439	3582946	1664625
建材批发业 Wholesale of Building Materials	1189158	1002194	83675	796830	392328
化肥批发业 Wholesale of Chemical Fertilizer	301225	269021	29794	238942	62284
机械设备五金交电及电子产品批发业 Wholesale of Machinery, Equipment, Hardware,Transport and Electic Products	1766522	1518332	105109	1249168	517354
#汽车摩托车及零配件批发业 Wholesale of Motor Vehicles, Motorcycles and Parts	276990	234142	23760	198526	78465
家用电器批发业 Whole of Family Electrical Equipments	211355	199501	9640	176376	34979
计算机软件及辅助设备批发业 Wholesale of Computer Software and Supplementary Equipments	76141	69457	3156	55662	20479
贸易经纪与代理 Trade Broker and Agent	272692	240223	22493	206555	66137
其他类未包括的批发业 Other Wholesale not Classified Elsewhere	1695676	1295756	147993	1012591	683085

14-15 限额以上零售企业年末资产及负债情况(2008年)

Financial Indicators of Retail Sales Enterprises above Designated Size,2008

单位：万元 (10000 yuan)

项目 Item	资产总计 Total Assess	#流动资产合计 Total Circulating Funds	固定资产原价 Oringinal Prices of Fixed Assets	负债总计 Total Liabilities	所有者权益合计 Total Creditors Equity
合　计 Total	**3965510**	**2778156**	**856753**	**2564992**	**1400519**
按登记注册类型分 By Type of Registration					
内资企业 Domestic Funded Enterprises	3308353	2372896	674870	2137998	1170356
国有企业 State-owned Enterprises	213567	133677	64164	128717	84850
集体企业 Collective-owned Enterprises	30461	15410	15467	13820	16640
股份合作企业 Cooperative Enterprises	21216	17620	3650	11895	9321
联营企业 Joint Ownership Enterprises	9553	6095	3240	2767	6786
有限责任公司 Limited Liability Corporations	1182480	857531	222177	835233	347247
股份有限公司 Share-holding Corporations Ltd.	378940	198076	100916	179416	199523
私营企业 Private Enterprises	1451770	1129093	261899	954364	497406
其他企业 Other Onterprises	20366	15394	3357	11783	8583
港、澳、台商投资企业 Funds from Hong Kong, Macao and Taiwan	197723	86886	80449	96319	101404
外商投资企业 Enterprises with Sole Foreign Investment	459434	318374	101435	330675	128759
按行业分 By Sector					
综合零售业 General Retail	1060076	643275	323936	720335	339741
#百货零售业 Retail of Consumer Goods	485098	268803	162827	336983	148115
超级市场零售业 Retail of Supermarkets	509023	333674	137898	334320	174703

14–15 续表

Continued

单位：万元 (10000 yuan)

项目 Item	资产总计 Total Assess	#流动资产合计 Total Circulating Funds	固定资产原价 Oringinal Prices of Fixed Assets	负债总计 Total Liabilities	所有者权益合计 Total Creditors Equity
食品饮料及烟草制品专门零售业 Retail of Food, Beverages and Tobaccos	116923	67290	43145	46916	70007
纺织品、服装及日用品零售业 Retail of Textiles, Garments, Shoes and Hats	79555	66091	10885	54489	25066
#服装零售业 Retail of Garments	57433	47904	6690	40020	17413
文化体育用品及器材零售业 Retail of Culture, Sports Products and Equipments	54112	44471	6735	21272	32841
#图书零售业 Retail of Books	12115	8396	3628	5052	7063
医药及医疗器械零售业 Retail of Medicines and Medical Appliances	218175	169220	40484	168177	49999
#药品零售业 Retail of Medicines	212793	164242	39842	163672	49121
汽车摩托车燃料及零配件专门零售业 Retail of Motor Vehicles, Motorcycles Fule and Parts	1545368	1120994	287005	961492	583877
#汽车零售业 Retail of Motor Vehicles	1204322	966860	165427	841225	363097
机动车燃料零售业 Retail of Vehicles Fule	251059	76501	112631	67938	183121
家用电器及电子产品零售业 Retail of Family Electric Equipment and Product	463250	419670	30602	357663	105588
#家用电器零售业 Retail of Family Electric Equipment	385565	351454	23077	311908	73658
计算机软件及辅助设备零售业 Retail of Computer Software and Supplementary Equipment	45758	40077	4695	27821	17937
通讯设备零售业 Retail of Telecommunicate Equipment	25607	22346	2606	15428	10180
五金、家具及室内装修材料零售业 Retail of Hardware, Furniture and Inside Decoration Materials	116442	79938	20328	76514	39927
无店铺及其他零售业 Retail of No Stores and Others	311608	167207	93634	158135	153474

14-16 限额以上批发企业财务状况(2008年)

Financial Indicators of Wholesale Enterprises above Designated Size,2008

单位：万元 (10000 yuan)

项目 Item	主营业务收入 Main Operating Income	主营业务成本 Main Operating Expenses	主营业务税金及附加 Main Operating Tax and Extra Charges	主营业务利润 Profits of Main Business
合　计 Total	**44152762**	**40974405**	**116938**	**3040272**
按登记注册类型分 By Type of Registration				
内资企业 Domestic Funded Enterprises	38811346	36292847	113999	2383441
国有企业 State-owned Enterprises	6386188	5519326	19233	837996
集体企业 Collective-owned Enterprises	560900	501373	27107	32420
股份合作企业 Cooperative Enterprises	108818	101848	176	6794
联营企业 Joint Ownership Enterprises	483791	464505	337	18874
有限责任公司 Limited Liability Corporations	11076970	10570921	15901	482272
股份有限公司 Share-holding Corporations Ltd.	6358311	6040294	30018	288022
私营企业 Private Enterprises	13703453	12971129	21102	707724
其他企业 Other Onterprises	132916	123452	126	9338
港、澳、台商投资企业 Funds from Hong Kong, Macao and Taiwan	1902668	1599453	704	302420
外商投资企业 Enterprises with Sole Foreign Investment	3438748	3082105	2235	354411
按行业分 By Sector				
农畜产品批发业 Wholesale of Farm Crops and Livestock Products	412542	392540	248	19767
食品、饮料、烟草批发业 Wholesale of Food, Beverages and Tobaccos	5015348	4217266	20461	772653
#米面制品及食用油批发业 Sholesale of Rice, Wheat Products and Rdible Oil	659136	628170	336	25662
烟草制品批发业 Wholesale of Tobaccos	2478991	1865686	12191	601114

14-16 续表

Continued

单位：万元 (10000 yuan)

项目 Item	主营业务收入 Main Operating Income	主营业务成本 Main Operating Expenses	主营业务税金及附加 Main Operating Tax and Extra Charges	主营业务利润 Profits of Main Business
纺织、服装及日用品批发业 Wholesale of Textiles, Garments and Daily Consumer Articles	7315290	6728864	3310	581547
#服装批发业 Wholesale of Garments	2990726	2835344	1721	152759
文化、体育用品及器材批发业 Wholesale of Culture, Sports Products and Appliances	614605	544473	572	69446
医药及医疗器械批发业 Wholesale of Medicines and Medical Appliances	1102313	1031999	1955	68234
矿产品、建材及化工产品批发业 Wholesale of Mineral Products, Building Materials and Chemical Products	22287151	21140771	78916	1057120
#煤炭及制品批发业 Wholesale of Coal and Its Products	798790	750265	1776	46091
石油及制品批发业 Wholesale of Petroleum and Its Products	5036178	4665025	4280	366547
金属及金属矿批发业 Wholesale of Metal and Metal Mineral	9658459	9254703	38062	357517
建材批发业 Wholesale of Building Materials	2598349	2441810	1918	153860
化肥批发业 Wholesale of Chemical Fertilizer	673472	615440	27269	30763
机械设备五金交电及电子产品批发业 Wholesale of Machinery, Equipment, Hardware,Transport and Electic Products	3705633	3449968	6499	246111
#汽车摩托车及零配件批发业 Wholesale of Motor Vehicles, Motorcycles and Parts	519719	490465	544	28081
家用电器批发业 Whole of Family Electrical Equipments	507680	468634	1032	37621
计算机软件及辅助设备批发业 Wholesale of Computer Software and Supplementary Equipments	372081	357541	270	13470
贸易经纪与代理 Trade Broker and Agent	843799	811619	321	30872
其他类未包括的批发业 Other Wholesale not Classified Elsewhere	2856081	2656905	4656	194521

14-17 限额以上零售企业财务状况(2008年)

Financial Indicators of Retail Sales Enterprises above Designated Size,2008

单位：万元　　(10000 yuan)

项目 Item	主营业务收入 Main Operating Income	主营业务成本 Main Operating Expenses	主营业务税金及附加 Main Operating Tax and Extra Charges	主营业务利润 Profits of Main Business
合　计 Total	**8231904**	**7396438**	**31707**	**794511**
按登记注册类型分 By Type of Registration				
内资企业 Domestic Funded Enterprises	7129868	6426990	30835	663298
国有企业 State-owned Enterprises	558008	507570	1118	48096
集体企业 Collective-owned Enterprises	65981	55540	462	9979
股份合作企业 Cooperative Enterprises	66191	61552	102	4488
联营企业 Joint Ownership Enterprises	60221	56441	166	3614
有限责任公司 Limited Liability Corporations	2395717	2157082	7640	228197
股份有限公司 Share-holding Corporations Ltd.	725154	655482	2046	67460
私营企业 Private Enterprises	3170987	2859485	15664	291331
其他企业 Other Onterprises	87610	73839	3637	10134
港、澳、台商投资企业 Funds from Hong Kong, Macao and Taiwan	172227	160450	100	11677
外商投资企业 Enterprises with Sole Foreign Investment	929809	808998	772	119536
按行业分 By Sector				
综合零售业 General Retail	1964170	1650786	15376	297805
#百货零售业 Retail of Consumer Goods	571949	462063	5704	104340
超级市场零售业 Retail of Supermarkets	1234469	1054357	8766	170984

14–17 续表

Continued

单位：万元 (10000 yuan)

项目 Item	主营业务收入 Main Operating Income	主营业务成本 Main Operating Expenses	主营业务税金及附加 Main Operating Tax and Extra Charges	主营业务利润 Profits of Main Business
食品饮料及烟草制品专门零售业 Retail of Food, Beverages and Tobaccos	256979	211512	3163	41362
纺织品、服装及日用品零售业 Retail of Textiles, Garments, Shoes and Hats	156838	128359	1043	27442
#服装零售业 Retail of Garments	106815	88053	727	18035
文化体育用品及器材零售业 Retail of Culture, Sports Products and Equipments	99327	83427	1927	13909
#图书零售业 Retail of Books	11861	9739	23	2099
医药及医疗器械零售业 Retail of Medicines and Medical Appliances	389401	357974	730	30217
#药品零售业 Retail of Medicines	379617	349369	702	29067
汽车摩托车燃料及零配件专门零售业 Retail of Motor Vehicles, Motorcycles Fule and Parts	3885468	3607252	5516	265205
#汽车零售业 Retail of Motor Vehicles	2707478	2524620	3210	172741
机动车燃料零售业 Retail of Vehicles Fule	966942	892160	1566	72628
家用电器及电子产品零售业 Retail of Family Electric Equipment and Product	929326	855157	2060	72045
#家用电器零售业 Retail of Family Electric Equipment	697565	644501	1554	51435
计算机软件及辅助设备零售业 Retail of Computer Software and Supplementary Equipment	142045	130048	343	11655
通讯设备零售业 Retail of Telecommunicate Equipment	72827	65519	115	7203
五金、家具及室内装修材料零售业 Retail of Hardware, Furniture and Inside Decoration Materials	238517	215622	1028	21865
无店铺及其他零售业 Retail of No Stores and Others	311878	286349	864	24663

14–18 限额以上批发企业主要效益指标(2008年)

Financial Ratios of Whole Sale Enterprises above Designated Size,2008

单位：%　　(%)

项目 Item	资产负债率 Assets Liability Rate	销售利润率 Ratio of Profits to Sales Revenue	销售毛利率 Ratio of Gross Profits to Sales Revenue	营业费用率 Ratio of Operating Costs to Total Costs	成本费用利润率 Ratio of Profits to Costs
总　计 Total	**61.7**	**6.9**	**7.2**	**4.6**	**3.2**
按登记注册类型分 By Type of Registration					
内资企业 Domestic Funded Enterprises	61.5	6.1	6.5	4.2	2.8
国有企业 State-owned Enterprises	39.4	13.1	13.6	5.4	7.9
集体企业 Collective-owned Enterprises	78.6	5.8	10.6	5.0	1.6
股份合作企业 Cooperative Enterprises	61.7	6.2	6.4	3.9	2.7
联营企业 Joint Ownership Enterprises	80.0	3.9	4.0	2.3	2.4
有限责任公司 Limited Liability Corporations	70.6	4.4	4.6	3.8	1.3
股份有限公司 Share-holding Corporations Ltd.	60.0	4.5	5.0	3.6	4.0
私营企业 Private Enterprises	68.3	5.2	5.3	4.2	1.2
其他企业 Other Enterprises	30.6	7.0	7.1	4.9	1.7
港、澳、台商投资企业 Funds from Hong Kong, Macao and Taiwan	71.5	15.9	15.9	11.9	5.6
外商投资企业 Enterprises with Sole Foreign Investment	57.2	10.3	10.4	4.9	6.6
按行业分 By Sector					
农畜产品批发业 Wholesale of Farm Crops and Livestock Products	80.6	4.8	4.8	5.7	2.0
食品、饮料、烟草批发业 Wholesale of Food, Beverages and Tobaccos	38.2	15.4	15.9	6.2	11.0
#米、面制品及食用油批发业 Sholesale of Rice, Wheat Products and Rdible Oil	72.6	3.9	4.7	4.8	0.5
烟草制品批发业 Wholesale of Tobaccos	13.0	24.2	24.7	6.1	23.4

14–18 续表

Continued

单位：%　　　　(%)

项目 Item	资产负债率 Assets Liability Rate	销售利润率 Ratio of Profits to Sales Revenue	销售毛利率 Ratio of Gross Profits to Sales Revenue	营业费用率 Ratio of Operating Costs to Total Costs	成本费用利润率 Ratio of Profits to Costs
纺织、服装及日用品批发业 Wholesale of Textiles, Garments and Daily Consumer Articles	67.5	7.9	8.0	6.1	2.4
#服装批发业 Wholesale of Garments	70.2	5.1	5.2	3.8	1.5
文化、体育用品及器材批发业 Wholesale of Culture, Sports Products and Appliances	53.9	11.3	11.4	10.8	1.5
医药及医疗器械批发业 Wholesale of Medicines and Medical Appliances	77.8	6.2	6.4	5.1	1.4
矿产品、建材及化工产品批发业 Wholesale of Mineral Products, Building Materials and Chemical Products	62.6	4.7	5.1	3.3	2.1
#煤炭及制品批发业 Wholesale of Coal and Its Products	75.8	5.8	6.1	5.4	1.1
石油及制品批发业 Wholesale of Petroleum and Its Products	40.9	7.3	7.4	3.5	3.9
金属及金属矿批发业 Wholesale of Metal and Metal Mineral	68.3	3.7	4.2	2.8	1.8
建材批发业 Wholesale of Building Materials	67.0	5.9	6.0	4.6	1.3
化肥批发业 Wholesale of Chemical Fertilizer	79.3	4.6	8.6	4.1	0.9
机械设备五金交电及电子产品批发 Wholesale of Machinery, Equipment, Hardware,Transport and Electic Products	70.7	6.6	6.9	5.4	2.7
#汽车、摩托车及零配件批发业 Wholesale of Motor Vehicles, Motorcycles and Parts	71.7	5.4	5.6	4.8	0.9
家用电器批发业 Whole of Family Electrical Equipments	83.5	7.4	7.7	6.9	0.7
计算机软件及辅助设备批发业 Wholesale of Computer Software and Supplementary Equipments	73.1	3.6	3.9	4.6	0.5
贸易经纪与代理 Trade Broker and Agent	75.7	3.7	3.8	2.7	1.2
其他类未包括的批发业 Other Wholesale not Classified Elsewhere	59.7	6.8	7.0	4.9	3.4

14–19 限额以上零售企业主要效益指标(2008年)

Financial Ratios of Retail Sale Enterprises above Designated Size,2008

单位：% (%)

项目 Item	资产负债率 Assets Liability Rate	销售利润率 Ratio of Profits to Sales Revenue	销售毛利率 Ratio of Gross Profits to Sales Revenue	营业费用率 Ratio of Operating Costs to Total Costs	成本费用利润率 Ratio of Profits to Costs
合　计 **Total**	**64.7**	**9.7**	**10.1**	**8.8**	**2.2**
按登记注册类型分 **By Type of Registration**					
内资企业 Domestic Funded Enterprises	64.6	9.3	9.9	8.1	2.1
国有企业 State-owned Enterprises	60.3	8.6	9.0	7.9	2.5
集体企业 Collective-owned Enterprises	45.4	15.1	15.8	12.4	3.3
股份合作企业 Cooperative Enterprises	56.1	6.8	7.0	5.1	1.6
联营企业 Joint Ownership Enterprises	29.0	6.0	6.3	3.0	3.9
有限责任公司 Limited Liability Corporations	70.6	9.5	10.0	8.8	2.2
股份有限公司 Share-holding Corporations Ltd.	47.3	9.3	9.6	7.0	3.0
私营企业 Private Enterprises	65.7	9.2	9.8	7.9	1.8
其他企业 Other Onterprises	57.9	11.6	15.7	10.0	2.1
港、澳、台商投资企业 Funds from Hong Kong, Macao and Taiwan	48.7	6.8	6.8	9.1	-0.3
外商投资企业 Enterprises with Sole Foreign Investment	72.0	12.9	13.0	13.9	2.9
按行业分 **By Sector**	**64.7**	**9.7**	**10.1**	**8.8**	**2.2**
综合零售业 General Retail	68.0	15.2	16.0	14.5	3.8
#百货零售业 Retail of Consumer Goods	69.5	18.2	19.2	15.7	7.2
超级市场零售业 Retail of Supermarkets	65.7	13.9	14.6	14.0	2.5

14-19 续表
Continued

单位：% (%)

项目 Item	资产负债率 Assets Liability Rate	销售利润率 Ratio of Profits to Sales Revenue	销售毛利率 Ratio of Gross Profits to Sales Revenue	营业费用率 Ratio of Operating Costs to Total Costs	成本费用利润率 Ratio of Profits to Costs
食品饮料及烟草制品专门零售 Retail of Food, Beverages and Tobaccos	40.1	16.1	17.7	10.3	7.0
纺织品、服装及日用品零售业 Retail of Textiles, Garments, Shoes and Hats	68.5	17.5	18.2	17.1	2.7
#服装零售业 Retail of Garments	69.7	16.9	17.6	16.3	3.3
文化、体育用品及器材零售业 Retail of Culture, Sports Products and Equipments	39.3	14.0	16.0	10.8	3.8
#图书零售业 Retail of Books	41.7	17.7	17.9	14.3	4.4
医药及医疗器械零售业 Retail of Medicines and Medical Appliances	77.1	7.8	8.1	7.3	1.6
#药品零售业 Retail of Medicines	76.9	7.7	8.0	7.2	1.6
汽车摩托车燃料及零配件专门零售 Retail of Motor Vehicles, Motorcycles Fule and Parts	62.2	6.8	7.2	5.6	1.3
#汽车零售业 Retail of Motor Vehicles	69.9	6.4	6.8	5.4	0.9
机动车燃料零售业 Retail of Vehicles Fule	27.1	7.5	7.7	5.3	2.4
家用电器及电子产品零售业 Retail of Family Electric Equipment and Product	77.2	7.8	8.0	9.3	1.7
#家用电器零售业 Retail of Family Electric Equipment	80.9	7.4	7.6	9.8	1.6
计算机软件及辅助设备零售业 Retail of Computer Software and Supplementary Equipment	60.8	8.2	8.4	6.9	1.8
通讯设备零售业 Retail of Telecommunicate Equipment	60.2	9.9	10.0	10.2	1.7
五金、家具及室内装修材料零售业 Retail of Hardware, Furniture and Inside Decoration Materials	65.7	9.2	9.6	8.7	1.0
无店铺及其他零售业 Retail of No Stores and Others	50.7	7.9	8.2	7.0	1.8

14–20 限额以上住宿企业年末资产及负债情况(2008年)

Main Financial Indicators of Star-rated Hotels, 2008

单位：万元 (10000 yuan)

项目 Item	资产总计 Total Assess	#流动资产合计 Total Circulating Funds	固定资产原价 Oringinal Prices of Fixed Assets	负债总计 Total Liabilities	所有者权益合计 Total Creditors Equity
合计 **Total**	**1776322**	**474621**	**1441913**	**1071491**	**704831**
按登记注册类型分 **By Registration Category**					
内资企业 Domestic Funded Enterprises	1026782	266313	782864	513421	513361
国有企业 State-owned Enterprises	372237	77898	308880	172267	199970
集体企业 Collective-owned Enterprises	14925	4139	12887	11085	3839
股份合作企业 Cooperative Enterprises	12285	3459	11700	4725	7560
联营企业 Joint Ownership Enterprises	56060	15140	57010	14845	41215
国有联营企业 State-owned Joint Ownership Enterprises	55271	14840	55591	14606	40665
集体联营企业 Collective Joint Ownership Enterprises					
国有与集体联营企业 Joint State-collective Enterprises					
其他联营企业 Other Joint Ownership Enterprises	788	300	1419	239	550
有限责任公司 Limited Liability Corporations	202825	57215	157601	116912	85912
国有独资企业 State Sole Funded Corporations	15549	3261	19449	1871	13678
其他有限责任公司 Other Limited Liability Corporations	187276	53954	138152	115041	72235
股份有限公司 Share-holding Corporations Ltd.	67748	16334	50403	32555	35193
私营企业 Private Enterprises	284364	88665	170751	149284	135080
私营独资企业 Private-funded Enterprises	45528	10738	35905	21249	24280

14–20 续表

Continued

单位：万元 (10000 yuan)

项目 Item	资产总计 Total Assess	#流动资产合计 Total Circulating Funds	固定资产原价 Oringinal Prices of Fixed Assets	负债总计 Total Liabilities	所有者权益合计 Total Creditors Equity
私营合伙企业 Private Partnership Enterprises	30661	11417	10446	12418	18242
私营有限责任公司 Private Limited Liability Corporations	188771	63096	106788	102752	86019
私营股份有限公司 Private Share-holding Corporations Ltd.	19405	3414	17612	12866	6539
其他企业 Other Enterprises	16340	3464	13633	11748	4592
港澳台商投资企业 Funds from Hong Kong, Macao and Taiwan	305285	108375	230082	240372	64913
合资企业 Joint-venture Enterprises	119086	41928	91001	88380	30706
合作企业 Cooperative Enterprises	15095	6380	10446	10922	4173
独资企业 Enterprises with Sole Investment	150802	52988	110311	123158	27644
股份有限公司 Fund Share-holding Corporations Ltd.	20302	7080	18326	17912	2390
外商投资企业 Foreign Funded Enterprises	444255	99933	428967	317698	126557
中外合资 Joint-venture Enterprises	211482	53200	188467	146837	64645
中外合作 Cooperation Enterprises	45110	10259	64940	41879	3231
外资企业 Enterprises with Sole Foreign Funds	157181	33955	131535	95820	61361
外商投资股份有限公司 Share-holding with Foreign Funds	30482	2519	44024	33162	-2680
按行业分 **By Sector**					
旅游饭店 Tourism Hotel	1656150	430065	1355031	983779	672371
一般饭店 General Hotel	107017	43471	72076	78203	28815
其他住宿服务 Other Hotel	13155	1085	14805	9509	3645

14-21 限额以上餐饮企业年末资产及负债情况（2008年）

Main Financial Indicators of Catering Services above Designated Size, 2008

单位：万元 (10000 yuan)

项目 Item	资产总计 Total Assess	#流动资产合计 Total Circulating Funds	固定资产原价 Oringinal Prices of Fixed Assets	负债总计 Total Liabilities	所有者权益合计 Total Creditors Equity
合计 Total	**401086**	**156150**	**234140**	**215879**	**185207**
按登记注册类型分 By Registration Category					
内资企业 Domestic Funded Enterprises	247748	110630	121226	107030	140718
国有企业 State-owned Enterprises	23490	10721	13644	10489	13001
集体企业 Collective-owned Enterprises	5417	2413	3893	1586	3831
股份合作企业 Cooperative Enterprises	294	39	244	30	264
联营企业 Joint Ownership Enterprises					
国有联营企业 State-owned Joint Ownership Enterprises					
集体联营企业 Collective Joint Ownership Enterprises					
国有与集体联营企业 Joint State-collective Enterprises					
其他联营企业 Other Joint Ownership Enterprises					
有限责任公司 Limited Liability Corporations	49855	20344	21722	25804	24051
国有独资企业 State Sole Funded Corporations					
其他有限责任公司 Other Limited Liability Corporations	49855	20344	21722	25804	24051
股份有限公司 Share-holding Corporations Ltd.	1088	936	228	25	1063
私营企业 Private Enterprises	163331	73313	79278	66750	96581
私营独资企业 Private-funded Enterprises	45939	17052	25557	19306	26633
私营合伙企业 Private Partnership Enterprises	16287	7895	8189	6099	10188

14-21 续表
Continued

单位：万元 (10000 yuan)

项目 Item	资产总计 Total Assess	#流动资产合计 Total Circulating Funds	固定资产原价 Oringinal Prices of Fixed Assets	负债总计 Total Liabilities	所有者权益合计 Total Creditors Equity
私营有限责任公司 Private Limited Liability Corporations	94345	46063	44048	37808	56538
私营股份有限公司 Private Share-holding Corporations Ltd.	6760	2304	1484	3537	3222
其他企业 Other Enterprises	4274	2864	2215	2347	1927
港澳台商投资企业 Hong Kong, Macao and Taiwan Funded	70341	18012	49200	61034	9307
合资企业 Joint-venture Enterprises	8891	2907	5953	4690	4201
合作企业 Cooperative Enterprises	1510	157	1354	853	657
独资企业 Enterprises With Sole Investment	53548	10157	39898	48300	5248
股份有限公司 Fund Share-holding Corporations Ltd.	6392	4791	1996	7190	-798
外商投资企业 Foreign Funded Enterprises	82997	27509	63714	47815	35182
中外合资 Joint-venture Enterprises	22009	9136	13735	11364	10645
中外合作 Cooperation Enterprises					
外资企业 Enterprises with Sole Foreign	60398	17900	49797	35973	24425
外商投资股份有限公司 Share-holding with Foreign Funds	590	473	182	479	112
按行业分 **By Sector**					
正餐 Dinner	300519	129820	152499	146349	154170
快餐 Snack	72628	14516	63323	54492	18136
饮料及冷饮服务业 Drink and Cold Drink	597	381	329	347	250
其他餐饮业 Other	27342	11433	17989	14690	12652

14–22 限额以上住宿企业主要财务指标(2008年)
Main Financial Indicators of Star-rated Hotels, 2008

单位：万元　(10000 yuan)

项目 Item	主营业务收入 Main Operating Income	主营业务成本 Main Operating Cost	主营业务税金及附加 Main Operating Tax and Extra Charges	主营业务利润 Profits of Main Business
合计 Total	**739127**	**249372**	**43998**	**444150**
按登记注册类型分 By Registration Category				
内资企业 Domestic Funded Enterprises	461508	171960	28339	259441
国有企业 State-owned Enterprises	117921	36825	6306	74465
集体企业 Collective-owned Enterprises	13971	6239	759	6566
股份合作企业 Cooperative Enterprises	10890	5185	741	4964
联营企业 Joint Ownership Enterprises	29061	8372	1874	18815
国有联营企业 State-owned Joint Ownership Enterprises	26015	7524	1700	16791
集体联营企业 Collective Joint Ownership Enterprises				
国有与集体联营企业 Joint State-collective Enterprises				
其他联营企业 Other Joint Ownership Enterprises	3046	848	174	2024
有限责任公司 Limited Liability Corporations	89778	29396	5561	54676
国有独资企业 State Sole Funded Corporations	4895	1297	275	3323
其他有限责任公司 Other Limited Liability Corporations	84883	28099	5286	51353
股份有限公司 Share-holding Corporations Ltd.	24521	8631	1570	14321
私营企业 Private Enterprises	165119	75047	11054	78128
私营独资企业 Private-funded Enterprises	29388	14904	2146	12338
私营合伙企业 Private Partnership Enterprises	34254	18629	2388	13236

14–22 续表
Continued

单位：万元 (10000 yuan)

项目 Item	主营业务收入 Main Operating Income	主营业务成本 Main Operating Cost	主营业务税金及附加 Main Operating Tax and Extra Charges	主营业务利润 Profits of Main Business
私营有限责任公司 Private Limited Liability Corporations	92310	37168	5985	49249
私营股份有限公司 Private Share-holding Corporations Ltd.	9168	4345	535	3305
其他企业 Other Enterprises	10247	2266	475	7507
港澳台商投资企业 Funds from Hong Kong, Macao and Taiwan	119850	36888	7112	76010
合资企业 Joint-venture Enterprises	44123	12372	2955	28797
合作企业 Cooperative Enterprises	18928	4920	1065	12944
独资企业 Enterprises with Sole Investment	49835	18097	2736	29162
股份有限公司 Fund Share-holding Corporations Ltd.	6963	1499	356	5108
外商投资企业 Foreign Funded Enterprises	157769	40524	8547	108698
中外合资 Joint-venture Enterprises	77200	20971	4286	51943
中外合作 Cooperation Enterprises	24462	5684	1204	17574
外资企业 Enterprises with Sole Foreign Funds	45196	12461	2503	30232
外商投资股份有限公司 Share-holding with Foreign Funds	10912	1408	554	8950
按行业分 By Sector				
旅游饭店 Tourism Hotel	670665	225731	39404	405112
一般饭店 General Hotel	63534	21768	4359	36949
其他住宿服务 Other Hotel	4928	1873	236	2089

14–23 限额以上餐饮企业主要财务指标（2008年）

Main Financial Indicators of Catering Services above Designated Size, 2008

单位：万元　(10000 yuan)

项目 Item	主营业务收入 Main Operating Income	主营业务成本 Main Operating Cost	主营业务税金及附加 Main Opera- ting Tax and Extra Charges	主营业务利润 Profits of Main Business
合计 Total	**671065**	**354136**	**37119**	**277871**
按登记注册类型分 By Registration Category				
内资企业 Domestic Funded Enterprises	452702	256375	26431	167964
国有企业 State-owned Enterprises	21111	12192	823	8097
集体企业 Collective-owned Enterprises	6239	3199	360	2512
股份合作企业 Cooperative Enterprises	836	545	56	235
联营企业 Joint Ownership Enterprises				
国有联营企业 State-owned Joint Ownership Enterprises				
集体联营企业 Collective Joint Ownership Enterprises				
国有与集体联营企业 Joint State-collective Enterprises				
其他联营企业 Other Joint Ownership Enterprises				
有限责任公司 Limited Liability Corporations	63140	33572	3682	25309
国有独资企业 State Sole Funded Corporations				
其他有限责任公司 Other Limited Liability Corporations	63140	33572	3682	25309
股份有限公司 Share-holding Corporations Ltd.	3947	2421	192	1204
私营企业 Private Enterprises	347087	197851	20603	127578
私营独资企业 Private-funded Enterprises	109075	67195	6386	34436
私营合伙企业 Private Partnership Enterprises	39953	25209	2812	11875

14–23 续表
Continued

单位：万元 (10000 yuan)

项目 Item	主营业务收入 Main Operating Income	主营业务成本 Main Operating Cost	主营业务税金及附加 Main Opera- ting Tax and Extra Charges	主营业务利润 Profits of Main Business
私营有限责任公司 Private Limited Liability Corporations	191128	101684	11007	78497
私营股份有限公司 Private Share-holding Corporations Ltd.	6931	3762	398	2770
其他企业 Other Enterprises	10342	6597	715	3030
港澳台商投资企业 Hong Kong, Macao and Taiwan Funded	103612	54162	4790	44034
合资企业 Joint-venture Enterprises	1925	659	147	1118
合作企业 Cooperative Enterprises	2525	1558	88	879
独资企业 Enterprises With Sole Investment	96270	50170	4363	41112
股份有限公司 Fund Share-holding Corporations Ltd.	2893	1776	192	925
外商投资企业	114751	43598	5898	65872
中外合资 Joint-venture Enterprises	10489	4938	335	5216
中外合作 Cooperation Enterprises				
外资企业 Enterprises with Sole Foreign	102642	38167	5476	59617
外商投资股份有限公司 Share-holding with Foreign Funds	1620	493	88	1039
按行业分 **By Sector**				
正餐 Dinner	505960	286673	28831	188524
快餐 Snack	142538	53707	7447	81377
饮料及冷饮服务业 Drink and Cold Drink	644	228	29	388
其他餐饮业 Other	21923	13528	812	7583

14–24 限额以下批发和零售业经营情况表（2008年）
Business of Wholesale and Retail Trades under Designated Size,2008

单位：亿元 (100 million yuan)

项目	Item	销售额 Sales	批发额 Wholesale	零售额 Retail Sale
按销售单位所在地分	**By Location of Establishments**			
市	City	2817.4	1640.5	1176.9
县	County	504.1	144.6	359.5
县以下	Below County-Level	1007.4	412.2	595.2
按行业分	**Grouped by Sector**			
批发业	Wholesale	2071.3	1784.5	286.8
零售业	Retail Trade	2257.6	412.8	1844.8
按地市分				
福州市	Fuzhou	1323.6	781.3	542.3
厦门市	Xiamen	418.9	309.0	109.8
莆田市	Putian	223.5	81.1	142.4
三明市	Sanming	191.7	85.3	106.4
泉州市	Quanzhou	1114.8	543.2	571.6
漳州市	Zhangzhou	374.8	127.2	247.6
南平市	Nanping	226.0	84.2	141.8
龙岩市	Longyan	226.4	94.8	131.6
宁德市	Ningde	229.2	91.2	138.1

14–25 星级以外住宿业和限额以下餐饮业经营情况（2008年）
Business of non-star-rated Hotels and Catering Services under Designated Size,2008

单位：亿元 (100 million yuan)

项目	Item	营业额 Business Revenue	客房收入 From Hotel Rooms	餐费收入 From Meals	商品销售额 From Commodities Income	其他收入 From Others
按销售单位所在地分	**By Location of Establishments**					
市	City	323.2	17.2	289.2	16.1	0.7
县	County	38.7	2.9	33.7	1.6	0.5
县以下	Below County-Level	52.9	1.5	50.3	1.0	0.1
按行业分	**Grouped by Sector**					
住宿业	Hotel	28.8	21.2	6.3	0.4	0.9
餐饮业	Catering services	386.0	0.4	366.9	18.3	0.4
按地市分						
福州市	Fuzhou	122.1	7.9	111.7	2.2	0.4
厦门市	Xiamen	38.9	4.6	33.4	0.6	0.4
莆田市	Putian	22.1	1.3	18.6	2.1	0.1
三明市	Sanming	24.4	0.9	23.3	0.1	
泉州市	Quanzhou	101.9	0.5	94.0	7.2	0.2
漳州市	Zhangzhou	37.5	1.0	33.8	2.5	0.2
南平市	Nanping	27.6	2.8	21.5	3.3	
龙岩市	Longyan	20.3	0.6	19.6		
宁德市	Ningde	20.0	2.0	17.3	0.6	0.1

主要统计指标解释

社会消费品零售总额 指批发和零售业、餐饮业、新闻出版业、邮政业和其他服务业等，售予城乡居民用于生活消费的商品和社会集团用于公共消费的商品之总量。

批发零售贸易业商品购、销、存总额 指各种登记注册类型的批发、零售贸易业企业(单位)以本企业(单位)为总体的，从国内、国外市场购进的商品总量、销售和出口的商品总量、库存商品总量等情况。该指标对促进工农业生产发展、活跃市场、平抑物价、保障供给、满足需求具有举足轻重的作用。该指标可以反映商品流转过程中商品的购进、销售、库存之间的比例关系和存在的问题。

商品购进总额 指从本企业(单位)以外的单位和个人购进(包括从境外直接进口)作为转卖或加工后转卖的商品总额。它反映批发零售贸易业从国内、国外市场上购进商品的总量。商品购进总额包括: (1)从工农业生产者购进的商品; (2)从出版社、报社的出版发行部门购进的图书、杂志和报纸;(3)从各种登记注册类型的批发零售贸易企业(单位)购进的商品; (4)从其他单位购进的商品，如从机关、团体、企业等单位购进的剩余物资，从餐饮业、服务业购进的商品，从海关、市场管理部门购进的缉私和没收的商品，从居民手中收购的废旧商品等; (5)从国(境)外直接进口的商品。不包括企业(单位)为自身经营用和未通过买卖行为而收入的商品以及销售退回、商品升溢等。

商品销售总额 指对本企业(单位)以外的单位和个人出售(包括对境外直接出口)的商品总额。它反映批发零售贸易业在国内市场上销售商品以及出口商品的总量。商品销售总额包括: (1)售给城乡居民和社会集团消费用的商品; (2)售给工业、农业、建筑业、运输邮电业、批发零售贸易业、餐饮业、服务业等作为生产、经营使用的商品; (3)售给批发零售贸易业作为转卖或加工后转卖的商品; (4)对国(境)外直接出口的商品。不包括出售本企业(单位)自用的废旧包装用品; 未通过买卖行为付出的商品; 经本单位介绍，由买卖双方直接结算，本单位只收取手续费的业务; 购货退出的商品以及商品损耗和损失等。

批发零售贸易业库存 指报告期末各种登记注册类型的批发零售贸易企业(单位)已取得所有权的商品。它反映批发零售贸易企业(单位)的商品库存情况和对市场商品供应的保证程度。期末库存包括: (1)存放在批发零售贸易业经营单位(如门市部、批发站、经营处)仓库、货场、货柜和货架中的商品; (2)挑选、整理、包装中的商品; (3)已记入购进而尚未运到本单位的商品，即发货单或银行承兑凭证已到而货未到的部分; (4)寄放他处的商品，如因购货方拒绝承付而暂时存放在购货方的商品和已办完加工成品收回手续而未提回的商品; (5)委托其他单位代销(未作销售或调出)尚未售出的商品; (6)代其他单位购进尚未交付的商品。不包括所有权不属于本单位的商品、拨付除批发零售贸易业以外的其他行业所属独立核算加工厂等加工生产尚未收回成品的商品、代国家物资储备部门保管的商品等。

库存总额采用的计算价格是: 农副产品采购单位按购进价计算; 批发单位按进货价计算; 零售单位按核算价格计算，即按什么价格核算就按什么价格计算。

餐饮业商品零售额 指餐饮企业、活动单位或个体户直接对居民和社会集团零售的各种商品。包括: (1)经烹饪、调制加工后出售的各种食品，如主食、炒菜、凉拌菜等; (2)不经加工直接转卖的各种外购商品，如卷烟、酒、饮料、熟食、水果等; (3)附设非独立核算的专门销售商品的小卖部出售的各种食品及其他商品。

连锁企业（或称连锁店、连锁公司） 指在核心企业或总店的领导下，由分散的、经营同类商品或服务的企业或活动单位，采取共同方针，实行集中采购和分散销售的有机结合，通过规范化经营，实现规模效益的经济联合组织形式。一般连锁店应由若干个分店组成。其经营特征: (1)经营同类商品; (2)使用统一商号; (3)统一采购配送，采购与销售相分离（部分商品可根据物流合理和保质保鲜原则，由供应商直接送货到门店，其余均由总部统一配送）。

连锁门店包括下列两种形式:

直营连锁：指正规连锁。连锁门店均由总部独资或控股开设，在总部的直接领导下统一经营。

加盟连锁：指特许连锁。各连锁门店（被特许人）通过合同形式，取得使用总部（特许人）商标、商号、经营技术和销售总部开发的商品的特许权，各加盟连锁门店为独立法人，在总部指导下统一经营。

Explanatory Notes on Main Statistical Indicators

Total Retail Sales of Consumer Goods refer to the sum of retail sales of commodities sold by wholesale, retail, catering, publishing, post and telecommunications and other service industries to urban and rural households for private consumption and to social institutions for public consumption.

Purchase, Sales and Stock of Commodities by Wholesale and Retail Trades refer to the total volume of commodities purchased, total volume of sales and exports, and the stock of commodities by wholesale and retail enterprises (establishments) of different status of registration from domestic and overseas markets. This indictor plays an important role in promoting industrial and agricultural production, thriving market, stabilizing prices, ensuring market supply and meeting the needs of consumers. It also reflects the relationship among purchase, sales and stock of commodities in the circulation of goods and reveals the existing problems.

Total Purchases of Commodities refer to the total value of purchases of commodities by the enterprises (establishments) from other establishments or individuals (including direct import from abroad) for the purpose of re-selling, either with or without further processing of the commodities purchased. This indicator is us ed to show the total value of purchases of commodities by wholes ale and retail establishments from domes tic and overseas markets. The total purchases include: (1) agricultural and industrial products purchased from producers; (2) books, magazines and news papers purchased from distribution departments of the publishers; (3) commodities purchased from wholesale and retail establishments of different status of registration; (4) commodities purchased from other units, such as surplus materials purchased from government agencies, enterprises or institutions, commodities purchased from catering and service establishments, confiscated goods purchased from customs authorities or market management agencies, second-hand goods and wastes purchased from residents; and (5) commodities directly imp ort ed from abroad. Excluded are commodities purchased by enterprises (establishments) for use in their own business operation, commodities obtained without buying or selling procedures, rejected commodities, etc.

Total Sales of Commodities refer to value of commodities old by the establishments to other establishments and individuals (including direct export). This indicator is used to show the total value of sales of commodities at domestic market sand export. The total sales include: (1) commodities sold to urban and rural residents and social groups for their consumption; (2) commodities sold to establishments in industry, agriculture, construction, transportation, post and telecommunications, wholesale and retail Trades, Catering Services and public utility for their production and operation; (3) commodities sold to wholesale and retail establishments for re selling, with or without further processing; and (4) commodities for direct export to other countries. Excluded are selling of waste packaging materials used by the establishments (units) themselves, commodities transferred without buying or selling procedures, commission income from brokerage in trans actions whose settlement is directly handled by buyers and sellers, rejected commodities in the purchase, loss in commodities, etc.

Commodity Stock of Wholesale and Retail Enterprises refers to total commodities possessed by wholesale and retail enterprises (units) of various types of registration status at the end of the reference period, which reflects the commodity stock level of various wholesale and ret ail enterprises and the potential for market supply. It includes: (1) commodities located in storage, garages, counters, and shelves of operating units (such as sale stores, wholesale centers, and operating offices) of wholesale and ret ail enterprises; (2) commodities in the process of selecting, sorting, and packing; (3) commodities not arrived but recorded as purchase in t he account, i.e. commodities not arrived but payment receipts for the commodities from the sellers or the banks arrived; (4) commodities deposited in other p laces rather than places mentioned above, for instance: commodities in the hold of purchasers temporarily due t o the refusal of payment and commodities not taken back after going through the formalities;(5) commodities entrusted to other units to sell but not sold yet; (6) commodities purchased for other units but not delivered yet. Commodities not included as stock are those not owned by the enterprises (unit s), those allocated to financially in dependent factories rather than wholesale and retail enterprises for processing but not taken back yet, and finally those put in stock by wholesale and retail enterprises on behalf of t he state material reserves units.

For the calculation of the value of commodities stock, the value is calculated at purchasing prices in agricultural goods purchasing units and wholesale units, and at the accounting prices in retail units.

Retail Sales of Commodities in Catering Industry refer to retail sales to residents and social groups by catering enterprises, establishments and individual, including: (1) various food sold after cooking and processing, such as: staple food, cooked dishes, cold and dressed dishes and so on. (2) re-selling commodities without further processing, such as: cigarettes, liquor, beverage, cooked food, fruit s and son on. (3) various food and other commodities sold in and ascent buffets with dependant accounting system.

Chain Enterprises(also called chain stores or chain corporations) refer to a form of joint economic entities under which scattered enterprises or establishments engaged in providing homogeneous commodities or services, with the central leadership of core enterprise or headquarters and guided by common policies, conduct centralized purchase and distributed selling of commodities, in order to gain better efficiency through standardized operation. Consisting of a number of branch stores, the chain stores have in general following features: 1) homogeneous commodities, 2) unique name of stores, 3) centralized purchase and delivery which is separated from distributed selling operation (most commodities are delivered from the headquarters except some items which, from logistics, quality or freshness considerations, might be delivered by the suppliers directly).

Chain stores have two categories:

a) Chain stores under direct management: These are formal chain stores invested or controlled by the headquarters. They operate under the direct and unified management from the headquarters.

b) Chain stores through license arrangement: Through contracts, chain stores (their owners) obtain licenses from the headquarters to use designated Trades marks, names, operation know-how, and to sell the commodity developed by the headquarters. Under this arrangement, each store in the chain is an independent legal entity and operates under the guidance from the headquarters.

对外贸易与旅游

15

Foreign Trade and International Tourism

简要说明

本篇资料的主要内容及来源

本篇资料反映了全省外经外贸和旅游，主要包括进出口、利用外资、对外承包工程和劳务合作、人民币外汇牌价、旅游业基本情况等方面的内容。

进、出口数据来源于海关统计，利用外资、对外承包工程和劳务合作、境外投资等资料来源于省外经贸厅,历年人民币对主要外币的年平均汇价资料来源于国家外汇管理局，是根据当年国家外汇管理局提供的每日汇价进行加权平均计算而得出的当年年平均汇价,旅游资料来源于省旅游局。

本篇资料由省统计局贸易外经统计处整理提供。

Brief Introduction

Main Content and Source of Data

Data in this chapter show the basic conditions of foreign trade and tourism , mainly including imports and exports, utilization of foreign capitals, contracted projects and labor services cooperation, exchange rate of RMB to other currencies and tourism etc.

Data on foreign trade are based on the statements made by the Administration of Customs. Data on utilization of foreign capitals, contracted projects and labor services cooperation are provided by Fujian Department Foreign Trade and Economic Cooperation. Average exchange rates of RMB yuan to other currencies over the years come from the State Administration of Exchange Control. The annual average exchange rate is calculated as the weighted mean of the daily exchange rates provided by the State Administration of Exchange Control. Data on tourism are provided by Fujian Tourism Administration.

Data in this chapter are collected and compiled by the Division of Trade and External Economic Relations Statistics of Fujian Provincial Bureau of Statistics.

15-1 对外经济基本情况

Basic Statisics on Foreign Trade

项目 Item	2000	2003	2005	2007	2008
一、海关货物进出口总额（万元） Total Value of Imports and Exports in Customs(10000 yuan)	**17568664**	**29242457**	**44572105**	**56612396**	**58908991**
出口总额 Exports	10685474	17492846	28541480	37974673	39581403
进口总额 Imports	6883190	11749611	16030625	18637723	19327588
进出口差额 Balance	3802284	5743235	12510855	19336950	20253815
二、海关货物进出口总额（万美元） Total Value of Imports and Exports in Customs(10000 USD)	**2122332**	**3532551**	**5441130**	**7445081**	**8482094**
出口总额 Exports	1290828	2113173	3484195	4994039	5699184
初级产品 Primary Goods	136769	137025	215205	295573	323470
工业制品 Industry Goods	1154106	1976148	3268990	4698466	5375715
进口总额 Imports	831504	1419378	1956935	2451042	2782910
初级产品 Primary Goods	102179	167792	333239	492630	649384
工业制品 Industry Goods	729315	1251586	1623696	1958413	2133525
进出口差额 Balance	459324	693795	1527260	2542997	2916274
三、外商直接投资 Foreign Investment Utilized					
新签合同数 Number of Projects for Contracted Foreign Direct Investment(unit)	1463	2274	1988	1723	1101
合同投资金额（万美元） Total Amount of Contracted Foreign Investment(10000 USD)	431373				
验资口径 Fund Examination Scope			595715	867422	715201
历史可比口径 Old Scope		725117	855655	1233624	1141475
实际利用外资（万美元） Foreign Investment Actually Utilized(10000 USD)	380386				
验资口径 Fund Examination Scope		261318	260775	406058	567171
历史可比口径 Old Scope		499329	622984	813093	1002556
四、外商投资企业工商注册情况 Registration Status of Foreign Funded Enterprises					
年末注册数（个） Number of Enterprises(unit)	16013	16884	17854	18655	18779
投资总额（万美元） Total Investment(10000 USD)	4708446	6611776	7533131	10270608	11212877
注册资本（万美元） Registered Capital(10000 USD)	2758492	3607903	4307474	5619403	6264456
五、对外承包工程和劳务合作 Economic Cooperation with Foreign Countries & Regions					
合同金额（万美元） Contracted Value(10000 USD)	42093	66071	57252	58398	68210
#对外承包工程 Contracted Projects	12486	27047	24713	26395	41862
对外劳务合作 Labor Services	29562	39024	32539	32003	26348
完成营业额（万美元） Value of Turnover Fulfilled(10000 USD)	44878	50154	50551	52431	40018
#对外承包工程 Contracted Projects	10373	19561	19537	20644	13295
对外劳务合作 Labor Services	34479	30593	31014	31787	26723

15–2 进出口总额(1981–2008年)

Gross Value of Imports and Exports (Customs Statistics) ,1981-2008

年份 Year	进出口总额(万美元) Total Imports and Exports(USD 10000)	出口 Exports	进口 Imports	进出口总额(万元) Total Imports and Exports(10000 yuan)	出口 Exports	进口 Imports
1981	60827	40127	20700	108272	71426	36846
1982	55067	37023	18044	106279	71454	34825
1983	56366	36995	19371	110477	72510	37967
1984	66472	39167	27305	185457	109276	76181
1985	90084	55718	34366	263946	163254	100692
1986	134771	68647	66124	501348	255367	245981
1987	184500	90400	94100	686340	336288	350052
1988	284300	141600	142700	1057596	526752	530844
1989	342200	182800	159400	1611762	860988	750774
1990	433908	244906	189002	2265000	1278409	986591
1991	574776	314746	260030	3115286	1709071	1406215
1992	805873	438666	367207	4633770	2522330	2111440
1993	1004181	515874	488307	5814208	2986911	2827297
1994	1218953	643020	575933	10397669	5484961	4912708
1995	1444569	790806	653763	12105488	6626954	5478534
1996	1551972	838239	713733	12881368	6957384	5923984
1997	1795280	1025560	769720	14861328	8489586	6371742
1998	1716065	996387	719678	14205586	8248092	5957494
1999	1761956	1035193	726763	14585472	8569328	6016144
2000	2122332	1290828	831504	17568664	10685474	6883190
2001	2262601	1392232	870369	18729811	11524896	7204915
2002	2839882	1737086	1102796	23508543	14379598	9128945
2003	3532551	2113173	1419378	29242457	17492846	11749611
2004	4752704	2939476	1813228	39338131	24330043	15008088
2005	5441130	3484195	1956935	44572105	28541480	16030625
2006	6265921	4126174	2139747	49375457	32514251	16861206
2007	7445081	4994039	2451042	56612396	37974673	18637723
2008	8482094	5699184	2782910	58908991	39581403	19327588

15-3 人民币汇率(1985-2008年,年平均价)

Exchange rate of RMB,1985-2008

单位：元 (yuan)

年份 Year	100美元 100 US Dollars	100日元 100 Japanese Yen	100港元 100 Hong Kong Dollars	100欧元 100 Euros
1985	293.66	1.25	37.57	
1986	345.28	2.07	44.22	
1987	372.21	2.58	47.74	
1988	372.21	2.91	47.70	
1989	376.51	2.74	48.28	
1990	478.32	3.32	61.39	
1991	532.33	3.96	68.45	
1992	551.46	4.36	71.24	
1993	576.20	5.20	74.41	
1994	861.87	8.44	111.53	
1995	835.10	8.92	107.96	
1996	831.42	7.64	107.51	
1997	828.98	6.86	107.09	
1998	827.91	6.35	106.88	
1999	827.83	7.29	106.66	
2000	827.84	7.69	106.18	
2001	827.70	6.81	106.08	
2002	827.70	6.62	106.07	800.58
2003	827.70	7.15	106.24	936.13
2004	827.68	7.66	106.23	1029.00
2005	819.17	7.45	105.30	1019.53
2006	797.18	6.86	102.62	1001.90
2007	760.40	6.46	97.46	1041.75
2008	694.51	6.74	89.19	1022.27

注：2002年的欧元汇价为4—12月的平均汇价。
Note:The Euros Exchange is The Average of April to December.

15-4 按主要贸易方式分进出口商品贸易额

Value of Exports by Main Trade Mode

单位：万美元　　(USD 10000)

项目 Item	2000	2003	2005	2007	2008
出口总额 Total Exports	**1290828**	**2113173**	**3484195**	**4994039**	**5699184**
#一般贸易 General Trade	609737	962015	1674278	2743122	3168353
来料加工贸易 Processing and Assembling with Custorner's Materials	114888	111335	185823	243710	291845
进料加工贸易 Processing and Assembling with Import Materials	519328	952607	1434781	1747056	1960381
保税仓库进出境货物 Imports and Exports of Bonded Warehouse	42242	41324	81911	128944	130141
保税区仓储转口货物 Transit Goods of Warehouse in Bonded Area	2946	44912	105595	129261	142938
进口总额 Total Imports	**831504**	**1419378**	**1956935**	**2451042**	**2782910**
#一般贸易 General Trade	271095	551015	755531	1052151	1205401
华侨、港澳台胞、外籍华人捐赠物资 Donation of Overseas Chinese	6	19	117	5	
来料加工装配贸易 Processing And Assembling With Custormer's Materials	59377	68837	149781	319441	381504
进料加工贸易 Processing And Assembling With Imports Materials	358368	508546	697131	672564	735793
来料加工装配进口的设备 Processing Equipments	246	872	1345	2510	
外商投资企业作为投资进口的设备、物品 Foreign Funded Equipments	80631	78903	86086	94807	137230
免税外汇商品 Tax-free Foreign Exchange Commodities	348	15			
保税仓库进出境货物 Imports and Exports of Bonded Warehouse	35038	48042	75675	142271	185799
保税区仓储转口货物 Transit Goods of Warehouse In Bonded Area	21160	154280	186899	141090	105448

15–5 按企业性质分进出口商品贸易额

Value of Exports and Imports by Ownership of Enterprises

单位：万美元 (USD 10000)

项目 Item	2000	2003	2005	2007	2008
进出口总额 Total Imports and Exports	**2122332**	**3532551**	**5441130**	**7445081**	**8482094**
出口总额 Exports	**1290828**	**2113173**	**3484195**	**4994039**	**5699184**
#有进出口经营权 国有企业 State Owned Enterprises	473050	486592	552753	695130	699244
有进出口经营权 集体企业 Collective Owned Enterprises	21980	48413	64248	96777	111859
有进出口经营权 私营企业 Privited Enterprises	36109	232286	691823	1302463	1637470
外商投资企业 Foreign Funded Enterprises	759661	1345878	2175297	2899413	3250395
进口总额 Imports	**831504**	**1419378**	**1956935**	**2451042**	**2782910**
#有进出口经营权 国有企业 State Owned Enterprises	174169	302988	362330	419736	452893
有进出口经营权 集体企业 Collective Owned Enterprises	3963	12096	33200	19775	22406
有进出口经营权 私营企业 Privited Enterprises	7195	83280	160348	283229	343107
外商投资企业 Foreign Funded Enterprises	646028	1020877	1400940	1726888	1962997

15-6 进出口主要分类情况

Value of Exports and Imports by Major Classifications

单位：万美元 (USD 10000)

项目 Item	2000	2003	2005	2007	2008
一、进出口总额 Total Exports and Imports(customs)	**2122332**	**3532551**	**5441130**	**7445081**	**8482094**
出口总额 Exports	1290828	2113173	3484195	4994039	5699184
进口总额 Imports	831504	1419378	1956935	2451042	2782910
二、出口商品总额 Exports					
初级产品 Primary Goods	136769	137025	215205	295573	323470
工业制品 Manufactured Goods	1154106	1976148	3268990	4698466	5375715
三、进口商品总额 Imports					
初级产品 Primary Goods	102179	167792	333239	492630	649384
工业制品 Manufactured Goods	729315	1251586	1623696	1958413	2133525
四、机电产品进出口 Total of mechanical and electronic products		1709085	2971084	3522373	4105522
出口总额 Exports		916216	1821150	2246143	2687322
进口总额 Imports		792869	1149934	1276230	1418200
五、高新技术产品进出口 High-tech products		1256319	1437013	1537287	2218349
出口总额 Exports		463450	889410	980394	1267814
进口总额 Imports		792869	547603	556893	950535
六、外商投资企业进出口 Foreign-Funded Enterprises					
出口总额 Exports	759661	1345878	2175297	2899413	3250395
进口总额 Imports	646028	1020877	1400940	1726888	1962997
七、一般贸易进出口 General Trade					
出口总额 Exports	609737	962015	1674278	2743122	3168353
进口总额 Imports	271095	551015	755531	1052151	1205401
八、加工贸易进出口 Processing and Assembling	1051956	1641325	2467516	2982771	3369523
出口总额 Exports	634211	1063942	1620604	1990766	2252226
进口总额 Imports	417745	577383	846912	992006	1117297

15-7 按主要国别(地区)分出口商品贸易额

Value of Exports by Country (Region)

单位：万美元 (USD 10000)

国别(地区) Country (Region)	2000	2003	2005	2007	2008
总计 Total	**1290828**	**2113173**	**3484195**	**4994039**	**5699184**
亚洲 Asia	**598838**	**982369**	**1451213**	**1982670**	**2273738**
#中国香港 Hong Kong China	150910	218079	287749	359411	372959
中国澳门 Macao China	1712	2501	1049	1781	1554
日本 Japan	235623	427520	575271	621943	659531
菲律宾 Philippines	13669	19666	42498	68018	79492
泰国 Tailand	9247	13789	26149	44385	60640
马来西亚 Malaysia	17160	32427	47458	104747	140854
新加坡 Singapore	33553	44079	64781	88760	100423
阿拉伯联合酋长国 United Arab Emirates	13850	33228	54608	81862	97129
欧洲 Europe	**243597**	**420589**	**782456**	**1261120**	**1465109**
#德国 Germany	50336	76191	129290	200119	270675
法国 France	17232	23900	51731	85408	84134
意大利 Italy	20560	34052	59350	89109	103286
芬兰 Finland	2243	6337	11766	24238	27411
英国 United Kingdom	32751	49919	86154	114538	153166
丹麦 Denmark	3295	4767	11986	26328	32525
瑞典 Sweden	4921	8221	14360	20756	57260
瑞士 Switzerland	2219	4662	30875	83521	57206
西班牙 Spain	16783	25853	50610	80134	83551
北美洲 North America	**342526**	**551189**	**934389**	**1194448**	**1290114**
#加拿大 Canada	23586	39091	70914	107706	108199
美国 United States	318940	512097	863366	1086714	1181903
大洋洲 Oceania	**22229**	**39238**	**58104**	**93204**	**108836**
#澳大利亚 Australia	19539	34260	49842	78549	94332
拉丁美洲及非洲 South America and Africa	**83638**	**119788**	**258032**	**462776**	**561387**

15–8 按主要国别(地区)分进口商品贸易额

Value of Imports by Country (Region)

单位：万美元　　(USD 10000)

国别(地区) Country (Region)	2000	2003	2005	2007	2008
合计 Total	**831504**	**1419378**	**1956935**	**2451042**	**2782910**
亚洲 Asia	**625345**	**1052678**	**1397806**	**1704955**	**1842149**
#中国香港 Hong Kong China	28314	27844	20269	13804	10914
中国澳门 Macao China	220	132	8	19	22
日本 Japan	131488	227591	248474	287213	309798
菲律宾 Philippines	3934	25226	27452	54962	39881
泰国 Thailand	14143	28258	34576	60630	78949
马来西亚 Malaysia	28086	67001	77553	96555	107227
新加坡 Singapore	13641	38443	50249	37733	36853
阿拉伯联合酋长国 United Arab Emirates	3788	1731	4144	3146	2626
欧洲 Europe	**88734**	**147011**	**205506**	**272674**	**363467**
#德国 Germany	17143	49618	61429	86609	113370
法国 France	4959	8128	10947	10439	19353
意大利 Italy	9633	15065	21073	31658	34416
芬兰 Finland	2277	2711	6635	6684	8485
英国 United Kingdom	15857	13667	29740	29077	41197
丹麦 Denmark	1632	4005	3251	4553	5837
瑞典 Sweden	2963	4614	5114	7282	6572
瑞士 Switzerland	6064	11251	14145	14594	8337
西班牙 Spain	3157	3345	6017	10366	13211
北美洲 North America	**86030**	**139426**	**209506**	**296682**	**299838**
#加拿大 Canada	6106	8156	16665	29324	31282
美国 United States	79910	131271	192836	267358	268549
大洋洲 Oceania	**12342**	**20109**	**27841**	**35025**	**63643**
#澳大利亚 Australia	9636	13513	22275	23674	52671
拉丁美洲及非洲 South America and Africa	**19053**	**60154**	**116276**	**141707**	**213811**

15–9 按类章分进出口总额(2007–2008年)

Value of Exports and Imports by Category,2007-2008

单位：万美元 (USD 10000)

项目 Item	2007 出口 Exports	2007 进口 Imports	2008 出口 Exports	2008 进口 Imports
一、初级产品 Primary Goods	**295573**	**492630**	**323470**	**649384**
食品及活动物 Food and Live Animals	265388	61528	288379	79427
活动物 Live Animals	312	38	208	22
肉及肉制品 Meat and Meat Products	6084	1963	5862	2580
乳品及蛋品 Dairy Products and Eggs	725	1247	962	2071
鱼、甲壳及软体类动物及其制品 Fish, Shellfish, Mollusks and Other Aquatic Invertebrates	101912	11020	109619	13613
谷物及其制品 Cereals and Products	2723	5324	2140	6503
蔬菜及水果 Vegetable and Fruits	125629	5056	138765	5860
糖、糖制品及蜂蜜 Sugar ,Sugar Products and Honey	8235	786	6874	779
咖啡、茶、可可、调味料及其制品 Coffee, Tea, Coca, Spices and Their Products	9221	514	9856	669
饲料 Forage	2496	33764	4006	45408
杂项食品 Others	8051	1814	10087	1923
饮料及烟类 Beverages and Tobacco	1740	1667	2619	2695
饮料 Beverages	1049	1667	1284	2695
烟草及其制品 Tobacco and Tobacco Products	691		1335	1
非食用原料 Non-edible Raw Materials	21273	355628	28004	473581
生皮及生毛皮 Raw Hides and Furs	9	9024		13929
油籽及含油果实 Oil Seeds and Kernels	123	63649	150	101885
生橡胶 Raw Rubber	227	33495	1014	41273
软木及木材 Cork and Wood	3132	22378	2898	20272
纸浆及废纸 Paper Pulp and Waster Paper	55	48630	33	66853
纺织纤维(羊毛条除外)及其废料 Textile Fiber and Related Scrap (Excluding Fleece	3141	6498	3203	4406
天然肥料及矿物(煤、石油及宝石除外 Natural Fertilizers and Mineral (Excluding Coal, Petroleum and Germ	8120	75397	9353	96933
金属矿砂及金属废料 Metals Ore and Scrap	15	94674	169	124776
其他动、植物原料 Other Animal And Vegetable Raw Materials	6451	1883	11186	3255
矿物燃料、润滑油及有关原料 Mineral Fuels, Lubrication Oil and Related Materials	6957	47717	4018	52253

15–9 续表1

Continued

单位：万美元 (USD 10000)

项目 Item	2007 出口 Exports	2007 进口 Imports	2008 出口 Exports	2008 进口 Imports
煤、焦炭及煤砖 Coal, Coke and Briquette	3	14237	4	26810
石油、石油产品及有关原料 Petroleum, Petroleum Products and Related Materials	6953	23907	4014	15286
天然气及人造气 Natural Gas and Man-made Gas		9573	1	10157
动植物油、脂及蜡 Animal and Vegetable Oil ,Fats and Wax	215	26090	449	41427
动物油、脂 Animal Oil and Fats	155	731	237	966
植物油、脂 Vegetable Oils and Fats	51	24700	94	35954
已加工的动植物油、脂及 动植物蜡 Processed Animal and Vegetable Oils, Fats and Wax	9	659	118	4507
二、工业制品 Industry Goods	**4698466**	**1958413**	**5375715**	**2133525**
化学成品及有关产品 Chemicals and Related Products	170841	366909	203115	407314
有机化学品 Organic Chemicals	19157	144783	27012	159299
无机化学品 Inorganic Chemicals	57027	3775	74343	3972
染料、鞣料及着色料 Dyestuff , Tanning Extracts and Dye Materials	1720	11596	1739	12475
医药品 Medicines	16672	1019	18102	875
精油、香料及盥洗、光洁制品 Essential Oils, Perfumed Materials and Cosmetics	16930	2267	19550	2754
制成废料 Waste Products	14369	578	12892	9
初级形状的塑料 Plastics of Primary Pattern	18763	164951	21960	182946
非初级形状的塑料 Plastics of non Primary Pattern	12320	17632	11451	21519
其他化学原料及产品 Other Chemical Raw and Products	13885	20307	16064	23445
按原料分类的制成品 Products by Raw material	845789	288656	915117	286773
皮革、皮革制品及已鞣毛皮 Leather, Leather Products and Tanned Hides	6758	33265	4132	27394
橡胶制品 Rubber Products	45523	10184	53296	11902
软木及木制品 Cork and Wooden Products	54232	1122	49023	842
纸及纸板；纸浆、纸及纸板 制品 Paper and Paperboard, Articles of Paper Pulp or Paper and Paperboard Products	31150	17673	30620	16257
纺纱、织物、制成品及有关产品 Spin Textile Products and Related Products	182642	65099	221072	58996
非金属矿物制品 Non Metal Minerals products	265228	17849	291525	16561

15–9 续表2

Continued

单位：万美元 (USD 10000)

项目 Item	2007 出口 Exports	 进口 Imports	2008 出口 Exports	 进口 Imports
钢铁 Steel	63614	58661	65063	60268
有色金属 Non-ferrous Metal	59834	61837	71173	66259
金属制品 Metal Products	136809	22966	129213	28293
机械及运输设备 Machinery and Transport Equipments	1769413	850053	2115050	930623
动力机械及设备 Power Machinery and Equipments	76542	47594	109218	61274
特种工业专用机械 Special Industry Equipment	45567	93701	63955	93989
金工机械 Metal working Machinery	8466	16687	11030	23604
通用工业机械设备及零件 Ordinary Industry Machinery and Parts	138880	73431	171594	107733
办公用机械及自动数据处理 设备 Clerical Machinery and Automatic Data Processing Equipments	312073	105876	332680	108312
电信及声音的录制及重放装置设备 Telecommunications and Sound Record and Replay Equipment	575177	67147	679612	89285
电力机械、器具及其电气零件 Power Machinery and Parts	341544	336562	407971	353770
陆路车辆 Land Vehicles	127269	18414	151318	20295
其他运输设备 Other Transportation Equipment	143895	90641	187414	60569
杂项制品 Miscellaneous Manufactured Articles	1910839	441507	2140805	505791
活动房屋;卫生 水道 供热及照明装置 Movable Room, Sanitary Equipment, Supply of Hot and Lighting Apparatus	28250	794	37729	1522
家具及其零件：褥垫及类似填充制品 Furniture and Related Parts	146259	6205	172171	5785
旅行用品、手提包及类似品 Tour Goods, Handbags and Related Products	117267	142	136493	256
服装及衣着附件 Garments and Related Parts	537599	2601	575394	2335
鞋靴 Footwears	463478	5431	523701	5630
专业、科学及控制用仪器 和装置 Special, Scientific and Controlled Instruments and Equipment	132429	376323	192697	425695
摄影器材、光学物品及钟表 Photographic, Optical Instruments and Clocks	65796	25784	74525	40819
杂项制品 Other Miscellaneous Manufactured Articles	419761	24228	428095	23750
未分类的商品 Unclassified Goods	1584	11288	1627	3024

15–10 外商直接投资合同数和合同金额(1979–2008年)

Number and Value of Signed Contracts for Direct Foreign Investment,1979-2008

年份 Year	合同数(项) Numbers(unit)	合资企业 Joint Ventures	合作企业 Cooperative Operation	独资企业 Sole-Foreign Enterprises	合同外资金额(万美元) Value (USD 10000)	合资企业 Joint Ventures	合作企业 Cooperative Operation	独资企业 Sole-Foreign Enterprises
1979	5	2	3		105	19	86	
1980	15	6	9		464	378	86	
1981	16	1	15		1906	56	1850	
1982	14	4	9	1	1612	1034	128	450
1983	18	8	10		2120	1930	190	
1984	236	113	116	7	20097	12187	6473	1437
1985	395	206	182	7	37681	24276	12906	499
1986	109	70	34	5	6456	5355	941	160
1987	215	140	60	15	11753	7771	1950	2032
1988	813	496	188	129	46260	24545	7524	14191
1989	872	436	123	313	90258	27039	5618	57601
1990	1043	432	94	517	116183	28488	7259	80436
1991	1219	575	80	564	144871	36082	23457	85332
1992	3113	1375	191	1547	635101	157962	91108	386031
1993	4714	1775	264	2675	1136617	239879	146164	750574
1994	3026	1017	179	1830	717946	211903	87943	418100
1995	2728	829	119	1780	890647	175384	101147	614116
1996	1987	505	67	1415	653572	97635	32303	523634
1997	2298	408	41	1849	453751	89035	25428	338988
1998	2006	420	45	1541	500150	105163	36999	357988
1999	1439	281	41	1117	489996	103378	37356	349262
2000	1463	281	27	1155	431373	51242	9971	370160

注：1997年起外商直接投资含股份制。(下同)

Note:The data of foreign direct investment from 1997 include share holding enterprises. Same as follows

15-10 续表

Continued

年份 Year	合同数(项) Numbers(unit)	合资企业 Joint Ventures	合作企业 Cooperative Operation	独资企业 Sole-Foreign Enterprises	合同外资金额(万美元) Value (USD 10000)	合资企业 Joint Ventures	合作企业 Cooperative Operation	独资企业 Sole-Foreign Enterprises
2001	1670	260	14	1395	500717	100566	9592	388661
2002	1825	233	66	1526				
报表口径 New Scope					390089	45016	21686	317205
历史可比口径 Old Scope					694419	71616	28398	588223
2003	2274	330	18	1922				
报表口径 New Scope					477321	63373	6168	403697
历史可比口径 Old Scope					725117			
2004	2277	318	16	1942				
验资口径 Fund Examination Scope					537299	48124	3247	477771
历史可比口径 Old Scope					754307			
2005	1988	301	24	1663				
验资口径 Fund Examination Scope					595715	77223	20319	496142
历史可比口径 Old Scope					855655			
2006	2164	385	10	1766				
验资口径 Fund Examination Scope					862069	87666	15165	745280
历史可比口径 Old Scope					1080190			
2007	1722	298	3	1418				
验资口径 Fund Examination Scope					867422	190832	4093	649397
历史可比口径 Old Scope					1233624			
2008	1101	185	9	906				
验资口径 Fund Examination Scope					715201	62787	11403	633626
历史可比口径 Old Scope					1141475			

15–11 外商直接投资按行业分合同数(1979–2008年)

Number of Signed Contracts for Direct Foreign Investment by Sector,1979-2008

单位：个 (unit)

项目 Item	农业 Agriculture	工业 Industry	建筑业 Construction	交通运输仓储及邮电通信业 Transport, Storage, Post and Telecommunications	批发和零售贸易餐饮业 Wholesale & Retail Trade and Catering Services	其他服务业 Other Services
1979	2	1				2
1980	1	5	1	3		5
1981		5	1	4		6
1982		10		1	1	2
1983	1	6		2	1	8
1984	13	113	15	11	22	62
1985	21	266	24	13	63	8
1990	42	930	1	5	10	55
1991	57	1077		6	11	68
1992	134	2520	21	11	22	405
1993	161	3536	67	21	124	805
1994	133	2068	41	22	176	586
1995	166	1973	29	15	130	415
1996	114	1431	14	10	184	234
1997	140	1755	28	6	179	190
1998	168	1482	12	21	98	225
1999	132	1052	11	9	40	195
2000	117	1129	5	4	55	153
2001	102	1304	5	15	34	210
2002	97	1382	14	14	50	268
2003	110	1839	14	25	60	226
2004	93	1837	11	26	100	210
2005	81	1570	4	25	92	216
2006	85	1633	12	34	207	193
2007	69	1204	3	21	234	191
2008	67	627	10	15	229	153

15-12 外商直接投资按行业分合同金额(1979-2008年)

Value of Signed Contracts for Direct Foreign Investment by Sector,1979-2008

单位：万美元 (USD 10000)

项目 Item	农业 Agriculture	工业 Industry	建筑业 Construction	交通运输仓储及邮电通信业 Transport, Storage, Post and Telecommunications	批发和零售贸易餐饮业 Wholesale & Retail Trade and Catering Services	其他服务业 Other Services
1979	78	10				17
1980	33	247	5	12		167
1981		99	72	206		1529
1982		1542		50	13	7
1983	10	900		62	25	1123
1984	245	7080	918	779	1110	9965
1985	1228	15977	1254	586	12085	6551
1990	3462	90126	91	331	488	21685
1991	5256	98215		978	737	39685
1992	8128	338783	1088	2817	27068	257217
1993	17482	574966	6931	2692	23151	511395
1994	11607	394043	4132	7683	11583	288898
1995	20790	660166	3187	17270	27927	161307
1996	12678	469257	15031	8825	21286	126495
1997	15932	323558	21977	17486	28839	45959
1998	31810	336922	21773	8597	7308	93740
1999	28748	359611	4806	2161	8877	85793
2000	18083	318217	1666	2038	7481	83888
2001	17589	371725	1464	7915	2420	99604
报表口径						
2002	12453	310522	6224	7404	3866	49620
2003	14166	398730	7144	7288	4076	45917
历史可比口径						
2002	19599	581954	11153	8799	4812	68102
验资口径						
2004	12674	426684	321	15651	13838	68131
2005	22415	467697	754	21674	15222	67953
2006	17158	659295	6121	26289	38025	115181
2007	16497	648414	-197	12301	36543	153864
2008	27219	444674	3221	36966	56566	146555

15—13 外商直接投资分国别(地区)合同数和合同金额

Number and Value of Signed Direct Foreign Investment by country (Region)

国别(地区)	Country(Region)	2000	2003(报表口径) New Scope	2005(验资口径) (Scope by Fund Examination)	2007(验资口径) (Scope by Fund Examination)	2008(验资口径) (Scope by Fund Examination)
合同数（个）	**Number(unit)**	**1463**	**2274**	**1988**	**1722**	**1101**
#中国香港	Hong Kong China	602	1041	921	749	416
中国澳门	Macao China	28	78	66	55	10
日本	Japan	72	73	64	44	32
菲律宾	Philippines	60	173	96	43	19
泰国	Tailand	5	12	2	3	2
马来西亚	Malaysia	14	19	25	16	10
新加坡	Singapore	58	64	41	49	37
印度尼西亚	Indonesia	9	12	13	4	5
德国	Germany	8	5	8	6	10
法国	France	3	3	7	5	1
英国	United Kingdom	20	5	9	6	5
加拿大	Canada	15	31	31	25	16
美国	United States	79	115	98	86	37
澳大利亚	Australia	18	27	28	31	20
合同金额（万美元）	**Volume(USD 10000)**	**431373**	**477321**	**595715**	**867422**	**715201**
#中国香港	Hong Kong China	212533	233425	286810	391754	521052
中国澳门	Macao China	4958	11595	15623	18738	5755
日本	Japan	16943	6044	10575	7469	3297
菲律宾	Philippines	17611	20436	19213	6721	1850
泰国	Thailand	270	3617	292	3147	508
马来西亚	Malaysia	4643	1353	7559	9143	9963
新加坡	Singapore	10246	6589	12343	20888	21546
印度尼西亚	Indonesia	1026	2749	1892	-797	3996
德国	Germany	3107	571	251	1717	1889
法国	France	102	-598	881	201	179
英国	United Kingdom	15504	1880	-4364	4871	-3575
加拿大	Canada	2495	7015	3510	5056	1181
美国	United States	21012	22978	25534	18834	6607
澳大利亚	Austrialia	985	6805	5138	5431	-686

注：当期外商投资企业减资或外商股权转让金额超过当期新批合同外资或外商投资企业增资金额，差额部分用负数表示。

Note:When the data of reduction of Signed Value or the transfer stock value surpass the data of Signed Value or the supplementary value of direct foreigh investment, the discrepancy is expressed by negative number.

15-14 实际利用外商直接投资金额(1979-2008年)

Foreign Capital Actually Used,1979-2008

单位：万美元 (USD 10000)

年份 Year	合计 Total	合资企业 Joint Ventures	合作企业 Cooperative Operation	独资企业 Sole-Foreign Enterprises
1979	83	15	68	
1980	363	288	75	
1981	150	40	110	
1982	121	5	16	100
1983	1438	1026	158	254
1984	4828	3526	1179	123
1985	11782	8566	2950	266
1986	6149	4121	1913	115
1987	5139	3097	1479	563
1988	13017	9273	2369	1375
1989	32880	13814	6384	12682
1990	29002	12617	2780	13605
1991	64449	22682	14775	26992
1992	141633	48528	26132	66973
1993	286745	98484	33498	154763
1994	371200	145518	34469	191213
1995	403881	124872	54073	224936
1996	407876	129778	50497	227601
1997	419666	112293	60175	247198
1998	421211	90295	50778	280138
1999	402403	99542	42121	260180
2000	380386	74548	13263	291365
2001	391804	74092	7248	309068
历史可比口径				
2002	424995	84669	11587	316240
2003	499329			
2004	531802			
2005	622984			
2006	718489			
2007	813093			
2008	1002556			
验资口径				
2004	222120	41952	4324	163490
2005	260775	31021	670	222422
2006	322047	49684	2327	268789
2007	406058	68686	4670	332015
2008	567171	137758	2284	416441

15–15 实际利用外商直接投资分国别(地区)金额

Direct Foreign Capital Actually Used by Country (Region)

单位：万美元 (USD 10000)

国别(地区) Country (Region)	2000	2003(报表口径) (New Scope)	2005(验资口径) (Scope by Fund Examination)	2007(验资口径) (Scope by Fund Examination)	2008(验资口径) (Scope by Fund Examination)
中国香港 Hong Kong China	151678	193582	121783	170231	236448
中国澳门 Macao China	2689	4897	6162	9271	10184
日本 Japan	7655	17438	7445	7217	5939
菲律宾 Philippines	6734	11928	10071	13632	8044
泰国 Thailand	979	1597	662	789	1374
马来西亚 Malaysia	5201	2703	1368	7225	3635
新加坡 Singapore	12282	15404	7727	8796	14982
印度尼西亚 Indonesia	1760	3401	593	933	672
德国 Germany	4553	4956	48	590	1647
法国 France	74	193	708	62	77
英国 United Kingdom	16179	3509	1352	1298	1649
加拿大 Canada	1851	3742	424	1432	2282
美国 United States	64652	26786	17015	9108	9181
澳大利亚 Australia	2212	2105	988	1762	2488

15-16 外商投资企业工商注册年末企业数

Number of Registered Foreign Funded Enterprises at the Year-end

单位：户 (unit)

项目 Item	2000	2003	2005	2007	2008
合计 Total	**16013**	**16884**	**17854**	**18655**	**18779**
一、按投资方式分 Grouped by Status of Registration					
中外合资 Joint Venture	5004	4368	3844	3921	3899
中外合作 Cooperative Operation	720	494	396	292	275
独资企业 Venture Exclusively with Foreign Investment	10282	12009	13598	14410	14567
二、按行业分 By sector					
农业 Agriculture	676	669	646	592	606
工业 Industry	12094	12974	13992	14432	14457
#食品制造业 Food Manufacturing	435	413	365	345	345
纺织业 Textile Industry	1200	545	676	728	728
缝纫业 Sewing	2236	3260	3632	3565	3478
皮革、毛皮及其制品业 Leather, Furs and Related Products	372	350	431	505	501
木材加工及竹藤棕草制品业 Timber Processing ,Cane ,Palm Fiber and Straw Products	335	361	369	372	375
化学工业 Chemical Industry	440	480	496	496	501
塑料制品业 Plastic Products	833	649	679	655	656
建材及其他非金属矿物制品业 Building Materials and Non-metal Mineral Products	623	858	850	832	831
金属制品业 Metal Products	528	610	483	566	548
机械工业 Machinery Products	246	323	360	1300	1353
电气机械及器材制造业 Electric Equipment and Machinery	314	366	576	625	645
电子及通信设备制造业 Electronic and Telecommunications Equipment	539	587	507	629	649
建筑业 Construction	281	211	152	138	143

15-16 续表

Continued

单位：户　　　　(unit)

项目 Item	2000	2003	2005	2007	2008
交通运输业 Transportation	200	148	265	193	197
商业 Commerce	405	420	541	984	1146
房地产业 Real Estate	1400	1414	1283	1230	1188
其他行业 Others	957	1048	975	1086	1042
三、按国别(地区)分 By Country					
#中国香港 Hong Kong, China	8578	8630	8586	8910	8867
印度尼西亚 Indonesia	102	117	116	117	121
日本 Japan	491	594	610	607	602
约旦 Jordan	1	2	3	2	3
中国澳门 Macao ,China	407	329	400	427	413
马来西亚 Malaysia	113	188	197	188	187
菲律宾 Philippines	416	610	745	732	707
新加坡 Singapore	708	630	612	616	618
泰国 Tailand	71	44	44	45	42
英国 United Kingdom	125	110	90	92	95
德国 Germany	29	35	51	57	66
荷兰 Netherlands	14	13	19	30	30
玻利维亚 Bolivia	12	7	7	7	8
加拿大 Canada	64	114	148	167	170
美国 United States	471	633	706	761	771
澳大利亚 Austrial	110	126	150	191	199

15-17 外商投资企业工商注册资本

Registered Capitals of Foreign Funded Enterprises

单位：万美元 (USD 10000)

项目 Item	2000	2003	2005	2007	2008
合计 Total	**2758492**	**3607903**	**4307474**	**5619403**	**6264456**
一、按投资方式分 By kind of Investment					
中外合资 Joint Venture	911231	1019124	1143952	1533780	1601816
中外合作 Cooperative Operation	226413	173677	158309	123759	117980
独资企业 Venture Exclusively with Foreign Investment	1606181	2365800	2920326	3775499	4256816
二、按行业分 By sector					
农业 Agriculture	65676	67418	103957	101644	110663
工业 Industry	1683115	2552910	3065252	4119318	4541108
#食品制造业 Food Manufacturing	68121	52381	60056	68649	73487
纺织业 Textile Industry	178713	210262	230124	283475	315602
缝纫业 Sewing	158243	436918	552755	633469	684678
皮革、毛皮及其制品业 Leather, Furs and Related Products	53401	53869	61285	87014	89655
木材加工及竹藤棕草制品业 Timber Processing ,Cane ,Palm Fiber and Straw Products	27613	28541	42854	48147	52599
化学工业 Chemical Industry	59923	108410	133535	155566	213884
塑料制品业 Plastic Products	74584	87990	124273	151187	156201
建材及其他非金属矿物制品业 Building Materials and Non-metal Mineral Products	149706	189349	208399	235468	236938
金属制品业 Metal Products	90906	135076	130548	173789	184760
机械工业 Machinery Products	30835	49548	53733	396495	439841
电气机械及器材制造业 Electric Equipment and Machinery	37570	76797	160740	206819	258525
电子及通信设备制造业 Electronic and Telecommunications Equipment	107080	186590	190608	318156	349905
建筑业 Construction	50145	64790	57264	45999	45200

15-17 续表

Continued

单位：万美元 (USD·10000)

项目 Item	2000	2003	2005	2007	2008
交通运输业 Transportation	59777	71017	115210	171932	182681
商业 Commerce	55234	37083	111067	191959	226163
房地产业 Real Estate	609712	590781	662639	683191	738712
其他行业 Others	234833	223904	192085	305360	419929
三、按国别(地区)分 By Country					
#中国香港 Hong Kong, China	1703078	1951474	2185021	2752329	3159936
印度尼西亚 Indonesia	21072	25253	25201	32249	38549
日本 Japan	65606	84742	104534	128487	139202
约旦 Jordan	34	162	172	156	86
中国澳门 Macao ,China	34746	51089	72789	87374	92930
马来西亚 Malaysia	27000	57538	57710	76705	87462
菲律宾 Philippines	67985	118185	155488	164485	157136
新加坡 Singapore	115889	157327	163096	175573	196322
泰国 Tailand	9835	8376	10990	16930	16758
英国 United Kingdom	57957	65286	59149	57497	57547
德国 Germany	16481	22158	24018	25513	28256
荷兰 Netherlands	3862	1434	3169	13021	13095
玻利维亚 Bolivia	1152	472	471	398	503
加拿大 Canada	8908	20584	28771	39345	37589
美国 United States	110645	191200	220843	234253	210244
澳大利亚 Austrial	12703	14458	25066	32477	27689

15-18 外商投资企业工商注册投资总额

Total Registered Investment Value of Foreign-Funded Enterprises

单位：万美元 (USD 10000)

项目 Item	2000	2003	2005	2007	2008
合计 Total	**4708446**	**6611776**	**7533131**	**10270608**	**11212877**
一、按投资方式分 By kind of Investment					
中外合资 Joint Venture	1504763	1739094	1987294	2976476	3096612
中外合作 Cooperative Operation	426423	321249	303047	227821	213983
独资企业 Venture Exclusively with Foreign Investment	2760661	4495657	5151428	6875420	7597147
二、按行业分 By sector					
农业 Agriculture	105649	103881	170682	180222	190455
工业 Industry	2743777	4595643	5182604	7478120	8148585
#食品制造业 Food Manufacturing	132426	86544	100884	121228	126477
纺织业 Textile Industry	269601	332133	343117	444384	474587
缝纫业 Sewing	231636	577876	716180	864204	929352
皮革、毛皮及其制品业 Leather, Furs and Related Products	75419	86167	95291	138956	151320
木材加工及竹藤棕草制品业 Timber Processing ,Cane ,Palm Fiber and Straw Products	41737	42872	65591	81669	93883
化学工业 Chemical Industry	105843	216695	263111	315640	326723
塑料制品业 Plastic Products	111117	276445	201062	261049	273958
建材及其他非金属矿物制品业 Building Materials and Non-metal Mineral Products	241295	316478	356967	406335	404767
金属制品业 Metal Products	154569	256213	239683	316851	348604
机械工业 Machinery Products	62036	76367	83830	739859	810004
电气机械及器材制造业 Electric Equipment and Machinery	60485	128979	300647	369928	469671
电子及通信设备制造业 Electronic and Telecommunications Equipment	164015	322936	349880	579244	651719
建筑业 Construction	84264	106245	89864	83359	94389

15-18 续表

Continued

单位：万美元 (USD 10000)

项目 Item	2000	2003	2005	2007	2008
交通运输业 Transportation	89191	118369	198500	281658	306787
商业 Commerce	77813	56247	193879	361633	404789
房地产业 Real Estate	1233565	1247172	1366522	1381829	1415975
其他行业 Others	374187	384219	331080	503787	651897
三、按国别(地区)分 By Country					
#中国香港 Hong Kong, China	2827617	3247480	3517597	4608166	5439475
印度尼西亚 Indonesia	33958	37786	39345	55720	65459
日本 Japan	115798	149801	184722	216573	241028
约旦 Jordan	34	177	191	166	96
中国澳门 Macao ,China	45947	83455	110177	138856	150746
马来西亚 Malaysia	37630	82080	80817	130334	155043
菲律宾 Philippines	102148	194873	247093	262059	243245
新加坡 Singapore	202520	304076	316601	347656	377179
泰国 Tailand	14721	15075	41697	29792	29551
英国 United Kingdom	101180	142288	131979	118441	117980
德国 Germany	30971	49866	52451	55398	60514
荷兰 Netherlands	8493	2429	6248	26779	26813
玻利维亚 Bolivia	65		636	520	588
加拿大 Canada	15412	36850	47181	68089	65380
美国 United States	260782	493022	547389	568869	342810
澳大利亚 Austrial	22437	22150	40684	53693	50012

15–19 涉外税收主要指标

Basic Statistics of Taxes on Enterprises with Foreign Capital,1980-2008

单位：万元 (10000 yuan)

年份 Year	合计 Total	工商统一税 Industrial and Commercial Tax	外商投资企业和外国企业所得税 Income Tax of Foreign Capital Enterprises	个人所得税 Individual Income Tax	城市房地产税 Tax on Urban Real Estate	车船使用牌照税 Tax on License of Vehicle Use	其他各税 Others
1980	3	2		1			
1981	15	8	2	4	1		
1982	100	71	21	5	2	1	
1983	466	406	51	6	2	1	
1984	1595	1322	256	11	3	3	
1985	3294	2833	388	48	9	16	
1986	5019	3511	1288	119	76	25	
1987	7539	6432	570	305	200	32	
1988	15201	12928	1552	396	290	35	
1989	31979	28087	3557	86	216	33	
1990	64361	43075	4310	403	759	74	15740
1991	69004	57651	6008	686	1296	88	3275
1992	96684	80544	10440	796	1928	108	2868
1993	165151	141073	18734	1171	3142	135	896
1994	241239	196943	33886	2945		195	7270
1995	314491	253985	40346	6433	8221	223	5283
1996	321385	259037	36909	10512	10290	222	4415
1997	399596	270700	49891	16566	10712	143	51584
1998	427978	323294	61466	23612	15188	153	4265
1999	615278	480920	80203	31404	17197	160	5394
2000	805058	606864	128522	41010	20717	137	7808
2001	1185431	943648	149662	58104	24468	324	9225
2002	1752684	1388974	259337	59850	31262	295	12966
2003	2083532	1647965	310246	73144	35981	233	15963
2004	2750440	2205541	396195	93732	37712	129	20131
2005	3297179	2647888	451434	117050	47531	149	33127
2006	3762352	2970472	550005	126135	54669	158	60913
2007	4432889	3431652	662730	164291	63786	146	110284
2008	5583964	4148765	915063	199179	70376	677	249904

注：1.1988年后含海关代征税；2.1994年后工商统一税分解为增值税、营业税、消费税。

Note:a)Tax from 1998 Includes Commissioned Customs Tax .b) Since 1994, the Industrial and Commercial Tax has been divided into Value-added Tax, Operation Tax and Consumption Tax.

15–20 对外承包工程和劳务合作主要指标(1980–2008)

Contracted Projects and Labor Service Cooperation with Foreign Countries, 1980-2008

年份 Year	合同数（项） Number of Contracts (unit)	#承包工程 Contracted Projects	#劳务合作 Labor Services Cooperation	合同金额（万美元） Contracted Value (USD 10000)	#承包工程 Contracted Projects	#劳务合作 Labor Services Cooperation	年末在外人数（人） Number of Persons Abroad at the Year-end (person)	#承包工程 Contracted Projects	#劳务合作 Labor Services Cooperation
1980	4		4	113		113	34		34
1981	13	2	11	97	4	93	213	4	209
1982	15	3	12	152	7	145	341	6	335
1983	33	3	30	771	139	632	447	8	439
1984	112	6	106	3610	716	2894	2157	20	2137
1985	75	22	53	4268	3175	1093	2432	72	2360
1986	88	17	71	10563	8232	2331	4134	85	4049
1987	122	43	79	9018	6620	2398	6206	103	6103
1988	178	36	142	16428	9816	6612	8109	189	7920
1989	338	36	302	18637	12884	5753	9144	143	9001
1990	1167	26	1141	17598	11098	6499	9686	125	9561
1991	1982	24	1958	31654	16378	15281	16262	66	16196
1992	1933	38	1895	49817	33190	16627	21439	93	21346
1993	3172	47	3125	68022	43596	24426	29791	82	29709
1994	2562	28	2534	70925	48461	22464	34289	85	34204
1995	2821	21	2800	63185	35641	27544	43859	148	43711
1996	2490	34	2456	48309	24890	23419	48337	38	48299
1997	2876	24	2852	42748	14068	28680	55358	137	55221
1998	2858	33	2814	43918	19436	24356	54618	119	54497
1999	2249	19	2219	36125	6227	29805	56757	117	56638
2000	2253	27	2219	42093	12486	29562	53847	162	53685
2001	2537	31	2484	57542	16262	36934	59688	126	59561
2002	890	45	845	40906	23765	17141	50513	329	50184
2003	1022	56	966	66071	27047	39024	52586	239	52347
2004	1265	43	1221	56826	25013	31770	50478	216	50262
2005	1220	30	1190	57252	24713	32539	50528	236	50292
2006	679	49	630	57862	26108	31844	50964	335	50629
2007	3889	28	3861	58398	26395	32003	51371	350	51021
2008	4525	80	4445	68210	41862	26348	27842	560	27282

15–21 入境游客人数(1979–2008年)

Foreign Tourists,1979-2008

单位：人次 (person-time)

年份 Year	合计 Total	#外国人 Foreigner	#台湾同胞 Compatriots from Taiwan	#港澳同胞 Compatriots from Hong Kong and Macao	#香港同胞 Compatriots from Hong Kong
1979	115214	21020	59	77633	
1980	135059	25498	119	91216	
1981	173351	27208	874	121979	
1982	177835	27352	1670	124035	
1983	211529	41521	6832	135069	
1984	270443	53831	6654	180793	
1985	355748	76719	8593	244965	
1986	362320	89737	8709	227428	
1987	410821	98541	15693	259640	
1988	522082	93012	145838	265906	
1989	504594	71561	209491	213369	
1990	707903	87751	362815	239714	
1991	686023	122162	282003	262883	
1992	816076	159043	333290	300534	
1993	880344	192997	348037	320388	
1994	844503	199394	272194	343905	
1995	906406	224110	251509	397957	
1996	1045658	275710	271798	461999	
1997	1173932	322693	312767	501074	
1998	1217795	326787	355626	488285	
1999	1356042	353045	414622	532385	
2000	1613349	428946	477894	567989	
2001	1634841	465152	494211	585478	518354
2002	1848214	528015	470368	615931	564242
2003	1497164	459448	354600	498116	457075
2004	1728997	629173	458072	591752	550266
2005	1973894	723621	534206	636067	584778
2006	2296781	791160	600561	742996	683318
2007	2687452	1007969	801586	877897	799571
2008	2931908	986440	984761	960707	894813

注：2000年起合计项含接待海外一日游游客人数。
Note:The data of total from 2000 include the foreign tourists of one day.

15–22 旅游事业发展情况(1979–2008年)

Foreign Tourists,1979-2008

年份 Year	入境旅游人数(人次) Number of International Tourists (person-time)	#外国人 Foreigners	国际旅游外汇收入(万美元) Foreigners Exchange Earnings(10000 USD)	国内旅游人次(万人次) Domestic Tourists (10000 person-time)	国内旅游收入(亿元) Domestic Tourism Earnings (100 million yuan)	国内游客人均花费(元) Domestic Per Capita Expenditure (yuan)
1979	115214	21020				
1980	135059	25498				
1981	173351	27208				
1982	177835	27352				
1983	211529	41521				
1984	270443	53831				
1985	355748	76719				
1986	362320	89737				
1987	410821	98541				
1988	522082	93012				
1989	504594	71561				
1990	707903	87751				
1991	686023	122162				
1992	816076	159043				
1993	880344	192997				
1994	844503	199394				
1995	906406	224110				
1996	1045658	275710	55486			
1997	1173932	322693	61373	1900	110	579
1998	1217795	326787	65109	2100	146	695
1999	1356042	353045	72536	2513	190	756
2000	1613349	428946	89382	2942	231	785
2001	1634841	465152	94202	3322	268	806
2002	1848214	528015	110022	3931	333	848
2003	1497164	459448	91487	3711	311	839
2004	1728997	629173	106507	4643	463	996
2005	1973894	723621	130529	5684	578	1017
2006	2296781	791160	147100	6779	694	1023
2007	2687452	1007969	216918	8041	838	1042
2008	2931908	986440	239353	8562	852	995

注：2000年及以前的星级饭店总数为涉外饭店数。

Note:a) Data in this table are provided by the department of tourism. Prior to 2000, the total number of tourist hotels is the number of hotels concerningforeign affairs.

15-23 入境外国游客人数

Foreign Tourists by Country (Region)

单位：人次 (Person-time)

国别(地区) Country (Region)	2000	2003	2005	2007	2008
合计 Total	**428946**	**459448**	**723621**	**1007969**	**986440**
亚洲小计 Total of Asia	**324260**	**305427**	**478130**	**574289**	**542845**
#日本 Japan	97816	114150	163198	197874	177721
菲律宾 Philippines	31974	18180	30668	32575	36423
新加坡 Singapore	83667	63463	79658	102495	107705
泰国 Thailand	4960	6797	23093	24953	15689
印度尼西亚 Indonesia	15748	9125	16840	22186	24293
马来西亚 Malaysia	69303	47426	78826	87114	87610
美洲小计 Total of Amercia	**66832**	**103579**	**151136**	**300153**	**299379**
#美国 United Kingdom	59256	94995	136804	259249	256119
加拿大 Canada	5727	6501	11275	30006	32526
欧洲小计 Total of Europe	**29824**	**38951**	**75692**	**101928**	**108267**
#英国 United Kingdom	5174	7283	11832	19576	17122
法国 France	3494	4363	9233	12817	12387
德国 German,FR	6887	10235	17644	18209	19718
意大利 Italy	3080	3549	8414	11536	12721
俄罗斯 Russia	1626	1608	3063	4140	4990
大洋洲小计 Total of Oceanic	**5845**	**8174**	**12485**	**20614**	**22482**
#澳大利亚 Australia	4587	6683	10195	16652	16076
新西兰 New Zealand	663	1215	1606	2743	3594
非洲小计 Total of Africa	**2185**	**3317**	**6178**	**10985**	**13467**

15–24 国内旅游人数及旅游收入

Number of Domestic Tourists and Earnings

项目 Item	2000	2003	2005	2007	2008
一、国内旅游者人数（万人次） Total Number of Domestic Tourist (10000 person-time)	**2942.00**	**3711.00**	**5683.92**	**8041.12**	**8562.19**
住宿设施接待人数 In Hotel	2010.00	1700.00	3556.00	4746.83	4678.00
居民家庭接待人数 In Household	262.00	297.00	373.36	430.44	447.57
一日游游客人数 For One Day	670.00	1714.00	1754.56	2863.85	3436.62
二、国内旅游收入（亿元） Domestic Tourism Receipts(100 million yuan)	**230.80**	**311.47**	**578.03**	**838.17**	**851.62**
外省游客消费 Consumption of Tourists from Other Provinces	143.70	151.95	320.91	444.66	415.12
本省多日游游客消费 Consumption of Tourists Inside the Province	77.20	115.98	208.87	311.32	335.12
一日游游客消费 Consumption of Tourists for One Day	9.90	43.54	48.25	82.19	101.38

15–25 国内游客消费构成

Consumption Composition of Domestic Tourists

单位：%　　(%)

项目 Item	2000	2003	2005	2007	2008
交给旅行社 Fees Paid to Tour Agencies	12.3	11.6	14.4	12.7	9.8
长途交通 Long Distance Transportation	13.3	15.3	14.3	17.8	17.6
住宿 Accommodation	19.2	15.3	12.6	12.8	12.3
餐饮 Food	14.1	11.8	11.6	12.3	12.9
购物 Shopping	16.5	13.6	16.6	17.5	18.3
游览 Visiting	5.6	6.5	6.8	6.8	8.1
娱乐 Entertainment	5.5	4.4	5.0	5.3	5.7
市区交通 Transport within the City	3.0	2.8	2.5	2.7	2.9
邮电通讯 Postal and Telecommunications	2.0	1.9	1.8	1.8	2.4
其他 Other	8.5	16.8	14.4	10.3	10.0

15–26 国内游客构成

Composition of Domestic Tourists

单位：% (%)

项目 Item	2000	2003	2005	2007	2008
一、按性别分 **By Sex**					
男 Male	65.1	61.3	59.3	56.0	55.9
女 Female	34.9	38.7	40.7	44.0	44.1
二、按年龄分 **By Age**					
14岁以下 14 and under	1.3	1.4	1.5	2.3	1.3
15–24岁	26.9	23.6	25.6	21.8	22.2
25–44岁	48.8	50.7	50.9	46.7	48.3
45–59岁	18.1	18.4	17.7	22.6	22.0
60岁以上 60 and over	4.9	5.9	4.3	6.6	6.1
三、按旅游目的分 **By Aim of Tourist**					
休闲观光渡假 Sightseeing and Holiday	44.0	36.3	52.0	50.3	52.5
探亲访友 Visiting Relatives and Friends	12.3	11.0	13.1	16.5	15.6
公务 Offical	15.4	13.9	11.8	10.7	11.4
经商 Bussiness	11.1	9.9	8.1	7.1	5.9
会议 Meeting	4.7	3.9	4.4	3.5	3.3
医疗 Medical Care	0.9	1.4	0.9	1.1	0.8
宗教朝拜 Religious Worship	2.8	2.5	1.9	2.3	1.5
文化科技交流 Exchange of Culture, Science and Technology	2.5	2.5	1.6	2.0	1.6
其他 Others	6.3	19.0	6.2	6.6	7.5
四、按出游方式分 **By Mode**					
单位组织 Organized by Unit	20.9	23.5	20.8	19.2	16.6
旅行社 Travel Agency	10.3	9.5	13.2	12.8	9.9
个人亲友结伴 Relatives and Friends as Accompaniers	60.0	58.1	58.6	59.1	66.2
其他 Others	8.8	8.9	7.4	8.9	7.3

15–27 设区市出口商品总额(2000–2008年)

Total Exports by City,2000-2008

单位：万美元 (USD 10000)

地区 Area	2000	2001	2002	2003	2004	2005	2006	2007	2008
福州市 Fuzhou	271664	295034	353357	481722	875230	941996	1091458	1230907	1358662
厦门市 Xiamen	587923	650355	879270	1055105	1394036	1726576	2050723	2555392	2939860
莆田市 Putian	68355	74509	76809	82102	100712	111541	127998	154842	171604
三明市 Sanming	10732	11047	11783	14449	24861	46025	53759	80942	66720
泉州市 Quanzhou	118118	126086	153466	191588	259737	320660	403559	498036	579465
漳州市 Zhangzhou	57527	62263	77823	121759	215546	259766	298106	341715	387622
南平市 Nanping	11340	11597	14320	16780	22444	28654	42889	50266	63386
龙岩市 Longyan	4922	4260	4832	9713	21097	16439	15609	24432	45913
宁德市 Ningde	7402	10496	14732	20543	25814	32538	42073	57508	85952

15–28 设区市进口商品总额(2000–2008年)

Total Imports by City,2000-2008

单位：万美元 (USD 10000)

地区 Area	2000	2001	2002	2003	2004	2005	2006	2007	2008
福州市 Fuzhou	237591	237431	286135	367152	522610	516303	573257	633144	673417
厦门市 Xiamen	416950	457120	639050	815389	1014298	1129958	1228238	1422380	1597889
莆田市 Putian	30479	31535	31519	32335	40696	46274	42936	60049	60491
三明市 Sanming	4098	3806	4929	6670	7248	7649	6729	6180	9314
泉州市 Quanzhou	60778	54234	61748	80880	109002	134125	145397	187018	270826
漳州市 Zhangzhou	41419	38505	44676	85371	108784	110873	128246	123065	144252
南平市 Nanpin	4497	6739	6487	7600	8204	9437	9182	12304	12809
龙岩市 Longyan	419	565	501	647	1371	1257	4076	2678	8028
宁德市 Ningde	570	506	667	588	1015	1059	1685	4224	5883

15–29 设区市外商直接投资合同数(2000–2008年)

Number of Signed Contracts for Direct Foreign Investment by City,2000-2008

单位：项 (Unit)

地区 Area	2000	2001	2002	2003	2004	2005	2006	2007	2008
福州市 Fuzhou	295	319	385	360	414	326	327	234	155
厦门市 Xiamen	259	343	380	374	435	364	569	472	355
莆田市 Putian	56	64	65	52	66	71	81	43	36
三明市 Sanming	36	35	52	66	87	107	83	71	53
泉州市 Quanzhou	416	513	578	904	776	561	524	394	140
漳州市 Zhangzhou	257	261	217	268	269	344	342	346	191
南平市 Nanping	84	81	92	178	134	136	110	80	68
龙岩市 Longyan	29	30	24	40	58	47	88	64	84
宁德市 Ningde	31	24	32	32	38	32	40	18	19

15–30 设区市外商直接投资合同金额(2000–2008年)

Value of Signed Contracts Direct Foreign Investment by City,2000-2008

单位：万美元 (USD 10000)

地区 Area	2000	2003 (报表口径) New Scope	2003(历史可比口径) Old Scope	2005 (验资口径) (Scope by Fund Examination)	2005(历史可比口径) (Old Scope)	2007 (验资口径) (Scope by Fund Examination)	2007(历史可比口径) (Old Scope)	2008 (验资口径) (Scope by Fund Examination)	2008(历史可比口径) (Old Scope)
福州市 Fuzhou	95479	120722	161613	116672	167709	132368	189009	148883	227163
厦门市 Xiamen	100400	66912	166949	129492	216144	248018	386296	190847	282435
莆田市 Putian	20744	11722	20972	22852	37491	13975	25499	14216	33928
三明市 Sanming	6596	10292	10292	14594	18912	18944	25641	21470	28216
泉州市 Quanzhou	87014	160809	209100	170025	212002	292384	362600	186888	311087
漳州市 Zhangzhou	94420	50758	101049	69657	119972	94041	129575	77214	129756
南平市 Nanping	18586	40269	39302	44437	52954	38719	68137	39325	75714
龙岩市 Longyan	2601	6460	6460	15978	17923	26125	43917	22556	38971
宁德市 Ningde	5533	9377	9380	12008	12548	2848	2950	13802	14205

15–31 设区市实际利用外商直接投资金额

Direct Foreign Capital Actually Used by City

单位：万美元　　　　(USD 10000)

地区	Area	2003（报表口径） New Scope	2003（验资口径） Scope by Fund Examination	2005（验资口径） (Scope by Fund Examination)	2005(历史可比口径) (Old Scope)	2007（验资口径） (Scope by Fund Examination)	2007(历史可比口径) (Old Scope)	2008（验资口径） (Scope by Fund Examination)	2008(历史可比口径) (Old Scope)
福州市	Fuzhou	117495	68751	64017	160022	70015	170225	100150	213034
厦门市	Xiamen	83178	42200	70740	146568	127153	224981	204244	298245
莆田市	Putian	25069	13235	7152	26099	12036	51417	13038	56258
三明市	Sanming	7286	4855	4632	14233	5350	19000	6600	23700
泉州市	Quanzhou	90359	74406	70974	145332	127509	177572	169991	235007
漳州市	Zhangzhou	46031	40585	31017	70054	45032	83011	50051	83175
南平市	Nanping	27659	12948	5356	33732	4780	41860	5857	46200
龙岩市	Longyan	2841	2841	5161	15564	12017	26170	13426	31562
宁德市	Ningde	7588	1497	1726	11380	2166	13857	3814	15375

15–32 设区市国际旅游外汇收入

Foreign Exchange Income from International Tourism by City,2000-2007

单位：万美元　　　　(USD 10000)

地区	Area	2000	2003	2005	2007	2008
福州市	Fuzhou	22173	23890	27266	59868	65750
厦门市	Xiamen	29920	30153	55233	71880	81865
莆田市	Putian	3476	1547	2585	4138	5153
三明市	Sanming	79	31	541	691	2267
泉州市	Quanzhou	25428	30116	37728	49398	65980
漳州市	Zhangzhou	2902	1033	1400	22469	11653
南平市	Nanping	4792	4626	5434	8129	6268
龙岩市	Longyan	427	52	277	253	289
宁德市	Ningde	186	39	65	110	128

15–33 设区市入境游客人数

Foreign Tourists by City

单位：人次　　　　(Person-time)

地区	Area	2000	2003	2005	2007	2008
福州市	Fuzhou	300269	281762	308883	572273	630457
厦门市	Xiamen	424920	399895	723144	835531	868109
莆田市	Putian	103103	70159	110665	127449	142555
三明市	Sanming	3037	1031	9776	15201	26566
泉州市	Quanzhou	485788	395018	535381	601586	630776
漳州市	Zhangzhou	49886	24789	42089	186738	192709
南平市	Nanping	162104	134909	153595	220957	237520
龙岩市	Longyan	8961	2553	7969	10264	12845
宁德市	Ningde	5281	2058	2392	3727	4253

注：设区市接待海外旅游人数不含一日游人数。2005年三明市接待入境游客人数根据抽样调查推算。

Note: Foreign Tounists by City exclude the foreign tourists of one day .The data of sanming in 2005 is caculated according to sample surrey .

主要统计指标解释

进出口总额 指实际进出我国国境的货物总金额。包括对外贸易实际进出口货物，来料加工装配进出口货物，国家间、联合国及国际组织无偿援助物资和赠送品，华侨、港澳台同胞和外籍华人捐赠品，租赁期满归承租人所有的租赁货物，进料加工进出口货物，边境地方贸易及边境地区小额贸易进出口货物(边民互市贸易除外)，中外合资企业、中外合作经营企业、外商独资经营企业进出口货物和公用物品，到、离岸价格在规定限额以上的进出口货样和广告品(无商业价值、无使用价值和免费提供出口的除外)，从保税仓库提取在中国境内销售的进口货物，以及其他进出口货物。进出口总额用以观察一个国家在对外贸易方面的总规模。我国规定出口货物按离岸价格统计，进口货物按到岸价格统计。

外商直接投资 指外国企业和经济组织或个人(包括华侨、港澳台胞以及我国在境外注册的企业)按我国有关政策、法规，用现汇、实物、技术等在我国境内开办外商独资企业、与我国境内的企业或经济组织共同举办中外合资经营企业、合作经营企业或合作开发资源的投资(包括外商投资收益的再投资)，以及经政府有关部门批准的项目投资总额内企业从境外借入的资金。

对外承包工程 指各对外承包公司以招标议标承包方式承揽的下列业务：(1)承包国外工程建设项目，(2)承包我国对外经援项目，(3)承包我国驻外机构的工程建设项目，(4)承包我国境内利用外资进行建设的工程项目，(5)与外国承包公司合营或联合承包工程项目时我国公司分包部分，(6)对外承包兼营的房屋开发业务。对外承包工程的营业额是以货币表现的本期内完成的对外承包工程的工作量，包括以前年度签订的合同和本年度新签订的合同在报告期内完成的工作量。

对外劳务合作 指以收取工资的形式向业主或承包商提供技术和劳动服务的活动。我国对外承包公司在境外开办的合营企业，中国公司同时又提供劳务的，其劳务部分也纳入劳务合作统计。劳务合作营业额按报告期内向雇主提交的结算数(包括工资、加班费和奖金等)统计。

入境国际旅游者人数 指来中国参观、访问、旅行、探亲、访友、休养、考察、参加会议和从事经济、科技、文化、教育、宗教等活动的外国人、华侨、港澳同胞和台湾同胞的人数。不包括外国在我国的常驻机构，如使领馆、通讯社、企业办事处的工作人员；来我国常住的外国专家、留学生以及在岸逗留不过夜人员。

国际旅游(外汇)收入 指入境旅游的外国人、华侨、港澳同胞和台湾同胞在中国大陆旅游过程中发生的一切旅游支出，对于国家来说就是国际旅游(外汇)收入。

Explanatory Notes on Main Statistical Indicators

Total Imports and Exports at Customs refer to the value of commodities imported into and exported from the boundary of China. They include the actual imports and exports through foreign Trades, imported and exported goods under the processing and assembling Trades and materials, supplies and gifts as aid given gratis between governments and by the United Nations and other international organizations, and contributions donated by overseas Chinese, compatriots in Hong Kong and Macao and Chinese with foreign citizenship, leasing commodities owned by tenant at the expiration of leasing period, the imported and exported commodities processed with imported materials, commodities trading in border areas(excluding mutual exchange goods), the imported and exported commodities and articles for public use of the Sino-foreign joint ventures, cooperative enterprises and ventures exclusively with foreign own investment .Also included are import or export of samples and advertising goods for whose CIF or FOB value are beyond the permitted ceiling (excluding goods of no trading or use value and free commodities for export),imported goods sold in China from bonded warehouses and other imported or exported goods.The indicator of the total imports and exports at customs can be used to observe the total size of external Trades in a country.In accordance with the stipulation of the Chinese government,imports are calculated at CIF, while exports are calculated at FOB

Foreign Direct Investment refers to the investments inside China by foreign enterprises and economic organizations or individuals(including overseas Chinese,compatriots from Hong Kong and Macao,and Chinese enterprises registered abroad), following the relevant policies and laws of China, for the establishment of ventures exclusively with foreign own investment, Sino-foreign joint ventures and cooperative enterprises or for co-operative exploration of resources with enterprises or economic organizations in China. It includes the re investment of the foreign entrepreneurs with the profits gained from the investment and the funds that enterprises borrow from abroad in the total investment of projects which are approved by the relevant department of the government.

Contracted Projects with Foreign Countries refer to projects undertaken by Chinese contractors (project contracting companies)through bidding process.They include: (1)overseas civil engineering construction projects financed by foreign investors; (2)overseas projects financed by the Chinese government through its foreign aid programs; (3)construction projects of Chinese diplomatic missions,Trades offices and other institutions stationed abroad; (4)construction projects in China financed by foreign investment; (5)sub-contracted projects to be taken by Chinese contractors through a joint umbrella project with foreign contractor(s); (6)housing development projects.The business income from international contracted projects is the work volume of contracted projects completed during the reference period, expressed in monetary terms, including completed work on projects signed in previous years.

Foreign Exchange Earnings from International Tourism refer to the total expenditures of foreigners, overseas Chinese, Chinese compatriots from Hong Kong, Macao and Taiwan during their stay in the mainland of China, which are earnings of foreign exchange from international tourism from the point of view from China.

科学与教育

16

Science and Education

简要说明

本篇资料的主要内容及来源

本篇反映我省科学技术活动和教育事业的发展情况。教育部分包括高等教育、中等教育、初等教育、幼儿教育、特殊教育和各种类型的各级成人教育等，主要指标有各级各类学校的校数、在校学生数、招生数、毕业生数、教职工数、教师数等。

教育统计资料主要由省教委提供，技工学校的资料来源于劳动厅。科学技术部分主要包括了我省科技活动的规模、构成、布局和发展状况的资料，收录了全省有关部门年度的科技统计数据。反映科研机构、大中型工业企业和高等院校三大科技活动主体单位的机构数、人员数和经费收支等情况，根据省科技厅、省教育厅、省统计局科技统计综合年报汇总。专利申请受理量和批准量由省知识产权局提供。

本篇资料由省统计局社会和科技统计处整理提供 。

Brief Introduction

Main Content and Source of Data

Data in this chapter show the basic conditions of the activities of science and technology and development of Fujian's education.Data on education cover the situations on higher education, secondary education, primary education, kindergartens and special education and all kinds of adult education etc. The main indicators cover the number of schools of various levels and categories, students enrolled, new students enrolled, graduates, staff and workers and number of teachers etc.

Data on education are mainly provided by the Provincial Commission of Education. In addition, data on the technical training schools are provided by the Department of Labor and Social Security.Data on science and technology cover mainly the scale, composition, distribution and development of the scientific and technological activities, including the statistical data of the departments concerned under the provincial government on science and technology in the table on the basic conditions of the scientific and technological activities show in a summary way the number of institutions and personnel in scientific and technological institutions, large and medium-sized industrial enterprises and universities and colleges, the three main bodies engaged in the scientific and technological activities as well as their income and expenditure. Data are collected and tabulated in accordance with the annual reporting scheme on science and technology statistics of the Provincial Commission of Science, Provincial Commission of Education, Provincial Office of Science, Technology and Industry for National Defence and the provincial Statistical Bureau.Data on the number of patent applications examined and certified are provided by Fujian Patent Office.

Data in this chapter are provided and compiled by the Division of Social, Science and Technology Statistics of Fujian Provincial Bureau of Statistics.

16–1 科技活动基本情况

Basic Statistics on Scientific and Technological Activities

项目 Item	2000	2003	2005	2007	2008
科技活动人员（人） **Personnel Engaged in S&T Activities(person)**	**68188**	**71504**	**86184**	**112758**	**131454**
#科学家和工程师 Scientists and Engineers	42975	49246	57033	75782	92978
研究与试验发展折合全时人员（人年） **Full-time Equivalent of R&D Personnel(person/year)**	**22420**	**26614**	**35815**	**47642**	**59557**
#科学家和工程师 Scientists and Engineers	16495	20311	28182	37503	48671
科技经费筹集额（万元） **Funding for S&T Activities(10000 yuan)**	**515281**	**838093**	**1200576**	**1974419**	**2310117**
#政府资金 Government Funds	64818	90214	125408	225962	232356
企业资金 Self-raised Funds by Enterprises	366758	605697	937476	1474549	1805906
金融机构贷款 Loans from Finance Institutions	42822	103654	104054	204129	187705
科技经费内部支出（万元） **Internal Expenditures on S&T Activities(10000 yuan)**	**438750**	**692274**	**1083779**	**1727615**	**2103123**
#劳务费 Service Fees	113623	178738	240306	408704	470854
固定资产购建费 Purchases or Coustruction of Fixed Assets	171732	226183	389318	531038	669940
研究与试验发展经费内部支出(万元) **Intramural Expenditureon R&D(10000 yuan)**	**211900**	**375000**	**537300**	**821719**	**1021294**
#基础研究 Basic Research	6600	6900	11700	17382	22241
应用研究 Applied Research	14100	35900	51300	71129	70623
试验发展 Experimental Development	183000	322300	468200	722238	918793
#政府资金 Government Funds	30900	37300	53200	76144	104500
企业资金 Self-raised Funds by Enterprises	157900	275100	471400	723007	893887
研究与试验发展经费支出相当于国内生产总值比例（%） **Proportion of Expenditure on R&D to GDP Achievements in S&T and National Prizes Won(%)**	**0.56**	**0.75**	**0.82**	**0.90**	**0.94**
技术市场成交额（万元） **Transaction Value in Technical Market(10000 yuan)**	**172601**	**166778**	**171959**	**168662**	**191223**
专利申请受理数（项） **Number of Patents Application Acceptance(unit)**	**4211**	**7236**	**9460**	**11341**	**13181**
#发明专利 Inventions	377	797	1202	2170	2701
专利申请授权数（项） **Number of Patents Application Granted(unit)**	**3003**	**5377**	**5147**	**7761**	**7937**
#发明专利 Inventions	93	137	242	336	530

16−2 科学研究与开发机构基本情况

Basic Statistics on Scientific and Technological Activities

项目　Item	2000	2003	2005	2007	2008
科技活动人员（人） Personnel Engaged in S&T Activities(person)	**5754**	**4495**	**4852**	**5406**	**5654**
#科学家和工程师 Scientists and Engineers		3212	3569	4143	4448
研究与试验发展折合全时人员（人年） Full-time Equivalent of R&D Personnel(person/year)	**2200**	**1739**	**1726**	**2183**	**2194**
#科学家和工程师 Scientists and Engineers	1872	1454	1450	1806	1865
#基础研究 Basic Research	316	303	345	479	583
应用研究 Applied Research	496	642	561	753	779
试验发展 Experimental Development	1388	794	820	951	832
科技经费筹集额（万元） Funding for S&T Activities(10000 yuan)	**49383**	**57133**	**63030**	**100696**	**119378**
#政府资金 Government Appropriation Funds	28920	39560	50948	80452	96858
企业资金 Self-raised Funds by Enterprises	9199	7525	6583	10958	3281
金融机构贷款 Loans From Finance Institutions	171	260			
科技经费内部支出（万元） Intramural Expenditures on S&T Activities(10000 yuan)	**42859**	**53373**	**57727**	**80351**	**102552**
#劳务费 Service Fees	17197	21068	18030	26420	27545
固定资产购建费 Purchases or Construction of Fixed Assets	9284	8537	10526	12611	19422
研究与试验发展经费内部支出（万元） Intramural Expenditure on R&D(10000 yuan)					
#基础研究 Basic Research		3984	5597	7268	10399
应用研究 Applied Research		6022	8042	10780	21009
试验发展 Experimental Development		5449	7842	11884	9289
发表科技论文（篇） Scientific Papers Issued(pieces)			**2651**	**1885**	**2561**

16–3 高等学校科技活动基本情况

Basic Statistics on Scientific and Technological Activities

项目 Item	2000	2003	2005	2007	2008
科技活动人员（人） **Personnel Engaged in S&T Activities(person)**	**6350**	**8280**	**8563**	**10479**	**11475**
#科学家和工程师 Scientists and Engineers		8213	7208	9013	9801
研究和实试验发展机构（个） **Number of Enterprises Having R&D Activities(unit)**	**16**	**44**	**44**	**45**	**45**
研究与试验发展折合全时人员（人年） **Full-time Equivalent of R&D Personnel(person/year)**	**3208**	**4043**	**3938**	**4818**	**5476**
#科学家和工程师 Scientists and Engineers	2897	3927	3809	4699	5336
#基础研究 Basic Research	1530	1207	995	1313	1644
应用研究 Applied Research	1314	2198	2379	2845	3309
试验发展 Experimental Development	364	638	565	660	523
科技经费筹集额（万元） **Funding for S&T Activities(10000 yuan)**	**16496**	**28993**	**53233**	**80298**	**105547**
#政府资金 Government Funds	10326	18583	40028	57943	78814
企业资金 Self-raised Funds by Enterprises	4574	8306	7817	14070	21457
金融机构贷款 Loans from Finance Institutions					
科技经费内部支出（万元） **Internal Expenditures on S&T Activities(10000 yuan)**	**18572**	**25758**	**37098**	**60571**	**78619**
#劳务费 Service Fees	3360	6035	7353	10845	11470
固定资产购建费 Purchases or Coustruction of Fixed Assets	6277	5374	10864	19006	29022
研究与试验发展经费内部支出（万元） **Intramural Expenditure on R&D(10000 yuan)**					
#基础研究 Basic Research		2674	5898	9852	11593
应用研究 Applied Research		9589	11087	17422	29346
试验发展 Experimental Development		3976	5732	9116	8827
发表科技论文（篇） **Scientific Papers Issued(pieces)**			**13346**	**16398**	**18734**

16-4 大中型工业企业科技活动基本情况(2004-2008年)

Basic Statistics on Scientific and Technological Activities,2004-2008

项目 Item	2004	2005	2006	2007	2008
有研究与试验发展活动的企业（个） **Number of Enterprises Having R&D Activities(unit)**	**229**	**249**	**286**	**478**	**408**
科技机构数（个） **Number of Scientific and Technological Institutions(unit)**	**243**	**286**	**349**	**372**	**432**
科技活动人员（人） **Personnel Engaged in S&T Activities(person)**	**30943**	**37174**	**46745**	**18516**	**65481**
#科学家和工程师 Scientists and Engineers	17982	22834	27605	11521	43455
研究与试验发展折合全时人员（人年） **Full-time Equivalent of R&D Personnel(person/year)**	**12343**	**16661**	**19925**	**8165**	**32199**
#科学家和工程师 Scientists and Engineers	8356	12386	13562	6412	25183
科技活动机构从事科技活动人员（人） **Personnel Engaged in S&T Activities in S&T Institutions (person)**	**12853**	**16220**	**22876**	**6679**	**34992**
#科学家和工程师 Scientists and Engineers					
科技经费筹集额（万元） **Funding for S&T Activities(10000 yuan)**	**530268**	**748971**	**1029631**	**299378**	**1454078**
#政府资金 Government Funds	10694	12118	14509	11246	22892
企业资金 Self-raised Funds by Enterprises	461679	670445	876117	248219	1291052
金融机构贷款 Loans from Finance Institutions	57332	64509	135249	34158	124781
科技经费内部支出（万元） **Internal Expenditures on S&T Activities(10000 yuan)**	**491935**	**700433**	**890599**	**288508**	**1319686**
#劳务费 Service Fees	103288	140463	184034	50639	275400
固定资产购建费 Purchases or Coustruction of Fixed Assets	200148	261687	315487	97703	423944
研究与试验发展经费内部支出（万元） **Intramural Expenditure on R&D(10000 yuan)**	**291900**	**348913**	**433633**	**157730**	**647190**
#基础研究 Basic Research					
应用研究 Applied Research	33245	13411	12649	9250	2343
试验发展 Experimental Development	256375	333582	418727	147034	641392

16-5 地方国有企事业单位专业技术人员数(1978-2008年)

Number of Professional and Technical Personnel in local State-owned Enterprises and Institutions,1978-2008

单位：人 (person)

年份 Year	合计 Total	#工程技术人员 Engineering	#农业技术人员 Agriculture	#卫生技术人员 Health Care	#科学研究人员 Scientific Research	#教学人员 Teaching
1978	84117	30363	9290	24326	2789	17349
1979	89501	33507	10019	23181	3281	19513
1980	154241	39546	8292	25713	3186	49666
1981	168096	43823	9501	27664	3000	55607
1982	185383	51431	10602	30376	3232	59759
1983	291400	57852	13158	32492	2553	153274
1984	291913	52345	13670	32085	3663	158318
1985	308855	57986	15642	32697	3719	159859
1986	326646	65826	15351	35670	2711	169990
1987	363237	76424	15746	37189	2969	185971
1988	429162	78854	15800	40134	3005	201603
1989	470772	82248	16316	41377	3369	225623
1990	500783	88457	16211	44560	3571	240899
1991	478923	81500	13244	46346	2737	247627
1992	487634	83165	13290	45895	2695	255783
1993	484192	82631	12852	44972	2733	262393
1994	499806	84673	12854	46851	2519	269232
1995	509638	86132	12868	46421	3073	282294
1996	534016	87619	13500	50092	3179	300406
1997	555600	88338	14425	52211	3397	315846
1998	577184	88184	14517	54153	3652	337086
1999	590289	89012	14462	55498	3758	349978
2000	592765	86683	14495	56703	3798	354760
2001	587761	81635	14498	57343	4218	357930
2002	582288	74776	13844	58521	4128	361832
2003	574834	68822	13859	60623	4132	363626
2004	575058	65732	14218	61973	4232	363405
2005	581281	66294	14212	62967	4165	368136
2006	579696	65723	15425	64213	4411	363814
2007	586516	67607	13540	65439	4568	368380
2008	610062	67969	13023	85944	5836	370156

16–6 地方国有企事业单位各行业技术人员数(2004–2008年)

Specialized Technical Personnel in local state-owned Enterprises and Institutions by Sector,2004-2008

单位：人 (person)

行业 Sector	2004	2005	2006	2007	2008
合　计 Total	**575058**	**581281**	**579696**	**586516**	**610062**
按行业分 By Sectors					
农、林、牧、渔业 Farming, Forestry, Animal Husbandy and Fishery	26007	25496	27187	25699	23509
采矿业 Mining and Quarrying	3241	3233	4106	4295	3589
制造业 Manufacturing	16983	16425	14086	12969	13082
电力、燃气及水的生产和供应业 Production and Supply of Electricity Gas and Water	4439	4987	3617	3793	4054
建筑业 Construction	11092	10719	10550	9380	8069
交通运输、仓储和邮政业 Transport, Storage and Post Services	12547	12918	13783	13648	14832
信息传输、计算机服务和软件业 Information Transmission, Computer Software and Services	2059	1772	1238	1307	4360
批发和零售业 Wholesale and Retail Trade	6940	6301	5381	5098	4983
住宿和餐饮业 Lodgings and Catering Services	804	829	812	679	610
金融业 Finance	3345	3690	5202	5823	6096
房地产业 Real Estate	3648	4100	4370	4419	4364
租赁和商务服务业 Rent and Business Services	1997	1936	1690	1979	2019
科学研究、技术服务和地质勘查业 Scientific Reseach, Ploytechnic Services and Geological Prospecting	12203	11919	12351	14222	13229
水利、环境和公共设施管理业 Water Conservancy, Environment and Public Facilities Management	7664	8304	8274	8559	8984
居民服务和其他服务业 Resident Services and Others	3163	3220	3560	4986	3565
教育 Education	370788	374351	372279	375080	379778
卫生、社会保障和社会福利业 Health Care, Social Ensure and Walfare	61728	63307	66040	68892	88840
文化、体育和娱乐业 Culture, Sports and Entertainment	16492	17116	16174	16135	16379
公共管理和社会组织 Public Management and Social Organizations	9918	10658	8996	9553	9720
按三次产业分 By Three Strata of Industry					
第一产业 Primary Industry	26007	25496	27187	25699	23509
第二产业 Secondary Industry	35755	35364	32359	30437	28794
第三产业 Tertiary Industry	513296	520421	520150	530380	557759

16-7 从事科技活动人员情况(1987-2008年)

Number of Personnel Engaged in Scientific and Technological Activities,1987-2008

单位：人 (person)

年份 Year	合计 Total	科研机构 Science Research & Technical Development Institutions	高等院校 Higher Education Institutions	大中型工业企业 Large-scale and Medium-scale Industrial Enterprises	其他 Others
1987	17893	9052	3557	5284	
1988	17778	8875	3565	5338	
1989	20010	9270	3985	6755	
1990	20428	8796	5392	6240	
1991	21012	9054	4452	7506	
1992	22263	7678	5291	9294	
1993	22305	7399	5516	9390	
1994	22990	6995	5423	10572	
1995	24085	6911	5883	11291	
1996	27621	6656	6051	14914	
1997	30988	6539	6618	17831	
1998	29316	6426	6626	16264	
1999	33621	6127	6563	20931	
2000	68188	5754	6350	17343	38741
2001	70860	4844	7149	26351	32516
2002	67508	4497	7764	25623	29624
2003	71504	4495	8280	28772	29957
2004	79953	4379	9018	30943	35613
2005	86184	4852	8563	37174	35595
2006	101099	5066	9296	46745	39992
2007	112758	5406	10479	53610	43263
2008	131454	5654	11475	65481	48844

注：1.高等院校科技活动人员不包括教学人员；2.2000年起统计范围扩大；3.其他包括小型工业企业、软件开发单位、农业企事业单位和卫生单位等；4.2004年数据为第一次全国经济普查数。

Note:a)Persons engaged in science and technology activities in higher education institutions exclude persons engaged in teaching. b)Statistic coverage has been enlarged since 2000. c)Others include small-scale industrial enterprises,software development units,agriculture enterprises and institutions, health care units,etc. d)The data of 2004 is from the first national ecomonic census.

16–8 科技活动经费内部支出情况(1987–2008年)

Intramural Expenditures for Science Research & Technical Development,1987-2008

单位：万元　　(10000 yuan)

年份 Year	合计 Total	科研机构 Science Research & Technical Development Institutions	高等院校 Higher Education Institutions	大中型工业企业 Large-scale and Medium-scale Industrial Enterprises	其他 Others
1987	12964	7797	872	4295	
1988	19193	8648	991	9554	
1989	24519	10353	1243	12923	
1990	25916	11730	1142	13044	
1991	41210	14232	1176	25802	
1992	50030	17926	1591	30513	
1993	53346	18675	3636	31035	
1994	71414	22493	3342	45579	
1995	79194	24836	3883	50475	
1996	103624	27063	7108	69453	
1997	124174	30406	8005	85763	
1998	145095	33641	12046	99408	
1999	175982	40469	11902	123611	
2000	438750	42859	18572	133163	244156
2001	485484	47367	15242	237390	185485
2002	479636	47225	19077	233133	180201
2003	692274	53373	25758	401505	211638
2004	885908	55048	35767	491935	303158
2005	1083779	57727	37098	700433	288521
2006	1413178	69399	51553	890599	401627
2007	1727615	80351	60571	1040456	546237
2008	2103123	102552	78619	1319686	602266

注：1.2000年起统计范围扩大;2.其他包括小型工业企业、软件开发单位、农业企事业单位和卫生单位等;3.2004年数据为第一次全国经济普查数。

Note:a)Statistic coverage has been enlarged since 2000. b)Others include small-scale industrial enterprises,software developmentunits, agriculture enterprises and institutions,health care units,etc.c)The data of 2004 is from the first national ecomonic censas.

16–9 研究发展（R&D）活动主要指标
Major Indicators of Research and Development Activities

项目 Item	2000	2003	2005	2007	2008
R&D人员（人） **R&D Personnel(person)**	**22420**	**26614**	**35815**	**47642**	**59557**
#科学家和工程师 Scientists and Engineers	16495	20311	28182	37503	48671
#全时人员 Full-time Personnel	15233	18656	28390	38811	49503
#基础研究 Fundamental Research	2033	1629	1452	1910	2393
应用研究 Applied Research	3635	5284	7005	6424	6087
试验发展 Experimental Development	16752	19700	27358	39308	51077
R&D经费内部支出(亿元) **Intramural Expenditure for R&D(100 million yuan)**	**21.19**	**37.50**	**53.73**	**82.17**	**102.13**
R&D经常费内部支出 Intramural Regular R&D Expenditure	20.37	36.52	53.12	81.07	101.17
#基础研究 Fundamental Research	0.66	0.69	1.17	1.74	2.22
应用研究 Applied Research	1.41	3.59	5.13	7.11	7.06
试验发展 Experimental Development	18.30	32.23	46.82	72.22	91.88
科研基建费 Capital Construction Expenditure for Scientific Research	0.82	0.98	0.61	1.10	0.96
R&D经费内部支出按支出来源分 **Intramural Expenditure for R&D by Expenditure Source**					
政府资金 Government Funds	3.09	3.73	5.32	7.61	10.45
企业资金 Enterprises Funds	15.79	27.51	47.14	72.30	89.39
国外资金 Abroad Funds	0.37	0.25	0.13	0.74	0.60
其他 Others	1.94	6.00	1.14	1.51	1.69
R&D经费内部支出占GDP比重（%） **Proportion of Intramural R&D Expenditure to GDP(%)**	**0.56**	**0.75**	**0.82**	**0.90**	**0.94**

注：1.2004数据为第一次全国经济普查数。2.2000年以来，GDP数据采用经济普查数据调整后的GDP。

Note:a)The data of 2004 is from the first national ecomonic census.b)The data of GDP from 2000 are adjusted according to the first national ecomonic census.

16-10 县级以上政府部门科学研究与开发机构情况

Govemment Institutions Engaged in Science Research and Development Activities above county Level

项目 Item	2000	2003	2005	2007	2008
机构数（个） Number of Institutions(unit)	**125**	**109**	**99**	**103**	**102**
职工人数（人） Number of Staff(person)	**6796**	**5594**	**5246**	**5778**	**5908**
自然科学 Natural Sciences and Technology					
机构数（个） Number of Institutions(unit)	107	93	83	87	86
职工人数（人） Number of Staff(person)	6215	5063	4718	5247	5383
#从事科技活动人员（人） Persons Engaged in Scientific and Technological Activities (person)	4723	4026	3890	4429	4569
#科学家、工程师 Scientists and Engineers	3358	2843	2711	3238	3442
经费收入总额（万元） Total Funds(10000 yuan)	42187	60149	62057	93403	122980
#政府拨款 Government Appropriations	22566	34516	44249	73885	88431
经费支出总额（万元） Total Expenditures(10000 yuan)	36449	55295	57784	74201	107886
社会、人文科学 Social Sciences and Humanities					
机构数（个） Number of Institutions(unit)	4	3	3	3	3
职工人数（人） Number of Staff(person)	236	210	207	216	214
#从事科技活动人员 Persons Engaged in Scientific and Technological Activities	207	186	183	183	181
#科学家、工程师 Scientists and Engineers	174	159	161	167	169
经费收入总额(万元) Total Funds(10000 yuan)	1543	2745	2540	3206	4364
#政府拨款 Government Appropriations	1489	2515	2433	3148	3581
经费支出总额（万元） Total Expenditures(10000 yuan)	1443	2179	2801	2729	3666
科学情报和文献 Scientific-Technical Information and Literature					
机构数（个） Number of Institutions(unit)	14	13	13	13	13
职工人数（人） Number of Staff(person)	345	321	321	315	311
#从事科技活动人员（人） Persons Engaged in Scientific and Technological Activities (person)	305	283	288	276	275
#科学家、工程师 Scientists and Engineers	219	210	206	220	208
经费收入总额(万元) Total Funds(10000 yuan)	2748	2986	4808	4086	5553
#政府拨款 Government Appropriations	2297	2529	4266	3418	4846
经费支出总额（万元） Total Expenditures(10000 yuan)	2680	2540	4763	3422	4334

16–11 规模以上工业企业科技活动状况(2008年)

Basic Statistics on Scientific and Technological Development of Large-scale and Medium Industrial, 2008

项目 Item	合计 Total	采掘业 Mining and Quarrying	制造业 Manufa- cturing	电力、燃气及水的生产和供应业 Electric Power Gas and Water Production and Supply
单位数（个） **Number of Units(unit)**	**17219**	**585**	**16171**	**463**
从事科技活动人员（人） **Number of Persons Engaged in scientific and Technological Activities(person)**	**84965**	**1261**	**81852**	**1852**
#高中级职称人员 Personnel with Senior Middle Title	24423	503	22481	1439
无高中级职称的大学本科及以上人员 Person Graduating from Regular College or above Without Senior or Middle Title	32811	198	32291	322
经费筹集总额（万元） **Total Sources of Funds in Current Year(10000 yuan)**	**1810993**	**17155**	**1730649**	**63189**
#政府财政拨款 Government Funds	39851	35	39702	114
企业自筹资金 Self-raised	1558062	16663	1478323	63075
银行货款 Bank loans	172393	450	171943	
经费内部支出（万元） **Intramural Expenditure of Current year(10000 yuan)**	**1669937**	**14212**	**1590712**	**65013**
#R&D经费（万元） R&D Expenditure(10000 yuan)	838320	4991	819724	13606
专利申请（项） **Patent Applications(unit)**	**3249**		**3188**	**61**
新产品实现销售收入（万元） **Sales Revenue of New Products(10000 yuan)**	**17465101**	**41073**	**17416625**	**7403**
技术改造经费支出（万元） **Expenditure for Technology Transform(10000 yuan)**	**556533**	**17332**	**510539**	**28663**
技术引进经费支出（万元） Expenditure for Indraught Technology(10000 yuan)	109377		109377	
购买国内技术支出（万元） Expenditure for Purchasing Inner Technology (10000 yuan)	257065	48	58878	198139

16–12 各类型专利申请和授权情况(1985–2008年)

Patent Applicated and Granted by Category,1985-2008

单位：项　(unit)

年份 Year	专利申请数 Number of Patent Applicated	发明 Creation and Inventions	实用新型 Utility Models	外观设计 Designs	专利授权数 Number Of Patent Granted	发明 Creation and Inventions	实用新型 Utility Models	外观设计 Designs
1985	137	74	63		1	1		
1986	195	67	125	3	23		23	
1987	305	84	206	15	78	3	73	2
1988	420	90	320	10	132	13	114	5
1989	445	90	318	37	203	20	176	7
1990	540	95	374	71	276	25	239	12
1991	672	102	512	58	277	21	206	50
1992	928	171	661	96	352	17	295	40
1993	1271	199	729	343	850	36	697	117
1994	1510	202	725	583	733	22	455	256
1995	1979	200	816	963	933	17	439	477
1996	2626	224	971	1431	1196	15	468	713
1997	3018	226	1113	1679	1547	24	468	1055
1998	3393	201	1071	2121	2318	20	689	1609
1999	3381	240	1099	2042	2934	32	1089	1813
2000	4211	377	1516	2318	3003	93	1074	1836
2001	4971	361	1757	2853	3296	82	1107	2107
2002	6521	562	2233	3726	4001	63	1306	2632
2003	7236	797	2554	3885	5377	137	1658	3582
2004	7498	850	2524	4124	4758	160	1776	2822
2005	9460	1202	3182	5076	5147	242	1793	3112
2006	10351	1437	3445	5469	6412	310	2578	3524
2007	11341	2170	3878	5293	7761	336	3323	4102
2008	13181	2701	5141	5339	7937	530	3921	3486

16–13 各单位专利申请授权情况(1990–2008年)

Partent Applicated and Granted by Unit,1990-2008

单位：项 (unit)

项目 Item	合计 Total	个人 Individual	大专院校 Universities and College	科研院所 Research Institutions	工矿企业 Industrial and Mineral Enterprises	机关团体 Government Agencies and Organizations
申请专利数	**Number of Patent Applicated**					
1990	540	371	22	27	71	49
1991	672	493	30	20	75	54
1992	928	699	29	11	76	113
1993	1271	853	36	29	163	190
1994	1510	964	25	33	157	331
1995	1979	1246	16	27	512	178
1996	2626	1608	47	22	923	26
1997	3018	1748	27	30	1202	11
1998	3393	2069	32	39	1245	8
1999	3381	2257	14	31	1074	5
2000	4211	2839	58	34	1271	9
2001	4971	3511	49	38	1361	12
2002	6521	4849	84	85	1493	10
2003	7236	5312	165	69	1677	13
2004	7498	5713	182	56	1536	11
2005	9460	7276	259	105	1812	8
2006	10351	7500	360	95	2376	20
2007	11341	7437	486	141	3249	28
2008	13181	7553	639	295	4632	62
批准专利数	**Number of Patent Granted**					
1990	276	192	25	16	38	5
1991	277	168	19	15	39	36
1992	352	247	18	12	42	33
1993	850	589	29	14	93	125
1994	733	477	20	16	82	138
1995	933	534	19	10	154	216
1996	1196	638	13	9	395	141
1997	1547	776	21	10	722	18
1998	2318	1232	9	2	1071	4
1999	2934	1712	29	22	1158	13
2000	3003	1945	30	13	1006	9
2001	3296	2078	38	28	1144	8
2002	4001	2930	35	19	1006	11
2003	5377	3979	58	34	1298	8
2004	4758	3465	82	33	1170	8
2005	5147	3903	87	25	1125	7
2006	6412	4827	146	43	1391	5
2007	7761	5531	177	39	2001	13
2008	7937	5214	275	57	2382	9

16–14 技术市场基本情况(1990–2008年)

Basic Statistics of Technical Market,1990-2008

项目 Item	合计 Total	技术开发 Technical Development	技术转让 Technical Transfer	技术咨询 Technical Advisory	技术服务 Technical Service
合同数（项）	**Number of Technical Contracts(unit)**				
1990	8397	151	69	1029	7148
1991	3943	262	104	450	3127
1992	6140	354	270	782	4734
1993	4220	355	350	1172	2343
1994	5992	438	158	1010	4386
1995	4266	642	444	1051	2129
1996	6819	605	284	1310	4620
1997	6310	613	326	1812	3559
1998	5698	531	312	1094	3761
1999	6506	1041	404	1653	3408
2000	5597	731	393	1296	3177
2001	4589	688	346	567	2988
2002	4668	868	492	623	2685
2003	5496	1113	242	1149	2992
2004	5656	1191	204	1406	2855
2005	6510	1457	200	1503	3350
2006	5673	1585	122	1059	2907
2007	5047	1752	98	996	2201
2008	5196	1906	135	1173	1982
合同金额（万元）	**Amount of Technical Contracts(10000 yuan)**				
1990	4354	660	181	535	2978
1991	6485	2942	848	407	2288
1992	13545	2935	2472	1124	7014
1993	18758	4058	4437	3113	7150
1994	25118	7629	1938	2783	12768
1995	30550	8960	6404	3914	11272
1996	46206	12635	7766	4477	21328
1997	57459	12924	9836	9066	25633
1998	69363	17323	9228	6063	36749
1999	80868	28268	6888	12477	33235
2000	172601	25411	75045	6701	65444
2001	136941	26488	62482	7752	40219
2002	128988	53778	41271	7399	26540
2003	166778	65108	47015	13001	41654
2004	141395	46021	59653	8989	26732
2005	171959	51837	79761	12574	27787
2006	144122	64191	46261	11288	22382
2007	168662	68989	72069	9696	17908
2008	191223	95052	35414	12954	47803

16–15 技术市场基本情况
Basic Statistics of Technical Market

项目 Item	2007 合同数(项) Number of Contracts	2007 合同金额(万元) Amount of Contracts (10000 yuan)	2008 合同数(项) Number of Contracts	2008 合同金额(万元) Amount of Contracts (10000 yuan)
合　计 Total	**5047**	**168662**	**5196**	**191223**
按合同类别分 By Kind of Contract				
技术开发合同 Contract of Technical Development	1752	68989	1906	95052
技术转让合同 Contract of Technical Transfer	98	72069	135	35414
技术咨询合同 Contract of Technical Advisory	996	9696	1173	12954
技术服务合同 Contract of Technical Service	2201	17908	1982	47803
按服务目标分 By Service Aim				
农业、林业和渔业的发展 Development of Farm, Forestry and Fishery	126	2426	104	2756
促进工业发展 Development of Industry	347	39529	305	19204
能源的生产、储存和分配 Production, Storage and Distribution for Energy	104	3643	318	5004
基础设施的发展 Development of Infrastructure	295	9227	306	9282
环境治理与保护 Environmental Protection	451	5394	452	5732
卫生 Health	109	4538	109	2404
社会发展和社会服务 Development of Social and Social Economic Serves	1324	44061	1745	82904
知识的发展 All-around Development of Knowledge	69	4511	120	2848
民用空间 Civil Space	204	2874	259	3487
地球和大气层的探索与利用 Probe and Utilize of Earth and atmasphere	2	29	14	979
国防 National defense	16	262	13	690
其他 Others	2000	52168	1451	55933
按技术流向分 By the Flaw of Technology				
本省 Native Province	4327	129731	4327	129563
省外 Outside the Province	720	38931	869	61661

16-16 各单位技术买卖情况(2008)

Basic Statistics of Technology Trade by Unit, 2008

项目 Item	合计 Total	机关法人 Government Agencies	事业法人 Institutions	社团法人 Mass Organizations	企业法人 Enterprises	自然人 Natural Person	其他组织 Other Corporation
买卖项数（项） Number	**5196**		**2145**		**2915**	**135**	**1**
机关法人 Government Agencies	313		83		218	12	
事业法人 Institutions	657		257		376	24	
社团法人 Mass Organizations	13		7		6		
企业法人 Enterprises	3996		1668		2229	98	1
自然人 Natural Person	121		103		17	1	
其他组织 Other Corporation	96		27		69		
买卖金额（万元） Value(10000 yuan)	**191223**		**26460**		**161788**	**1575**	**1400**
机关法人 Government Agencies	9129		1253		7780	96	
事业法人 Institutions	11500		2310		8706	484	
社团法人 Mass Organizations	145		49		96		
企业法人 Enterprises	164885		21834		140659	992	1400
自然人 Natural Person	877		268		606	3	
其他组织 Other Corporation	4688		746		3941		

16-17 主要年份教育基本情况

Basic Statistics for Education in Selected Years

项目 Item	专任教师数（人） Full-time Teachers(person)				在校学生数（万人） Student Enrollment(10000 person)				每万人口拥有大学生在校学生数（人） University & College Student Enrollment per 10000 Population(person)
	普通高等学校 Regular Institutions Of Higher Educations	普通中等学校 Regular Institutions Of Secondary Educations	#普通中学 Regular Secondary Schools	小学 Primary Schools	普通高等学校 Regular Institutions Of Higher Educations	普通中等学校 Regular Institutions Of Secondary Educations	#普通中学 Regular Secondary Schools	小学 Primary Schools	
1952	611	5242	4159	31937	0.47	11.55	9.64	102.59	3.9
1957	1811	7929	6727	42442	0.75	18.69	16.78	137.61	5.4
1962	3484	14609	12328	61998	1.91	23.81	21.74	157.81	17.1
1965	3033	19170	14294	127368	1.52	35.34	27.54	290.11	17.5
1970	1783	18684	18683	85294	0.07	38.68	38.67	238.19	0.4
1975	3142	35782	34680	140353	1.03	80.49	79.34	398.32	6.9
1978	4491	55345	53082	137845	2.06	119.98	116.70	370.23	10.9
1979	5110	58589	55835	143992	3.01	108.85	104.08	379.02	13.9
1980	6106	61128	57124	141812	3.86	114.73	109.41	376.42	22.7
1981	5900	64295	58541	147545	3.04	102.28	95.41	367.08	19.0
1982	6900	62417	55898	146985	2.69	101.65	94.66	360.97	17.6
1983	7300	62947	55665	146351	2.93	101.95	94.82	360.67	19.3
1984	7600	63553	55041	144777	3.40	110.83	101.97	368.68	21.4
1985	8137	64848	55465	138673	4.41	121.39	109.92	372.40	27.8
1986	8671	74734	59589	148043	5.12	128.85	115.67	361.40	28.5
1987	9154	74261	62486	146301	5.41	132.43	118.32	344.50	27.3
1988	9059	79658	65920	145430	5.71	122.68	107.47	333.99	30.9
1989	9154	81487	67919	147437	5.68	115.99	100.64	336.77	29.1
1990	8926	84535	70681	148789	5.56	120.69	104.85	337.08	28.6
1991	8892	88851	74326	152815	5.42	130.03	113.13	342.61	27.3
1992	8891	93655	78327	154807	5.72	142.93	123.36	353.90	27.4
1993	8551	98426	81875	161680	6.41	151.86	127.97	363.85	31.1
1994	8432	103108	85254	164039	6.93	163.69	136.21	371.98	35.2
1995	8354	109879	91105	166191	7.17	185.82	155.25	379.96	38.7
1996	8373	117657	98558	170791	7.34	212.91	181.85	392.01	40.8
1997	8646	124842	105279	176591	7.81	240.46	207.36	404.91	42.9
1998	8279	131910	111986	180587	8.52	253.42	220.05	401.97	45.7
1999	8853	138044	117312	183601	10.26	264.11	228.14	386.85	50.4
2000	9779	140769	120667	183547	13.14	269.46	233.50	369.10	61.0
2001	10716	145152	125866	181816	16.74	275.04	238.30	354.62	74.7
2002	12701	149963	131263	181457	19.74	279.19	240.76	339.18	88.0
2003	16663	155858	135778	177248	25.74	291.62	247.19	311.98	110.8
2004	20980	159838	139549	170962	32.57	299.84	252.10	286.94	123.5
2005	24919	164888	144310	166465	40.70	302.74	250.17	273.27	148.8
2006	28724	169568	148055	163350	46.13	300.26	243.07	269.22	172.9
2007	31444	172288	150636	160911	50.95	291.76	233.71	258.29	186.6
2008	33637	172904	151271	160347	56.26	284.82	226.18	247.15	201.6

16-18 主要年份各类学校数

Number of Schools by Field of Study in Selected Years

单位：所 (unit)

年份 Year	普通高等学校 Regular Institutions Of Higher Educations	中等专业学校 Secondary Schools	普通中学 Regular Secondary Schools	#高中 Senior Secondary Schools	职业中学 Vocational Secondary Schools	技工学校 Technical Schools	小学 Primary Schools	幼儿园 Kinder gartens
1952	5	51	178	67			9081	320
1957	4	41	213	101			12850	1144
1962	18	52	408	150	72		15550	1373
1965	10	67	429	152	1041	4	34583	1916
1970	3	1	1301	199			25743	
1975	7	36	1089	767		1	33946	1902
1980	16	82	1148	821	46	28	28170	3608
1985	36	94	1180	451	240	35	26607	5210
1990	36	103	1362	415	262	43	19472	7958
1995	30	109	1771	404	272	54	15765	12748
1996	30	110	1834	397	272	85	15603	13315
1997	30	111	1880	409	267	135	15535	13033
1998	30	112	1902	427	274	138	14824	12612
1999	30	118	1893	440	266	110	14355	12522
2000	28	118	1921	477	262	119	13935	11885
2001	32	109	1988	523	286	101	13664	7398
2002	33	106	1998	559	260	93	12924	7329
2003	49	355	2006	592	1	85	12406	7064
2004	53	389	2022	614	1	98	11614	7200
2005	66	391	2030	627	1	93	10560	7541
2006	67	403	2020	636	1	95	9867	7550
2007	74	364	1984	616	1	96	9388	7567
2008	83	350	1963	610		91	8566	7508

注：1.2003年起中等专业学校指中等职业教育，包括中等专业学校、成人中专和职业中学；职业中学仅指初中部职业中学。2.2008年起职业中学并入普通初中。

Note: a)Since 2003, the data of secondary schools include the vocational secondary schools, the only one is middle school of it.b)Since 2008,Regular secondary schools contain vocational schools.

16–19 主要年份各类学校专任教师数

Number of Full-time Teachers by Type of School in Selected Year

单位：人 (person)

年份 Year	普通高等学校 Regular Institutions Of Higher Educations	中等专业学校 Secondary Schools	普通中学 Regular Secondary Schools	#高中 Senior Secondary Schools	职业中学 Vocational Secondary Schools	技工学校 Technical Schools	小学 Primary Schools	幼儿园 Kinder gartens
1952	611	1083	4159	892			31937	641
1957	1811	1202	6727	1790			42442	2127
1962	3484	2030	12328	3039	251		61998	3200
1965	3033	1729	14294	3201	3036	111	127368	4300
1970	1783	1	18683				85294	
1975	3142	1081	34680	9607			140353	3789
1980	6106	3017	57124	12555	154	800	141812	14026
1985	8137	4721	55465	13025	3384	1300	138673	18586
1990	8926	5969	70681	13641	5813	2100	148789	26907
1995	8354	6703	91105	13306	9752	2300	166191	40640
1996	8373	6739	98558	13727	10214	2100	170791	41409
1997	8646	6927	105279	14632	10563	2100	176591	42446
1998	8279	7149	111986	16394	10636	2100	180587	41771
1999	8853	7162	117312	19295	10770	2800	183601	40033
2000	9779	6920	120667	23170	10382	2800	183547	39409
2001	10716	6798	125866	27411	9988	2500	181816	26647
2002	12701	6100	131263	31514	10100	2500	181457	25790
2003	16663	17357	135778	35853	23	2700	177248	27238
2004	20980	17266	139549	40132	23	3000	170962	28846
2005	24919	17457	144310	45328	21	3100	166465	31228
2006	28724	18216	148055	49593	19	3268	163350	31845
2007	31444	18197	150636	52169	18	3455	160911	33381
2008	33637	18229	151271	52531		3812	160347	33774

16-20 主要年份各类学校在校学生数

Number of Student Enrollment by Type of School in Selected Years

单位：万人 (10000 person)

年份 Year	普通高等学校 Regular Institutions Of Higher Educations	中等专业学校 Secondary Schools	普通中学 Regular Secondary Schools	#高中 Senior Secondary Schools	职业中学 Vocational Secondary Schools	技工学校 Technical Schools	小学 Primary Schools	幼儿园 Kinder Gartens
1952	0.47	1.91	9.64	1.46			102.59	2.26
1957	0.75	1.91	16.78	3.88			137.61	7.11
1962	1.91	1.56	21.74	4.79	0.51		157.81	9.94
1965	1.52	2.00	27.54	5.18	5.66	0.14	290.11	12.52
1970	0.07	0.01	38.67	2.23			238.19	12.47
1975	1.03	1.10	79.34	20.76		0.05	398.32	12.38
1978	2.06	2.63	116.70	37.60	0.29	0.36	370.23	19.17
1979	3.01	3.78	104.08	34.52	0.21	0.78	379.02	29.46
1980	3.86	3.84	109.41	20.58	0.21	1.27	376.42	41.88
1981	3.04	3.52	95.41	12.79	1.80	1.55	367.08	39.90
1982	2.69	3.17	94.66	16.53	2.58	1.24	360.97	44.70
1983	2.93	3.15	94.82	15.70	2.89	1.09	360.67	47.63
1984	3.40	3.62	101.97	17.83	3.91	1.33	368.68	49.01
1985	4.41	4.34	109.92	19.90	5.52	1.61	372.40	52.03
1986	5.12	4.86	115.67	21.04	6.47	1.85	361.40	55.82
1987	5.41	4.91	118.32	20.65	7.05	2.15	344.50	67.43
1988	5.71	5.40	107.47	18.00	7.24	2.57	333.99	69.32
1989	5.68	5.65	100.64	15.77	6.90	2.80	336.77	69.77
1990	5.56	5.89	104.85	15.47	7.12	2.83	337.08	74.32
1991	5.42	5.94	113.13	16.62	7.97	2.99	342.61	80.47
1992	5.72	6.53	123.36	17.89	9.73	3.31	353.90	88.24
1993	6.41	7.47	127.97	17.33	12.48	3.94	363.85	97.49
1994	6.93	8.61	136.21	16.54	14.45	4.42	371.98	100.89
1995	7.17	9.68	155.25	16.52	16.34	4.55	379.96	103.24
1996	7.34	10.59	181.85	18.16	16.04	4.43	392.01	102.63
1997	7.81	11.27	207.36	21.38	17.10	4.73	404.91	92.11
1998	8.52	11.83	220.05	25.37	16.85	4.69	401.97	83.78
1999	10.26	12.89	228.14	30.78	18.06	5.02	386.85	81.91
2000	13.14	12.90	233.50	37.24	18.49	4.57	369.10	78.64
2001	16.74	13.40	238.30	44.04	18.46	4.88	354.62	73.40
2002	19.74	13.09	240.76	50.78	19.75	5.59	339.18	66.71
2003	25.74	37.76	247.19	57.52	0.03	6.64	311.98	69.58
2004	32.57	40.08	252.10	65.98	0.03	7.66	286.94	74.82
2005	40.70	44.77	250.17	73.25	0.03	7.87	273.27	82.67
2006	46.13	48.67	243.07	78.04	0.05	8.52	269.22	89.11
2007	50.95	49.43	233.71	77.68	0.05	8.62	258.29	91.93
2008	56.26	49.83	226.18	74.88		8.94	247.15	99.27

注：1.2003年起，职业中学并入中等专业学校，“职业中学在校生数”为职业中学初中部的在校生数。2.2008年起，职业中学并入普通初中。

Note: a)Since 2003, the data of secondary schools include the vocational secondary schools, the number of students enrollment of vocational secondary schools are the students of junior schools.b)Since 2008,Regular secondary schools contain vocational schools.

16–21 主要年份各类学校招生数

New Student Enrollment by Type of School in Selected Years

单位：万人 (10000 person)

年份 Year	普通高等学校 Regular Institutions Of Higher Educations	中等专业学校 Secondary Schools	普通中学 Regular Secondary Schools	#高中 Senior Secondary Schools	职业中学 Vocational Secondary Schools	技工学校 Technical Schools	小学 Primary Schools	幼儿园 Kinder gartens
1952	0.19	1.11	5.36	0.85			30.77	
1957	0.19	0.34	5.65	1.26			28.32	
1962	0.27	0.06	8.39	1.63	0.28		34.24	
1965	0.34	0.91	10.53	1.83	4.19	0.04	85.86	
1970	0.08	0.01	20.05	1.65			63.74	
1975	0.38	0.56	48.49	11.08		0.04	81.97	
1978	1.92	1.20	53.62	17.61	0.12	0.25	77.18	
1979	1.06	1.73	48.21	16.49	0.02	0.48	81.12	
1980	0.78	1.55	29.86	0.01	0.08	0.79	72.59	
1981	0.75	1.34	37.81	8.90	1.67	0.75	66.46	28.49
1982	0.80	1.26	36.43	7.87	1.41	0.49	67.21	34.95
1983	0.96	1.33	37.46	7.46	1.79	0.62	69.35	36.50
1984	1.22	1.53	38.36	7.23	2.43	0.71	67.99	36.01
1985	1.79	1.73	40.81	7.18	3.36	0.91	63.22	39.68
1986	1.65	1.87	40.72	7.07	2.99	0.93	54.43	40.00
1987	1.76	1.88	41.69	6.77	3.42	1.09	48.30	46.55
1988	2.01	2.21	36.65	5.45	3.65	1.19	49.32	45.80
1989	1.76	1.96	36.05	5.31	3.09	1.06	57.77	48.19
1990	1.72	1.91	40.17	5.69	3.33	1.16	56.74	50.12
1991	1.73	2.01	42.26	6.18	3.87	1.29	59.28	51.29
1992	2.07	2.40	45.36	6.40	5.01	1.33	64.02	56.11
1993	2.39	2.85	46.62	5.60	6.55	1.78	62.70	60.67
1994	2.26	3.18	51.54	5.47	6.13	1.87	65.31	60.91
1995	2.36	3.37	63.42	6.16	6.54	1.90	68.49	63.53
1996	2.47	3.57	69.85	7.05	5.72	1.84	71.45	61.89
1997	2.67	3.73	75.15	8.65	6.60	2.19	74.77	55.21
1998	2.91	3.93	77.16	10.18	6.31	1.95	63.50	49.71
1999	3.87	4.30	79.93	12.54	7.30	1.97	52.86	46.37
2000	5.06	3.48	81.81	15.18	7.50	2.12	49.34	43.67
2001	5.95	3.28	82.52	17.14	7.45	2.19	50.62	42.22
2002	6.89	4.23	82.49	19.35	7.85	2.60	47.52	36.86
2003	10.67	14.51	87.48	21.84	0.01	3.19	40.23	37.46
2004	11.99	15.46	87.10	25.57	0.01	3.36	36.49	40.09
2005	14.67	17.59	81.01	27.21	0.01	3.46	35.88	40.45
2006	15.17	19.45	79.78	27.41	0.01	3.60	41.24	42.36
2007	16.74	19.14	78.69	25.93	0.01	3.55	41.93	42.81
2008	18.91	18.94	73.84	24.25		3.58	39.91	44.78

注：1.2003年起职业中学并入中等专业学校，“职业中学招生数”为职业中学初中部的招生数。2.2008年，起职业中学并入普通初中。

Note: a)Since 2003, the data of secondary schools include the vocational secondary schools, the new student enrollment of vocational secondary schools are the students of junior schools.b)Since 2008,Regular secondary schools contain vocational schools.

16–22 主要年份各类学校毕业生数

Number of Graduates by Type of School in Selected Years

单位：万人 (10000 person)

年份 Year	普通高等学校 Regular Institutions Of Higher Educations	中等专业学校 Secondary Schools	普通中学 Regular Secondary Schools	#高中 Senior Secondary Schools	职业中学 Vocational Secondary Schools	技工学校 Technical Schools	小学 Primary Schools
1952	0.09	0.20	1.75	0.33			3.90
1957	0.08	0.37	3.85	0.97			9.05
1962	0.46	0.94	5.29	1.48	0.15		11.89
1965	0.43	0.38	5.38	1.24	0.16	0.01	15.34
1970	0.47		1.48	0.28			46.66
1975	0.21	0.34	22.20	7.75			44.03
1978	0.35	0.19	46.16	12.54	0.14		47.62
1979	0.08	0.61	51.52	17.90	0.02	0.05	43.29
1980	0.90	1.49	14.33	13.63	0.03	0.30	44.37
1981	1.56	1.64	40.40	16.30	0.09	0.47	47.29
1982	1.16	1.60	25.06	3.54	0.05	0.78	48.07
1983	0.73	1.35	27.15	7.84	1.07	0.72	50.82
1984	0.76	1.06	23.41	4.55	0.92	0.48	51.97
1985	0.79	1.01	24.65	4.48	1.23	0.60	55.43
1986	0.94	1.34	27.95	5.45	1.39	0.68	58.66
1987	1.44	1.77	28.70	6.47	2.19	0.81	59.11
1988	1.68	1.74	30.01	6.51	2.46	0.75	51.60
1989	1.73	1.69	28.59	6.22	2.30	0.80	49.52
1990	1.79	1.64	27.11	5.45	2.32	1.05	53.33
1991	1.80	1.93	25.16	4.57	2.41	1.11	51.52
1992	1.73	1.83	28.21	4.78	2.53	0.98	51.53
1993	1.65	1.89	32.90	5.37	2.80	1.07	51.05
1994	1.69	1.87	34.43	5.68	3.08	1.12	56.06
1995	2.04	2.25	38.43	5.57	4.09	1.49	62.56
1996	2.23	2.61	40.51	4.94	5.32	1.73	64.67
1997	2.14	3.02	47.25	4.95	5.28	1.70	67.57
1998	2.15	3.29	58.75	5.60	5.86	1.64	68.63
1999	2.07	3.21	64.24	6.40	5.29	1.55	69.59
2000	2.19	3.31	69.04	7.84	5.79	1.59	68.64
2001	2.84	2.60	69.65	9.37	5.72	1.41	67.44
2002	3.68	3.78	71.72	11.58	5.31	1.51	64.77
2003	4.78	11.12	73.33	13.95	0.01	1.68	66.97
2004	5.28	11.03	75.03	15.92	0.01	1.86	62.58
2005	6.48	11.00	75.94	18.26	0.01	2.56	54.71
2006	9.50	12.49	80.41	20.18	0.01	2.75	52.61
2007	11.41	12.37	79.88	23.40	0.01	2.51	53.51
2008	13.04	13.65	73.75	24.22		2.55	50.50

注：1.2003年起，职业中学并入中等专业学校，“职业中学毕业生数”为职业中学初中部的毕业生数。2.2008年起，职业中学并入普通初中。

Note: a)Since 2003, the data of secondary schools include the vocational secondary schools, the number of vocational secondary schools are the data of junior schools.b)Since 2008,Regular secondary schools contain vocational schools.

16-23 主要年份平均每一专任教师负担学生数

Student-Teacher Ratio in Selected Years

单位：人 (person)

年份 Year	普通高等学校 Regular Institutions of Higher Education	中等专业学校 Specialized Secondary Schools	普通中学 Regular Secondary Schools	#高中 Senior Secondary Schools	职业中学 Vocational Secondary Schools	技工学校 Technical Schools	小学 Primary Schools	幼儿园 Kinder Gartens
1952	7.76	17.62	23.19	16.42			32.12	35.29
1957	4.17	15.91	24.94	21.70			32.42	33.42
1962	5.49	7.67	17.64	15.77	20.51		25.45	31.32
1965	5.01	11.56	19.27	16.20	18.65	12.79	22.78	29.23
1970	0.41	89.00	20.70				27.93	
1975	3.29	10.22	22.88	21.61		23.81	28.38	32.67
1978	4.97	12.02	21.99	21.91	22.24	17.17	26.86	34.15
1980	6.31	11.70	19.15	16.39	13.69	15.27	26.54	29.86
1985	5.42	9.19	19.82	15.28	16.30	12.58	26.85	27.99
1990	6.23	9.86	14.83	11.34	12.25	13.67	22.65	27.62
1995	8.58	14.45	17.04	12.42	16.76	19.60	22.86	25.40
1996	8.77	15.71	18.45	13.23	15.51	20.64	23.00	24.80
1997	9.03	16.26	19.70	14.61	16.19	22.83	22.90	21.70
1998	10.28	16.55	19.65	15.47	15.84	17.30	22.26	20.06
1999	11.53	18.00	19.45	15.95	16.72	18.07	21.07	20.48
2000	13.40	18.70	19.35	16.05	17.78	16.32	20.11	19.96
2001	15.62	19.72	18.93	16.07	18.49	19.52	19.50	27.55
2002	15.78	21.44	18.34	16.12	19.55	22.16	18.69	25.86
2003	15.88	21.70	18.20	16.02	11.35	24.59	17.61	25.58
2004	15.36	22.68	18.07	16.44	14.09	25.69	16.78	25.98
2005	16.35	25.58	17.34	16.17	14.76	25.03	16.41	26.50
2006	16.07	26.74	16.41	15.73	23.89	26.07	16.48	27.39
2007	16.23	27.16	15.52	14.88	25.67	24.95	16.05	27.52
2008	16.74	27.38	14.95	14.26		23.45	15.42	29.37

注：1.2008年起职业中学并入普通初中。

Note:a)Since 2008,Regular secondary schools contain vocational schools.

16–24 主要年份研究生数

Number of Postgraduates in Selected Years

单位：人 (person)

年份 Year	在校学生数 Stuent Enrollment	招生数 New Student Enrollment	毕业生数 Graduates	年份 Year	在校学生数 Stuent Enrollment	招生数 New Student Enrollment	毕业生数 Graduates
1978	90	90		1996	2445	933	694
1980	261	70		1997	2773	1026	661
1985	1064	564	324	1998	3281	1218	701
1986	1246	460	226	1999	3907	1562	889
1987	1520	557	268	2000	5134	2179	929
1988	1490	499	504	2001	6828	2877	1119
1989	1350	364	462	2002	8862	3667	1452
1990	1198	366	497	2003	13266	5860	1871
1991	1122	403	425	2004	18273	7275	2820
1992	1268	445	275	2005	19500	7442	3222
1993	1372	512	394	2006	22798	8150	4560
1994	1967	806	374	2007	25580	8741	5725
1995	2248	739	434	2008	27062	8781	6899

16–25 分科研究生数(2008年)

Number of Postgraduates by Field of Study, 2008

单位：人 (person)

项目	Item	在校生数 Student Enrollment	招生数 New Student Enrollment	毕业人数 Graduates	博士生 Doctor 在校生数 Student Enrollment	博士生 Doctor 招生数 New Student Enrollment	博士生 Doctor 毕业生数 Graduates	硕士生 Master 在校生数 Student Enrollment	硕士生 Master 招生数 New Student Enrollment	硕士生 Master 毕业生数 Graduates
合计	**Total**	**27062**	**8781**	**6899**	**3928**	**1025**	**736**	**23134**	**7756**	**6163**
哲学	Philosophy	369	126	101	73	25	16	296	101	85
经济学	Economics	2593	809	731	517	131	120	2076	678	611
法学	Law	2207	797	494	245	75	30	1962	722	464
教育学	Education	791	321	183	107	27	28	684	294	155
文学	Literature	2493	837	676	285	88	36	2208	749	640
历史学	History	600	156	186	199	40	47	401	116	139
理学	Science	4965	1678	1277	1077	263	213	3888	1415	1064
工学	Engineering	4997	1708	1192	606	153	67	4391	1555	1125
农林学	Agriculture And Forestry	1197	247	405	150	34	37	1047	213	368
医学	Medicine	2996	904	737	257	76	67	2739	828	670
管理学	Manage	3854	1198	917	412	113	75	3442	1085	842

16–26 普通高等学校分科在校学生数

Number of Student Enrollment in Higher Educational Institutions by Field of Study

单位：人 · (person)

项目	Item	2007			2008		
		合计 Total	本科 Regular College Course	专科 Specialized Subject	合计 Total	本科 Regular College Course	专科 Specialized Subject
合计	**Total**	**509480**	**278032**	**231450**	**562600**	**309250**	**253345**
哲学	Philosophy	229	229		272	272	
经济学	Economics	40010	26752	13258	42589	28136	14453
法学	Law	21442	13859	7583	21835	15550	6285
教育学	Education	17561	8182	9379	19194	9113	10081
文学	Literature	76010	47564	28446	84729	53784	30945
历史学	History	1798	1798		1816	1816	
理学	Science	32615	32615		35198	35147	51
工学	Engineering	169940	73808	96132	190831	83900	106931
农学	Agriculture	9417	6542	2875	10738	6884	3854
医学	Medicine	29747	17288	12459	32411	18437	13974
管理学	Manage	110713	49395	61318	122982	56211	66771

16–27 普通高等学校分科招生数

Number of New Student Enrollment in Higer Educational Institutions

单位：人 (person)

项目	Item	2007			2008		
		合计 Total	本科 Regular College Course	专科 Specialized Subject	合计 Total	本科 Regular College Course	专科 Specialized Subject
合计	**Total**	**167371**	**81208**	**86163**	**189131**	**89259**	**99872**
哲学	Philosophy	85	85		87	87	
经济学	Economics	12116	7094	5022	13004	7431	5573
法学	Law	6759	4292	2467	6252	4684	1568
教育学	Education	5587	2381	3206	6765	2568	4197
文学	Literature	24959	14174	10785	28018	15874	12144
历史学	History	487	487		460	460	
理学	Science	9246	9246		9849	9831	18
工学	Engineering	58383	22227	36156	67820	25490	42330
农学	Agriculture	3089	1846	1243	3809	1956	1853
医学	Medicine	9470	4472	4998	10754	4479	6275
管理学	Management	37190	14904	22286	42313	16399	25914

16–28 普通高等学校分科毕业生数

Number of Graduates in Higher Educational Institutions by Field of Study

单位：人 (person)

项目	Item	2007			2008		
		合计 Total	本科 Regular College Course	专科 Specialized Subject	合计 Total	本科 Regular College Course	专科 Specialized Subject
合计	**Total**	**114073**	**47672**	**66401**	**130379**	**55287**	**75092**
哲学	Philosophy	32	32		34	34	
经济学	Economics	9244	5518	3726	10008	6221	3787
法学	Law	5577	2682	2895	5721	2907	2814
教育学	Education	5156	1186	3970	5508	1549	3959
文学	Literature	15664	7348	8316	17818	9259	8559
历史学	History	386	386		421	421	
理学	Science	5769	5769		6926	6740	186
工学	Engineering	39789	12837	26952	44304	14289	30015
农学	Agriculture	2173	1229	944	2317	1515	802
医学	Medicine	4492	2086	2406	7548	2978	4570
管理学	Manage	25791	8599	17192	29774	9374	20400

16–29 普通高等学校分科专任教师数(2008年)

Number of Full-time Teachers in Higher Educational Institutions by Field of Study, 2008

单位：人 (person)

项目	Item	合计 Total	正高级 Senior	副高级 Vice-senior	中级 Junior	初级 Primary	无职称 Non-Title
合计	**Total**	**33637**	**3135**	**8514**	**10730**	**9211**	**2047**
哲学	Philosophy	1001	81	281	307	259	73
经济学	Economics	2531	243	576	845	683	184
法学	Law	1340	97	278	510	399	56
教育学	Education	3242	210	836	952	1011	233
文学	Literature	7378	465	1591	2353	2475	494
历史学	History	353	70	112	103	60	8
理学	Science	3969	541	1165	1246	883	134
工学	Engineering	8053	747	1974	2649	2102	581
农林学	Agriculture	765	124	246	216	155	24
医学	Medicine	2370	362	870	698	369	71
管理学	Management	2635	195	585	851	815	189

16–30 中等职业教育分科学生数(2008年)

Number of Student in Specialized Secondary schools by Field of Study, 2008

单位：人 (person)

项目	Item	毕业生数 Graduates	招生数 New Student Enrollment	#招初中毕业生 Junior Secondury Graduates	在校生数 Student Enrollment
合计	**Total**	**136510**	**189416**	**172593**	**498310**
农林类	Agriculture and Forestry	5245	6633	5933	17714
资源与环境类	Source and Enviroment	249	478	378	1463
能源类	Power	628	846	645	2239
土木水利工程类	Construction and Water Conservancy Engineering	3443	5883	5374	14626
加工制造类	Machining and Manufacture	22710	32924	31152	88781
交通运输类	Transport	4866	11025	9329	23147
信息技术类	Information Technology	32548	37921	35279	107661
医药卫生类	Health	8296	10029	9724	28766
商贸与旅游类	Trad and Tour	15478	21990	21163	58576
财经类	Finance and Economics	14138	24243	22469	59197
文化艺术与体育类	Arts and Physical Culture	8287	15079	13825	38550
社会公共事业类	Society Commonality Business	2093	3040	2606	7073
师范类	Teacher Training	4824	8227	7937	20857
其他	Others	13705	11098	6779	29660

16–31 中等职业教育分类别职称专任教师数(2008年)

Number of Full-time Teachers in Specialized Secondary Schools by Category, 2008

单位：人 (person)

项目	Item	合计 Total	副高级 Vice-Senior	中级 Junior	初级 Primary	无职称 Non-Title
合计	**Total**	**18229**	**3425**	**7203**	**6045**	**1556**
文化基础课	**Culture**	**8459**	**1724**	**3556**	**2724**	**455**
专业课	**Specialized Lessons**	**9212**	**1632**	**3445**	**3109**	**1026**
农林类	Agriculture and Forestry	459	149	178	114	18
资源与环境类	Source and Enviroment	67	14	32	20	1
能源类	Power	11	4	5	2	
土木水利工程类	Construction and Water Conservancy Engineering	206	31	88	78	9
加工制造类	Machining and Manufacture	1026	254	356	306	110
交通运输类	Transport	464	84	164	147	69
信息技术类	Information Technology	2056	254	785	755	289
医药卫生类	Health	266	53	106	87	20
商贸与旅游类	Trad and Tour	813	109	292	317	95
财经类	Finance and Economics	1052	198	412	334	108
文化艺术与体育类	Arts and Physical Culture	1550	260	602	537	151
社会公共事业类	Society Commonality Business	203	33	76	80	14
师范类	Teacher Training	304	36	112	107	49
其他	Others	735	153	264	225	93

16–32 成人高等学校分科学生情况

Basic Statistics of Students in Adult Higher Educational Institutions by Field of Study

单位：人 (person)

项目	Item	2000	2003	2005	2007	2008
招生数	**Number of New Student Enrollment**	**25629**	**38988**	**35695**	**36175**	**35485**
经济学	Economics	7577	3134	3284	2358	2054
法　学	Law	2232	2250	1618	1189	1055
教育学	Education	1876	3671	3626	4185	4185
文　学	Literature	5090	8745	5952	4639	3805
历史学	History	384	345	209	91	59
理　学	Science	1962	3475	3052	1238	889
工　学	Engineering	4733	7058	6381	6808	7874
农　学	Agriculture	359	438	429	565	537
医　学	Medicine	1416	2235	2811	3768	3133
管理学	Manage		7637	8333	11334	11894
在校学生数	**Number of Student Enrollment**	**63663**	**98627**	**74472**	**101050**	**103860**
经济学	Economics	19437	9135	6464	7416	7593
法　学	Law	5802	6223	3897	3898	3476
教育学	Education	3991	9835	7151	11113	12228
文　学	Literature	11496	18921	13501	14293	12490
历史学	History	774	833	556	390	240
理　学	Science	3636	9362	6404	5175	3201
工　学	Engineering	13469	18414	14255	18131	20429
农　学	Agriculture	1054	1226	725	1296	1516
医　学	Medicine	4004	6208	5722	10955	11436
管理学	Manage		18470	15797	28385	31252
毕业生数	**Number of Graduates**	**16742**	**23290**	**28262**	**32425**	**30705**
经济学	Economics	6231	2660	2765	3101	2764
法　学	Law	2149	1737	2018	1946	1470
教育学	Education	681	2102	3266	3471	3213
文　学	Literature	3368	3993	5432	6237	5031
历史学	History	245	293	307	425	211
理　学	Science	520	1831	2970	3468	2659
工　学	Engineering	2526	4526	4812	5949	4795
农　学	Agriculture	235	368	357	369	459
医　学	Medicine	787	1038	1618	769	2278
管理学	Manage		4742	4717	6690	7825

16–33 技工学校数、学生数和教职工数(1985–2008年)

Student-Teacher Ratio,1985-2008

年份 Year	学校数（所） Schools (unit)	招生数（万人） New Enrollment (10000 persons)	在校学生数（万人） Total Enrollment (10000 persons)	毕业生数（万人） Graduates (10000 persons)	专任教师数（万人） Number of Full-time Teachers (10000 persons)
1985	35	0.91	1.61	0.60	0.13
1990	43	1.16	2.83	1.05	0.21
1995	54	1.90	4.55	1.49	0.23
1996	85	1.84	4.43	1.73	0.21
1997	135	2.19	4.73	1.70	0.21
1998	138	1.95	4.69	1.64	0.21
1999	110	1.97	5.02	1.55	0.28
2000	119	2.12	4.57	1.59	0.28
2001	101	2.19	4.88	1.41	0.25
2002	93	2.60	5.59	1.51	0.25
2003	85	3.19	6.64	1.68	0.27
2004	98	3.36	7.66	1.86	0.30
2005	93	3.46	7.87	2.56	0.31
2006	95	3.60	8.52	2.75	0.33
2007	96	3.55	8.62	2.51	0.35
2008	91	3.58	8.94	2.55	0.38

16–34 学龄儿童入学率和各级普通学校毕业生升学率(1990–2008年)

Net Enrollment Ratio of Primary Schools and Promotion Rate of Various Schools,1990-2008

单位：%　　(%)

年份 Year	学龄儿童入学率 Graduation Rate of Primary School	小学升学率 Graduation Rate of Junior high school	初中升学率 Enrollment Rate of Pre-primary	年份 Year	学龄儿童入学率 Graduation Rate of Primary School	小学升学率 Graduation Rate of Junior high school	初中升学率 Enrollment Rate of Pre-primary
1990	99.10	64.96	49.71	2000	99.86	97.27	49.97
1991	99.32	70.64	58.58	2001	100.08	97.05	40.60
1992	99.47	76.24	58.20	2002	99.40	97.68	58.70
1993	99.63	83.77	59.99	2003	99.65	98.03	65.60
1994	99.68	82.63	57.40	2004	99.72	98.34	69.42
1995	99.70	91.89	57.29	2005	99.79	98.34	77.66
1996	99.75	97.51	55.32	2006	99.84	99.57	77.80
1997	99.80	97.80	53.80	2007	99.93	98.59	79.78
1998	99.84	97.80	47.60	2008	99.97	98.20	87.18
1999	99.83	97.02	49.88				

主要统计指标解释

科技活动　指在自然科学、农业科学、医药科学、工程与技术科学、人文与社会科学领域(简称科学技术领域)中，与科技知识的产生、发展、传播和应用密切相关的有组织的活动。可分为研究与试验发展(R&D)、研究与试验发展成果应用及相关的科技服务三类活动。该定义是联合国教科文组织考虑成员国特别是发展中国家开展科技统计工作的需要，而对科技活动所作的统计界定。

科技活动人员　指直接从事科技活动、以及专门从事科技活动管理和为科技活动提供直接服务，累计的实际工作时间占全年制度工作时间 10%及以上的人员。(1)直接从事科技活动的人员包括: 在独立核算的科学研究与技术开发机构、高等学校、各类企业及其他事业单位内设的研究室、实验室、技术开发中心及中试车间(基地)等机构中从事科技活动的研究人员、工程技术人员、技术工人及其它人员; 虽不在上述机构工作，但编入科技活动项目(课题)组的人员; 科技信息与文献机构中的专业技术人员; 从事论文设计的研究生等。(2)专门从事科技活动管理和为科技活动提供直接服务的人员，包括: 独立核算的科学研究与技术开发机构、科技信息与文献机构、高等学校、各类企业及其他事业单位主管科技工作的负责人，专门从事科技活动的计划、行政、人事、财务、物资供应、设备维护、图书资料管理等工作的各类人员，但不包括保卫、医疗保健人员、司机、食堂人员、茶炉工、水暖工、清洁工等为科技活动提供间接服务的人员。该指标用来反映投入科技活动人力的规模。

科学家与工程师　指科技活动人员中具有高、中级技术职称(职务)的人员和不具有高、中级技术职称(职务)的大学本科及以上学历人员。该指标用来反映投入科技活动人力的素质。

研究与试验发展(R&D)　指在科学技术领域，为增加知识总量、以及运用这些知识去创造新的应用进行的系统的创造性的活动，包括基础研究、应用研究、试验发展三类活动。国际上通常采用 R&D 活动的规模和强度指标反映一国的科技实力和核心竞争力。

基础研究　指为了获得关于现象和可观察事实的基本原理的新知识(揭示客观事物的本质、运动规律，获得新发现、新学说)而进行的实验性或理论性研究，它不以任何专门或特定的应用或使用为目的。其成果以科学论文和科学著作为主要形式。用来反映知识的原始创新能力。

应用研究　指为获得新知识而进行的创造性研究，主要针对某一特定的目的或目标。应用研究是为了确定基础研究成果可能的用途，或是为达到预定的目标探索应采取的新方法(原理性)或新途径。其成果形式以科学论文、专著、原理性模型或发明专利为主。用来反映对基础研究成果应用途径的探索。

试验发展　指利用从基础研究、应用研究和实际经验所获得的现有知识，为产生新的产品、材料和装置，建立新的工艺、系统和服务，以及对已产生和建立的上述各项作实质性的改进而进行的系统性工作。其成果形式主要是专利、专有技术、具有新产品基本特征的产品原型或具有新装置基本特征的原始样机等。在社会科学领域，试验发展是指把通过基础研究、应用研究获得的知识转变成可以实施的计划(包括为进行检验和评估实施示范项目)的过程。人文科学领域没有对应的试验发展活动。主要反映将科研成果转化为技术和产品的能力，是科技推动经济社会发展的物化成果。

研究与试验发展人员　指参与研究与试验发展项目研究、管理和辅助工作的人员， 包括项目(课题)组人员， 企业科技行政管理人员和直接为项目(课题)活动提供服务的辅助人员。反映投入从事拥有自主知识产权的研究开发活动的人力规模。

研究与试验发展人员全时当量　指全时人员数加非全时人员按工作量折算为全时人员数的总和。例如: 有两个全时人员和三个非全时人员(工作时间分别为 20%、30% 和 70%)，则全时当量为 2+0.2+0.3+0.7=3.2 人年。为国际上比较科技人力投入而制定的可比指标。

专业技术人员　指从事专业技术工作和专业技术管理工作的人员，即企事业单位中已经聘任专业技术职务从事专业技术工作和专业技术管理工作的人员，以及未聘任专业技术职务，现在专业技术岗位上工作的人员。包括工程技术人员，农业技术人员，科学研究人员，卫生技术人员，教学人×100%员，经济人员，会计人员，统计人员，翻译人员，图书资料、档案、文博人员，新闻出版人员，律师、公证人员，广播电视播音人员，工艺美术人员，体育人员，艺术人员及企业政治思想工作人员，共十七个专业技术职务类别。用来反映科技人力资源情况。

科技活动经费筹集 指从各种渠道筹集到的计划用于科技活动的经费，包括政府资金、企业资金、事业单位资金、金融机构贷款、国外资金和其他资金等。反映各社会经济主体对促进科技进步所做的努力。

政府资金 指从各级政府部门获得的计划用于科技活动的经费，包括科学事业费、科技三项费、科研基建费、科学基金、教育等部门事业费中计划用于科技活动的经费以及政府部门预算外资金中计划用于科技活动的经费等。

企业资金 指从自有资金中提取或接受其他企业委托的、科研院所和高校等事业单位接受企业委托获得的，计划用于科研和技术开发的经费。不包括来自政府、金融机构及国外的计划用于科技活动的资金。

金融机构贷款

指从各类金融机构获得的用于科技活动的贷款。

科技活动经费内部支出 指报告年内用于科技活动的实际支出，包括劳务费、科研业务费、科研管理费，非基建投资购建的固定资产、科研基建支出以及其他用于科技活动的支出。不包括生产性活动支出、归还贷款支出及转拨外单位支出。反映科技投入实际完成情况。

劳务费 指以货币或实物形式直接或间接支付给从事科技活动人员的劳动报酬及各种费用。包括各种形式的工资、津贴、奖金、福利、离退休人员费用、人民助学金等。反映改善科技人员待遇情况。

固定资产购建费 指报告年内使用非基建投资购建的固定资产和用于科研基建投资的实际支出额，即固定资产实际支出和科研基建投资实际完成额之和。固定资产是指长期使用而不改变原有实物形态的主要物资设备、图书资料、实验材料和标本以及其他设备和家具、房屋、建筑物。反映用于改善科研条件和科研手段方面的投入情况。

新产品 指采用新技术原理、新设计构思研制、生产的全新产品，或在结构、材质、工艺等某一方面比原有产品有明显改进，从而显著提高了产品性能或扩大了使用功能的产品。既包括政府有关部门认定并在有效期内的新产品，也包括企业自行研制开发，未经政府有关部门认定，从投产之日起一年之内的新产品。用来反映科技产出及对经济增长的直接贡献。

专利 是专利权的简称，是对发明人的发明创造经审查合格后，由专利局依据专利法授予发明人和设计人对该项发明创造享有的专有权。包括发明、实用新型和外观设计。反映拥有自主知识产权的科技和设计成果情况。

发明 指对产品、方法或者其改进所提出的新的技术方案。是国际通行的反映拥有自主知识产权技术的核心指标。

实用新型 指对产品的形状、构造或者其结合所提出的适于实用的新的技术方案。反映具有一定技术含量的技术成果情况。

外观设计 指对产品的形状、图案、色彩或者其结合所作出的富有美感并适于工业上应用的新设计。反映拥有自主知识产权的外观设计成果情况。

普通高等学校 指按照国家规定的设置标准和审批程序批准举办的，通过全国普通高等学校统一招生考试，招收高中毕业生为主要培养对象，实施高等教育的全日制大学、独立设置的学院和高等专科学校、高等职业学校和其他机构。大学、独立设置的学院主要实施本科层次以上教育，高等专科学校、高等职业学校实施专科层次教育，其他机构是承担国家普通招生计划任务不计校数的机构。包括普通高等学校分校和批准筹建的普通高等学校等。

成人高等学校 指按照国家规定的设置标准和审批程序批准举办的，通过全国成人高等学校统一招生考试，招收具有高中毕业或同等学历的在职从业人员为主要培养对象，利用函授、业余、脱产等多种形式对其实施高等学历教育的学校。包括职工高等学校、农民高等学校、管理干部学院、教育学院、独立函授学院、广播电视大学、其他机构等。其他机构是承担国家成人招生计划任务不计校数的机构。

小学学龄儿童入学率 指调查范围内已入小学学习的学龄儿童占校内外学龄儿童总数(包括弱智儿童，不包括盲聋哑儿童)的比重。计算公式为:

小学学龄儿童入学率=已入小学学习的学龄儿童数/按内外学龄儿童总数×100%

Explanatory Notes on Main Statistical Indicators

Scientific and Technological Activities (S&T Activities) refer to organized activities which are closely related with the creation, development, dissemination and application of the scientific and technical knowledge in the fields of natural sciences, agricultural science, medical science, engineering and technological science, humanities and social sciences (referred to as scientific and technological fields). S&T activities can be classified into 3 categories: research and development (R&D) activities, application of R&D results, and related S&T services. This statistical definition is made by UNICHIEF for scientific and technological activities to meet the need of carrying out statistical work in this field for its member countries in particular those developing countries.

Personnel Engaged in S&T Activities refer to personnel directly engaged in S&T activities, in the management of S&T activities, and in providing direct service to S&T activities, who sp end over 10% of the total working hours in a year in S&T activities. (1) Personnel directly engaged in S&T activities include researchers, engineers, technicians and other related personnel engaged in S&T activities in independent-accounting R&D institutions, institutions of higher learning, and in research institutes, laboratories, technology development centers and central experiment workshops under enterprises and institutions. Also included are people working in S&T research project teams, professional and technical personnel working in S&T information archiving institutes, and graduate students working on the design of their thesis. (2) Personnel engaged in the management of S&T activities and in providing direct service to S&T activities include senior management people responsible for S&T activities in independent -accounting R&D institutions, S&T information archiving institutes, institutions of higher learning, and in enterprises and institutions where S&T activities are undertaken. Also included are people responsible for the planning, administration, personnel management, financial management, logistics supply, equipment maintenance, information and library management that are related with S&T activities. People providing indirect services are excluded, such as security, medical service, drivers, plumbers, cleaners and those providing catering and related service. This indicator reflects the size of personnel engaged in S&T activities.

Scientists and Engineers refer to persons engaged in S&T activities who have obtained titles of senior and middle level professional positions, and those without such position but have completed university or higher education. This indicator reflects the quality of personnel engaged in S&T activities.

Research and Development (R&D) refers to systematic and creative activities in the field of science and technology aiming at increasing the knowledge and using the knowledge for new application. R&D includes 3 categories of activities: basic research, applied research and experiments and development. The scale and intensity of R&D are widely used internationally to reflect the strength of S&T and the core competitiveness of a country in the world.

Basic Research refers to empirical or theoretical research aiming at obtaining new knowledge on the fundament al principles of phenomena of observable facts to reveal the nature and law of movement of objects and to acquire new discoveries or new theories. Basic research takes no specific or designated application as the aim of the research. Results of basic research are mainly released or disseminated in the form of scientific papers or monographs. This indicator reflects the original innovation capacity for original knowledge.

Applied research refers to creative research aiming at obtaining new knowledge on a specific objective or target. Purpose of the applied research is to identify the possible use of results from basic research, or to explore new (fundamental) methods or new approaches. Results of applied research are expressed in the form of scientific papers , monographs, fundamental models or invention patents. This indicator reflects the exploration of ways to apply the results of basic research.

Experiments and Development refer to systematic activities aiming at using the knowledge from basic and applied researches or from practical experience to develop new products, materials and equipment, to establish new production process, systems and services, or to make substantial improvement on the existing products, process or services. Results of experiment and development activities are embodied in patents, exclusive technology, and monotype of new products or equipment. In social sciences, experiment and development activities refer to the process of converting the knowledge from basic or applied researches in to feasible programs (including conduct of demonstration projects for assessment and evaluation). There are no experiment and development activities in the science of humanities. This indicator reflects the capability of transferring the results of S&T into technique and products, which is the materialized measurement of S&T pushing forward the economic and social development.

R&D Personnel refer to persons engaged in research, management and supporting activities of R&D, including persons in the project teams, persons engaged in the management of S&T activities of enterprises and sup porting staff providing direct service to the research projects. This indicator reflects the size of personnel engaged in R&D activities with independent intellectual property.

Full-time Equivalent of R&D Personnel refers to the sum of the full-time persons and the full-time equivalent of part time persons converted by workload. For instance, if there are 2full-time persons and 3 part time workers (20%, 30% and 70%of working hours respectively on R&D activities), the full-time equivalent is 2+0.2+0.3+0.7=3.2 person-years. This is an internationally comp arable indicator of input of personnel in S&T activities.

Professional and Technical Personnel refer to persons engaged in professional and technical work or in the management of professional and technical activities, i.e., people with professional or technical posit ions who are engaged in professional and technical work or in the management of professional and technical activities, and people without professional or technical positions but are working on professional or technical posts. They include professionals and technicians working in 17 categories of technical occupations including engineering, agriculture, scientific researches, medical service, teaching, economic research and application, accounting, statistics, translation, libraries, archives, cultural and museum service, journalism and publication, lawyers, notarization service, radio and television broadcasting, handicraft and fine arts, sports, performing art, and political workers in enterprises. This indicator reflects the condition of human resources in S&T.

Funding for S&T Activities refers to funds obtained from various sources for S&T activities, including government funds, self-raised funds by enterprises, self-raised funds by institutions, loans from financial institutions, foreign funds and other funds . This indicator reflects the efforts made by various social economic entities in promoting the development of S&T.

Government Funds refer to funds obtained from government agencies at all levels to be used for S&T activities, including fund for scientific undertakings, 3 kinds of fund for S&T activities, fund for capital const ruction for scientific researches, science fund, funds from education expenditures by education departments for S&T activities, and extra-budget fund from government agencies for S&T activities.

Funds of Enterprises by Enterprises refers to self-raised funds by enterprises from their own expenditure or from other enterprises and funds received by universities or research institutions from enterprises for scientific research or technical development projects. Excluded in this category are funds from government agencies, financial institutions or from foreign institutions.

Loans from Financial Institutions refer to loans from various financial institutions for S&T activities.

Internal Expenditures on S&T activities refer to the actual expenditures on S&T activities during the reference year, including service fees, expenditure on research activities, expenditure on research management, purchase or const ruction of fixed assets not included in the investment for capital const ruction, expenditure on capital construction for scientific researches, and other expenditures on S&T activities. Not included are expenditure on production activities, repayment of loans and transfer expenditure. This indicator reflects the real accomplishment of input in S&T.

Service Fees refer to direct or indirect payment, in cash or in kind, made to personnel engaged in S&T activities as remuneration and other fees. They include, in various forms, salaries, subsidies, bonus, benefits, retirement pension, stipend, etc. This indicator reflects the improvement of treatment toward S&T personnel.

Purchase or Construction of Fixed Assets refers to the fixed assets purchased or constructed using funds other than the investment in capital construction, and the actual expenditure on capital construction for scientific researches. In other words, it is the sum of the actual expenditure on fixed as sets and the accomplished investment in capital construction for scientific researches. Fixed as sets refer to main materials and equipment, literatures and documents in libraries, materials for experiments, specimen, instruments, furniture, buildings and constructions that can be used for a long time without changing t he form and shape of those articles or constructions. This indictor reflects the input in improving t he condition of S&T and the means of scientific research.

New Products refer to new products produced with new technology and new design, or products that represent noticeable improvement in terms of structure, material, or production process so as to imp rove significantly the character or function of the older versions. They include new products certified by relevant government agencies within the period of certification, as well as new products designed and produced by enterprises within a year without certification by government agencies. This indictor reflects the direct contribution of S&T output to economic growth.

Patent is an abbreviation for the patent right and refers to the exclusive right of ownership by the inventors or designers for the creation or inventions, given from the patent offices after due process of assessment and approval in accordance wit h the Patent Law. Patents are grant ed for inventions, utility model sand designs. This indicator reflects the achievements of S&T and design with in dependent intellectual property.

Inventions refer to the new technical proposals to the products or methods or their modifications. This is universal core Indicator reflecting the technologies with independent intellectual property.

Utility Models refer to t he practical and new technical proposals on the shape and structure of the product or the combination of both. This indicator reflects the condition of technological results with certain technical content.

Designs refer to the aesthetics and industrially applicable new designs for the shape, pattern and color of the product, or their combinations. This indicator reflects the appearance design achievements with independent intellectual property.

Regular Institutions of Higher Learning refer to educational establishments set up according to the government evaluation and approval procedures, enrolling graduates from senior secondary schools and providing higher education courses and training for senior professionals. They include full-time universities, colleges, high professional schools, high professional vocational schools and others.Universities and colleges are mainly providing undergraduate courses; those high professional schools and high professional vocational schools are mainly providing professional trainings; and others refer to educational establishments, which hare responsible for enrolling students but not covered in the total number of schools, including: branch schools of universities and colleges, and universities and colleges that have been proved and prepared to construct.

Institutions of Higher Learning for Adults refer to educational establishments, set up in line with relevant rules approved by the government, enrolling staff and workers wit h senior secondary school or equivalent education, and providing higher education courses in many forms of correspondence, spare time, or full time for adults. Professionals thus trained receive a qualification equivalent to graduates studying regular courses at regular universities, colleges and professional colleges. Institutions of higher learning for adults include schools of high education for staff and workers, schools of high education for peasants, colleges for management cadres, pedagogical colleges, independent correspondence colleges, Radio and TV universities and other educational establishments. Other educational establishments are responsible for enrolling adult students but not covered in the number of schools.

Enrollment Rate of Primary School Age Children refers to the proportion of school age children enrolled at schools to the total number of school age children both in and outside schools (including retarded children, but excluding blind, deaf and mute children). The formula is:

Enrollment Rate of Primary School-age Children = (Total Primary School-age Children at Schools/Total Primary School-age Children Both at and Outside Schools) × 100%

文化、出版、体育与卫生

17

Culture, Publishing, Sports and Public Health

简要说明

本篇资料的主要内容及来源

本篇主要反映我省文化、体育和卫生事业发展情况。文化部分主要包括艺术、图书馆、群众文化、文物、广播、电视、新闻出版等文化事业的机构、人员及业务活动情况。体育部分包括群众体育和竞技体育，主要内容有体育系统职工、运动员、教练员和裁判员等人数，体育场地数等。卫生部分主要内容为卫生机构、人员、床位数，医院诊疗人次及入院人数。

上述资料分别由省文化厅、省广电局、新闻局、省体委、卫生厅等部门提供，是根据有关部门制定的统计报表制度进行统计、汇总整理而成的。

本篇资料由省统计局社会和科技统计处整理提供 。

Brief Introduction

Main Content and Source of Data

Data in this chapter show the development of culture, sports and public health. Data on culture cover mainly the situations on institutions, personnel and business activities of arts, libraries, mass culture, cultural relics, broadcasting, films, televisions, news and publication etc. Data on Sports cover mass sports (sports for all) and athletics sports, including mainly the number of staff and workers in sports departments, number of athletes, coaches and referees, number of stadiums and gymnasiums etc.Data on Public health include mainly the number of institutions, personnel, hospital beds, number of patients treated and inpatients.

The above mentioned data are provide By the Provincial Department of Culture , Provincial Administration of Broadcasting, film and Television，Provincial Press and Publication House，the Provincial Commission of Sports, Department of Public Health. Data are collected and tabulated in accordance with the statistical reporting schemes stipulated by the departments concerned.

Data in this chapter are provided and compiled by the Division of Social, Science and Technology Statistics of Fujian Provincial Bureau of Statistics.

17–1 主要年份文化事业基本情况

Basic Statistics for Culture in Selected Years

项目 Item	艺术表演团体(个) Art Performance Troupes(unit)	公共图书馆(座) Public Libraries(unit)	博物馆(座) Museums(unit)	图书出版总印数(万份) Number of Books Published (10000 copies)	杂志出版总印数(万份) Number of Magazines Published (10000 copies)	报纸出版总印数(万份) Number of Newspapers Published (10000 copies)	广播人口覆盖率(%) Listener Rating (%)	电视人口覆盖率(%) Viewer Rating (%)
1952	62	2		127	109	1916		
1957	113	10	1	1041	63	3559		
1962	119	10	9	1846	96	4221		
1965	115	12	13	3956				
1970	66	10	6					
1975	77	14	10					
1978	101	23	13	6818	388	14784	1.00	
1979				7316	345	13005		
1980	107	26	15	8246	960	14913	40.00	60.00
1981				12113	1380	14207		
1982				9988	1433	16003		
1983				11757	1957	19244		
1984				11870	2441	28134		
1985	104	65	24	15603	3375	35847	55.00	65.00
1986	101	68	25	12465	3450	39596	63.00	76.00
1987	98	70	34	17101	4177	44858	63.00	80.00
1988	97	71	42	17047	3429	44135	63.00	80.00
1989	92	73	51	15859	2765	36961	63.00	80.00
1990	91	74	58	16311	3157	41455	67.00	82.00
1991	89	74	61	17667	3688	44176	71.00	84.00
1992	89	75	64	19399	4258	45021	73.00	87.00
1993	90	75	63	17044	4350	45845	76.00	88.00
1994	91	75	62	19745	4004	49208	84.00	89.00
1995	91	78	64	18448	4239	51526	86.00	90.00
1996	91	79	70	21348	3891	53608	90.00	91.00
1997	92	78	76	23282	3974	55027	91.00	94.00
1998	94	80	76	21596	3899	59543	93.00	95.00
1999	93	82	77	21875	3990	64195	95.00	97.00
2000	96	81	81	20298	4463	68897	95.81	97.14
2001	93	82	80	17891	4470	73185	95.97	97.47
2002	94	82	80	19953	4089	79061	96.12	97.62
2003	94	82	79	15595	3937	79809	96.44	97.82
2004	94	83	79	13907	3450	89681	96.45	97.83
2005	91	84	82	10643	2841	87962	96.96	98.10
2006	92	85	84	9840	2902	97246	96.99	98.13
2007	92	85	85	8463	2870	99836	97.05	98.25
2008	90	85	89	7793	2935	103791	97.37	98.34

17-2 主要年份各类文化事业机构数

Number of Cultural Institutions in Selected Years

单位：个　　(unit)

年份 Year	艺术事业 Art Institutions		公共图书馆 Public Libraries	博物馆 Museums	群众文化事业 Mass Culture		
	表演团体 Art Performance Troups	表演场所 Art Centers			艺术馆 Art Centers	文化馆 Cultural Centers	文化站 Cultural Stations
1952	62	32	2			72	152
1957	113	74	10	1		69	149
1962	119	48	10	9	8	72	47
1965	115	52	12	13	8	73	40
1970	66	31	10	6	1	55	34
1975	77	31	14	10	2	72	37
1978	101		23	13	6	76	35
1980	107	26	26	15	9	76	55
1985	104	55	65	24	10	78	134
1986	101	64	68	25	10	78	140
1987	98	67	70	34	10	78	143
1988	97	71	71	42	10	78	144
1989	92	71	73	51	10	79	145
1990	91	75	74	58	10	80	145
1991	89	75	74	61	10	80	128
1992	89	77	75	64	10	80	143
1993	90	77	75	63	10	80	126
1994	91	78	75	62	10	80	115
1995	91	78	78	64	10	80	159
1996	91	79	79	70	10	80	146
1997	92	78	78	76	10	80	149
1998	94	79	80	76	10	80	142
1999	93	79	82	77	10	80	143
2000	96	80	81	81	10	80	995
2001	93	83	82	80	10	80	1042
2002	94	78	82	80	10	80	1042
2003	94	76	82	79	10	78	1066
2004	94	74	83	79	10	78	1001
2005	91	76	84	82	10	80	1026
2006	92	69	85	84	10	80	1018
2007	92	67	85	85	14	77	1050
2008	90	68	85	89	10	82	1090

注：文化站数统计口径调整。2002年起文化站数包括民办与公办，即所有的基层文化站；2001年及以前只包括公办。

Note:The statistic scope of cultural stations has been adjusted. Cultural stations Since 2002 includes those runned by local people or by government, namely,all local cultural stations. Cultural stations in and before 2001 includes those runned by government only.

17–3 群众艺术馆、文化馆站业务活动及经费情况(2008年)

Basic Statistics on Activities and Expenditures of Mass Art Centers and Cultural,2008

项目 Item	总计 Total	群众艺术馆 Mass Art Centers	文化馆 Cultural Centers	文化站 Cultural Stations
单位数（个） Number of Units(unit)	1182	10	82	1090
从业人员（人） Persons Employed(person)	2335	182	686	1467
举办展览（个） Number of Exhibitions(unit)	2304	103	423	1778
组织文艺活动（次） Art Performances and Story-telling Sessions(time)	8370	475	2026	5869
藏书（册） Collections (volume)	1959956	2800	52966	1904190
举办训练班（次） Training Courses(time)	8294	747	934	6613
培训人次（千人次） Number of Persons Completing Courses(1000 person-times)	291	24	64	203
组织各类理论研讨和讲座次数（次） Number of Organization Theoretical Research and Lectures(time)	271	80	191	
本年收入合计（千元） Total Income (1000 yuan)	135205	31438	48948	54819
本年支出合计（千元） Total Expenditures(1000 yuan)	125135	23551	47323	54261
#维修（护）费 Maintenance Expenses	1866	265	606	995

17-4 文化部门按剧种分艺术表演团体演出情况(2008年)

Basic Statistics on Performance of Art Troupes in Culture, 2008

项目 Item	剧团数（个） Number of Troupes (unit)	从业人员（人） Persons Employed (person)	本年新排上演剧目（个） Plays new performed (unit)	演出场次（场） Number of perfor - mance(show)	演出观众人数（千人次） Number of spectators (1000 person/times)	本年收入（千元） Income from performance (1000 yuan)
艺术表演团体 **Performance of Art Groups**	**90**	**4208**	**642**	**14796**	**11022**	**297114**
#话剧、儿童剧、滑稽剧团 Drama, Children's play and Comedy Troupes	4	181	3	300	273	14111
歌剧、舞蹈、歌舞剧团 Opera, Dance, Song and Dance Drama	3	279		300	216	29519
歌舞团、轻音乐团 Song and Dance, Light Music Troupes	11	654	100	1070	991	61932
戏曲剧团 Local Opera Troupes	62	2768	445	10900	8579	153308
#京剧 Local Beijing Opera Troupes	1	135	32	130	64	15902
曲、杂、木、皮剧 Recitation and Ballad Troupes, Acrobatics and Circus Troupes, Puppet show Troupes and shadow play Troupes	9	318	94	2100	913	37835

17-5 图书、博物馆情况

Basic Statistics on Libraries and Museums

项目	Item	2007	2008
图书馆	**Libraries**		
图书购置费（千元）	Purchase Expenses for Books(1000 yuan)	14925	15180
总流通人次（千人次）	Total Number of Circulation(1000 person-times)	809	931
博物馆	**Museums**		
文物藏品（件）	Collection of Cultural Relics(piece)	351435	376026
#一级品	Grade one	912	915
参观人次（万人次）	Number of Visitors(10000 person-time)	5597	7292
门票收入（千元）	Income from Tickects(1000 yuan)	3459	5870

17–6 图书出版情况(1978–2008年)

Basic Statistics of Book Published ,1978-2008

年份 Year	图书种数(种) Number of Publications (kind)	本版图书种数 Book Publications of Original Edition	#新出 New Publications	租型图书(种) Book Publications for Rent(kind)	总印数(万册、万张) Total Printed Copies (10000 copies)	#租型 Copies for Rent	总印张(千印张) Total Pointed Sheets (1000 sheets)	#租型 Copies for Rent	定价总金额(万元) Total Priced Value (10000 yuan)
1978	347	180	150	167	6818	3709	258719	160714	
1979	335	157	152	178	7316	4557	293006	174064	
1980	448	224	197	224	8246	5459	318718	230922	
1981	606	405	358	201	12113	5716	448673	220433	3377
1982	620	430	376	190	9988	5324	335147	196042	2747
1983	903	694	520	209	11757	5084	374473	182416	3293
1984	979	782	588	197	11870	4523	424764	168286	4107
1985	1219	976	783	243	15603	5339	609847	183552	8495
1986	1341	1119	874	222	12465	5132	443306	192474	6572
1987	1454	1207	823	247	17101	5431	609655	203602	9702
1988	1434	1183	716	251	17047	5233	614164	202373	13970
1989	1734	1449	1035	285	15859	5164	579815	195930	16998
1990	1799	1518	1034	281	16311	5370	588903	198660	18774
1991	1956	1709	1096	247	17667	5367	687789	212078	26176
1992	2200	1939	1089	261	19399	6229	747055	255252	28563
1993	2237	1988	1404	249	17044	5820	692582	269185	33137
1994	2658	2379	1548	279	19745	6316	786552	306980	52794
1995	2346	2041	1285	305	18448	6554	799268	350580	60411
1996	2765	2456	1457	309	21348	7316	923246	392633	87917
1997	2713	2403	1400	310	23282	7740	1012534	444673	94820
1998	2864	2545	1551	319	21596	8188	1004826	475610	105493
1999	3250	2956	1688	294	21875	7942	1021736	458774	107293
2000	2879	2637	1518	242	20298	7062	969527	444525	99604
2001	2395	2140	1464	255	17891	7470	933277	475153	83157
2002	3011	2692	2127	319	19953	7752	1079027	511177	106245
2003	2950	2591	1881	359	15595	7236	935650	496601	96910
2004	3049	2641	1771	408	13907	6306	1123920	726166	91232
2005	2943	2623	1693	320	10643	5066	691813	394674	74571
2006	3002	2692	1793	310	9840	4458	687082	346972	71235
2007	2966	2678	2009	288	8463	3902	622153	285318	68507
2008	3471	3259	2265	212	7793	2501	491166	152947	76128

17-7 图书出版分类构成情况(2008年)

Composition of Books Published,2008

项目 Item	本版图书种数(种) Book Publications of Original Edition (kind)	#新出 New Publica-tions	租型图书种数(种) Book Publications for Rent (kind)	总印数(万册、万张) Printed Copies (10000 copies)	#租型 Copies for Rent	总印张(千印张) Printed sheets (1000 sheets)	#租型 Copies for Rent
合　计 Total	**3259**	**2265**	**212**	**7793**	**2501**	**491166**	**152947**
使用“中国标准书号”合计 Publications with "China International Standard Book Number"	**3242**	**2248**	**212**	**7784**	**2501**	**490650**	**152947**
马列主义、毛泽东思想 Marxism-Leninism,Mao Zedong Thought	2	1		2		229	
哲学 Philosophy	26	18		8		1106	
社会科学总论 General Social Sciences	14	8		5		940	
政治、法律 Politics and Law	101	70		37		8166	
军事 Military Affairs	5	4		14		2480	
经济 Economics	115	66		38		7726	
文化、科学、教育、体育 Culture, Science, Education and Sports	1900	1208	188	6872	2378	403220	149819
语言、文字 Languages	59	29		26		3334	
文学 Literature	259	256		242		25771	
艺术 Arts	290	253	24	245	123	10254	3128
历史、地理 History and Geography	156	141		91		6561	
自然科学总论 General Natural Sciences	1	1		...		51	
数理科学、化学 Mathematics and Chemistry	13	5		5		964	
天文学、地球科学 Astronomy and Geology	1	1		...		19	
生物科学 Biology	7	5		1		165	
医学、卫生 Medicine and Health Care	75	46		45		4490	
农业科学 Agricultural Science	55	22		36		2003	
工业技术 Industrial Technology	117	70		75		9067	
交通运输 Transportation	4	2		2		77	
航空、航天 Aeronautics and Aerospace							
环境科学 Environmental Science	4	4		23		738	
综合性图书 General Books	38	38		18		3289	
不使用“中国标准书号”合计 Publications without "China International Standard Book Number"	**17**	**17**		**9**		**516**	

17–8 主要年份书刊报纸出版情况

Books, Magazines and Newspaper Published in Selected Years

年份 Year	出版社（个） Publishing Houses (unit)	出版种数（种） Number of Publications(kinds)			总印数（万份） Printed Copies(10000 copies)		
		图书 Books	期刊 Magazines	报纸 Newspaper	图书 Books	期刊 Magazines	报纸 Newspaper
1978	1	347	8	4	6818	388	14784
1980	4	448	28	6	8246	960	14913
1985	9	1219	114	32	15603	3375	35847
1986	9	1341	119	31	12465	3450	39596
1987	9	1454	124	38	17101	4177	44858
1988	10	1434	126	31	17047	3429	44135
1989	10	1734	128	31	15859	2765	36961
1990	10	1799	123	31	16311	3157	41455
1991	10	1956	126	32	17667	3688	44176
1992	10	2200	134	35	19399	4258	45021
1993	10	2237	139	41	17044	4350	45845
1994	11	2658	150	43	19745	4004	49208
1995	11	2346	159	47	18448	4239	51526
1996	11	2765	159	47	21348	3891	53608
1997	11	2713	157	48	23282	3974	55027
1998	11	2864	159	48	21596	3899	59543
1999	11	3250	134	49	21875	3990	64195
2000	11	2879	187	61	20298	4463	68897
2001	11	2395	189	64	17891	4470	73185
2002	11	3011	186	66	19953	4089	79061
2003	11	2950	186	66	15595	3937	79809
2004	11	3049	176	58	13907	3450	89681
2005	11	2943	174	58	10643	2841	87962
2006	11	3002	174	59	9840	2902	97246
2007	11	2966	176	59	8463	2870	99836
2008	12	3471	174	59	7793	2935	103791

注：1.1995年及以后年份图书出版种数包括租型。

Note:Number of Publications of Books includes those for rent since 1995.

17–9 报纸出版情况(2008年)

Publications of Newspapers, 2008

项目	Item	出版种数（种）Number of Publications(kinds)	出版总印数（万份）Printed Copies (10000 copies)	出版总印张（千印张）Printed Sheet (1000 sheets)
合　计	**Total**	**59**	**103791**	**4435700**
按类别分	**By Kind**			
综合	General	29	53042	2196581
专业	Special	30	50749	2239119
按级别分	**By Grade**			
省级	Province	21	92618	4102684
地(市)级	City	38	11174	333016

17–10 期刊出版情况(2008年)

Publications of Magazines, 2008

项目	Item	出版种数(种) Number of Publications(kind)	出版总印数(万册) Printed Copies (10000 copies)	出版总印张(千印张) Printed Sheets (1000 sheets)
合　计	**Total**	**174**	**2935**	**131603**
#画刊	Picture Magazine	2	33	813
少年儿童读物	Book for children	4	486	11913
1.综合	General	7	39	5450
2.哲学、社会科学	Philosophy and Social Science	53	1385	61604
3.自然科学、技术	Natural science and Technology	70	141	7557
4.文化、教育	Culture and Education	31	801	28557
5.文学、艺术	Literature and Art	13	570	28435

17–11 课本出版情况

Publication of Textbooks

项目 Item	2000	2003	2005	2007	2008
种数（种）Number of Publication(kinds)	**310**	**640**	**576**	**576**	**573**
大专及以上课本 Textbooks for Colleges and Universities	21	80	64	92	166
中专、技校课本 Textbooks for Secondary Technical Schools	3			1	5
中学课本 Texbooks for Middle Schools	85	259	219	177	124
小学课本 Texbooks for Primary Schools	168	233	253	276	233
业余教育课本 Texbooks for Spare-time Education	2	9	1	2	
教学用书 Teaching Materials	31	59	39	28	45
总印数（万份）Printed Copies(10000 copies)	**7372.59**	**8972.91**	**6531.51**	**4930.04**	**3804.37**
大专及以上课本 Textbooks for Colleges and Universities	4.98	35.61	36.46	37.85	111.80
中专、技校课本 Textbooks for Secondary Technical Schools	2.96			0.81	1.07
中学课本 Texbooks for Middle Schools	3264.42	4437.43	2970.87	2293.82	1439.19
小学课本 Texbooks for Primary Schools	4048.64	4411.90	3495.89	2588.12	2243.26
业余教育课本 Texbooks for Spare-time Education	0.90	6.08	1.00	0.70	
教学用书 Teaching Materials	50.69	81.89	27.29	8.74	9.05
总印张（千印张）Printed Sheets(1000 sheets)	**452875.98**	**550982.91**	**441593.37**	**326929.61**	**213978.80**
大专及以上课本 Textbooks for Colleges and Universities	700.94	5520.46	5735.93	8719.75	21873.48
中专、技校课本 Textbooks for Secondary Technical Schools	606.38			121.50	120.34
中学课本 Texbooks for Middle Schools	292711.82	386850.97	297796.23	207805.97	104703.37
小学课本 Texbooks for Primary Schools	155212.46	152876.29	136237.30	109658.83	86848.35
业余教育课本 Texbooks for Spare-time Education	77.97	753.66	98.18	99.03	
教学用书 Teaching Materials	3566.41	4981.53	1725.73	524.53	433.26
定价总金额（万元）Total Priced Value(10000 yuan)	**38826.39**	**44407.53**	**35827.29**	**27978.96**	**21118.74**
大专及以上课本 Textbooks for Colleges and Universities	94.47	771.62	781.04	1136.36	3021.38
中专、技校课本 Textbooks for Secondary Technical Schools	68.07			14.58	22.40
中学课本 Texbooks for Middle Schools	20547.10	27466.28	21759.72	16771.90	9116.67
小学课本 Texbooks for Primary Schools	17876.27	15765.02	13175.19	10001.19	8854.12
业余教育课本 Texbooks for Spare-time Education	13.45	122.49	17.10	15.30	
教学用书 Teaching Materials	227.03	282.12	94.24	39.63	104.17

17–12 音像电子出版物出版情况（2006–2008年）

Publication of Video Products and E-journals,2006-2008

项目	Item	2006		2007		2008	
		种数（种）Number of Kinds(kinds)	数量（万张）Volume(10000 sheets)	种数（种）Number of Kinds(kinds)	数量（万张）Volume(10000 sheets)	种数（种）Number of Kinds(kinds)	数量（万张）Volume(10000 sheets)
一、出版	**Publication**						
录音制品	Audio Products	117	93.60	105	96.39	78	77.22
录像制品	Video Products	863	3170.21	692	2022.57	546	2092.91
电子出版物	E-journals	43	18.08	68	11.31	47	19.39
二、复制	**Reproduction**						
磁带制品	Tape Products		166.76		155.86		189.37
光盘制品	CD Products		13231.68		8934.16		7851.38

17–13 主要年份广播电视基本情况

Basic Statistics on Broadcasting and Television in Selected Years

年份 Year	广播事业 Broadcasting					电视事业 Television				
	电台（座）Broadcasting Stations(set)	节目（套）Number of Programs (sets)	每日播音时间（时:分）Broadcasting Hours per day(hours and minutes)	每日制作节目（时:分）Programs Per day(hours and minutes)	覆盖率（%）Listener Rating (%)	电视台（座）Television Stations(set)	节目（套）Number of Programs (sets)	每周播出时间（时:分）Broadcasting Hours per week(hours and minutes)	每日制作节目（时:分）Programs Per day(hours and minutes)	覆盖率（%）Received Rating (%)
1978	3	4	60:25		1	1	1	15:41		
1980	3	4	63:50		40	1	1	27:00		60
1985	3	4	61:20	17:36	55	3	4	230:00	3:16	65
1990	9	12	110:42	29:52	67	9	10	367:53	3:34	82
1995	47	50	701:57	194:09	86	13	15	909:09	17:07	90
1996	48	54	765:08	211:45	90	14	15	920:39	18:26	91
1997	48	54	764:27	243:34	91	14	15	1208:05	25:46	94
1998	9	58	752:54	297:09	93	10	15	1384:09	24:57	95
1999	9	58	869:59	319:43	95	10	16	1596:39	39:54	97
2000	9	72	1035:07	355:05	96	10	16	1612:15	45:15	97
2001	9	74	1044:53	386:57	96	10	22	8002:15	105:17	97
2002	10	76	1092:56	425:54	96	10	31	4101:23	114:59	98
2003	10	79	1146:32	491:38	96	10	30	4549:43	111:14	98
2004	10	81	1249:02	498:27	96	10	32	4519:40	117:21	98
2005	10	85	1308:52	620:24	97	10	36	5437:50	109:44	98
2006	10	86	1365:23	636:10	97	10	36	6065:16	134:34	98
2007	10	86	1369:24	619:20	97	10	37	6132:21	137:40	98
2008	10	86	1398:39	628:43	97	10	37	6091:07	144:18	98

17-14 无线广播基本情况

Basic Statisticts on Wireless Broadcasting and Television

项目	Item	2007	2008
广播	**Broadcasting**		
本年广播节目制作（小时）	Produced Programs of Broadcasting the Current Year(hours)	226057	230113
#新闻	News and Messages	41186	40607
专题	Special Servics	52212	52123
文艺	General arts	78820	84634
广告	Adierticsement	15984	16504
本年自制广播剧（集）	Self-produced Radio Play the Current Year(volumes)	1664	1915
平均每日播音时间（时:分）	Average Broadcasting Time per-day(hours and minutes)	1369:24	1398:39
中短波发射转播台座数（座）	Number of Launching and Relaying Stations of Middle and Shore Wave(sets)	36	36
调频发射转播台座数（座）	Number of Launching and Relaying Stations of Frequency Modulation(sets)	97	95
调频发射机数量（部）	Number of Launching Instruments of Frequency Modulation (units)	207	237
调频发射机功率（千瓦）	Power of Launching Instruments of Frequency Modulation(kw)	163	184
广播覆盖人口数（万人）	Population of Broadcasting Covered(10000 person)	3309	3350
电视	**Television**		
本年电视节目制作（小时）	Produced Programs of Television the Current Year(hours and minutes)	50250	52814
#新闻	News and Messages	19248	19142
专题	Special Servics	15001	13427
文艺	Plays	5345	7236
广告	Adierticsement	7228	8320
本年制作电视剧（集）	Produced Television Plays the Current Year(volumes)	162	219
平均每日播出时间（时:分）	Average Television Time Per-day(hours and minutes)	6132:21	6091:07
电视发射转播台座数（座）	Number of Television Transmiting and Transmission Stations (sets)	138	78
电视发射机数量（部）	Number of Television Transmitter(units)	259	217
电视发射机功率（千瓦）	Power of Television Transmitter(kw)	238	276
电视覆盖人口数（万人）	Population of Television Covered(10000 person)	3350	3384

17–15 各设区市广播电视卫星收转系统数

Number of Broadcast and Television Collection Stations and Replaying Stations by Satellite

单位：座　(sets)

地区	Area	2000	2003	2005	2007	2008
全　省	**Total**	**6103**	**8439**	**5881**	**222590**	**221818**
省直	Shengzhi	105	8	7	28	28
福州市	Fuzhou	616	711	565	8120	10584
厦门市	Xiamen	31	14	4	3003	3003
莆田市	Putian	90	172	152	10948	10948
三明市	Sanming	915	1655	1466	44643	39314
泉州市	Quanzhou	597	1772	225	112	70
漳州市	Zhangzhou	363	345	296	52968	52968
南平市	Nanping	843	1030	728	13779	12008
龙岩市	Longyan	1374	1092	722	58563	59550
宁德市	Ningde	1169	1640	1716	30426	33345

17–16 各设区市有线广播电视接收户数

Number of Households Received Wired Broadcasting and Television by City

单位：万户　(10000 household)

地区	Area	2000	2003	2005	2007	2008
全　省	**Total**	**280.00**	**370.13**	**422.98**	**490.59**	**515.72**
福州市	Fuzhou	67.82	99.50	111.75	120.88	127.79
厦门市	Xiamen	25.19	28.10	37.28	56.89	62.60
莆田市	Putian	19.85	25.40	25.34	29.10	34.27
三明市	Sanming	19.98	25.78	31.20	34.34	35.18
泉州市	Quanzhou	41.64	55.45	68.07	85.78	89.13
漳州市	Zhangzhou	19.57	33.40	37.86	42.88	46.69
南平市	Nanping	35.31	39.29	44.69	49.98	48.64
龙岩市	Longyan	24.35	28.19	29.04	31.90	32.29
宁德市	Ningde	26.29	35.02	37.75	38.84	39.13

17–17 各设区市电视人口综合覆盖率
Viewer Rating by City

单位：%　　　　(%)

地区	Area	2000	2003	2005	2007	2008
全　省	**Total**	**97.14**	**97.82**	**98.10**	**98.25**	**98.34**
福州市	Fuzhou	97.65	98.15	98.28	98.58	98.59
厦门市	Xiamen	97.05	97.11	99.59	100.00	100.00
莆田市	Putian	97.35	97.90	98.09	98.10	98.22
三明市	Sanming	98.28	98.60	98.59	98.65	99.06
泉州市	Quanzhou	97.60	97.97	98.15	98.16	98.17
漳州市	Zhangzhou	97.30	98.07	98.11	98.18	98.23
南平市	Nanping	96.07	97.09	97.44	97.77	97.91
龙岩市	Longyan	96.00	97.50	98.48	98.88	98.89
宁德市	Ningde	95.95	97.13	96.93	96.81	96.95

17–18 体育局系统从业人员情况
Persons Employed in Sports Bureau System

单位：人　　　　(person)

项目	Item	2007	2008
体育局系统从业人员	**Persons Employed in Sports Bureau System**	**4128**	**4511**
公务员	Civil Servants	478	459
专职教练员	Full-time Coaches	980	894
运动员	Athletes	619	1081
科技人员	Scientific and Technical Personnel	11	41
医务人员	Medical Personnel	48	40
文化教师	Culture Teachers	298	356
管理人员	Administration Personnel	836	689
其他	Others	858	247

17–19 当年评定等级裁判员和运动员人数

Referees and Athletes by Grades in Current Year

单位：人　　　　　(person)

项目	Item	2000	2003	2005	2007	2008
等级裁判员	**Number of Referees in Grades**	**297**	**498**	**569**	**824**	**762**
国际级裁判	International Referees					
国家级裁判	National Referees	18	12	8	6	
一级裁判	First Grade Referees	21	43	155	219	317
二级裁判	Second Grade Referees	258	443	406	599	445
等级运动员	**Number of Athletes in Grades**	**665**	**710**	**1361**	**1062**	**1462**
国际级运动健将	International Master of Sports	2	3	1		
运动健将	Master of Sports	26	33	30	8	
一级运动员	First Grade Sportsman		92	519	198	159
二级运动员	Second Grade Sportsman	637	582	811	856	1303

17–20 竞技体育比赛成绩情况

Results of Athletic Games

单位：个　　　　　(unit)

项目	Item	2000	2003	2005	2007	2008
世界比赛	**International Games**	**8**	**9**	**25**	**30**	**41**
金牌	Gold Medals	6	3	15	10	18
银牌	Silver Medals	1	4	8	12	12
铜牌	Bronze Medals	1	2	2	8	11
亚洲比赛	**Asia Games**	**20**	**13**	**19**	**10**	**37**
金牌	Gold Medals	10	8	8	5	24
银牌	Silver Medals	6	1	8	3	5
铜牌	Bronze Medals	4	4	3	2	8
全国比赛	**National Games**	**191**	**158**	**134**	**95**	**244**
金牌	Gold Medals	67	52	46	39	91
银牌	Silver Medals	59	53	51	24	78
铜牌	Bronze Medals	65	53	37	32	75

17–21 主要年份卫生事业基本情况

Basic Statistics for Health in Select year

年份 Year	卫生机构数（个） Number of Health Institutions (unit)	#医院、卫生院 Hospitals	卫生机构床位数（张） Number of Beds in Health Institution (set)	#医院、卫生院 Hospitals	卫生机构技术人员数（人） Medical Technical Personnel (person)	#医生 Doctors	每千人口拥有 Per 10 000 Persons 床位数（张） Number of Beds (set)	每千人口拥有 Per 10 000 Persons 医生数（人） Doctors (persons)
1952	633	113	6933	5902	17281	11416	0.5	0.9
1957	2068	132	10898	9902	26076	15022	0.7	1.0
1962	7434	211	27058	16958	40560	18001	1.7	1.1
1965	6757	420	28246	21818	42692	20437	1.6	1.2
1970	4297	922	31520	25322	34876	15795	1.6	0.8
1975	3403	1070	44905	38746	47059	20404	1.9	0.9
1978	3809	1111	51505	45331	54855	22097	2.1	0.9
1979	4118	1117	52779	46121	56913	21393	2.1	0.9
1980	4191	1130	53001	46772	58764	21033	2.1	0.8
1981	4320	1139	54110	48913	61749	22563	2.1	0.9
1982	4533	1141	54809	48632	65684	24075	2.1	0.9
1983	4654	1149	56501	50266	69312	25202	2.1	0.9
1984	4681	1159	57306	50957	71550	26406	2.1	1.0
1985	4816	1154	58414	52041	74204	26992	2.1	1.0
1986	4822	1132	59764	53165	76339	27487	2.1	1.0
1987	4847	1158	62611	55168	79528	28551	2.2	1.0
1988	4876	1175	64314	56920	81862	32207	2.2	1.1
1989	5059	1191	66700	59252	84431	34850	2.2	1.2
1990	4885	1198	68073	60664	86772	35696	2.2	1.2
1991	4867	1206	68985	61674	88607	36448	2.2	1.2
1992	4914	1218	70554	63005	90730	37623	2.3	1.2
1993	4522	1193	71290	63488	90424	38274	2.3	1.2
1994	4537	1260	72824	64791	91209	38037	2.3	1.2
1995	4537	1257	73644	65919	92811	39130	2.3	1.2
1996	4543	1298	83684	75676	93614	40253	2.6	1.2
1997	10059	1306	88710	80935	94993	40775	2.7	1.2
1998	10159	1315	89280	81759	97361	41924	2.7	1.3
1999	10154	1313	90091	82259	97548	31652	2.7	1.0
2000	9807	1323	90091	82389	97569	41461	2.6	1.2
2001	9765	1331	89769	82125	99440	42414	2.6	1.2
2002	8740	1318	87043	80463	95059	40253	2.5	1.2
2003	8525	1323	86634	79503	96902	41252	2.5	1.2
2004	8672	1315	87836	80523	100502	43586	2.5	1.2
2005	7932	1318	88239	81268	100937	36668	2.5	1.0
2006	9652	1307	91533	84289	106586	46051	2.6	1.3
2007	9230	1307	89366	82603	111192	46628	2.5	1.3
2008	7773	1302	98437	90811	119250	50659	2.7	1.4

注：2002年及以后卫生机构数为登记注册数，医生系执业(助理)医师数。

Note:a) Number of health institutions are the number of registeration since 2002, doctors also refer to the certified (assistant) doctors.

17–22 各类卫生机构数(2004–2008年)

Number of Health Institutions,2004-2008

单位：个 (unit)

项目 Item	2004	2005	2006	2007	2008
合计 Total	**8672**	**7932**	**9652**	**9230**	**7773**
医院 Hospitals	350	365	370	376	413
疗养院 Sanatorium	20	16	14	13	12
社区卫生服务中心 Health service centers in Communities	22	44	59	65	133
卫生院 Rural Township Hospitals	965	953	937	931	889
门诊部 Clinics	387	303	313	323	341
诊所、医务室、护理站 Clinigues,Infirmaries,Nursing Stations	6591	5920	7623	6888	5323
妇幼保健院、所 Maternity and Child Care Centers	91	89	88	88	86
专科疾病防治院 Specialized Prevention & Treatment Centers	37	34	31	31	26
急救中心 First-aid Centers	10	10	10	7	9
采供血机构 Blood Collected and Supplied Centers	15	10	9	9	9
疾病预防控制中心 Sanitation and Antiepidemic Stations	95	93	93	93	93
卫生监督所 Sanitation Supervision Centers	17	33	46	50	63
医学在职培训机构 Sanitation Supervision and Inspection Centers	32	26	25	24	26
医学科学研究机构 Research Institutions of Medical Science	10	9	8	8	8
健康教育所 Health Education Centers	9	7	5	5	1
其他卫生机构 Other Institutions	21	20	21	30	19

17–23 各类卫生机构床位数(2004–2008年)

Number of Beds in Health Institutions,2004-2008

单位：张 (set)

项目 Item	2004	2005	2006	2007	2008
合　计 Total	**87836**	**88239**	**91533**	**89366**	**98437**
医院 Hospitals	58310	58694	62734	62410	69380
疗养院 Sanatorium	2743	2497	2227	2103	2073
社区卫生服务中心 Health service centers in Communities	185	516	700	555	1609
卫生院 Rural Township Hospitals	22213	22574	21555	20193	21453
门诊部 Clinics	134	116	170	182	80
妇幼保健院、所 Maternity and Child Care Centers	2134	2107	2142	2900	2943
专科疾病防治院 Specialized Prevention & Treatment Centers	2092	1628	1868	959	899
急救中心 First-aid Centers	25	15	15	29	
其他 Others		92	122	30	45

17–24 各类卫生技术人员数(2004–2008年)

Medical Technical Personnel by Category,2004-2008

单位：人 (person)

项目 Item	2004	2005	2006	2007	2008
合　计 Total	**100502**	**100937**	**106586**	**111192**	**119250**
执业医师 Chartered Doctors	35312	36668	38675	39354	43713
执业助理医师 Assistant Chartered Doctors	8274	7641	7376	7274	6946
注册护士 Certified Nurses	32687	34195	35910	38845	42465
药剂人员 Pharmacists	9702	9128	9335	9002	9692
检验人员 Laboratory Technicians	4332	4620	4791	4783	5148
其他 Others	10195	8685	10499	10854	11286

17–25 各类卫生事业基本情况(2008年)

Basic Statistics on Public Health, 2008

项目 Item	卫生机构(个) Number of Health Institutions (unit)	#医院、卫生院 Number of Hospitals	医疗床位(张) Hospital Beds (set)	#医院、卫生院 Hospital and Health Centers	卫生技术人员(人) Medical Technical Personnel (person)	#医生 Doctors	#注册护士 Certified Nurses
合　计 Total	**7773**	**1302**	**98437**	**90833**	**119250**	**50659**	**42465**
医院 Hospitals	413		69380		67049	25408	28792
综合医院 Integrated Hospitals	265		50434		50513	18872	22231
中医医院 Hospitals of Traditional Chinese Medicine	69		9379		9208	3864	3346
中西医结合医院 Hospitals Integrating Traditional Chinese Medicine with Western Medicine	6		1417		1532	606	639
专科医院 Specialized Hospitals	71		8080		5719	2031	2554
疗养院 Sanatorium	12		2073		359	108	191
社区卫生服务中心 Health service centers in Communities	133		1609		3253	1516	877
卫生院 Rural Township Hospitals	889		21453		19150	8929	5124
门诊部 Clinics	341		80		3739	1739	1045
诊所、医务室、护理站 Clinigues,Infirmaries,Nursing Stations	5323				13043	7008	3453
妇幼保健院、所 Maternity and Child Care Centers	86		2943		4146	1734	1578
专科疾病防治院 Specialized Prevention & Treatment Centers	26		899		662	321	139
急救中心 First-aid Centers	9				257	107	118
采供血机构 Blood Collected and Supplied Centers	9				388	60	159
疾病预防控制中心 Sanitation and Antiepidemic Stations	93		45		3421	2035	209
卫生监督所 Sanitation Supervision Centers	63				876	387	29
医学在职培训机构 Sanitation Supervision and Inspection Centers	26				67	35	17
医学科学研究机构 Research Institutions of Medical Science	8				98	46	4
健康教育所 Health Education Centers	1				3	3	
其他卫生机构 Other Institutions	19				47	24	11

17-26 诊所、卫生室、医务室、社区卫生服务站基本情况(2008年)

Basic Statistics on Public Health by Gategory, 2008

项目	Item	诊所 Cliniques	卫生所、医务室 Sanitation centers and Infirmaries	社区卫生服务站 Health Service Stations in Communities
机构数（个）	**Number of Institutions(unit)**	**3891**	**1432**	**322**
人员数（人）	**Number of Personnel(person)**	**10312**	**2731**	**2692**
执业医师	Chartered Doctors	4633	1044	944
#中医执业医师	Chartered Doctors of aditional Chinese Medicine	917	112	200
执业助理医师	Assistant Chartered Doctors	1086	245	255
#中医执业助理医师	Assistant Chartered Doctors of Traditional Chinese Medicine	212	20	37
注册护士	Certified Nurses	2758	695	719
药剂人员	Pharmacists	1107	131	346
检验人员	Others	73	17	69
其他	Assistant Chartered Doctors	655	599	359

17-27 农村村级卫生组织情况

Health Organizations in Rural Areas at Village Level

项目	Item	2000	2003	2005	2007	2008
已设置医疗点村数（个）	**Number of Villages with MedicalTreatment Stations (unit)**	**14390**	**13061**	**13276**	**11916**	**11761**
村设置医疗点数（个）	**Medical Treatment Stations of Villages(unit)**	**17476**	**15004**	**18222**	**17470**	**18670**
乡村医生和卫生人员数（人）	**Number of Rural Doctors and Medical Personnel (person)**	**30769**	**27084**	**30384**	**29452**	**30132**
乡村医生	Rural Doctors	20974	21281	29139	28561	29688
卫生员	Medical Personnel	9795	5803	1245	891	444
农村接生人员（人）	**Midwives of Villages(person)**	**7248**	**1762**	**506**	**389**	**198**

17–28 各类医院工作基本情况(2008年)

Working Status of Various Hospitals, 2008

项目 Item	诊疗人数（万人次） Number of Patients Treated (10000 person-time)	#门急诊 Out-patients And Emergency Patients	入院人数（万人） Hospital Admissions (10000 persons)	出院人数（万人） Hospital Discharged (10000 persons)	治愈率（%） Cure Rate (%)	病死率（%） Death Rate (%)	病床周转数（次） Turnover of Beds (time)
医院 Hospitals	**5872.06**	**5786.21**	**205.17**	**204.78**	**60.55**	**0.41**	**30.97**
#综合医院 Integrated Hospitals	3944.82	3872.72	163.74	163.47	60.42	0.44	34.11
中医医院 Hospitals of Traditional Chinese Medicine	1031.02	1019.62	28.73	28.65	52.18	0.32	27.64
专科医院 Specialized Hospitals	896.22	893.87	12.70	12.66	61.53	0.15	16.15
卫生院 Rural Township Hospitals	**2089.68**	**1957.68**	**131.57**	**130.88**	**83.44**	**0.03**	**64.50**
妇幼保健院 Maternity and Child Care Centers	**566.72**	**542.34**	**16.86**	**16.84**	**91.13**	**0.02**	**59.89**

17–29 前十位疾病死亡原因及构成(2008年)

Death Rate of 10 Major Disease, 2008

死亡原因 Cause of Death	占疾病死亡总人数比重（%） As % Total Deaths(%)	死亡原因 Cause of Death	占疾病死亡总人数比重（%） As % Total Deaths(%)
城市 Urban	**92.47**	**农村 Rural**	**92.42**
恶性肿瘤 Malignant Tumour	31.68	恶性肿瘤 Malignment Tumour	26.06
脑血管病 Cerebrovasular Disease	16.01	脑血管病 Cerebrovasular Disease	20.12
心脏病 Heart Trouble	15.35	呼吸系统疾病 Diseases of the Respiratory System	13.07
呼吸系统疾病 Diseases of the Respi- ratory System	9.97	损伤和中毒 Trauma and Toxicosis	11.83
损伤和中毒 Trauma and Toxicosis	7.05	心脏病 Heart Trouble	11.80
内分泌、营养和代谢 Endocrine,Nutritional & Metabolite Disease	5.45	消化系统疾病 Disease of the Digestive System	3.06
消化系统疾病 Disease of the Digestive System	2.98	内分泌、营养和代谢 Endocrine,Nutritional & Metabolite Disease	2.13
神经系统疾病 Diseases of the Nervous System	1.60	精神障碍 Mental Disorders	1.55
精神障碍 Mental Disorders	1.25	泌尿生殖系统疾病 Diseases of the Genitou- rinary System	1.45
传染病 Infeetions Disease	1.13	传染病 Infeetions Disease	1.35
十种死亡合计 Total	92.47	十种死亡合计 Total	92.42

17–30 主要年份县及县以上医院工作基本情况

Working Status of Hospitals at County Level and above in Selected Years

年份 Year	诊疗人数（万人次） Total Number Of Patients Treated (10000 person-time)	#门急诊 Out-patients And Emergency Patients	入院人数（万人） Hospital Admissions (10000 persons)	出院人数（万人） Hospital Discharged (10000 persons)	治愈率(%) Cure Rate (%)	病死率(%) Death Rate (%)	病床周转数（次） Turnover of Beds (time)
1980	1561.87	1543.53	51.58	51.47	67.20	1.80	22.90
1985	1895.08	1794.93	70.98	58.39	66.40	1.60	24.60
1986	1931.00	1828.71	72.62	72.43	66.10	1.60	24.30
1987	2425.69	2293.21	83.22	68.38	67.00	1.50	24.90
1988	2460.94	2428.99	88.62	88.56	68.10	1.50	25.70
1989	2299.53	2272.22	89.57	89.65	68.50	1.30	25.00
1990	2410.01	2380.83	91.62	57.60	68.50	1.30	24.70
1991	2471.20	2328.25	97.55	79.39	69.60	1.70	26.00
1992	2496.94	2488.74	93.18	93.14	69.30	1.10	24.90
1993	2930.23	2629.02	94.29	94.33	71.50	1.00	22.60
1994	2749.75	2614.02	100.03	98.29	73.30	0.90	23.50
1995	2709.47	2580.12	91.68	91.19	70.90	0.90	21.70
1996	2838.69	2565.51	79.10	79.09	70.10	0.80	19.00
1997	3249.23	2772.14	81.58	81.44	72.00	0.70	17.60
1998	3351.09	2932.52	85.10	84.54	70.50	0.70	18.10
1999	3157.56	2984.98	89.91	89.57	67.20	0.70	18.40
2000	3326.20	3097.08	98.76	99.26	66.42	0.74	20.77
2001	3201.92	2990.75	105.81	105.81	65.73	0.68	22.21
2002	3288.68	3027.07	128.70	110.23	66.57	0.64	22.73
2003	3430.00	3315.44	115.45	116.29	65.32	0.61	23.72
2004	3767.08	3685.85	129.57	129.53	53.50	0.66	24.79
2005	4248.77	4039.31	137.95	139.26	62.06	0.56	26.26
2006	4421.39	4305.12	152.28	152.13	62.37	0.53	26.81
2007	4674.58	4522.88	167.07	166.15	59.88	0.51	30.30
2008	5872.06	5786.21	205.17	204.78	60.55	0.41	30.97

主要统计指标解释

文化事业机构　指从事专业文化工作和为专业文化工作服务的独立建制的单位。不包括这些单位另外举办独立核算的其他机构和各部门的业余文化组织。该指标主要反映文化事业机构发展规模水平。

艺术表演团体　指从事戏曲、音乐、舞蹈、杂技等专业艺术表演，有独立帐户的单位，不包括半工半艺、半农半艺和民间职业剧团。该指标主要反映全国专业艺术表演团体发展规模水平。

艺术表演观众人数(人次)　指售票、包场演出或民族地区免费演出的艺术表演观众人次数，不包括彩排审查和内部观摩演出的观看人次数。该指标主要反映全国观看专业艺术表演团体演出的效益规模。

等级运动员人数　指经考核正式批准授予等级运动员称号的人数。运动员等级分为国际级运动健将、运动健将、一级运动员、二级运动员、三级运动员、少年级运动员。该指标主要反映运动员队伍的技术质量水平。

等级裁判员人数　指经考核正式批准授予等级裁判员称号的人数。裁判员等级分为国际裁判、国家级裁判、一级裁判、二级裁判、三级裁判。该指标主要反映裁判员队伍的技术质量水平。

卫生机构　包括医疗机构、疾病预防控制中心(防疫站)、采供血机构、卫生监督及监测(检验)机构、医学科研和在职培训机构、健康教育所等。医疗机构包括医院、社区卫生服务中心(站)、疗养院、卫生院、门诊部、诊所(卫生所、医务室)、妇幼保健院(所、站)、专科疾病防治院(所、站)、急救中心(站)和临床检验中心。医疗机构分为非赢利性医疗机构和赢利性医疗机构。

医院　包括综合医院、中医医院、中西医结合医院、民族医院、各类专科医院和护理院。

卫生技术人员　指卫生机构中医生、护理人员、药剂人员、检验人员等卫生技术人员。

医生　指在医疗、预防保健机构工作且取得《执业医师证书》的执业医师和执业助理医师。

Explanatory Notes on Main Statistical Indicators

Cultural Institutions refer to units, which have their own organizational system and independent accounting system and specialize in or serve cultural development. They exclude other establishments run by these cultural institutions and amateur cultural groups established by various departments. This indicator reflects the development of cultural units.

Art Troupe refers to t he troupe which is engaged in drama, opera, music, dance, acrobatics or other art performance, opens independent accounts with banks and has self-supporting accounting system; excluding the troupes which are engaged partly in industrial or agricultural activities, partly in art performance and the professional troupes organized by the people. This indicator reflects the development of national professional art troupes.

Number of Spectators at Art Performance refers to the number of attendants at commercial shows, completely booked shows or free shows given in minority national areas, and does not include the number of spectators at rehearsals for examination and internal shows for study. This indicator reflects beneficial results of.

Number of Athletes in Grades refers to the number of athletes who have been given titles through examination. The titles of athletes include international masters of sports, masters of sports, first-grade, second- grade and third-grade sportsmen and young athletes. This indicator reflects skill of the athletes.

Number of Referees in Grades refers to the number of referees who have been given titles after examination. They are classified as international referees, national referees and referees of the first, second and third grades. This indicator reflects the skill of referees.

Health Care Institutions refer to the units which have been qualified the Certification of Health Care Institution by the administration of public health, or qualified the Certification of Corporate Unit by the civil affairs, administration for industry and commerce, commission office for public sector reform, and engaging in medical care, disease prevention and control, health supervision and inspection, medicine research and health education, etc., including: hospitals, sanatoriums, community health service centers (stations), health centers, clinics (health stations and infirmaries), first-aid centres (stations), blood gathering and supplying institutions, women and children care agencies (centres and stations), special disease prevention and curing agencies (centres and stations), disease prevention and control centres (epidemic prevention stations), health supervision and inspection agencies, sanitary inspection institutions, medicinal scientific research and on-job training institutions, health education centres and so on.

Hospitals include: polyclinics, traditional Chinese medical hospitals, hospitals integrated with traditional Chinese therapeutics and western therapeutics, ethical hospitals, various specialties hospitals and nursing hospitals.

Medical Technical Personnel refers to doctors, assistant nurses, pharmacists, and laboratory technicians working in medical institutions.

Doctors refer to certified physicians and certified assistant physicians with certifications working in medical and health care and prevention agencies.

环境保护与其他社会活动

18

Environment Protection and Others

简要说明

本篇资料的主要内容及来源

本篇主要反映 福建环境保护事业、社会福利，司法情况、交通事故、火灾事故情况等情况。主要内容包括自然资源储量和自然 状况及水环境、大气环境、固体废物、声环境、生态环境、自然灾害和环境污染治理投资；社会福利事业的机构人员、社会福利救济、婚姻状况等。

本篇资料来源于省环境保护局、水利厅、省民政厅、省司法厅、省公安厅、省气象局。

本篇资料由省统计局社会和科技统计处整理提供。

Brief Introduction

Main Content and Source of Data

This chapter contain information that reflect the condition and natural resources and data on development of environment protection ,Social welfare ,the judicial conditions, basic statistics on traffic accidents and fires etc in Fujian. including natural resources and natural condition, total water resources ,atmospheric environment, solid waste, environment noise , eco- environment protection , natural disasters and investments in the treatment of environmental pollution control ; the number of institutions and personnel, social welfare relief, and marital status etc.

The above mentioned data are provide By the Provincial Environment Protection Bureau , the Provincial Department of Water Resources,the Provincial Department of Civil Affairs and the Department of Public Security, the Provincial Meteorological Bureau.

Data in this chapter are provided and compiled by the Division of Social, Science and Technology Statistics of Fujian Provincial Bureau of Statistics.

18–1 环境保护基本情况

Basic Statistics on Environmental Protection

项目	Item	2007	2008
水环境	**Water**		
降水量（毫米）	Precipitation(millimeters)	1550.60	1597.70
水资源总量（亿立方米）	Water Resources(100 million cu.M)	1072.90	1036.93
地表水	Surface Water Resources	1071.71	1035.70
地下水	Grounwater Resources	311.95	303.90
人均水资源量（立方米/人）	Per Capita Water Resources(cu.m/person)	3005.74	2886.37
用水总量（亿立方米）	Water Supply(100 million cu.m)	196.28	198.04
农业	Agriculture	100.94	93.87
工业	Industry	72.77	75.44
生活	Living Consumption	21.15	15.09
废水排放总量（亿吨）	Waste Water Discharge(100 million ton)	22.70	23.63
工业废水排放量	Industry	13.64	14.00
生活污水排放量	Living Consumption	9.06	9.63
工业废水排放达标量（亿吨）	Industrial Waste Water Meeting Discharge Standards(100 million ton)	13.41	13.78
工业废水排放达标率（%）	Percentage of Industrial Waste Water Meeting Discharge Standards(%)	98.27	98.40
化学需氧量排放量（万吨）	Discharge Amount of COD(10000 tons)	38.32	37.82
工业	Industry	9.11	8.44
生活	Living Consumption	29.21	29.38
氨氮排放量（万吨）	Ammounia Nitrogen Discharge(10000 tons)	2.98	3.00
工业	Industry	0.59	0.69
生活	Living Consumption	2.40	2.31
大气环境	**Atmosphere Environment**		
二氧化硫排放量（万吨）	Sulphur Dioxide Emission(10000 tons)	44.57	42.89
工业（万吨）	Industry(10000 tons)	42.69	40.93
生活（万吨）	Living Consumption(10000 tons)	1.88	1.96
烟尘排放量（万吨）	Soot Emission(10000 tons)	11.80	11.67
工业（万吨）	Industry(10000 tons)	8.15	7.45
生活（万吨）	Living Consumption(10000 tons)	3.65	4.22
工业粉尘排放量（万吨）	Industrial Dust Emission(10000 tons)	18.69	17.15
工业二氧化硫去除量（万吨）	Industrial Sulphur Pioxide Removed(10000 tons)	25.61	29.66
工业烟尘去除量（万吨）	Industrial Soot Removed(10000 tons)	479.54	485.80
工业粉尘去除量（万吨）	Industrial Dust removed(10000 tons)	221.62	226.87
固体废物	**Solid Waste**		
工业固体废物产生量（万吨）	Industrial Solid Wastes Produced(10000 tons)	4814.86	5370.86
#危险废物	Hazardous Wastes	10.86	10.33

18-1 续表

Continued

项目	Item	2007	2008
工业固体废物综合利用量（万吨）	Industrial Solid Wastes Utilizeed(10000 tons)	3401.20	3930.07
工业固体废物综合利用率（%）	Ratio of Industrial Solid Wastes Utilized(%)	70.50	72.86
工业固体废物排放量（万吨）	Industrial Solid Wastes Discharged(10000 tons)	2.75	2.65
“三废”综合利用产品产值（亿元）	Output Value of Products Made from Waste Gas, Waste Water & Solid Wastes(100 million yuan)	20.52	25.35
生态环境	**Eco-Environment Protection**		
森林面积（万公顷）	Area of Forest(10000 hectare)	764.94	906.70
森林覆盖率（%）	Forest Coverage(%)	62.96	63.11
当年造林面积（万公顷）	Area of Reforestation of the Year(10000 hectare)	3.60	14.36
自然保护区数（个）	Number of Nature Reserves(unit)	92	93
#国家级（个）	National Level(unit)	12	12
自然保护区面积（万公顷）	Area of Nature Reserves(10000 hectare)	51.20	50.22
自然灾害	**Natural Disaster**		
发生地质灾害起数（起）	Geological Disaster	1141	318
发生地震灾害次数（次）	Seismic Disaster(time)		1
海洋灾害发生次数（次）	Red Tide(time)	35	20
森林火灾次数（次）	Forest Fire(time)	237	520
环境污染治理投资	**Investment in the Treatment of Environmental Pollution**		
环境污染治理投资总额（亿元）	Total Investment in the Treatment of Environmental(100 million yuan)	77.97	83.11
城市环境基础设施投资（亿元）	Investment in Urban Environmental Infrastructure (100 million yuan)	40.21	33.83
燃气	Gas Supply	5.36	3.69
集中供热	Centralized Heating		0.98
排水	Drainage Works	12.68	13.78
园林绿化	Gardening and Greening	17.83	7.08
市容环境卫生	Environmental Sanitation	4.34	8.31
工业污染治理投资（亿元）	Investment Completed this Year(100 million yuan)	13.80	15.58
治理废水	Waste Water	5.77	5.17
治理废气	Waste Gas	1.25	9.40
治理固体废物	Solid Wastes	0.32	0.18
治理噪声	Noise Pollution	0.01	0.01
治理其他	Others	1.89	0.82
“三同时”项目环保投资（亿元）	"Three Simultaneities" Environmental Investment for New Project(100 million yuan)	23.96	33.71

18–2 城市环境情况
Basic Statistics on City Enviroment

项目	Item	2007	2008
城市个数（个）	**Number of Cities(unit)**	**23**	**23**
城区人口（万人）	**Population of City(10000 persons)**	**719.09**	**718.21**
城市基础设施投资额（亿元）	**Investment on Fundation Facilities (100 million yuan)**	**296.93**	**285.23**
城市面积（平方公里）	**Area of City(sq km)**	**4411.06**	**4406.94**
#建成区面积（平方公里）	Developed Area(sq.km)	819.35	877.35
年底供水综合生产能力	**Production Capacity of Top Water Supply at the Year-end**	**568.13**	**672.73**
全年供水总量（万立方米）	Volume of Top Water Supply(10000 cu.m)	121593.20	129342.84
#生活用量（万立方米）	Water Consumption for Residential Use (10000 cu.m)	53471.52	56620.03
人均日生活用水量（升）	Per Capital Water Consumption for Residential Use (L)	211.73	219.64
用水普及率（%）	Percentage of Population with Access to Tap Water(%)	98.86	97.47
公共交通标准运营车辆（标台）	**Number of Standard Public Vehicles under Operation(unit)**	**8661**	**9442**
运营公交车辆数（辆）	Number of Public Vehicles under Operation(unit)	6292	9084
年末出租车运营总量（辆）	Number of Taxis under Operation at the Year-end (unit)	15736	15905
每万人拥有公交车辆（标台）	Number of public Transportation Vehicles Per 10000 Population(unit)	9.52	10.42
煤气供应总量（亿立方米）	**Gaswork Gas Supply(100 million cu.m)**	**0.25**	**0.24**
#家庭用量	Consumption of Gaswork Gas for Residential Use	0.17	0.18
液化石油气家庭用量（万吨）	Consumption of Liguefied Petroleum Gas for Residential Use(10000 tons)	40.74	19.26
用气普及率（%）	Percentage of City Population with Access to Gas (%)	97.34	97.23
道路长度（公里）	**Length of Paved Roads(km)**	**5787**	**6011**
道路面积（万平方米）	Area of Paved Roads(10000 sq.m)	9947	10919
排水管道长度（公里）	Length of Sewage Pipes(km)	7091	7962
建成区绿化覆盖面积（公顷）	**Green Areas of Developed City(hectare)**	**30317**	**34090**
建成区绿化覆盖率（%）	Ratio of Green Areas to City Areas(%)	37.00	38.86
公园绿地面积（公顷）	Green Areas of Park(hectare)	7833	9435
人均公园绿地面积（平方米）	Per Capita Public Green Areas(sq.m)	8.64	10.42
公园个数（个）	**Number of Parks and Zoos(unit)**	**307**	**313**
公园面积（公顷）	Area of Parks and Zoos(hectare)	5378	6882
生活垃圾清运量（万吨）	**Volume of Garbage, Excrement and Urine Disposal(10000 tons)**	**376.10**	**398.95**
城市生活垃圾无害化处理率（%）	Percentage of Garbage Disposal with Standard(%)	81.62	87.97
城市污水处理率（%）	**Percentage of Sewage Disposal of City(%)**	**66.72**	**72.72**
城市污水处理厂集中处理率（%）	Percentage of Sewage Collection Disposal in Factory of City(%)	49.17	54.75

18-3 农村环境情况

Basic Statistics on Rural Environment

项目	Item	2007	2008
农村总户数（万户）	**Number of Rural Households(10000 households)**	**693.53**	**693.53**
累计卫生厕所户数（万户）	**Number of Households with Lavatories (10000 households)**	**437.36**	**476.81**
农村卫生厕所普及率（%）	**Pencentage of Villages with Access to Lavatories (%)**	**63.06**	**68.75**
当年新增无害化卫生厕所户数（万户）	**Number of Households with Newly Built Lavatories Current Year(10000 households)**	**15.84**	**39.45**
累计使用卫生公厕户数（万户）	**Number of Households with Public Lavatories (10000 households)**	**44.90**	**51.36**
当年用于改厕投资（万元）	**Investment on Rebuilt Lavatories Current Year (10000 yuan)**	**16863.51**	**22434.97**
#国家	National	3789.00	3420.98
集体	Collective	1885.55	1619.15
个人	Individual	10994.65	17061.74
其他	Others	194.31	333.10
农村可再生能源利用情况	**Utilization of Repeat Energy in Rural**		
沼气池产气总量（万立方米）	Marsh Gas Production(10000 cu.m)	22218.07	22218.07
农村户用沼气池（万口）	Number of Methane-generating Pits Used by Rural Household(10000 pits)	35.24	35.24
大中型沼气工程（处）	Large and Middle Marsh Gas Projects(set)	988	988
生活污水净化沼气池（处）	Methane-generating Pits Used for Waste Water Treatment(set)	1907	1907

18-4 工业污染排放及处理利用情况

Emission and Treatment of Industrial Pollutions

项目	Item	2007	2008
企业基本情况	**Enterprises Status**		
汇总企业数（个）	Number of Enterprises(unit)	6238	6180
“三废”综合利用产品产值（亿元）	Output Value of Products Made from Comprehensive Utilization of Waste Gas, Waste Water & Solid Wastes(100 million yuan)	20.52	25.35
工业锅炉数（台）	Number of Industrial Boilers(unit)	2500	2614
#烟尘排放达标的	With Soot up to the Emission Standards	2356	2531
二氧化琉排放达标的	With Sulphur Dioxide up to the Emission Standards	2237	2432
工业炉窑数（座）	Number of Industrial Stores(set)	2141	2355
#烟尘排放达标的	With Soot up to the Emission Standards	2034	2253
二氧化硫排放达标的	With Sulphur Dioxide up to the Emission Standards	1985	2185
工业废水	**Industrial Waste Water**		
工业用水总量（亿吨）	Total Volume of Water for Industrial Use (100 million tons)	72.77	94.02
#新鲜水量	Volume of Water for first Use	31.79	31.15
重复用水量	Volume of Water for Repeated Use	47.86	42.87
工业重复用水率（%）	Rate of Industrial Water for Repeated Use(%)	60.10	57.92
废水治理设施数（套）	Number of Facilities for Treatment of Waste Water (sets)	4205	4196
废水治理设施处理能力（万吨/日）	Handling Ability of Facilities for Treatment of Waste Water(10000 ton-day)	936.72	987.98
废水治理设施设备运行费用（万元）	Operation Expenditure of Facilities(10000 yuan)	105884.80	92059.80
工业废水排放量（万吨）	Volume of Waste Water Discharged(10000 tons)	136407.77	139996.92
#直接排入海的	Discharged Directly into Sea	63516.66	67540.05
排入污水处理厂的	Discharged into Factories for Waste Water Treatment	13715.10	13813.17
工业废水排放达标量（万吨）	Voume of Industrial Waste Water up to the Discharge Standards(10000 tons)	134051.95	137825.30
工业废水排放达标率（%）	Rate of Industrial Waste Water up to the Discharge Standards(%)	98.27	98.40
工业废水中污染物去除量（吨）	Volume of pollutions in Waste Water Removed(ton)		
挥发酚	Volatils Hydroxybenzene	142.27	161.58
氰化物	Cyanide	176.49	157.07
化学需氧量	Voume of Oxygen Required Chermically	1442161.58	645055.23
当年新增设施去除的	Volume of pollutions Discharged by New Facilities of the Year	11084.56	10625.10
石油类	Petroleum	2219.77	1970.03
氨氮	Ammonia and Nitrogen	11307.71	12756.41
工业废水中污染物排放量（吨）	Volume of Pollutants in Waste Water Discharged (ton)		
汞	Hydrargyrum		
镉	Cadmium	0.29	0.29
六价铬	Hexadic Chromium	2.13	2.05
铅	Plumum	5.33	4.82
砷	Arsenic	0.53	0.26
挥发酚	Volatile Hydroxybenzene	17.60	4.38
氰化物	Cyanide	7.03	6.75
化学需氧量	Volume of Oxygen Required chemically	91084.73	84392.50
石油类	Petroleum	241.62	224.93
氨氮	Ammonia and Nitrogen	5882.23	6880.79

18-4 续表1

Continued

项目	Item	2007	2008
工业废气	**Industrial Waste Gas**		
煤炭消费总量（万吨）	Total Consumption of Coal(10000 tons)	5342.14	5481.6
燃料煤消费量	Consumption of Coal as Fuel	4546.97	4558.5
原料煤消费量	Consumption of Coal as Raw Materials	795.17	923.1
燃料油消费量(不含车船用)（万吨）	Consumption of Fuel Oil (Excluding that for Vehicles and Vessels)(10000 tons)	60.22	63.30
#重油	Heavy Oil	38.52	44.19
柴油	Diesel Oil	21.51	18.77
天然气消费量（万立方米）	Consumption of Natural Gas(10000 cu.m)	64961	726191
工业废气排放总量(万标立方米)	Total Volume of Waste Gas Emission(10000 cu.m)	97473804	91499698
燃料燃烧过程中排放量	Volume of Waste Gas from the Burning Process of Fuels	62198156	53168794
生产工艺过程中排放量	Volume of Waste Gas from the Process of Production	35275648	38330904
废气治理设施数（套）	Number of Facilities for Treatment for Waste Gas (sets)	6711	6833
#脱硫设施数（套）	Number of Sulphur Removed Facilities(sets)	350	437
废气治理设施处理能力（万标立方米/小时）	Handling Ability of Facilities for Treatment (10000 cu.m per hour)	17334.94	19173.05
#脱硫设施脱硫能力	Sulphur Removed Ability of Sulphur Removed Facilities	287.35	415.45
废气治理设施设备运行费用（万元）	Expenditure on Facilities for Treatment of Waste Gas(10000 yuan)	144766.80	152388.40
工业二氧化硫去除量（吨）	Volume of Sulphur Dioxide Removed(ton)	256062.28	296586.80
#燃料燃烧过程中去除的	Removed Sulphur Dioxide During Fuel Burning Process	246394.15	285390.11
生产工艺过程中去除的	Removed Sulphur Dioxide During Production Process	9668.13	11196.68
当年新增设施数去除的	Removed Sulphur Dioxide by New Facilities curent year	4178.33	8571.00
工业二氧化硫排放量（万吨）	Volume of Sulphur Dioxide Emission(10000 tons)	42.69	40.93
工业烟尘去除量（万吨）	Volume of soot Removed(10000 tons)	479.54	485.80
工业烟尘排放量（万吨）	Volume of soot Emission(10000 tons)	8.15	7.45
#排放达标量	Volume of Soot up to the Emmission Standards	7.82	7.31
工业粉尘去除量（万吨）	Volume of Industrial Dust Removed(10000 tons)	221.62	226.87
工业粉尘排放量（万吨）	Volume of Industrial Dust Emission(10000 tons)	18.69	17.15
#排放达标量	Volume of Sulphur Dioxide up to the Emission Standards	17.94	16.48

18-4 续表2

Continued

项目	Item	2007	2008
工业固体废物	**Industrial Solid Wastes**		
工业固体废物产生量（万吨）	Volume of Industrial Solid Wastes Produced (10000 tons)	4814.86	5370.86
危险废物	Dangerous Wastes	10.86	10.33
冶炼废渣	Waste Residue after Smelting	243.72	307.06
粉煤灰	Coal Powder	552.77	584.81
炉渣	Store Residue	356.42	418.04
煤矸石	Waste Coal Rock	179.39	202.87
尾矿	Gangue	2923.47	3229.57
放射性废物	Radioactive Wastes		
其他废物	Other Wastes	374.23	417.43
工业固体废物综合利用量（万吨）	Volume of Industrial Solid Wastes Utilized in a Comprehesive way(10000 tons)	3401.20	3930.07
危险废物	Dangerous Wastes	8.51	7.74
冶炼废渣	Waste Residue after Smelting	129.63	291.37
粉煤灰	Coal Powder	533.83	461.08
炉渣	Store Residue	348.01	412.99
煤矸石	Waste Coal Rock	110.50	130.66
尾矿	Gangue	1690.49	1962.48
其他废物	Other Wastes	350.79	399.70
综合利用往年贮存量（万吨）	Volume of Industrial Solid Wastes Accumulated in Previous Years and utilized in a Comprehensive way(10000 tons)	10.60	23.51
工业固体废物综合利用率（%）	Rate of Industrial Solid Wastes Utilized in a Comprehensive way(%)	70.50	72.86
工业固体废物贮存量（万吨）	Volume of Industrial Solid Wastes Accumulated (10000 tons)	95.81	89.29
#危险废物贮存量（吨）	Volume of Dangerous Wastes Accumulated(ton)	48.98	50.04
工业固体废物处置量（万吨）	Volume of Industrial Solid Wastes Treated (10000 tons)	1332.10	1373.25
#危险废物处置量	Volume of Dangerous Wastes Treated	2.35	2.62
#送往集中处置场处置的	Volume of Solid Wastes Treated in Concentrative Fields	2.14	2.16
#处置往年贮存量	Volume of Industrial Solid Wastes Treated, Which have been Accumulated in Previous years	0.50	0.06
工业固体废物排放量（万吨）	Volume of Industrial Solid Wastes Discharged (10000 tons)	2.75	2.65

18–5 分行业工业废水处理情况(2008年)

项目	Item	废水治理设施数（套）Number of Facilities for Treatment of Waste Water (sets)
总计	**Total**	**4196**
农副食品加工业	Agricultural and Sideline Products Processing	218
食品制造业	Food Manufacturing	172
饮料制造业	Beverage Manufacturing	66
烟草制品业	Tobacco Processing	5
纺织业	Textile Industry	345
纺织服装、鞋、帽制造业	Textile Garments , Shoes and Caps Products	106
皮革、毛皮、羽毛(绒)及其制品业	Leather , Furs , Down and Relate Products	120
木材加工及木、竹、藤、棕、草制品业	Timber Processing , Bamboo , Cane , Palm Fiber and Straw Products	119
家具制造业	Furniture Manufacturing	31
造纸及纸制品业	Papermaking and Paper Products	339
印刷业和记录媒介的复制	Printing and Record Medium Reproduction	19
文教体育用品制造业	Cultural , Educational and Sports Goods	18
石油加工、炼焦及核燃料加工业	Petroleum Processing , Coking and Nuclear Fuel Processing	8
化学原料及化学制品制造业	Raw Chemical Materials and Chemical Products	313
医药制造业	Medical and Pharmaceutical Products	47
化学纤维制造业	Chemical Fiber	9
橡胶制品业	Rubber Products	35
塑料制品业	Plastic Products	51
非金属矿物制品业	Nonmetal Minerals Products	912
黑色金属冶炼及压延加工业	Smelting and Pressing of Ferrous Metals	132
有色金属冶炼及压延加工业	Smelting and Pressing of Nonferrous Metals	41
金属制品业	Metal Products	173
通用设备制造业	General Equipment	50
专用设备制造业	Special Purpose Equipment	24
交通运输设备制造业	Transport Equipment	61
电气机械及器材制造业	Electric Equipment and Machinery	60
通信设备、计算机及其他电子设备制造业	Telecommunications , Computer , and Other Electronic Equipment	61
仪器仪表及文化、办公用机械制造业	Instruments , Meters , Cultural and Clerical Machinery	29
工艺品及其他制造业	Handicraft Article and Other Manufacturing	212
废弃资源和废旧材料回收加工业	Waste Resources and Materials Recovering	7
电力、热力的生产和供应业	Production and Supply of Electric Power and Hot Power	79
燃气生产和供应业	Production and Supply of Gas	
水的生产和供应业	Production and Supply of Water	6

Discharge and Treatment of Waste Water by Sector (2008)

废水治理设施处理能力（万吨/日） Treatment of Industrial Waste Water (10000 tons/day)	废水治理设施设备运行费用（万元） Annual Expenditure for Operati (10000 yuan)	工业废水中污染物去除量（吨） Pollutants of Industrial Waste Water(ton)				
		挥发酚 Volatile Phenol	氰化物 Cyanide	化学需氧量 COD Discharge	石油类 Oil Type	氨氮 Ammonia Nitrogen Discharge
987.98	**92059.8**	**161.58**	**157.07**	**645055.23**	**1970.03**	**12756.41**
15.48	2586			27173.05	4.82	741.89
12.67	3434.7			21860.78		2882.54
10.1	1233.5			12344.88		136.3
0.16	65.1			223.76		1.27
52.54	11385.7			121149.76	6.37	791.27
4.29	873.4			1511.58	1.24	76.72
5.8	2163.6			7756.67	0.8	250.43
2.29	656.7			2477.75		0.71
0.52	203.8			84.65	0.17	6.99
91.15	14546.2			271491.57	4.72	370.17
0.33	149.6			45.84		6.17
0.5	163.1			177.69	0.11	14.49
1.14	250.5	29.06		2163.68	1450.34	99.87
88.6	9172.1	0.05	126.46	52166.91	214.97	4535.71
2.37	1357.7	32.76		90575.44	3.38	472.92
1.98	897.8			4113.1	0.09	53.25
0.99	447.6			144.92	1.22	12.6
0.93	419.7	0.07		597.69		25.1
28.09	5367.1			3117.75	1.54	20.19
277.79	12723.2	99.48	20.27	5234.13	270.1	498.55
3.38	1291.7	0.01		767.12	0.12	1385.27
4.37	6374.1		9.54	1654.16	1.04	51.91
0.95	316.4		0.52	203.78	1.5	16.96
1.2	350			176.88	0.19	8.71
1.42	647	0.03	0.26	455.38	4.6	24.43
1.51	805.1			423.45	0.08	17.32
4.54	1347.7	0.12		1614.9		77.37
0.6	378			292.8		23.14
2.99	953.3		0.02	854.38		67.83
1.16	88			21.98		0.94
312.03	4503.2			2210.76	0.87	41.87
1.75	68.1			688.5		6.28

18-6 工业行业二氧化硫、工业烟尘、粉尘排放及治理情况(2008年)

项目 Item	工业二氧化硫排放量(吨) Volume of Sulphur Dioxide Emission by Industry (ton)	燃料燃烧过程中排放的二氧化硫 In the burning process	生产工艺过程中排放的二氧化硫 In the Production process	工业烟尘排放量(吨) Volume of Industrial Soot Emission (ton)
总计 Total	**409305.38**	**356905.05**	**52169.56**	**74502.63**
煤炭开采和洗选业 Coal Mining and Dressing	118.50	109.50	9.00	79.26
石油和天然气开采业 Petroleum and Natural Gas Mining				
黑色金属矿采选业 Ferrous Metals Mining and Dressing	501.97		501.97	42.97
有色金属矿采选业 Nonferrous Metals Mining and Dressing	196.48	118.64	77.84	112.50
非金属矿采选业 Nonmetal Minerals Mining and Dressing	185.23	185.23		120.30
其他采矿业 Others Mining and Quarrying	42.18	42.18		38.34
农副食品加工业 Agricultural and Sideline Products Processing	3882.10	3882.10		800.86
食品制造业 Food Manufacturing	5415.04	5414.11	0.93	1947.33
饮料制造业 Beverage Manufacturing	2720.84	2720.84		717.05
烟草制品业 Tobacco Processing	481.82	481.82		68.69
纺织业 Textile Industry	23703.35	23703.35		8367.42
纺织服装、鞋、帽制造业 Textile Garments , Shoes and Caps Products	994.86	994.86		416.96
皮革、毛皮、羽毛(绒)及其制品业 Leather , Furs , Down and Relate Products	2128.01	2128.01		1183.84
木材加工及木、竹、藤、棕、草制品业 Timber Processing , Bamboo , Cane , Palm Fiber and Straw Products	2141.90	2008.97	132.93	1341.30
家具制造业 Furniture Manufacturing	29.62	29.62		21.32
造纸及纸制品业 Papermaking and Paper Products	30624.06	30153.59	470.47	7318.40
印刷业和记录媒介的复制 Printing and Record Medium Reproduction	100.58	100.58		86.71
文教体育用品制造业 Cultural , Educational and Sports Goods	61.78	61.78		5.66
石油加工、炼焦及核燃料加工业 Petroleum Processing , Coking and Nuclear Fuel Processing	808.92	103.21	705.71	156.09
化学原料及化学制品制造业 Raw Chemical Materials and Chemical Products	29567.77	25567.35	4000.42	3865.49

Emission and Treatment of Industrial Waste in Various Major enterprises (2008)

工业粉尘排放量（吨） Volume of Industrial Dust Emission (ton)	工业二氧化硫去除量（吨） Volume of Industry Sulphur Dioxide Removed (ton)	燃料燃烧过程中去除的二氧化硫 In the burning process	生产工艺过程中去除的二氧化硫 In the Production process	烟尘去除量（吨） Volume of Industrial Soot Removed (ton)	工业粉尘去除量（吨） Volume of Industrial Dust Removed (ton)	工业废气治理设施数（套） Facilities for Treatment of Waste Gas (sets)	脱硫设施数 Desulfuri-zation Facilities
171491.68	**296586.80**	**285390.11**	**11196.68**	**4858034.83**	**2268729.09**	**6833**	**437**
1386.37	3.95	3.95		617.05	7394.45	30	
8.43				389.09	69.49	7	
32.26					218.72	7	
312.09	18.13	17.53	0.60	377.44	6058.88	26	3
167.95	13.76	13.76		80.29	102.98	6	
121.80	417.66	417.66		6867.52	1036.46	144	18
33.77	294.63	293.58	1.06	12712.67	8.37	180	20
13.36	641.89	641.89		15300.48	0.16	68	13
78.46	12.90	12.90		1085.27	2607.91	64	
53.32	5457.71	5457.71		80519.28	229.20	507	122
59.40	220.06	220.06		2674.99	10.49	88	4
184.19	1072.23	1072.23		7678.12	66.55	136	21
1349.03	180.42	180.42		5674.79	19447.20	281	3
36.46	1.02	1.02		57.54	100.49	23	
448.49	2189.03	2189.03		157789.99	2218.74	350	31
12.27	15.95	15.95		138.34	4.96	6	1
5.04	3.37	3.37		10.03	4.63	72	
	12.80	12.80		170.00		2	2
668.57	9829.09	9208.69	620.40	368882.01	8894.58	459	50

18-6 续表

项目 Item	工业二氧化硫排放量(吨) Volume of Sulphur Dioxide Emission by Industry (ton)	燃料燃烧过程中排放的二氧化硫 In the burning process	生产工艺过程中排放的二氧化硫 In the Production process	工业烟尘排放量(吨) Volume of Industrial Soot Emission (ton)
医药制造业 Medical and Pharmaceutical Products	4275.18	4275.18		587.89
化学纤维制造业 Chemical Fiber	4342.06	4342.06		729.52
橡胶制品业 Rubber Products	1073.71	1073.71		228.16
塑料制品业 Plastic Products	3011.11	3011.11		1665.53
非金属矿物制品业 Nonmetal Minerals Products	55359.69	36808.62	18551.07	15772.06
黑色金属冶炼及压延加工业 Smelting and Pressing of Ferrous Metals	34790.96	13037.21	21753.74	4509.76
有色金属冶炼及压延加工业 Smelting and Pressing of Nonferrous Metals	1099.79	726.72	373.07	159.71
金属制品业 Metal Products	785.29	755.06	30.23	304.27
通用设备制造业 General Equipment	703.55	703.55		185.57
专用设备制造业 Special Purpose Equipment	93.30	93.30		54.41
交通运输设备制造业 Transport Equipment	435.95	435.95		96.45
电气机械及器材制造业 Electric Equipment and Machinery	360.70	302.89	57.81	72.27
通信设备、计算机及其他电子设备制造业 Telecommunications , Computer , and Other Electronic Equipment	183.62	182.30	1.32	25.70
仪器仪表及文化、办公用机械制造业 Instruments , Meters , Cultural and Clerical Machinery	7.38	7.38		2.16
工艺品及其他制造业 Handicraft Article and Other Manufacturing	137.21	137.21		79.81
废弃资源和废旧材料回收加工业 Waste Resources and Materials Recovering	1.54	1.54		0.20
电力、热力的生产和供应业 Production and Supply of Electric Power and Hot Power	158674.11	158674.11		16184.92
燃气生产和供应业 Production and Supply of Gas	23.75	23.75		5.65
水的生产和供应业 Production and Supply of Water	1.58	1.58		0.37

Continued

工业粉尘排放量(吨) Volume of Industrial Dust Emission (ton)	工业二氧化硫去除量(吨) Volume of Industry Sulphur Dioxide Removed (ton)	燃料燃烧过程中去除的二氧化硫 In the burning process	生产工艺过程中去除的二氧化硫 In the Production process	烟尘去除量(吨) Volume of Industrial Soot Removed (ton)	工业粉尘去除量(吨) Volume of Industrial Dust Removed (ton)	工业废气治理设施数(套) Facilities for Treatment of Waste Gas (sets)	脱硫设施数 Desulfuri-zation Facilities
7.84	250.29	250.29		4666.42	17.78	65	10
7.88	1220.94	1220.94		88263.96	142.80	36	4
59.90	33.80	33.80		2294.13	530.32	74	
60.23	650.29	650.29		2990.83	26.90	113	37
140074.77	8007.78	7358.46	649.32	261069.74	2139464.01	2721	27
7036.62	16583.24	6694.24	9889.00	111113.22	71375.27	226	9
241.84	17.70	15.00	2.70	3336.07	6744.06	52	2
90.42	81.39	81.39		1381.97	262.01	130	3
47.61	41.85	41.85		1019.52	73.63	27	
3.31				155.20	8.20	24	
74.59	58.06	24.46	33.60	212.65	141.84	92	1
21.58	29.84	29.84		560.53	408.47	366	1
7.62	19.60	19.60		73.49		86	
0.24	6.39	6.39		14.72		49	1
739.24				108.08	1031.81	184	
4.60	0.16	0.16		1.11	4.60	10	
	249176.58	249176.58		3719259.92		107	51
0.67	0.34	0.34		1.70	0.31		

18-7 设区市工业污染治理投资额

Investment on Industrial Pollutions Treatment by City

单位：万元 (10000 yuan)

地区	Area	2004	2005	2006	2007	2008
总 计	**Total**	**224537**	**345431**	**598000**	**138000**	**155763**
福州市	Fuzhou	27709	34416	41419	31789	42102
厦门市	Xiamen	2255	65063	35062	14161	9267
莆田市	Putian	143	11679	167	2082	337
三明市	Sanming	20124	28978	14076	11213	15676
泉州市	Quanzhou	83998	113684	86695	58834	73054
漳州市	Zhangzhou	76196	78020	93481	1500	8797
南平市	Nanping	8850	4687	12505	15127	2323
龙岩市	Longyan	4328	3301	2590	3248	4193
宁德市	Ningde	936	5574	199	53	15

18-8 设区市工业污染排放达标率(2008年)

Rate of Industrial pollutions up to the Standards,2008

单位：% (%)

地区	Area	各地区汇总工业企业数(个) Number of Enterprises (unit)	工业废水排放达标率 Rate of Industrial Waste Water up to the Discharge Standards	工业二氧化硫排放达标率 Rate of Industrial Sulphur Dioxide up to the Discharge Standards	工业粉尘排放达标率 Rate of Industrial Dust Emission up to the Emission Standards	工业烟尘排放达标率 Rate of Infustrial Soot Emission up to the Emission Standards	工业固体废物综合利用率 Rate of Industrial Solid Wastes up to the Discharge Standards
合计	**Total**	**6180**	**98.4**	**97.7**	**96.1**	**98.1**	**72.9**
福州市	Fuzhou	430	96.0	99.8	86.2	97.8	96.0
厦门市	Xiamen	383	99.8	100.0	99.9	99.9	91.2
莆田市	Putian	351	95.1	99.6	98.1	96.4	85.2
三明市	Sanming	526	97.3	94.0	95.3	96.1	58.2
泉州市	Quanzhou	3221	100.0	100.0	100.0	99.8	95.7
漳州市	Zhangzhou	521	99.3	96.1	94.4	94.6	98.3
南平市	Nanping	218	94.0	96.8	97.0	97.6	85.2
龙岩市	Longyan	286	97.3	99.1	96.5	99.0	66.0
宁德市	Ningde	244	86.7	76.3	77.9	96.2	74.6

18-9 设区市"三废"综合利用产品产值

Output Value of Products Made from Comperehensive Utilization of Waste Gas,Waste Water and Solid Wastes by City

单位：万元 (10000 yuan)

地区	Area	2004	2005	2006	2007	2008
合计	**Total**	**110677**	**148979**	**182827**	**205187**	**253523**
福州市	Fuzhou	6178	8614	17176	18251	25222
厦门市	Xiamen	25858	44357	59153	58610	59259
莆田市	Putian	3252	3477	3045	3778	11932
三明市	Sanming	33695	39616	46127	47501	49440
泉州市	Quanzhou	17302	18915	29044	41054	59169
漳州市	Zhangzhou	8668	10176	8109	10610	12653
南平市	Nanping	10404	10403	7899	12651	19535
龙岩市	Longyan	4725	13275	11046	11472	15091
宁德市	Ningde	596	146	1228	1262	1222

18-10 婚姻登记和离婚情况(2000-2008年)

Number of Marriages and Divorces,2000-2008

单位：对 (couples)

年份 Year	结婚登记对数 Total number of Registered Marriages	内地居民登记结婚 Registered Marriages of Mainland	涉外及华侨、港澳台居民登记结婚 Regisered Marriages with Foreigner and the Citizen of Hong Kong,Macao,Taiwan	离婚登记对数 Total Number of Divorces	内地居民登记离婚 Divorces Marriages of Mainland	涉外及华侨、港澳台居民登记离婚 Divorces with Foreigner and the Citizen of Hong Kong,Macao,Taiwan
2000	261314	246171	15143	11945	11982	53
2001	252815	231327	21488	11546	11392	154
2002	256323	236695	19628	15321	15175	146
2003	280770	256112	24658	21541	21058	483
2004	294973	279488	15485	26515	25553	962
2005	272172	258551	13621	25786	23536	2250
2006	328698	314784	13914	35227	33759	1468
2007	350877	342916	7961	32646	30112	2534
2008	364892	356814	8078	33251	31414	1837

18-11 社会保障基本情况(2001-2008年)

Basic Statistics for Social Security,2001-2008

年份	参加保险人数（万人）Active Contributors(10000 person)			社会保险基金（亿元）Social Insurance Funds(100 million yuan)		城镇低保人数(人)
Year	养老保险 Basic Pension Insurance	失业保险 Unemploy- ment Insurance	医疗保险 Basic Medical Insurance	基金收入 Revenue	基金支出 Expenses	Persons Receiving Lowest Cost- of-living(person)
2001	234.78	239.60	171.03	142.99	80.38	78027
2002	275.72	249.50	230.00	190.21	96.72	174938
2003	284.80	266.36	247.77	233.74	113.79	192890
2004	293.67	266.41	285.93	266.45	134.49	201772
2005	320.76	266.59	332.98	306.74	161.12	200904
2006	362.00	293.07	370.05	357.18	186.95	196779
2007	414.71	318.15	406.12	448.88	235.44	199408
2008	454.62	338.69	435.73	574.69	295.23	195706

18–12 社会救济与捐赠工作情况

Basic Statistics on Social Relief and Donation

项目	Item	2007	2008
社会救济（人）	**Social Relief(person)**		
城镇居民最低生活保障人数	**Number of Persons Receiving Minimum Living Allowance in Rural Areas**	**199408**	**195706**
按人员性质分类	**By Person**		
女性	Female	65293	60736
残疾人	Disabled Persons	21338	20724
三无人员	Persons without Stable Residence, Employment and Identity	17340	15535
按人员年龄分类	**By Age**		
老年人	Old People	45596	34138
成年人	Adults	37539	36482
未成年人	Minors	116273	125086
城市居民最低保障家庭数（户）	Number of Family Receiving Minimum Living Allowance in Urban Areas(household)	83644	83130
城市低保资金全年计划支出（万元）	The Annual Plan Expenditure of Minimum Living Allowance in Urban Areas(10000 yuan)	20124	23996
其他城市定期救济人数（人）	Number of Other Persons Receiving Regularly Relief in Urban Areas(person)	2086	484
城市临时救济人次数（人）	Number of Persons Receiving Temporary Relief in Urban Areas(person)	23500	9754
农村最低生活保障人数	**Number of Persons Receiving Minimum Living Allowance in Rural Areas**	**673461**	**684989**
女性	Female	174170	172476
老年人	Old People	173944	156790
未成年人	Minors	39607	66697
残疾人	Disabled Persons	47476	56017
农村居民最低生活保障家庭数	Number of Family Receiving Minimum Living Allowance in Rural Areas(household)	273228	280693
社会捐赠	**Social Donation**		
直接接受捐赠情况	**Donation Directing Received**		
捐赠款数额（万元）	Donated Funds(10000 yuan)	3715	140583
捐赠衣被合计（万件）	Donated Clothes and Quilts(10000 pieces)	24	76
捐赠其他物资价值（万元）	Valus of Other Materials Donated(10000 yuan)	3	1388
间接接受捐赠情况	**Donation Indirectly Received**		
捐赠款数额（万元）	Donated Funds(10000 yuan)	201	1323
捐赠衣被合计（万件）	Donated Clothes and Quilts(10000 pieces)	1	
捐赠其他物资价值（万元）	Valus of Other Materials Donated(10000 yuan)		96
受益人数（次）	**Persons Receiving Donation(time)**	**32750**	**344630**
社会接收工作站、点数（个）	**Working Stations for Social Donation(unit)**	**911**	**912**

18-13 社会福利事业企业单位机构情况

Basic Statistics on Social Welfare Enterprises and Institutions

单位：个 (unit)

项目	Item	2007	2008
收养性社会福利单位	**Adopting Social Welfare Institutions**	**801**	**780**
优抚类收养性单位	Adopting Institutions for Martyrs		
荣誉军人康复医院	Convalescent Hospitals for Honour Armymen	1	1
光荣院	Homes for Disabled Veterans	58	57
福利类收养性单位	Welfare Adopting Insitutions		
社会福利院	Social Welfare Homes	72	72
儿童福利院	Baby Welfare Homes	9	10
精神病福利院	Psychopathy Welfare Homes	10	11
城镇收养性老年性福利机构	Urban Elderly Adopting Welfare Units	108	67
农村五保户供养服务机构	Adopting Welfare Institutions in Rural Households with Five Aspects	509	546
其他收养性福利机构	Other Adopting Welfare Institutions	30	12
殡葬事业单位	Funeral and Interment Institutions	144	160
慈善团体	Charity Organizations	13	20

18-14 收养类社会福利事业单位基本情况(2008年)

Basic Statistics on Adopting Social Welfare Institutions, 2008

项目	Item	院数(个) Number of Institutions (unit)	床位(张) Number of Beds (set)	年末收养人数(人) Number of Persons Housed in the year-end (person)
收养性社会福利单位	**Adopting Social Welfare Institutions**	**780**	**23665**	**15647**
优抚类收养性单位	Adopting Institutions for Martyrs			
荣誉军人康复医院	Convalescent Hospitals for Honour Armymen	1	105	105
光荣院	Homes for Disabled Veterans	57	8785	1061
福利类收养性单位	Welfare Adopting Insitutions			
社会福利院	Social Welfare Homes	72	12264	3834
儿童福利院	Baby Welfare Homes	10	986	828
精神病福利院	Psychopathy Welfare Homes	11	2335	1780
城镇收养性老年性福利机构	Urban Elderly Adopting Welfare Units	67	2874	1763
农村五保户供养服务机构	Adopting Welfare Institutions in Rural Households with Five Aspects	546	9120	5321
其他收养性福利机构	Other Adopting Welfare Institutions	12	433	287

18–15 老龄事业发展情况
Basic Statistics on Old People

项目	Item	2007	2008
老年人口数（人）	**Number of Old People(person)**		
60岁以上	60 and over	2919364	3434512
65岁以上	65 and over	2649487	2573439
80岁以上	80 and over	591057	569240
100岁以上	100 and over	1202	1036
老年维权	**Old People's Right-safeguarding**		
老龄系统接待来信来访次数（次）	Numbers of Letters and Visitors(time)	10448	9838
老年法律援助中心（个）	Old People Legal aid center(unit)	449	880
维权协调组织数（个）	Numbers of Right-safeguarding(unit)	1990	2523
老年服务设施	**Old People Service Equipment**		
老年活动站/中心/室数（个）	Action Stations，Center，Room number(unit)	14184	14545
老年福利	**Elderly Welfare**		
享受高龄补贴的老年人数（人）	Numbers of Age Allowance Old People(person)	141367	129715
老年医疗护理机构	**Old People Medical care**		
老年医院	Old People Hospitals	38	41
其中：床位数（张）	Beds(set)	827	2155
老年临终关怀医院	Old People Hospice care Hospitals	4	8
其中：床位数（张）	Beds(set)	328	803
年底在院人数（人）	Numbers of Old People in Hospital(person)	110	254
老年群众组织	**Mass organizations of Old People**		
老年协会	Elderly association	40937	12697
参加人数（人）	Number of attendees(person)	2437183	2136594
老年基金会	Elderly Foundation	1459	620
事业投入经费（万元）	Funds(10000 yuan)	41039.9	4966.9
其他老年社团组织	Other Mass organizations	3158	1732
参加人数	Number of attendees	391217	384249
老年教育	**Older Education**		
老年大学个数（个）	Number of Older University (unit)	7998	6324
在校人数（人）	Number of Old People Enrollment(person)	639863	502493

18–16 社会保障统筹情况

Basic Statistics on Social Insurance

项目	Item	2007	2008
各种保险总收入（亿元）	**Total Revenue of Varied Insurance(100 million yuan)**	**448.88**	**574.69**
各种保险总支出（亿元）	**Total Expenses of Varied Insurance(100 million yuan)**	**235.44**	**295.23**
养老保险	**Pension Insurance**		
城镇企业职工养老保险	**Pension Insurance for Staff and Workers of Urban Enterprises**		
期末参加基本养老保险职工人数（万人）	Number of Employment Covered at the Year-end(10000 person)	361.85	401.49
期末参加基本养老保险离退休人数（万人）	Retiress as Covered at the Year-end(10000 persons)	80.18	84.11
基本养老保险基金收入（亿元）	Revenue(100 million yuan)	106.57	128.08
基本养老保险基金支出（亿元）	Expenses(100 million yuan)	84.54	104.90
基本养老保险基金累计结余（亿元）	Balance(100 million yuan)	99.74	122.92
机关事业单位养老保险	**Pension Insurance for Government Agencies and Institutions**		
期末参加基本养老保险职工人数（万人）	Number of Staff Covered at the Year-end(10000 persons)	52.86	53.13
基本养老保险基金收入（亿元）	Revenue(100 million yuan)	43.95	45.31
基本养老保险基金支出（亿元）	Expenses(100 million yuan)	38.81	39.77
基本养老保险基金累计结余（亿元）	Balance(100 million yuan)	25.87	31.42
农村养老保险	**Pension Insurance in Rural Areas**		
期末参加基本养老保险的职工人数（万人）	Number of Staff Covered at the Year-end(10000 persons)	149.35	150.85
期末领取基本养老保险金的职工人数（万人）	Beneficiaries at the Year-end(10000 persons)	1.90	2.04
基本养老保险基金收入（亿元）	Revenue(100 million yuan)	0.81	1.00
基本养老保险基金支出（亿元）	Expenses(100 million yuan)	0.17	1.62
基本养老保险基金累计结余（亿元）	Balance(100 million yuan)	10.36	9.73
医疗保险	**Insurance for Medical Care**		
期末参加基本医疗保险的职工人数（万人）	Number of Staff Covered at the Year-end(10000 persons)	406.12	435.73
基本医疗保险基金收入（亿元）	Revenue(100 million yuan)	61.35	86.88
#统筹基金收入（亿元）	Revenue of Funds Planned as a Whole(100 million yuan)	34.20	51.75
基本医疗保险基金收缴率（%）	Insurance Paid Rate(%)	98.41	98.70
基本医疗保险基金支出（亿元）	Expenses(100 million yuan)	36.07	51.17
#统筹基金支出（亿元）	Expenses of Funds Planned as a Whole(100 million yuan)	18.56	26.44
基本医疗保险基金累计结余（亿元）	Balance(100 million yuan)	97.53	133.24
失业保险	**Unemployment Insurance**		
期末参加失业保险人数（万人）	Population Covered at the Year-end(10000 persons)	318.15	338.69
期末领取失业保险金人数（万人）	Beneficiaries of Unemployment Insurance at the Year-end (10000 persons)	5.71	4.64
失业保险基金收入（亿元）	Revenue(100 million yuan)	12.09	13.99
失业保险基金支出（亿元）	Expenses(100 million yuan)	4.12	4.00
失业保险基金累计结余（亿元）	Balance(100 million yuan)	29.27	39.24
工伤、生育保险	**Insurance for Work Injury and Maternity**		
期末参加工伤保险的企业职工人数（万人）	Contributors of Work Injury Insurance at the Year-end (10000 persons)	258.20	305.89
工伤保险基金收入（亿元）	Revenue of Work Injury Insurance(100 million yuan)	3.98	4.67
工伤保险基金支出（亿元）	Expenses of Work Injury Insurance(100 million yuan)	1.54	1.83
工伤保险基金累计结余（亿元）	Balance of Work Injury Insurance(100 million yuan)	12.20	15.04
期末参加生育保险的企业职工人数（万人）	Beneficiaries of Maternity at the Year-end(10000 persons)	213.52	235.81
生育保险基金收入（亿元）	Revenue of Maternity Insurance(100 million yuan)	1.98	3.07
生育保险基金支出（亿元）	Expenses of Maternity Insurance(100 million yuan)	1.09	1.49
生育保险基金累计结余（亿元）	Balance of Maternity Insurance(100 million yuan)	2.77	4.35
商业保险	**Commercial Insurance**		
人身保险保费收入金额（亿元）	Personal Insurance Revenue(100 million yuan)	147.92	209.47
人身保险赔偿支出金额（亿元）	Personal Insurance Expenses(100 million yuan)	31.89	40.61
财产保险保费收入金额（亿元）	Poroperty Insurance Revenue(100 million yuan)	69.44	81.21
财产保险赔偿支出金额（亿元）	Poroperty Insurance Expenses(100 million yuan)	37.02	49.57

18-17 律师 公证 调解工作基本情况

Basic Statistics on Lawyers, Notarization and Mediation

项目 Item	2000	2003	2005	2007	2008
律师工作					
Lawyers					
律师事务所（个） Number of Law Office(unit)	269	312	333	343	369
专职律师（人） Full-time Lawyers(person)	1803	2842	3115	3390	3571
兼职律师（人） Part-time Lawyers(person)	544	216	230	260	306
聘请常年法律顾问单位（个） Number of Units with Permanent Legal Advisors(unit)	8384	8251	9889	11193	11188
律师业务情况					
Status of Lawyers'Business					
民事诉讼 Civil Cases	41213	46256	56352	60478	67770
行政诉讼 Administrative Action	2321	2408	2221	2315	2289
非诉讼法律事务（件） Agent of Non-Litigious Legal Affairs(piece)	14649	12849	12259	9561	8632
解答法律咨询和代写法律事务文书（件） Agent of Legal Advisory Services (cases) Agent of Legal Documents Written on Behalf of Clients(piece)	139391	115945	129436	131375	143790
公证工作					
Notarization					
公证处（个） Number of Notary Offices(unit)	95	93	94	94	94
公证人员（人） Notarial Personnel(person)	612	622	644	658	676
公证员（人） Notaries(person)	397	388	373	364	372
办理公证书（件） Number of Notarized Documents(piece)	400748	381728	418052	460609	436117
国内经济合同公证 Notarization of Domestic Economic Contracts	48978	33009	20586	18061	13004
国内民事公证 Notarization of Domestic Civil Affairs	59366	58516	58778	86275	73870
涉外及港澳台 Notarization of Foreign-related,Hongkong, Macao & Taiwan Affairs	288181	253514	338688	356273	349243
调解工作					
Number of Mediation					
人民调解委员会（个） Number of People's Mediation Committees(unit)	17180	18073	18354	18191	18176
调解人员（万人） Number of Mediators(10000 persons)	26	21	19	20	19
调解纠纷（万件） Number of Disputes Mediated(10000 pieces)	16	19	15	16	16
专职司法助理员（人） Number of Full-time Judicial Assistants(person)	1103	1013	1356	1570	1621

注：1.调解纠纷数不含口头达成协议。2.民事诉讼代理已包括经济诉讼代理.

Note:a)Disputes Mediated do mot exclude those mediated by oral agreements. b)The data Number of Lawyers in 2007 is the number of lawyers with license.

18-18 国内公证文书分理情况

Domestic Notarial Documents by Type

单位：件 (case)

项目 Item	2000	2003	2005	2007	2008
经济公证事项 Notarized Documents on Economic Affairs	**48978**	**33009**	**20586**	**18061**	**13004**
购销合同 Contracts of Purchases and Sales of Products	17808	10176	578	3466	2371
联营合同 Joint Business Contracts	53	75	28	124	49
拍买 Auctions	866	485	230	279	278
贷款合同 Loans Contracts	12595	10986	9283	5028	1797
担保书 Guarantees	956	1848	185	77	33
招标投标 Bidding	2382	1321	2533	1219	1566
科技协作 Scientific and Technological Contracts	2	2	9		
供用电合同 Supply and Use of Electric Power Contracts	46	12	10	26	23
劳务合同 Labor Contracts	1016	429	258	155	112
建筑工程承包 Construction Project Contracts	170	69	108	67	23
工商服务业承包 Industrial and Commercial Service Contracts	290	42	43	38	64
农林牧副渔业承包 " Farming, Forestry, Animal Husbandry, Sideline Production and Fishery Contracts"	1502	312	239	115	60
乡镇企业承包 Township Enterprise Contracts	51	25	9	2	44
财产租赁 Property Leases	146	47	23	73	13
企业租赁 Leases of Enterprise	40	31	6	7	20
资产经营责任制 Asset Business Contracts	4	77			
还款协议 Payment Contracts	461	53	68	45	22
土地使用权出让转让 Selling or Transfer of Right of Land Utilization	383	446	259	336	252
其他经济合同 Other Business Contracts	2519	1056	1307	1885	1032
法人资格 Legal Person Identification	113	138	354	183	224
法人委托书 Legal Person Trust Deeds	549	1935	1936	2082	1657
公司章程 Corporation Constitution	53	33	150	111	164
执行许可证明 Operating Permits	1381	63	59	22	16
提存 Consignation	45	46	116	107	79
抵押登记 Mortgage Registration	684	153	145	109	62
公司会议记录 Minutes of Corporation Meetings	32	21	5	51	28
其他 Others	4831	3128	2645	2454	3015

18-18 续表
Continued

单位：件　　(case)

项目 Item	2000	2003	2005	2007	2008
民事公证事项 Notarized Documents On Civil Legal Relations	**59366**	**58516**	**58778**	**86275**	**73870**
收养 Child Adoption	76	63	29	104	60
解除收养 Adoption Renouncements	9	18	26	31	86
继承权 Rights of Inheritance	4319	6073	6796	10506	10231
遗嘱 Testaments	1871	1598	1271	1686	1773
产权 Property Rights	337	510	190	64	267
亲属关系 Kinship Confirmation	12622	2839	2698	2769	1965
死亡 Death Certificates	297	436	405	186	190
房屋买卖 Purchases and Sale of	2739	4772	2182	1764	1454
房屋租赁 Houses Leases	325	83	171	32	17
留学协议 Foreign Study Contracts	30	58	39	150	86
遗赠扶养协议 Donations and Family Fostering	72	106	457	528	112
委托书 Trust Deeds	5484	8080	14893	29985	21664
赠与书 Presentation Documents	3500	2375	2154	3735	3472
声明书 Declarations	7564	8490	8528	9863	9214
现场监警 Field Supervision	1931	1031	747	682	734
签名印鉴属实 Confirmation of Signatures and Seals	1308	1220	1576	2627	1718
文本相符 Confirmation of Copies and Photo offset Copies to Originals"	426	2150	1478	2300	2585
宅基地使用权 Rights to Housing Site	192	42	18	123	87
证据保全 Evidence Preservation	707	1789	1959	1988	4635
拆迁协议 Housing Demolition	741	327	36	178	8
计划生育 Agreements Family Planning	440	685	1077	1024	224
赡养协议 Agreements on Supporting Parents	161	109	129	244	216
合伙协议 Partnership Agreements	72	31	42	47	34
夫妻财产协议 Property Agreements Between Spouses	373	540	314	314	629
其他民事协议 Other Civil Agreements	5149	5062	3516	4115	3974
学历 Record of Formal Schooling			546	394	
其他 Others	8621	10029	7501	10836	8435

18–19 公众安全主要指标
Main Indicators of Pubic Safety

项目	Item	2000	2003	2005	2007	2008
交通事故损失额（万元）	Amout of Loss of Traffic Accident(10000 yuan)	12832.20	14229.70	9278.88	5918.90	4876.70
火灾事故损失额（万元）	Amout of Loss of Fire Accident(10000 yuan)	6864.90	8666.10	6733.09	8338.30	9793.50
交通事故死亡人数（人）	Death of Traffic Accident(person)	3855	3993	4125	3540	3071
火灾事故死亡人数（人）	Death of Fire Accident(person)	99	95	86	68	82
刑事案件立案数（件）	Register of Crimiral Case(piece)	156934	179376	184902	197326	329826
治安案件查处数（件）	Number of Public order Case Investigated and beal With Accordingly(piece)	116298	142300	187439	183407	209072
青少年刑事案犯比重（%）	Precentage of youngster criminal Prisoner(%)		44.1	44.3	45.6	46.4

18–20 安全生产事故起数、损失额及伤亡情况
Number of Case,Damage and Death of Safety Producting

项目	Item	2000	2003	2005	2007	2008
事故起数（起）	**Number of Accident Case(unit)**	**65161**	**42192**	**34964**	**25557**	**19970**
工矿企业	Mineral Enterprises	336	450	381	341	260
消防火灾	Fire	3839	8261	8135	4754	3705
道路交通	Road Traffic	60719	33290	26195	20062	15658
水上运输	Water Traffic	46	25	26	14	14
铁路交通	Railway Traffic	221	166	227	109	98
经济损失（万元）	**Amount of Loss(10000 yuan)**	**25938**	**29148**	**20585**	**19970**	**19975**
工矿企业	Mineral Enterprises	2330	4300	3436	3365	3317
消防火灾	Fire	6915	8661	6733	8732	8636
道路交通	Road Traffic	13686	14230	9279	5919	4877
水上运输	Water Traffic	2900	1840	1137	1174	2099
铁路交通	Railway Traffic	108	117		170	196
死亡人数（人）	**Death(person)**	**4631**	**4672**	**4799**	**4202**	**3635**
工矿企业	Mineral Enterprises	233	430	397	361	287
消防火灾	Fire	99	95	97	68	75
道路交通	Road Traffic	4155	3993	4125	3540	3071
水上运输	Water Traffic	27	51	35	25	18
铁路交通	Railway Traffic	117	103	145	71	69
受伤人员数（人）	**Population of Injured(person)**	**42868**	**26322**	**27923**	**24092**	**18990**
工矿企业	Mineral Enterprises	170	139	52	44	23
消防火灾	Fire	175	117	86	30	10
道路交通	Road Traffic	42417	26003	27696	23852	18832
水上运输	Water Traffic				1	
铁路交通	Railway Traffic	106	63	89	39	29

注：2005、2007、2008年道路交通事故不含轻微事故。

Note:Road traffic accident of 2005,2007,2008 exclude the slight accident.

主要统计指标解释

水资源总量　一定区域内的水资源总量指当地降水形成的地表和地下产水量，即地表径流量与降水入渗补给量之和，不包括过境水量。

地表水资源量　指河流、湖泊、冰川等地表水体中由当地降水形成的、可以逐年更新的动态水量，即天然河川径流量。

地下水资源量　指当地降水和地表水对饱水岩土层的补给量。

地表水与地下水资源重复量　指地表水和地下水相互转化的部分，即在河川径流量中包括一部分地下水排泄量，地下水补给量中包括一部分来源于地表水的入渗量。

供水总量　指各种水源工程为用户提供的包括输水损失在内的毛供水量。

地表水源水供水量　指地表水体工程的取水量，按蓄、引、提、调四种形式统计。从水库、塘坝中引水或提水，均属蓄水工程供水量；从河道或湖泊中自流引水的，无论有闸或无闸，均属引水工程供水量；利用扬水站从河道或湖泊中直接取水的，属提水工程供水量；跨流域调配指水资源一级区或独立流域之间的跨流域调配水量，不包括在蓄、引、提水量中。

地下水源供水量　指水井工程的开采量，按浅层谈水、深层承压水和微咸水分别统计。城市地下水源供水量包括自来水厂的开采量和工矿企业自备井的开采量。

其他水源供水量　包括污水处理再利用、集雨工程、海水淡化等水源工程的供水量。

用水总量　指分配给用户的包括输水损失在内的毛用水量。按用户特性分为农业、工业、生活和生态用水四大类。

农业用水　包括农田灌溉和林牧渔业用水。林牧渔业用水指林果地灌溉、草地灌溉和鱼塘补水。

工业用水　按新水取用量计，不包括企业内部的重复利用水量。

生活用水　包括城镇生活用水和农村生活用水。城镇生活用水由居民用水和公共用水（含服务业、商饮业、货运邮电业及建筑业等用水）组成；农村生活用水除居民生活用水外，还包括畜用水在内。

生态用水　仅包括河湖人工补水和城市环境用水。

工业废水排放量　指经过企业厂区所有排放口排到企业外部的工业废水量。包括生产废水、外排的直接冷却水、超标排放的矿井地下水和与工业废水混排的厂区生活污水，不包括外排的间接冷却水(清污不分流的间接冷却水应计算在内)。

工业废水排放达标量　指报告期内废水中各项污染物指标都达到国家或地方排放标准的外排工业废水量，包括未经处理外排达标的，经废水处理设施处理后达标排放的，以及经污水处理厂处理后达标排放的。

工业废水排放达标率　指工业废水排放达标量占工业废水排放量的百分率，计算公式为：

工业废水排放达标率=（工业废水排放达标量/工业废水排放量）×100%

城镇生活污水排放量　指城镇居民每年排放的生活污水。用人均系数法测算。测算公式为：

城镇生活污水排放量=城镇生活污水排放系数×市镇非农业人口×365

城镇生活污水中化学需氧量（COD）产生量　指城镇居民每年排放的生活污水中的COD的产生量。用人均系数法测算。测算公式为：

城镇生活污水中 COD 产生量=城镇生活污水中 COD 产生系数×市镇非农业人口×365

化学需氧量（COD）　测量有机和无机物质化学所消耗氧的质量浓度的水污染指数。

工业废气排放量　指报告期内企业厂区内燃料燃烧和生产工艺过程中产生的各种排入大气的含有污染物的气体的总量，以标准状态(273K，101325Pa)计算。测算公式为：

工业废气排放量=燃料燃烧过程中废气排放量+生产工艺过程中废气排放量

生活及其他 SO2 排放量　指以生活及其他煤炭消费量和其含硫量为基础，根据以下公式计算：

生活及其他 SO_2 排放量=生活及其他煤炭消费量×含硫量×0.8×2

工业 SO_2 排放量 指报告期内企业在燃料燃烧和生产工艺过程中排入大气的 SO_2 总量，计算公式为：

工业 SO_2 排放量=燃料燃烧过程中 SO_2 排放量+生产工艺过程中 SO_2 排放量

工业烟尘排放量 指企业厂区内燃料燃烧过程中产生的烟气中夹带的颗粒物排放量。

生活及其他烟尘排放量 指除工业生产活动以外的所有社会、经济活动及公共设施的经营活动中燃烧所排放的烟尘纯重量。以生活及其他煤炭消费量为基础进行测算。

工业粉尘排放量

指企业在生产工艺过程中排放的能在空气中悬浮一定时间的固体颗粒物排放量。如钢铁企业的耐火材料粉尘、焦化企业的筛焦系统粉尘、烧结机的粉尘、石灰窑的粉尘、建材企业的水泥粉尘等。不包括电厂排入大气的烟尘。

工业固体废物产生量 指报告期内企业在生产过程中产生的固体状、半固体状和高浓度液体状废弃物的总量，包括危险废物、冶炼废渣、粉煤灰、炉渣、煤矸石、尾矿、放射性废物和其他废物等；不包括矿山开采的剥离废石和掘进废石(煤矸石和呈酸性或碱性的废石除外)。酸性或碱性废石指采掘的废石其流经水、雨淋水的 pH 值小于 4 或 pH 值大于 10.5 者。

危险废物 指列入国家危险废物名录或根据国家规定的危险废物鉴别标准和鉴别方法认定的，具有爆炸性、易燃性、易氧化性、毒性、腐蚀性、易传染疾病等危险特性之一的废物。

工业固体废物综合利用量 指报告期内企业通过回收、加工、循环、交换等方式，从固体废物中提取或者使其转化为可以利用的资源、能源和其他原材料的固体废物量(包括当年利用往年的工业固体废物贮存量)，如用作农业肥料、生产建筑材料、筑路等。综合利用量由原产生固体废物的单位统计。

工业固体废物综合利用率 指工业固体废物综合利用量占工业固体废物产生量(包括综合利用往年贮存量)的百分率。计算公式为：

工业固体废物综合利用率=工业固体废物综合利用量/（工业固体废物产生量+综合利用往年贮存量）×100%

工业固体废物贮存量 指报告期内企业以综合利用或处置为目的，将固体废物暂时贮存或堆存在专设的贮存设施或专设的集中堆存场所内的数量。专设的固体废物贮存场所或贮存设施必须有防扩散、防流失、防渗漏、防止污染大气、水体的措施。

工业固体废物处置量 指报告期内企业将固体废物焚烧或者最终置于符合环境保护规定要求的场所，并不再回取的工业固体废物量(包括当年处置往年的工业固体废物贮存量)。处置方式有填埋(其中危险废物应安全填埋)、焚烧、专业贮存场(库)封场处理、深层灌注、回填矿井及海洋处置(经海洋管理部门同意投海处置)等。

工业固体废物排放量

指报告期内企业将所产生的固体废物排到固体废物污染防治设施、场所以外的数量，不包括矿山开采的剥离废石和掘进废石(煤矸石和呈酸性或碱性的废石除外)。

“三废”综合利用产品产值 指报告期内利用“三废”作为主要原料生产的产品价值(现行价)；已经销售或准备销售的应计算产品价值，留作生产自用的不应计算产品价值。

生活垃圾清运量 指报告期内收集和运送到垃圾处理厂(场)的生活垃圾数量。生活垃圾指城市日常生活或为城市日常生活提供服务的活动中产生的固体废物以及法律行政规定的视为城市生活垃圾的固体废物。包括：居民生活垃圾、商业垃圾、集市贸易市场垃圾、街道清扫垃圾、公共场所垃圾和机关、学校、厂矿等单位的生活垃圾。

生活垃圾无害化处理率 指报告期生活垃圾无害化处理量与生活垃圾产生量比率。在统计上，由于生活垃圾产生量不易取得，可用清运量代替。计算公式为：

生活垃圾无害化处理率=生活垃圾无害化处理量/生活垃圾产生量×100%

环境污染与破坏事故 指由于违反环境保护法规的经济、社会活动与行为，以及意外因素的影响或不可抗拒的自然灾害等原因，致使环境受到污染，国家重点保护的野生动植物、自然保护区受到破坏，人体健康受到危害，社会经济和人民财产受到损失，造成不良社会影响的突发性事件。

环境污染治理投资 指在工业污染源治理和城市环境基础设施建设的资金投入中，用于形成固定资产的资金。包括工业新老污染源治理工程投资、建设项目“三同时”环保投资，以及城市环境基础设施建设所投入的资金。

营林固定资产投资 指在报告期内进行的营林基本建设和营林更新改造活动投资。

上年末结余资金 指在上年资金来源中没有形成固定资产投资额而结余的资金。包括尚未用到工程上去的材料价值、未开始安装的需要安装设备价值及结存的现金和银行存款等。

本年完成投资 指从本年 1 月 1 日起至本年最后一天止完成的全部投资额。本年完成投资是反映本年的实际投资规模，计算有关投资效果，进行年度国民经济平衡分析的重要指标。

社会福利事业单位 指集中收养社会孤老、残、幼的机构，包括由民政部门管理的社会福利院、儿童福利院、精神病人福利院和城镇集体举办的福利院及农村集体举办的敬老院以及优抚医院和具有收养能力的社区服务中心等。该指标主要反映我国在社会福利性单位投入的水平。

社会福利事业单位收养人数 包括民政部门管理和城镇、农村集体举办的社会福利事业单位中收养的老人、少年儿童、缺乏生活自理能力的残疾人员和精神病人。该指标主要反映收养性社会福利单位的收养能力。

社会福利企业单位 指以安置城镇有一定劳动能力的盲、聋、哑和肢体残疾人员就业为目的，享受国家减免税待遇的国有或集体企业。包括福利工厂、福利商业和服务业、假肢厂和安置农场等单位。该指标主要反映我国对残疾人照顾的特殊政策。

农村五保户 指农村中既无劳动能力，又无经济来源的老、弱、孤、残的农民，其生活由集体供养，实行保吃、保穿、保住、保医、保葬(孤儿保教)，简称“五保”，享受五保待遇的家庭叫五保户。该指标主要反映农村弱势群体的人员数量。

律师 指依法取得律师执业证书，担任法律顾问，民事(刑事、行政)案件代理人、刑事案件辩护人、办理非诉讼业务，解答法律询问，代写法律事务文书等，为社会提供法律服务的人员。

公证人员 指在公证处工作的人员总称，包括公证处主任、副主任、公证员、公证员助理(助理公证员)和其他从事辅助性工作的人员。

公证文书 指公证处根据当事人申请，依照事实和法律，按照法定程序制作的，具有法律效力的司法证明文书。根据公证书用途和使用地，公证书分为国内公证书、国内经济公证书、涉外民事公证书、涉外经济公证书四类。

调解员 指在人民调解委员会担负调解民间纠纷工作的人员，包括调解委员会的委员和调解小组的调解员。该指标主要反映从事人民调解工作的人员数量。

Explanatory Notes on Main Statistical Indicators

Total Water Resources refers to total volume of water resources measured as run-off for surface water from rainfall and recharge for groundwater in a given area, excluding transit water.

Surface Water Resources refers to total renewable resources which exist in rivers, lakes, glaciers and other collectors from rainfall and are measured as run-off of rivers.

Groundwater Resources refers to replenishment of aquifers with rainfall and surface water.

Duplicated Measurement Between Surface Water and Groundwater refers to mutual exchange between surface water and groundwater, i.e. run-off of rivers includes some depletion with groundwater while groundwater includes some replenishment with surface water.

Water Supply refers to gross water supply by supply systems from sources to consumers, including losses during distribution.

Surface Water Supply refers to withdrawals by surface water supply system, broken down with storage, flow, pumping and transfer. Supply from storage projects includes withdrawals from reservoirs; supply from flow includes withdrawals from rivers and lakes with natural flows no matter if there are locks or not; supply from pumping projects includes withdrawals from rivers or lakes with pumping stations; and supply from transfer refers to water supplies transferred from first-level regions of water resources or independent river drainage areas to others, and should not be covered under supplies of storage, flow and pumping.

Groundwater Supply refers to withdrawals from supplying wells, broken down with shallow layer freshwater, deep layer freshwater and slightly brackish water. Groundwater supply for urban areas includes water mining by both waterworks and own wells of enterprises.

Other Water Supply Sources include supplies by waste-water treatment, rain collection, seawater desalinization and other water projects.

Water Use refers to gross water use distributed to users, including loss during transportation, broken down with use by agriculture, industry, living consumption and biological protection.

Water Use by Agriculture includes uses of water by irrigation of farming fields and by forestry, animal husbandry and fishing. Water use by forestry, animal husbandry and fishing includes irrigation of forestry and orchards, irrigation of grassland and replenishment of fishing pools.

Water Use by Industry refers to new withdrawals of water, excluding reuse of water within enterprises.

Water Use by Living Consumption includes use of water for living consumption in both urban and rural areas. Urban water use by living consumption is composed of household use and public use (including services, commerce, restaurants, cargo transportation, posts, telecommunication and construction). Rural water use by living consumption includes both households and animals.

Water Use by Biological Protection includes replenishment of rivers and lakes and use for urban environment.

Waste Water Discharged by Industry refers to the volume of waste water discharged by industrial enterprises through all their outlets, including waste water from production process, directly cooled water, groundwater from mining wells which does not meet discharge standards and sewage from households mixed with waste water produced by industrial activities, but excluding indirectly cooled water discharged (It should be included if the discharge is not separated with waste water).

Industrial Waste Water Meeting Discharge Standards refers to volume of industrial waste water discharge which, with or without treatment, reaches national or local standards with regard to all pollutants.

Ratio of Industrial Waste Water Meeting Discharge Standards refers to percentage of industrial waste water meeting discharge standards over total industrial waste water discharge. It is calculated as:

Ratio of industrial waste water meeting discharge standards = (industrial waste water meeting discharge standards / total industrial waste water discharge) × 100%

Urban Non-industrial Waste Water Discharge refers to annual discharge of non-industrial waste water by urban households. It is estimated by per capita coefficient using the formula:

Urban non-industrial waste water discharge = urban non-industrial waste water discharge coefficient urban non-agricultural population 365

Volume of Chemical Oxygen Demand (COD) Generated by Urban Non-industrial Waster Water refers to chemical oxygen demand generated through the annual discharge of non-industrial waste water by urban households. It is estimated as:

Volume of chemical oxygen demand (cod) generated by urban non-industrial waster water = Coefficient of COD generated through urban non-industrial waste water × urban non-agricultural population ×365

Chemical Oxygen Demand (COD) refers to index of water pollution measuring the mass concentration of oxygen consumed by the chemical breakdown of organic and inorganic matter.

Industrial Waste Air Emission

refers to discharge into atmosphere of waste air containing pollutants generated from fuel burning and production process in enterprises within a given period of time. It is calculated at standard status (273K, 101325Pa) as:

Industrial waste air emission = emission through fuel burning + emission through production process

SO2 Emission through Non-industrial and Other Activities is calculated on the basis of consumption of coal by households and other activities and the sulphur content of coal with the following formula:

SO2 emission through non-industrial and other activities = consumption of coal by households and other activities ×sulphur content ×0.8× 2

SO2 Emission through Industrial Activities refers to volume of sulphur dioxide emission from fuel burning and production process by enterprises during a given period of time. It is calculated as:

SO2 emission through industrial activities = SO2 emission from fuel burning + SO2 emission from production process

Industrial Soot Emission refers to volume of soot in smoke emitted in process of fuel burning in premises of enterprises.

Soot Emission by Consumption and Others refers to net volume of soot emitted by fuel burning from all social and economic activities and operation of public facilities other than industrial activities. It is calculated on the basis of coal consumption by households and others.

Industrial Dust Emission refers to volume of dust emitted by production process of enterprises and suspended in the air for a given period of time, including dust from refractory material of iron and steel works, dust from coke-screening systems and sintering machines of coke plants, dust from lime kilns and dust from cement production in building material enterprises, but excluding soot and dust emitted from power plants.

Industrial Solid Wastes Produced refers to total volume of solid, semi-solid and high concentration liquid residues produced by industrial enterprises from production process in a given period of time, including hazardous wastes, slag, coal ash, gangue, tailings, radioactive residues and other wastes, but excluding stones stripped or dug out in mining (gangue and acid or alkaline stones not included). A stone is acid or alkaline depending on the pH value of the water below 4 or above 10.5 when the stone is in, or soaked by, the water.

Hazardous Wastes refers to those included in

the national hazardous wastes catalogue or specified as any one of the following properties in the national hazardous wastes identification standards: explosive, ignitable, oxidizable, toxic, corrosive or liable to cause infectious diseases or lead to other dangers.

Industrial Solid Wastes Utilized refers to volume of solid wastes from which useful materials can be extracted or which can be converted into usable resources, energy or other materials by means of reclamation, processing, recycling and exchange (including utilizing in the year the stocks of industrial solid wastes of the previous year). Examples of such utilizations include fertilizers, building materials and road materials. The information shall be collected by the producing units of the wastes.

Ratio of Industrial Solid Wastes Utilized refers to the percentage of industrial solid wastes utilized over industrial solid wastes produced (including stocks of the previous years). It is calculated as:

Ratio of industrial solid wastes utilized = volume of industrial solid wastes utilized / (industrial solid wastes produced + stock of previous years) 100%

Stocks of Industrial Solid Wastes refers to volume of solid wastes placed in special facilities or special sites for purposes of utilization or disposal. The sites or facilities should take measures against dispersion, loss, seepage, and air and water contamination.

Industrial Solid Wastes Disposed refers to quantity of industrial solid wastes which are burnt or placed ultimately in the sites meeting the requirements for environmental protection and not salvaged or recycled (including disposition in the year of those wastes of previous years). The disposition includes landfill (Safe landfills should be conducted for hazardous wastes), incineration, containment spaces, deep underground disposal, backfill in mining pits and disposal at sea.

Industrial Solid Wastes Discharged refers to volume of industrial solid wastes discharged by producing enterprises to disposal facilities or to other sites. The wastes exclude stones stripped or dug from mining (gangue and acid or alkaline waste stones not included).

Output Value of Products Made from Waste Gas, Waste Water and Solid Wastes refers current value of products with waste gas, waste water and solid wastes as main materials of production. Products sold and ready to sell shall be included while those produced for own use shall not be included.

Consumption Wastes Transported refers to volume of consumption wastes collected and transported to disposal factories or sites. Consumption wastes are solid wastes produced from urban households or from service activities for urban households, and solid wastes regarded by laws and regulations as urban consumption wastes, including those from households, commercial activities, markets, cleaning of streets, public sites, offices, schools, factories, mining units and other sources.

Ratio of Consumption Wastes Treated refers to consumption wastes treated over that produced. In practical statistics, as it is difficult to estimate, the volume of consumption wastes produced is replaced with that transported. It is calculated as:

Ratio of consumption wastes treated = (consumption wastes treated / consumption wastes produced) ×100%

Environment Pollution and Destruction Accidents refer to sudden accidents, due to economic or social activities that are in contrast to environment protection laws or due to unforeseen factors or natural disasters, that lead to the environment pollution, the destruction of protected wild animals, plants or nature reserves, the damage to human health, the economic and property losses, and the negative impact on the society.

Investment in Environment Pollution Harnessing Projects refers to the proportion of investment in fixed assets in the total investment in harnessing industrial pollution and in the construction of urban environment infrastructure facilities. It includes investment in harnessing sources of industrial pollution, investment in environment protection facilities designed concurrently with construction projects, and investment in urban environment infrastructure facilities.

Investment in Fixed Assets for Afforestation refers to the investment in capital construction and updating projects in afforestation during the reference period.

Unspent Capitals from Last Year refer to capitals from the last year that have not been invested in the fixed assets, including value of materials that have not been used yet, the value of equipment yet to be installed, as well as cash in hand and bank deposits.

Completed Investment during the Year reflecting the actual size of investment completed during January 1 and December 31 of the reference year, this indicator is important in estimating investment efficiency and in making annual analysis of the performance of the national economy.

Social Welfare Institutions refer to institutions taking care of old pople without children, handicapped people and orphans. They include social welfare institutions run by civil affairs departments, children welfare institutions, social welfare institutions for mental patients, collective-owned old peoples homes in rural areas, convalescent homes and community service centers with the capaCity of receiving those people. This indicator reflects the input in social welfare institutions.

Number of People Taken in by Social Welfare Institutions refers to the number of old people, children, totally dependent handicapped people and mental patients taken in by social welfare institutions run by civil affairs departments and those run by collective units in urban and rural areas. This indicator reflects the cap a City of social welfare institutions.

Social Welfare Enterprises are collective owned enterprises which employ the blind, deaf-mute, and other handicapped people who are able to work in cities and towns and enjoy exemption from state taxes, including welfare plants, welfare commercial services, artificial limb plants and farms, etc. This indicator reflects the preferential policies toward disabled persons.

Rural Households with Livelihood Guaranteed in Five Aspects refer to the households in which there are old people without child, orphans and handicapped people who are unable to work and without financial resources in rural areas. They are taken care of by the collective units and their food, clothing, housing, medical care, funeral expenses (or schooling for orphans) are guaranteed to be provided for. This indicator reflects the total number of disadvantageous groups of rural population.

Lawyers are certified legal workers according to law, and who are employed by legal counseling firms to act as legal advisers, agents in criminal or civil lawsuits, or defenders in criminal lawsuits, or to handle non-litigious legal affairs, to advise on matters of law or t o write legal papers for others, and provide service to the public.

Notary Personnel refers to people working for notary offices including: directors, deputy direct or, notaries, assistant notaries, and other people providing assistance.

Notary Documents refer to the judicatory notary documents drawn up by the request of the party and are in accordance with facts and laws and following certain legal proceedings. According to usage and locality, the notary documents are divided into following 4 types: domestic notary documents, domestic economic notary documents, foreign-related civil notary documents and foreign-related economic notary documents.

Mediators refer to workers on peoples mediation committees responsible for mediating in civil disputes and cases of slight infraction of the law. They include members of the mediation committees and mediators of mediation groups. This indicator reflects the number of people engaged in meditation.

19

企业集团与企业景气指数

Enterprise Groups and Enterprise Climate Index

简要说明

本篇资料的主要内容及来源

本篇资料主要包括企业集团主要经济指标、企业集团主要财务情况、企业家信心指数、企业景气指数。

企业集团及企业景气指数资料由国家统计局福建调查总队统计监测处提供 。

Brief Introduction

Main Content and Source of Data

The data in this chapter mainly include main indicator of enterprises group, main indicator in finance of enterprises group, entrepreneur confidence index and enterprises business climate index.

Data on the business group and enterprises business climate index are provide by the Department of Monitoring Statistics, NBS survey office in Fujian.

19−1 企业集团基本情况

Basic Condition of Enterprise Group

单位：个 (unit)

项目	Item	2007	2008
企业集团单位数	**Nunber of Enterprise Group**	**261**	**252**
按集团审批部门分	**Grouped by Examination and Approval Departments**		
国务院主管部门	Competent Department under the State Council	10	9
省级人民政府	Provincial People's Government	37	35
省级人民政府主管部门	Competent Department under Provincial People's Government	96	89
其他	Others	118	119
按行业分	**Grouped by Sector**		
农、林、牧、渔业	Farming, Forestry, Animal Husbandy and Fishery	3	2
采矿业	Mining and Quarrying	3	3
制造业	Manufacturing	145	140
电力、燃气及水的生产和供应业	Production and Supply of Electricity Gas and Water	6	6
建筑业	Construction	21	20
交通运输、仓储和邮政业	Transportation, Storage,Post and Telecommunications	8	8
信息传输、计算机服务和软件业	Information Transmission, Computer Servcie and Software Industries	1	1
批发和零售业	Wholesale and Retail Trades	46	46
住宿和餐饮业	Accommodation and Catering Services	3	3
金融业	Finance	2	2
房地产业	Real Estate	17	13
其他行业	Others	6	8
按控股情况分	**Grouped by Share Held**		
国有控股	State-holding	71	69
集体控股	Shares Held By Collective	19	17
私人控股	Shares Held By Private	150	149
港澳台商控股	Shares Held by Hong Kong, Macao and Taiwan	13	11
外商控股	Shares Held by Foreign	8	6
按企业登记注册类型分	**Grouped by Status of Registration**		
国有企业	State-owned Enterprises	14	11
国有独资公司	State-owned Exclusive Company	47	48
其他责任有限公司	Other Limited Liability Company	137	137
股份有限公司	Share Holding Corporations Ltd.	16	16
中外合资经营企业	Chinese-foreign Equity Joint Ventures	3	3
外商投资股份有限公司	Foreign-funded Limited Companies	7	5
合资经营企业（港或澳、台资）	Equity Joint Ventures (Hong Kong, Macao or Taiwan)	6	5
港、澳、台商投资股份有限公司	Hong Kong, Macao and Taiwan Investment Limited Company	8	7
其他经济类型企业	Others	23	20

19–2 企业集团主要财务指标（2008年）

单位：万元

项目 Item	年末资产总计 Total Assets	固定资产净值 Value of Fixed Assets	累计折旧 Accumu-Lative Depre-ciation	累计对外投资 Accumulative External Investment	流动资产年平均余额 Average Balance of Circulating Funds	年末少数股东权益 Minority Share-holder's Equity at Year-end
总计 Total	**51502756**	**10727521**	**4641942**	**3696452**	**25761078**	**3970005**
按集团审批部门分 Grouped by Examination and approval departments						
国务院主管部门 Competent Department under the State Council	2084332	425919	202674	92938	1215179	15388
省级人民政府 Provincial People's Government	16464799	4333021	2218152	1263323	7060148	1752155
省级人民政府主管部门 Competent Department under Provincial People's Government	8756184	1901456	758972	625660	3850169	411699
其他 Others	24197441	4067125	1462144	1714531	13635582	1790763
按集团主营行业分 Grouped by Sector of Major Business						
农、林、牧、渔业 Farming, Forestry, Animal Husbandry and Fishery	45811	15342	3647		19640	
采矿业 Mining and Quarrying	4321803	1058246	345968	306041	1057512	415549
制造业 Manufacturing	20305299	5441321	2643363	1049130	10447273	1808497
电力、燃气及水的生产和供应业 Production and Distribution of Electricity,Gas and Water	1644244	662897	194786	83964	551739	178346
建筑业 Construction	2237612	342771	74332	106318	1269151	104488
交通运输、仓储和邮政业 Transport, Storage and Post	3396981	1259918	696889	562535	912486	435093
信息传输、计算机服务和软件业 Information Transmission, Computer Servcie and Software Industries	61871	8192	6154		46440	
批发和零售业 Wholesale and Retail Trades	13387828	1683865	552993	829881	8198364	902535
住宿和餐饮业 Accommodation and Catering Services	160351	58999	34163	7228	58595	
金融业 Finance	936864	23944	7565	32188	751034	50222
房地产业 Real Estate	2906958	62875	25238	146266	1447978	56047
其他 Others	2097134	109151	56844	572901	1000866	19228
按母公司控股情况分 Grouped by Share- holding Situation Parent Company						

Main Indicators in Finance of Enterprises Group,2008

(10000 yuan)

年末股东(所有者)权益 Share-holder's (or Owner's) Equity at Year-end	营业收入 Business Income	营业成本 Cost of Business	营业税金及附加 Tax and Addition for Business	新产品销售收入 Sales Income of New Products	出口销售总额 Total Exports	投资收益 Investment Income	利润总额 Total Profits	应交所得税 Due Income Tax	应交增值税 Due Value-adding Tax	固定资产投资完成额 Sum of Completed Investment in Fixed Asset
21181179	**39547090**	**33865709**	**464592**	**3651215**	**5457965**	**381685**	**2172964**	**415225**	**604895**	**2737105**
775327	1676934	1477590	3746	609305	872656	9081	54835	11917	35416	134084
7388486	11694716	9578812	191860	1035427	1328793	73473	765044	167857	334396	991864
4274289	6454269	5330010	47337	849042	949777	91880	513312	83315	145645	300939
8743077	19721171	17479297	221649	1157441	2306739	207251	839773	152136	89438	1310218
24106	75167	66136	900		17928		5993	65		1290
2522599	2615259	1805205	35078	441989	16647	16272	495765	81619	102935	476205
8717405	17733296	15088032	117384	3192670	3581036	87668	832473	161102	427707	1041116
679380	602188	538905	4797		20309	25114	53154	9458	13418	77102
889265	2294606	2063922	85187	12155		8457	70796	13691	986	156576
1704103	1207871	927962	30167		9200	40846	168897	30369	3440	330511
33446	47391	37950	1121			350	1193	286		
4545511	13928419	12588278	130012	3780	1809385	141845	422887	90453	56660	290132
72851	38739	14825	2149				1241	365	392	508
399549	42155	29613	6802			11142	8730	8444		
762754	764247	557642	46674			16024	83338	16629	-26	217578
830210	197752	147239	4321	621	3460	33967	28497	2744	-617	146087

19–2 续表

单位：万元

项目 Item	年末资产总计 Total Assets	固定资产净值 Value of Fixed Assets	累计折旧 Accumu-Lative Depre-ciation	累计对外投资 Accumulative External Investment	流动资产年平均余额 Average Balance of Circulating Funds	年末少数股东权益 Minority Share-holder's Equity at Year-end
国有控股 State-holding Enterprises	33690463	6589992	3153961	2878007	17229195	3213175
集体控股 Collective- holding Enterprises	1006176	319095	68876	22954	475139	47244
私人控股 Private- holding Enterprises	13186282	3039610	1060269	676041	5849465	671500
港澳台商控股 Shares Held by Hong Kong, Macao and Taiwan	2276126	474179	216426	54746	1383595	22765
外商控股 Shares Held by Foreign	1343709	304645	142410	64704	823684	15321
按母公司登记注册类型分 **Grouped by Registration Status of Parent Company**						
国有企业 State-owned	1840715	80596	47461	411788	971526	48309
国有独资公司 State-owned Exclusive Investment Company	28258844	5755914	2827879	2168595	15108997	2826962
其他有限责任公司 Other Limited Liability Corporations	10211279	2297404	740702	529302	4897049	499461
股份有限公司 Share-holding Corporation Ltd.	6760632	1588847	588122	440076	2076159	525956
中外合资经营企业 Chinese-foreign Equity Joint Ventures	182056	50274	64651	5233	104928	26329
外商投资股份有限公司 Foreign-funded Limited Companies	1266266	267731	80351	59471	789031	85
合资经营企业（港或澳、台资） Equity Joint Ventures (Hong Kong, Macao or Taiwan)	1488520	401395	176563	25284	875243	20627
港、澳、台商投资股份有限公司 Hong Kong, Macao and Taiwan Investment Limited Company	815137	83185	43475	31531	517654	2138
其他经济类型企业 Others	679307	202175	72738	25172	420491	20138

Continued

(10000 yuan)

年末股东(所有者)权益 Share-holder's (or Owner's) Equity at Year-end	营业收入 Business Income	营业成本 Cost of Business	营业税金及附加 Tax and Addition for Business	新产品销售收入 Sales Income of New Products	出口销售总额 Total Exports	投资收益 Investment Income	利润总额 Total Profits	应交所得税 Due Income Tax	应交增值税 Due Value-adding Tax	固定资产投资完成额 Sum of Completed Investment in Fixed Asset
13375059	25714582	22327159	333619	1905036	3275062	246729	1274645	257007	333569	2114692
358520	1129940	969276	33657	21446	82230	2517	48211	7729	8146	10372
5785905	9888214	8427977	92418	775541	1238306	127239	570004	105427	160108	387316
1071176	1629823	1209541	2447	588692	617893	-107	147968	21758	77196	117205
590519	1184531	931756	2451	360500	244474	5307	132136	23304	25876	107520
692373	826062	688512	24843	1571	88287	24499	70566	12430	4045	212765
10437108	22391899	19942470	271631	1451086	3164619	196639	695735	169221	263787	1688884
4376522	8497005	7297474	89991	667904	860820	71370	444594	83994	118832	308785
3630364	3936854	2835227	42228	540274	234204	83393	651273	96546	107575	300086
111869	359442	320438	374	21446	240167	167	15047	3728	4451	1920
528083	1002627	775995	2325	360500	62978	5275	126243	22491	22370	105600
806594	1443714	1071872	1016	529980	507196	461	141702	19761	77015	117205
284053	235079	183340	1510	78454	138926	-568	6818	1997	853	
314213	854408	750381	30674		160768	449	20986	5057	5967	1860

19-3 企业景气指数（2008年）

Business Climate Index of Enterprises,2008

项目 Item	第一季度 1st Quarter	第二季度 2nd Quarter	第三季度 3rd Quarter	第四季度 4th Quarter
总体状况 **Total**	**126.8**	**126.6**	**120.2**	**103.6**
按行业分 **Grouped by Sector**				
工业 Industry	121.9	126.0	117.8	95.6
采矿业 Manufacturing	117.6	144.9	137.5	75.0
制造业 Manufacturing	122.3	126.2	117.2	95.1
电力、燃气及水的生产和供应业 Production and Supply of Electricity Gas and Water	119.3	121.1	122.8	103.2
建筑业 Mining and Quarrying	121.4	118.6	125.1	114.8
交通运输、仓储和邮政业 Transportation, Storage,Post and Telecommunications	123.6	105.3	101.0	85.6
批发和零售业 Wholesale and Retail Trades	142.8	149.8	141.7	135.5
房地产业 Real Estate	134.3	126.9	107.4	95.9
社会服务业 Social Services	128.9	115.4	130.8	115.4
信息传输、计算机服务和软件业 Information Transmission, Computer Servcie and Software Industries	163.5	160.1	151.9	161.2
住宿和餐饮业 Accommodation and Catering Services	128.6	116.0	114.4	112.8
按企业登记注册类型分 **Grouped by Status of Registration**				
国有企业 State-owned Enterprises	122.7	122.5	121.6	119.1
集体企业 Collective-owned Enterprises	90.7	86.0	74.4	62.8
股份合作企业 Cooperative Enterprises	116.7	100.0	83.3	50.0
联营 Cooperative	200.0	150.0	50.0	50.0
有限责任公司 Limited-Liability Corporations	124.3	123.5	113.8	99.4
股份有限公司 Share Holding Corporations Ltd.	141.4	133.6	139.1	119.8
私营企业 Private Enterprises	130.3	133.0	122.6	109.4

19-3 续表
Continued

项目 Item	第一季度 1st Quarter	第二季度 2nd Quarter	第三季度 3rd Quarter	第四季度 4th Quarter
其他企业 Other Enterprises	100.0	80.0	80.0	80.0
外商及港澳台投资企业 Enterprises with Funds from Hogkong,Macao and Taiwan	130.0	131.8	123.7	97.2
按企业规模分 **Grouped by Size of Enterprises**				
大型 Large	148.0	150.1	143.6	113.4
中小型企业 Small and medium enterprises	122.5	121.8	115.6	101.0
中型 Medium	130.5	131.6	125.1	113.2
小型 Small	115.4	113.2	107.3	90.3
按特殊群体分 **Grouped by Special Group**				
上市公司 Listed Companies	147.7	159.2	147.4	113.4
国有控股企业 State-owned and State-holding Enterprises	127.8	127.5	125.7	112.4
主要观察指标景气状况 **Climate classification**				
生产总量 Total Production	98.1	118.5	105.1	79.5
盈利(亏损)变化 Change of Profits or Losses	97.3	105.5	97.7	79.3
流动资金 Circulating Funds	105.6	102.0	98.4	90.8
货款拖欠 Delinquent Loads	104.4	101.1	97.3	92.7
劳动力需求 Demand for Labor Force	118.2	114.7	105.1	83.4
固定资产投资 Investment of Fixed Asset	106.7	111.1	106.7	98.7
产品订货 Product Order	104.7	112.8	100.2	84.1
企业融资 Accommodation	95.0	93.8	90.4	86.2

19-4 企业家信心指数（2008年）

Enterpreneurs' Confidence Expectation Index,2008

项目 Item	第一季度 1st Quarter	第二季度 2nd Quarter	第三季度 3rd Quarter	第四季度 4th Quarter
总体状况 Total	**129.0**	**122.9**	**116.0**	**96.1**
按行业分 Grouped by Sector				
工业 Industry	130.3	124.4	117.7	93.5
采矿业 Mining and Quarrying	167.6	162.5	132.4	100.0
制造业 Manufacturing	130.1	124.3	117.0	91.2
电力、燃气及水的生产和供应业 Production and Supply of Electricity Gas and Water	128.2	119.3	124.6	117.5
交通运输、仓储和邮政业 Transportation, Storage,Post and Telecommunications	116.4	106.4	93.8	71.6
建筑业 Construction	120.0	116.1	115.6	105.4
批发和零售业 Wholesale and Retail Trades	135.1	133.3	127.8	118.1
房地产业 Real Estate	121.2	110.2	90.9	71.7
社会服务业 Social Services	127.0	115.4	111.6	98.1
信息传输、计算机服务和软件业 Information Transmission, Computer Servcie and Software Industries	162.3	167.0	165.8	160.1
住宿和餐饮业 Accommodation and Catering Services	135.1	121.0	129.8	114.0
按企业登记注册类型分 Grouped by Status of Registration				
国有企业 State-owned Enterprises	119.9	118.3	117.0	107.5
集体企业 Collective-owned Enterprises	90.7	95.4	74.4	55.8

19-4 续表
Continued

项目 Item	第一季度 1st Quarter	第二季度 2nd Quarter	第三季度 3rd Quarter	第四季度 4th Quarter
股份合作企业 Cooperative Enterprises	108.3	125.0	83.3	58.3
联营 Cooperative	200.0	150.0	150.0	100.0
有限责任公司 Limited-Liability Corporations	130.3	117.7	110.7	90.8
股份有限公司 Share Holding Corporations Ltd.	147.3	141.7	134.3	108.0
私营企业 Private Enterprises	129.7	128.7	111.8	97.3
其他企业 Other Enterprises	80.0	140.0	140.0	100.0
外商及港澳台投资企业 Enterprises with Funds from Hogkong,Macao and Taiwan	132.9	125.4	120.9	97.5
按企业规模分 Grouped by Size of Enterprises				
大型 Large	152.0	145.7	137.3	109.0
中小型企业 Small and medium enterprises	125.5	118.9	112.8	93.8
中型 Medium	135.4	129.3	123.4	104.8
小型 Small	116.9	109.7	103.5	84.2
按特殊群体分 Grouped by Special Group				
上市公司 Listed Companies	147.5	145.1	129.3	113.6
国有控股企业 State-owned and State-holding Enterprises	130.2	125.4	119.7	104.0

主要统计指标解释

企业集团 是以母子公司为主体，通过投资及生产经营协作等多种方式，与众多的企事业单位共同组成的经济联合体。

母公司 是企业集团中起主导作用的核心企业，通过投资和生产经营协作等多种联结纽带，决定和影响着集团内其他成员企业，是居于控制地位的控股公司。

所属成员企业(单位) 指企业集团所属的成员企事业单位，包括企业集团的母公司、全资子公司(单位)、绝对控股子公司(单位)、相对控股子公司(单位),不包括参股企业、协作企业(单位)。但如果企业集团的子公司(单位)是一个纯粹管理型的公司,那么该子公司的二级控股子公司(单位)可作为企业集团所属成员单位进行统计。上述企业集团的各类子公司(单位)中应包括在中国境内和境外的子公司(单位)。

少数股东权益 指子公司所有者权益中由母公司以外的其他投资者拥有的份额,在合并资产负债表中应单独列示。

股东(所有者)权益合计 指企业集团投资人对企业净资产的所有权,企业集团净资产等于企业集团全部资产减去负债合计和少数股东权益后的余额,其中包括企业投资人对企业的最初投入以及资本公积金、盈余公积金和未分配利润。

股本(实收资本) 指股份制企业集团以发行股票的方式筹集的资本。非股份制企业集团指实际收到的投资人投入的资本。

主营业务收入 指企业集团从事某种主要生产、经营活动所取得的营业收入。本项指标在各行业会计制度中的名称叫法不同,但一律按各行业会计制度或报表定义的口径进行填报。农业企业是指“主营业务收入”; 工业企业是指“产品销售收入”; 交通运输企业指“主营业务收入”; 建筑企业指“工程结算收入”; 批发零售贸易企业指“商品销售收入”; 房地产企业指“房地产经营收入”; 其他企业指“经营(营业)收入”。

从业人员 指在企业集团(包括母公司和子公司)工作并领取工资或其他形式的劳动报酬的全部人员数,包括在岗职工、再就业的离退休人员以及在企业集团中工作的外方人员和港澳台方人员、兼职人员、借用的外单位人员和第二职业者。不包括离开本企业集团仍保留劳动关系的职工。

企业景气调查 是通过对部分企业家定期进行问卷调查，并根据企业家对企业经营状况及宏观经济形势的判断和预期来编制景气指数，从而对现实经济运行状况及其发展趋势进行分析和预测的一种统计调查方法。

景气指数 又称为景气度，它是对企业景气调查中的定性指标通过定量方法加工汇总，综合反映某一特定调查群体或某一社会经济现象所处的状态或发展趋势的一种指标。通过其上升和下降的动态变化，反映经济发展状态及其变化过程。景气指数取值于 0--200 之间，100 为景气指数的临界值；当景气指数大于 100 时，表明经济状况趋于上升或改善，处于景气状态；当景气指数小于 100 时，表明经济状况趋于下降或恶化，处于不景气状态。

企业家信心指数 也称宏观经济景气指数，是根据企业家对企业外部市场经济环境与宏观政策的认识、看法、判断与预期而编制的指数，用以综合反映企业家对宏观经济环境的感受与信心。

企业景气指数 也称企业综合生产经营景气指数，是根据企业家对本企业综合生产经营情况的判断与预期而编制的指数，用以反映企业的综合生产经营状况。

Explanatory Notes on Main Statistical Indicators

Enterprises Group an economic association consists of numerous enterprises and institution, with parent company and subsidiary company as its main body, they join together by means of various methods, investment and business cooperation, etc.

Parent Company the nuclear enterprise, which plays a leading role in enterprises group. It occupies the holding company position, determines and affects other members of group by various ties of join, investment and business cooperation, etc.

Subordinate Enterprises (Units) refer to enterprises and institutions under enterprises group, include parent company of enterprises group, subsidiary companies(units) with exclusive investment, absolutely holding shares companies(units), relatively holding shares companies(units), exclude own shares enterprises, cooperate enterprises(units), If the subsidiary company(unit) is a pure management company, the companies(units) under the subsidiary company can be statistics as subordinate enterprises(units). The above-mention subsidiary company (units) include all companies those within and out of the boundaries of China.

Minority Share-holder's Equity refer to the owner shares of subsidiary company which not owned to parent company but to other investors, it must be arranged independently on merge balance sheet.

Total of Share-holder's (or Owner's) Equity refer to enterprises group investor's title to net funds, the balance of total liabilities and minority share-holding equity from entire funds is net funds, it includes initial investment, accumulation fund, surplus of accumulation and undistributed profits.

Capital Stock (Capital Obtained) refer to capital raised through issuing stocks by the joint-stock enterprises group. It refers to capital actually received from investors in non-joint-stock enterprises group.

Major Business Revenue refer to the revenue earned from certain major action of production and management by enterprises group. This indicator has different account name in various sectors, but it must be filled and submitted in accordance with account system of various sector, or the concepts, definitions and coverage of report schedule. It refers to major business revenue in agriculture enterprises; It refers to production sales revenue in industry enterprises; It refers to major business revenue in transport enterprises; It refers to revenue of project settle accounts in construction; It refers to commodity sales revenue in wholesale and retail Trades enterprises; It refers to real estate operation revenue in real estate Trades enterprises; In other enterprises it refers to business revenue.

Employed Persons refer to all persons who work in ,and receive wages or other remuneration payment from enterprises group(include parent company and subsidiary company), they include fully employed staff and workers, re-employed retirees, foreigners and Chinese compatriots from Hong Kong, Macao and Taiwan part-time employees, employees of other units working temporarily at current posts, and employees holding the second job, but exclude staff and workers who have left their work units while keeping their labour contract (employment relation) unchanged.

Enterprises Climate Survey It is a statistics survey, which compile the climate index by regular paper survey to a section of entrepreneurs, based on entrepreneur's judgement and forecast to the production situation of their own enterprises and the macro-economy situation, and thus we can analyse and predict the current situation and future trend of the economic performance.

Business climate index It is the quantitative disposition and compilation of the qualitative economic indicators of the business climate survey, which can improve a comprehensive description of the real situation or the future trend of a special survey group or a social and economic phenomenon. The business climate index is ranging from 0 to 200. 100 is the critical value, when the climate index is larger than 100, it shows that the economic performance is picking up or improving. When it is lower than 100, it shows that the economic performance is declining or worsening.

Entrepreneur confidence index also called as the macro-economy climate index. It is a index based on entrepreneur's recognition, opinion, judgement and forecast to the market circumstances and macro-policies, It is a comprehensive description of the entrepreneur's impression and confidents of the macro-economy circumstances .

Business climate index also called as the comprehensive production and management climate index of enterprises. It is compiled basing on entrepreneur's judgement on production situation of their own expectation for the future performance. It is the description of the comprehensive production and management situation of the enterprises.

市县国民经济主要指标

20

Main Economic Indicators of City Prefecture and County

简要说明

本篇资料的主要内容及来源

本篇资料反映了全省各市（县）经济社会事业发展基本情况，主要包括地区生产总值、人口、从业人员、农业、工业、投资、财政、职工工资和教育、卫生等方面的内容。

本篇资料由省统计局各相关专业处室整理提供。

Brief Introduction

Main Content and Source of Data

Data in this chapter show the development in society and economy of Urban districts or counties or cities on the county level, mainly including GDP, population, employed persons, agriculture, industry, investment, finance, income of rural households, wage of staff and works, education and public health.

Data on this chapter are compiled and provided by the related department of Bureau of Fujian Provincial Bureau of Statistics.

20–1 地区生产总值（2008年）

Gross Domestic Products , 2008

单位：亿元 (100 million yuan)

地区	Area	地区生产总值 Gross Domestic Product	第一产业 Primary Industry	第二产业 Secondary Industry	工业 Industry	建筑业 Construction	第三产业 Tertiary Industry	人均GDP(元) Per Capita GDP(yuan)
福州市	**Fuzhou**	**2284.16**	**234.90**	**1083.92**	**924.79**	**159.13**	**965.34**	**33615**
福州市辖区	District under Fuzhou	1111.61	9.88	463.93	368.98	94.96	637.80	40868
福清市	Fuqing	401.51	50.56	228.16	201.30	26.85	122.80	38212
长乐市	Changle	238.95	21.79	161.70	153.15	8.55	55.47	35401
闽侯县	Minhou	138.58	19.00	83.11	75.78	7.33	36.47	21402
连江县	Lianjiang	135.92	51.05	41.49	37.06	4.43	43.38	24712
罗源县	Luoyuan	70.65	14.75	42.26	38.18	4.08	13.64	25650
闽清县	Minqing	69.67	11.25	41.72	38.39	3.34	16.70	29030
永泰县	Yongtai	44.16	17.37	11.46	7.50	3.97	15.33	16356
平潭县	Pintan	60.49	20.28	9.79	4.99	4.80	30.42	17284
厦门市	**Xiamen**	**1560.02**	**21.50**	**818.04**	**705.36**	**112.68**	**720.48**	**62651**
莆田市	**Putian**	**609.96**	**75.10**	**344.85**	**300.08**	**44.77**	**190.01**	**21515**
莆田市辖区	District under Putian	499.49	56.88	294.90	256.01	38.89	147.71	25621
仙游县	Xianyou	110.47	18.22	49.95	44.07	5.88	42.30	12476
三明市	**Sanming**	**666.92**	**138.60**	**318.95**	**269.61**	**49.34**	**209.37**	**25407**
三明市辖区	District under Sanming	166.00	9.05	110.27	94.65	15.62	46.67	42509
永安市	Yongan	128.05	16.52	64.77	55.18	9.59	46.77	35520
明溪县	Mingxi	23.31	7.70	7.51	6.46	1.06	8.10	21485
清流县	Qingliu	23.60	7.97	6.86	5.60	1.26	8.77	17811
宁化县	Ninghua	37.17	14.59	10.22	7.94	2.28	12.37	12350
大田县	Datian	48.74	15.04	21.29	15.91	5.38	12.41	15021
尤溪县	Youxi	70.81	25.55	22.83	19.87	2.96	22.42	18983
沙县	Shaxian	72.79	15.17	37.35	32.21	5.14	20.27	30077
将乐县	Jiangle	36.19	9.26	14.76	12.42	2.34	12.18	23500
泰宁县	Taining	34.49	8.64	14.59	13.08	1.51	11.26	30257
建宁县	Jianning	25.77	9.12	8.51	6.30	2.21	8.15	20701
泉州市	**Quanzhou**	**2705.29**	**120.30**	**1605.64**	**1484.42**	**121.22**	**979.35**	**34840**
泉州市辖区	District under Quanzhou	583.20	12.52	328.98	283.73	45.25	241.70	44639
石狮市	Shishi	287.80	13.26	154.46	145.30	9.16	120.08	52662
晋江市	Jinjiang	697.72	13.38	449.47	431.70	17.77	234.86	43813
南安市	Nan'an	364.13	17.38	226.52	215.12	11.40	120.23	24729
惠安县	Huian	315.21	22.27	184.43	164.29	20.14	108.51	33712
安溪县	Anxi	239.15	20.41	139.77	132.23	7.54	78.96	22424
永春县	Yongchun	143.71	13.76	72.86	68.18	4.68	57.09	26662
德化县	Dehua	84.30	7.31	49.05	43.87	5.18	27.93	27504
漳州市	**Zhangzhou**	**1002.02**	**213.60**	**445.96**	**391.00**	**54.96**	**342.46**	**21057**
漳州市辖区	District under Zhangzhou	257.74	9.21	128.48	107.36	21.12	120.05	43285

20-1 续表
Continued

单位：亿元　　(100 million yuan)

地区	Area	地区生产总值 Gross Domestic Product	第一产业 Primary Industry	第二产业 Secondary Industry	工业 Industry	建筑业 Construction	第三产业 Tertiary Industry	人均GDP(元) Per Capita GDP(yuan)
龙海市	Longhai	244.42	33.58	152.17	136.33	15.84	58.68	28902
云霄县	Yunxiao	49.46	17.72	11.69	9.82	1.88	20.05	11747
漳浦县	Zhangpu	111.67	36.27	28.12	24.36	3.76	47.27	13458
诏安县	Zhao'an	68.74	24.92	22.59	20.84	1.74	21.24	11737
长泰县	Changtai	47.01	9.86	26.05	24.64	1.41	11.10	23622
东山县	Dongshan	51.09	16.92	19.36	16.84	2.52	14.81	23946
南靖县	Nanjing	74.93	25.61	30.94	28.77	2.18	18.39	20990
平和县	Pinghe	65.83	29.11	13.52	10.64	2.89	23.19	12025
华安县	Hua'an	31.12	10.42	13.03	11.40	1.62	7.68	18940
南平市	**Nanping**	**559.14**	**133.20**	**220.36**	**179.90**	**40.46**	**205.59**	**19348**
南平市辖区	District under Nanping	142.26	20.47	74.97	58.33	16.64	46.82	28367
邵武市	Shaowu	80.67	15.99	33.17	27.74	5.43	31.50	27252
武夷山市	Wuyishan	49.39	10.40	14.35	9.10	5.25	24.64	22973
建瓯市	Jian'ou	76.89	23.03	25.08	22.06	3.02	28.78	15920
建阳市	Jianyang	58.35	15.46	24.10	20.94	3.16	18.80	17629
顺昌县	Shunchang	40.37	9.70	14.02	12.41	1.61	16.65	16479
浦城县	Pucheng	49.15	15.39	15.95	12.72	3.23	17.80	14456
光泽县	Guangze	26.59	9.75	9.14	8.45	0.69	7.70	18856
松溪县	Songxi	18.16	6.54	5.02	4.05	0.97	6.60	12658
政和县	Zhenghe	18.25	6.47	4.98	4.52	0.46	6.80	9173
龙岩市	**Longyan**	**672.85**	**113.80**	**348.76**	**310.87**	**37.89**	**210.29**	**24334**
龙岩市辖区	District under Longyan	275.13	19.26	175.63	164.32	11.32	80.24	47477
漳平市	Zhangping	65.14	12.51	23.44	19.56	3.89	29.18	23950
长汀县	Changting	52.96	17.02	19.72	16.36	3.35	16.23	12894
永定县	Yongding	93.84	16.90	50.41	44.74	5.67	26.52	22369
上杭县	Shanghang	84.45	19.06	43.18	35.49	7.69	22.22	19063
武平县	Wuping	48.19	15.34	15.53	12.26	3.26	17.33	14300
连城县	Liancheng	53.27	14.34	22.23	19.55	2.68	16.70	17480
宁德市	**Ningde**	**542.67**	**107.70**	**219.21**	**181.04**	**38.17**	**215.76**	**17851**
宁德市辖区	District under Ningde	90.03	15.51	24.77	15.35	9.42	49.75	21364
福安市	Fu'an	130.63	18.87	71.72	64.38	7.35	40.04	22905
福鼎市	Fuding	90.51	14.65	42.39	37.36	5.03	33.47	16952
霞浦县	Xiapu	73.95	19.28	21.03	13.63	7.40	33.64	15960
古田县	Gutian	63.63	17.97	21.45	19.38	2.07	24.22	15868
屏南县	Pingnan	25.89	6.26	8.91	7.16	1.75	10.72	15366
寿宁县	Shouning	27.07	7.68	9.39	6.98	2.42	10.00	11796
周宁县	Zhouning	21.41	3.82	9.89	8.55	1.33	7.70	13300
柘荣县	Zherong	19.55	3.67	9.67	8.27	1.40	6.22	21475

20–2 地区生产总值指数（2008年）

Indices of Gross Domestic Products, 2008

以上年为100 (preceding year=100)

地区	Area	地区生产总值 Gross Domestic Product	第一产业 Primary Industry	第二产业 Secondary Industry	工业 Industry	建筑业 Construction	第三产业 Tertiary Industry	人均GDP Per Capita GDP
福州市	**Fuzhou**	**113.0**	**104.8**	**115.8**	**115.8**	**115.7**	**111.7**	**112.0**
福州市辖区	District under Fuzhou	114.1	99.2	115.7	115.9	114.9	113.1	113.3
福清市	Fuqing	113.0	103.9	117.8	118.1	115.2	108.0	112.4
长乐市	Changle	110.2	103.7	112.4	112.5	111.3	106.4	108.4
闽侯县	Minhou	112.6	108.2	112.2	111.9	116.0	115.3	111.6
连江县	Lianjiang	112.7	106.7	120.2	120.7	115.6	113.1	112.7
罗源县	Luoyuan	113.3	103.4	117.3	117.9	110.8	113.5	113.2
闽清县	Minqing	108.3	104.3	109.8	108.9	125.8	107.1	108.3
永泰县	Yongtai	111.0	104.8	114.8	110.1	126.9	115.2	112.9
平潭县	Pintan	111.0	104.9	116.7	122.2	111.6	113.4	110.6
厦门市	**Xiamen**	**111.1**	**104.4**	**112.0**	**111.9**	**112.8**	**110.1**	**108.4**
莆田市	**Putian**	**115.0**	**104.7**	**118.9**	**119.1**	**117.7**	**111.9**	**114.6**
莆田市辖区	District under Putian	115.5	104.8	119.2	119.3	118.3	112.1	115.0
仙游县	Xianyou	112.8	104.5	117.2	117.6	113.7	111.2	112.5
三明市	**Sanming**	**114.2**	**105.8**	**122.5**	**123.5**	**117.4**	**109.0**	**114.4**
三明市辖区	District under Sanming	115.6	105.7	122.8	122.3	126.1	104.9	114.6
永安市	Yongan	113.0	105.7	116.8	118.0	110.1	110.7	112.4
明溪县	Mingxi	112.9	106.0	122.8	128.6	95.2	111.1	115.0
清流县	Qingliu	113.9	106.1	123.1	124.6	117.0	114.7	114.3
宁化县	Ninghua	114.5	106.1	130.9	135.1	117.5	112.4	115.3
大田县	Datian	114.1	106.0	124.7	120.3	140.0	108.4	114.6
尤溪县	Youxi	113.7	104.9	131.2	139.3	89.1	107.2	114.0
沙县	Shaxian	114.3	105.3	122.8	122.8	122.7	107.0	114.3
将乐县	Jiangle	114.7	106.2	122.1	130.9	87.3	112.0	115.4
泰宁县	Taining	113.8	106.3	117.8	122.9	85.9	114.3	114.3
建宁县	Jianning	115.6	107.3	132.8	118.3	214.0	109.5	117.5
泉州市	**Quanzhou**	**114.1**	**101.0**	**114.7**	**114.8**	**112.2**	**114.8**	**113.4**
泉州市辖区	District under Quanzhou	114.1	100.8	113.9	113.2	119.0	115.1	113.5
石狮市	Shishi	115.0	103.5	115.7	115.9	111.7	115.3	114.1
晋江市	Jinjiang	113.1	100.8	112.0	112.4	103.2	116.2	112.3
南安市	Nan'an	114.7	100.1	117.1	117.5	109.5	112.3	114.0
惠安县	Huian	115.0	96.7	117.5	118.3	110.9	115.0	114.4
安溪县	Anxi	114.8	106.5	117.7	118.0	113.1	112.1	114.0
永春县	Yongchun	113.0	100.8	114.3	115.8	94.7	114.1	112.3
德化县	Dehua	112.1	101.6	113.2	112.7	118.0	112.7	111.5
漳州市	**Zhangzhou**	**113.6**	**105.1**	**117.7**	**117.9**	**116.3**	**113.3**	**113.0**
漳州市辖区	District under Zhangzhou	113.5	104.0	116.6	114.7	129.0	110.8	112.5

20-2 续表

Continued

以上年为100　　(preceding year=100)

地区	Area	地区生产总值 Gross Domestic Product	第一产业 Primary Industry	第二产业 Secondary Industry	工业 Industry	建筑业 Construction	第三产业 Tertiary Industry	人均GDP Per Capita GDP
龙海市	Longhai	113.1	103.7	114.2	114.1	114.3	115.2	112.2
云霄县	Yunxiao	115.5	107.4	122.5	129.8	90.7	117.9	114.9
漳浦县	Zhangpu	111.5	103.0	113.0	116.6	92.2	116.6	110.4
诏安县	Zhao'an	113.4	105.3	123.9	127.4	90.1	111.4	113.0
长泰县	Changtai	115.7	105.6	123.0	121.9	147.5	108.8	114.8
东山县	Dongshan	113.4	106.9	121.1	116.4	176.5	110.5	112.7
南靖县	Nanjing	115.6	105.2	122.4	124.9	90.4	115.9	114.9
平和县	Pinghe	113.6	107.6	127.3	133.2	106.5	113.0	113.7
华安县	Hua'an	117.7	103.1	131.7	134.9	110.7	115.5	117.6
南平市	**Nanping**	**114.1**	**106.6**	**118.0**	**118.1**	**117.6**	**114.6**	**113.8**
南平市辖区	District under Nanping	112.4	106.8	113.2	109.3	130.8	113.2	112.4
邵武市	Shaowu	115.9	106.5	123.7	124.9	117.6	113.1	117.7
武夷山市	Wuyishan	115.3	106.6	116.3	123.1	105.0	118.1	115.3
建瓯市	Jian'ou	115.3	106.6	123.1	125.7	106.2	115.6	115.3
建阳市	Jianyang	116.0	106.3	125.4	128.9	105.5	113.1	115.6
顺昌县	Shunchang	112.0	106.6	109.5	109.4	110.5	116.9	112.4
浦城县	Pucheng	115.3	106.7	120.4	121.4	116.6	117.5	119.6
光泽县	Guangze	114.0	107.6	119.9	121.5	103.4	114.9	117.7
松溪县	Songxi	113.3	106.4	120.6	123.1	110.1	114.5	116.1
政和县	Zhenghe	113.5	106.1	124.0	126.4	101.8	112.5	113.5
龙岩市	**Longyan**	**114.5**	**104.1**	**116.9**	**116.8**	**117.5**	**115.9**	**114.0**
龙岩市辖区	District under Longyan	113.8	104.3	114.5	114.9	109.3	114.2	112.9
漳平市	Zhangping	115.0	104.6	116.7	117.2	114.2	117.8	114.7
长汀县	Changting	115.1	104.1	122.9	125.4	112.3	117.2	114.9
永定县	Yongding	115.3	104.2	118.5	118.0	123.1	116.1	115.0
上杭县	Shanghang	114.0	104.0	116.7	115.1	122.9	117.6	113.7
武平县	Wuping	114.4	103.6	124.0	121.0	136.6	116.1	114.1
连城县	Liancheng	116.0	104.2	123.5	124.3	118.8	117.0	115.7
宁德市	**Ningde**	**114.6**	**106.5**	**120.3**	**121.1**	**116.4**	**112.7**	**114.7**
宁德市辖区	District under Ningde	113.8	106.2	113.4	117.6	106.6	115.9	113.7
福安市	Fu'an	114.2	105.9	119.9	120.4	114.9	108.4	114.1
福鼎市	Fuding	115.2	107.1	121.5	122.0	118.1	110.9	115.1
霞浦县	Xiapu	114.7	107.3	122.9	121.0	127.0	113.7	114.7
古田县	Gutian	114.5	106.5	118.3	118.6	115.2	116.7	115.0
屏南县	Pingnan	116.0	105.7	120.3	122.8	110.0	118.1	117.0
寿宁县	Shouning	115.0	106.3	130.2	130.2	130.0	108.9	115.8
周宁县	Zhouning	114.2	105.6	123.4	124.3	117.5	107.5	116.0
柘荣县	Zherong	115.6	105.9	123.9	123.0	130.3	109.8	116.2

20–3 年末户籍统计人口数（2008年）
Total Population at the Year-end, 2008

单位：万人 (10000 persons)

地区	Area	年末户籍统计总人口 Total Population at the Year-end	按城乡分 By Residence		按性别分 By sex	
			农业 Agriculture	非农业 Non-agriculture	男 Male	女 Female
福州市	**Fuzhou**	**635.95**	**373.04**	**262.91**	**328.47**	**307.48**
福州市辖区	District under Fuzhou	186.68	30.14	156.54	94.57	92.12
福清市	Fuqing	124.83	89.11	35.72	64.33	60.51
长乐市	Changle	67.03	43.19	23.83	35.30	31.73
闽侯县	Minhou	64.75	58.32	6.44	33.69	31.07
连江县	Lianjiang	62.37	48.77	13.60	32.34	30.03
罗源县	Luoyuan	25.37	18.80	6.57	13.31	12.06
闽清县	Minqing	30.51	23.82	6.69	16.16	14.35
永泰县	Yongtai	35.93	29.87	6.06	19.09	16.84
平潭县	Pintan	38.48	31.02	7.46	19.70	18.78
厦门市	**Xiamen**	**173.67**	**55.09**	**118.58**	**87.47**	**86.20**
莆田市	**Putian**	**316.64**	**255.82**	**60.82**	**159.81**	**156.82**
莆田市辖区	District under Putian	210.91	169.80	41.12	105.60	105.32
仙游县	Xianyou	105.72	86.02	19.70	54.22	51.51
三明市	**Sanming**	**270.15**	**177.03**	**93.12**	**140.79**	**129.36**
三明市辖区	District under Sanming	28.38	6.79	21.58	14.50	13.87
永安市	Yongan	32.07	15.14	16.93	16.71	15.37
明溪县	Mingxi	11.62	8.30	3.32	6.01	5.62
清流县	Qingliu	14.51	11.12	3.39	7.51	7.00
宁化县	Ninghua	35.27	23.59	11.68	18.32	16.95
大田县	Datian	36.72	27.43	9.29	19.39	17.33
尤溪县	Youxi	41.98	35.61	6.37	22.32	19.66
沙县	Shaxian	24.89	13.32	11.57	12.97	11.92
将乐县	Jiangle	17.08	13.82	3.26	8.87	8.21
泰宁县	Taining	12.98	9.50	3.48	6.71	6.27
建宁县	Jianning	14.67	12.41	2.26	7.50	7.17
泉州市	**Quanzhou**	**677.73**	**482.93**	**194.80**	**345.68**	**332.05**
泉州市辖区	District under Quanzhou	102.71	40.05	62.65	51.76	50.94
石狮市	Shishi	31.35	21.65	9.70	15.93	15.42
晋江市	Jinjiang	105.04	67.89	37.16	53.44	51.60
南安市	Nan'an	149.67	112.33	37.34	76.92	72.75
惠安县	Huian	94.60	80.88	13.71	46.78	47.82
安溪县	Anxi	107.21	93.80	13.41	55.52	51.70
永春县	Yongchun	55.79	40.61	15.18	28.95	26.84
德化县	Dehua	31.36	25.71	5.65	16.38	14.98
漳州市	**Zhangzhou**	**468.50**	**333.37**	**135.12**	**240.59**	**227.91**
漳州市辖区	District under Zhangzhou	54.60	19.13	35.47	27.32	27.28

20-3 续表

Continued

单位：万人 (10000 persons)

地区	Area	年末户籍统计总人口 Total Population at the Year-end	按城乡分 By Residence 农业 Agriculture	非农业 Non-agriculture	按性别分 By sex 男 Male	女 Female
龙海市	Longhai	80.39	64.45	15.94	40.58	39.81
云霄县	Yunxiao	42.76	35.89	6.87	22.32	20.45
漳浦县	Zhangpu	83.65	58.22	25.43	42.87	40.78
诏安县	Zhao'an	58.84	50.31	8.54	30.55	28.30
长泰县	Changtai	19.30	15.33	3.96	9.82	9.48
东山县	Dongshan	20.63	9.80	10.83	10.34	10.29
南靖县	Nanjing	34.80	25.47	9.34	17.82	16.99
平和县	Pinghe	57.43	44.26	13.17	30.61	26.82
华安县	Hua'an	16.08	10.51	5.58	8.36	7.72
南平市	**Nanping**	**308.13**	**201.16**	**106.98**	**160.08**	**148.05**
南平市辖区	District under Nanping	49.15	23.01	26.14	25.50	23.65
邵武市	Shaowu	30.19	16.93	13.26	15.55	14.64
武夷山市	Wuyishan	22.67	12.29	10.39	11.68	11.00
建瓯市	Jian’ou	52.74	36.39	16.35	27.30	25.44
建阳市	Jianyang	33.92	21.54	12.38	17.72	16.20
顺昌县	Shunchang	24.00	16.50	7.50	12.35	11.65
浦城县	Pucheng	41.68	33.76	7.93	21.66	20.02
光泽县	Guangze	15.67	12.00	3.67	8.18	7.49
松溪县	Songxi	16.13	12.08	4.05	8.41	7.72
政和县	Zhenghe	21.98	16.67	5.31	11.74	10.24
龙岩市	**Longyan**	**291.34**	**204.89**	**86.46**	**149.58**	**141.77**
龙岩市辖区	District under Longyan	47.66	16.31	31.35	24.40	23.26
漳平市	Zhangping	27.45	18.70	8.75	14.45	13.00
长汀县	Changting	50.12	35.56	14.56	25.70	24.42
永定县	Yongding	47.25	36.95	10.29	24.38	22.87
上杭县	Shanghang	49.04	39.96	9.09	24.82	24.23
武平县	Wuping	36.87	29.52	7.35	18.88	18.00
连城县	Liancheng	32.95	27.89	5.06	16.95	16.00
宁德市	**Ningde**	**335.03**	**234.09**	**100.94**	**177.18**	**157.85**
宁德市辖区	District under Ningde	43.79	29.74	14.05	22.86	20.93
福安市	Fu'an	64.36	46.25	18.12	34.14	30.23
福鼎市	Fuding	57.34	37.55	19.79	30.01	27.33
霞浦县	Xiapu	52.06	35.41	16.65	27.52	24.54
古田县	Gutian	42.52	28.29	14.23	22.47	20.05
屏南县	Pingnan	18.26	14.26	4.00	9.82	8.44
寿宁县	Shouning	26.43	21.32	5.11	14.10	12.32
周宁县	Zhouning	20.05	13.73	6.32	10.83	9.22
柘荣县	Zherong	10.22	7.54	2.68	5.43	4.79

20-4 年末常住人口数（2008年）

Total Population at the Year-end, 2008

单位：万人 (10000 persons)

地区	Area	年末常住人口数 Total Population at the Year-end	城镇人口 Urban	乡村人口 Rural	城镇化水平（%） Lever of Township(%)
福州市	**Fuzhou**	**683.0**	**392.7**	**290.3**	**57.5**
福州市辖区	District under Fuzhou	271.0	259.6	11.4	95.8
福清市	Fuqing	120.0	40.0	80.0	33.3
长乐市	Changle	68.0	24.6	43.4	36.2
闽侯县	Minhou	63.0	22.9	40.1	36.3
连江县	Lianjiang	55.0	18.8	36.2	34.1
罗源县	Luoyuan	20.0	6.4	13.6	32.0
闽清县	Minqing	24.0	6.7	17.3	27.8
永泰县	Yongtai	27.0	7.3	19.7	27.0
平潭县	Pintan	35.0	6.8	28.2	19.5
厦门市	**Xiamen**	**249.0**	**202.2**	**46.8**	**81.2**
莆田市	**Putian**	**284.0**	**131.5**	**152.5**	**46.3**
莆田市辖区	District under Putian	195.3	107.5	87.8	55.1
仙游县	Xianyou	88.7	24.0	64.7	27.1
三明市	**Sanming**	**263.0**	**113.9**	**149.1**	**43.3**
三明市辖区	District under Sanming	39.4	33.8	5.6	85.8
永安市	Yongan	36.2	21.2	15.0	58.5
明溪县	Mingxi	10.8	3.5	7.3	32.4
清流县	Qingliu	13.3	4.1	9.2	30.6
宁化县	Ninghua	30.0	7.4	22.7	24.5
大田县	Datian	32.4	9.2	23.2	28.4
尤溪县	Youxi	37.3	9.4	27.9	25.2
沙县	Shaxian	24.3	11.7	12.6	48.3
将乐县	Jiangle	15.4	6.2	9.2	40.3
泰宁县	Taining	11.5	4.2	7.3	36.7
建宁县	Jianning	12.4	3.2	9.2	25.9
泉州市	**Quanzhou**	**779.0**	**391.1**	**387.9**	**50.2**
泉州市辖区	District under Quanzhou	131.0	99.5	31.5	75.9
石狮市	Shishi	54.8	40.3	14.5	73.6
晋江市	Jinjiang	159.8	76.7	83.1	48.0
南安市	Nan'an	147.7	62.2	85.5	42.1
惠安县	Huian	93.8	40.1	53.7	42.7
安溪县	Anxi	107.1	34.5	72.6	32.2
永春县	Yongchun	54.1	21.9	32.2	40.5
德化县	Dehua	30.7	15.9	14.8	51.9
漳州市	**Zhangzhou**	**477.0**	**200.3**	**276.7**	**42.0**
漳州市辖区	District under Zhangzhou	59.9	50.6	9.3	84.4

20-4 续表

Continued

单位：万人　　　　(10000 persons)

地区	Area	年末常住人口数 Total Population at the Year-end	城镇人口 Urban	乡村人口 Rural	城镇化水平（%） Lever of Township(%)
龙海市	Longhai	84.8	36.5	48.3	43.0
云霄县	Yunxiao	42.2	15.2	27.0	36.0
漳浦县	Zhangpu	83.1	30.2	52.9	36.3
诏安县	Zhao'an	58.6	17.0	41.6	29.0
长泰县	Changtai	20.0	7.3	12.7	36.4
东山县	Dongshan	21.4	9.5	11.9	44.6
南靖县	Nanjing	35.8	13.4	22.4	37.3
平和县	Pinghe	54.8	15.3	39.5	28.0
华安县	Hua'an	16.4	5.5	10.9	33.5
南平市	**Nanping**	**289.0**	**133.8**	**155.2**	**46.3**
南平市辖区	District under Nanping	50.1	30.0	20.1	59.8
邵武市	Shaowu	29.6	18.2	11.4	61.5
武夷山市	Wuyishan	21.5	10.8	10.7	50.3
建瓯市	Jian'ou	48.3	18.5	29.8	38.2
建阳市	Jianyang	33.1	16.2	16.9	49.0
顺昌县	Shunchang	24.5	10.5	14.0	43.0
浦城县	Pucheng	34.0	13.6	20.4	40.1
光泽县	Guangze	14.1	4.9	9.2	34.8
松溪县	Songxi	13.9	4.6	9.3	33.1
政和县	Zhenghe	19.9	6.5	13.4	32.6
龙岩市	**Longyan**	**277.0**	**112.2**	**164.8**	**40.5**
龙岩市辖区	District under Longyan	58.3	46.2	12.1	79.2
漳平市	Zhangping	27.2	10.9	16.3	39.9
长汀县	Changting	41.1	13.6	27.5	33.2
永定县	Yongding	42.0	12.4	29.6	29.6
上杭县	Shanghang	44.2	10.7	33.5	24.2
武平县	Wuping	33.7	8.6	25.1	25.6
连城县	Liancheng	30.5	9.8	20.7	32.0
宁德市	**Ningde**	**303.0**	**120.9**	**182.1**	**39.9**
宁德市辖区	District under Ningde	42.2	21.5	20.7	51.0
福安市	Fu'an	57.0	26.2	30.8	46.0
福鼎市	Fuding	53.3	25.3	28.0	47.4
霞浦县	Xiapu	46.3	16.9	29.4	36.5
古田县	Gutian	39.9	12.2	27.7	30.7
屏南县	Pingnan	16.7	4.9	11.8	29.5
寿宁县	Shouning	22.8	6.1	16.7	26.6
周宁县	Zhouning	15.8	4.8	11.1	30.2
柘荣县	Zherong	9.1	3.0	6.1	33.1

20-5 城镇单位年末从业人员数（2008年）

Persons Employed in Urban Units at the Year-end , 2008

单位：人 (person)

地区	Area	单位从业人员数 Number of persons Employed in Units	在岗职工 Number of Staff and Workers on the Job	国有单位 State-Owned Units	城镇集体单位 Urban Collective - Owned Units	其他单位 Units of Other Type of Ownership	其他从业人员 Other Employed Persons
福州市	**Fuzhou**	**958436**	**925431**	**321349**	**33470**	**570612**	**33005**
福州市辖区	District under Fuzhou	569865	544725	204795	19071	320859	25140
福清市	Fuqing	185715	182065	27169	5605	149291	3650
长乐市	Changle	39369	37655	16650	1980	19025	1714
闽侯县	Minhou	63256	62164	19624	2019	40521	1092
连江县	Lianjiang	37573	37125	14070	739	22316	448
罗源县	Luoyuan	14027	13960	7377	279	6304	67
闽清县	Minqing	19706	19626	10223	2599	6804	80
永泰县	Yongtai	12200	12044	9537	545	1962	156
平潭县	Pintan	15793	15137	11086	571	3480	656
厦门市	**Xiamen**	**778229**	**755106**	**179087**	**29615**	**546404**	**23123**
莆田市	**Putian**	**271556**	**261535**	**85723**	**10979**	**164833**	**10021**
莆田市辖区	District under Putian	226508	216970	65732	9562	141676	9538
仙游县	Xianyou	43806	43323	19039	1403	22881	483
三明市	**Sanming**	**212608**	**205452**	**124531**	**8644**	**72277**	**7156**
三明市辖区	District under Sanming	71254	68521	28074	3317	37130	2733
永安市	Yongan	32336	31044	21729	1172	8143	1292
明溪县	Mingxi	6561	6519	5362	256	901	42
清流县	Qingliu	9255	9217	6319	378	2520	38
宁化县	Ninghua	11205	10878	9850	535	493	327
大田县	Datian	19432	18668	12816	541	5311	764
尤溪县	Youxi	15804	15504	11544	565	3395	300
沙县	Shaxian	20001	18932	9067	1131	8734	1069
将乐县	Jiangle	10609	10229	7499	179	2551	380
泰宁县	Taining	8376	8364	5458	265	2641	12
建宁县	Jianning	7775	7576	6813	305	458	199
泉州市	**Quanzhou**	**1282103**	**1254901**	**211182**	**38470**	**1005249**	**27202**
泉州市辖区	District under Quanzhou	327962	321372	85383	10383	225606	6590
石狮市	Shishi	74284	71865	5906	8824	57135	2419
晋江市	Jinjiang	478773	475603	28683	5638	441282	3170
南安市	Nan'an	85985	82770	28231	6390	48149	3215
惠安县	Huian	178178	173520	17619	2121	153780	4658
安溪县	Anxi	69305	63632	20856	2652	40124	5673
永春县	Yongchun	41639	40742	14920	1810	24012	897
德化县	Dehua	25977	25397	9584	652	15161	580
漳州市	**Zhangzhou**	**385267**	**353142**	**148215**	**16446**	**188481**	**32125**
漳州市辖区	District under Zhangzhou	110367	102024	45081	6916	50027	8343
龙海市	Longhai	76040	72759	16869	1458	54432	3281

20–5 续表

Continued

单位：人 (person)

地区	Area	单位从业人员数 Number of persons Employed in Units	在岗职工 Number of Staff and Workers on the Job	国有单位 State-Owned Units	城镇集体单位 Urban Collective - Owned Units	其他单位 Units of Other Type of Ownership	其他从业人员 Other Employed Persons
云霄县	Yunxiao	21555	20566	15174	936	4456	989
漳浦县	Zhangpu	52331	42803	19123	1715	21965	9528
诏安县	Zhao'an	23569	19298	10953	861	7484	4271
长泰县	Changtai	25321	24880	5707	1269	17904	441
东山县	Dongshan	16769	15870	9285	306	6279	899
南靖县	Nanjing	26674	25674	8307	1625	15742	1000
平和县	Pinghe	21253	18226	12190	738	5298	3027
华安县	Hua'an	11388	11042	5526	622	4894	346
南平市	**Nanping**	**232437**	**219543**	**117109**	**8449**	**93985**	**12894**
南平市辖区	District under Nanping	69883	68382	32538	2170	33674	1501
邵武市	Shaowu	34935	30895	12580	1344	16971	4040
武夷山市	Wuyishan	20562	19085	10588	658	7839	1477
建瓯市	Jian'ou	24467	23281	13319	1371	8591	1186
建阳市	Jianyang	18854	17413	11189	655	5569	1441
顺昌县	Shunchang	18617	18167	8435	801	8931	450
浦城县	Pucheng	16704	15216	10433	687	4096	1488
光泽县	Guangze	14561	14018	5921	151	7946	543
松溪县	Songxi	6598	6409	6074	241	94	189
政和县	Zhenghe	7256	6677	6032	371	274	579
龙岩市	**Longyan**	**262679**	**250366**	**110823**	**13904**	**125639**	**12313**
龙岩市辖区	District under Longyan	116410	110443	38158	8236	64049	5967
漳平市	Zhangping	22173	21312	12577	1225	7510	861
长汀县	Changting	38993	38037	11636	1006	25395	956
永定县	Yongding	22507	22128	15238	1203	5687	379
上杭县	Shanghang	28229	26352	12457	1014	12881	1877
武平县	Wuping	17733	16123	10094	492	5537	1610
连城县	Liancheng	16634	15971	10663	728	4580	663
宁德市	**Ningde**	**159159**	**150446**	**104401**	**7061**	**38984**	**8713**
宁德市辖区	District under Ningde	46844	43761	24862	1037	17862	3083
福安市	Fu'an	28582	27621	19805	1163	6653	961
福鼎市	Fuding	20508	19925	13378	1708	4839	583
霞浦县	Xiapu	17414	15519	11264	759	3496	1895
古田县	Gutian	15400	14437	10974	1284	2179	963
屏南县	Pingnan	8389	8237	6635	310	1292	152
寿宁县	Shouning	8756	8377	7710	132	535	379
周宁县	Zhouning	7015	6630	5641	388	601	385
柘荣县	Zherong	6251	5939	4132	280	1527	312

20-6 城镇固定资产投资（2008年）

Fixed Asset Investment in Urban, 2008

单位：万元　　(10000 yuan)

地区	Area	固定资产投资 Investment in Fixed Assets	按三次产业分 Gruop by Three Stata of Industry 第一产业 Primary Industy	第二产业 Secondary Industy	第三产业 Tertiary Industy	本年新增固定资产 Newly Increased Fixed Assests	本年住宅竣工面积（平方米） Floor Space of Completed Residential Buildings (sq.m)
福州市	**Fuzhou**	**11039955**	**43331**	**3856242**	**7140382**	**3020800**	**3045324**
福州市辖区	District under Fuzhou	6536656	34286	1013960	5488410	1736693	1582720
福清市	Fuqing	1563667	5480	1114204	443983	363177	212374
长乐市	Changle	788441		570024	218417	481482	281532
闽侯县	Minhou	792716	2565	335384	454767	147308	245240
连江县	Lianjiang	688960	1000	393663	294297	134257	256295
罗源县	Luoyuan	416186		345604	70582	41516	193845
闽清县	Minqing	55810		28280	27530	40197	58860
永泰县	Yongtai	92898		35012	57886	31790	43291
平潭县	Pintan	104621		20111	84510	44380	171167
厦门市	**Xiamen**	**8946662**	**8507**	**2030706**	**6907449**	**3940445**	**3975104**
莆田市	**Putian**	**2229835**	**13216**	**915484**	**1301135**	**619441**	**973121**
莆田市辖区	District under Putian	1876763	9695	800179	1066889	583091	840077
仙游县	Xianyou	353072	3521	115305	234246	36350	133044
三明市	**Sanming**	**3319889**	**95432**	**1595372**	**1629085**	**2555585**	**1100841**
三明市辖区	District under Sanming	676147	6495	331712	337940	490953	234162
永安市	Yongan	546622	3265	297092	246265	287602	236859
明溪县	Mingxi	120522	5702	70533	44287	68153	63409
清流县	Qingliu	124290	7665	64469	52156	58325	8400
宁化县	Ninghua	209237	27261	72133	109843	113792	32107
大田县	Datian	243338	3600	145783	93955	172060	31940
尤溪县	Youxi	275658	6001	112176	157481	255447	52298
沙县	Shaxian	597352	9113	230398	357841	695125	278445
将乐县	Jiangle	205990	10516	136221	59253	139037	61349
泰宁县	Taining	201907	10834	72216	118857	193369	62272
建宁县	Jianning	118826	4980	62639	51207	81722	39600
泉州市	**Quanzhou**	**7303254**	**15152**	**4162455**	**3125647**	**1934206**	**1905329**
泉州市辖区	District under Quanzhou	2825105	340	1688725	1136040	494166	510228
石狮市	Shishi	758420		320131	438289	91971	58222
晋江市	Jinjiang	1694328	9150	983899	701279	261769	270534
南安市	Nan'an	742287		418109	324178	575987	760525
惠安县	Huian	684247	5662	479479	199106	286006	105793
安溪县	Anxi	332620		150507	182113	79577	116490
永春县	Yongchun	120965		64363	56602	44749	13963
德化县	Dehua	145282		57242	88040	99981	69574
漳州市	**Zhangzhou**	**3566652**	**28095**	**1661481**	**1877076**	**1545453**	**1648098**
漳州市辖区	District under Zhangzhou	1141325		298581	842744	503462	705558

注：1.本表不包含城镇私人建房投资；2.本表不包含跨区建设的高速公路、铁路项目投资。

Note: a)The data in this table excluded the Investment in private housing construction. b)The data in thsd excluded the investment of highway.

20-6 续表

Continued

单位：万元 (10000 yuan)

地区	Area	固定资产投资 Investment in Fixed Assets	按三次产业分 Gruop by Three Stata of Industry 第一产业 Primary Industy	第二产业 Secondary Industy	第三产业 Tertiary Industy	本年新增固定资产 Newly Increased Fixed Assests	本年住宅竣工面积（平方米） Floor Space of Completed Residential Buildings (sq.m)
龙海市	Longhai	812229	7936	363016	441277	305787	319747
云霄县	Yunxiao	143927		61534	82393	48156	81608
漳浦县	Zhangpu	370442	8689	268757	92996	147657	78003
诏安县	Zhao'an	192225	1740	126510	63975	60304	93517
长泰县	Changtai	289055	5162	158556	125337	142748	176122
东山县	Dongshan	131064		70742	60322	43661	99999
南靖县	Nanjing	186628		143942	42686	69250	42868
平和县	Pinghe	126494	4568	76869	45057	85961	29138
华安县	Hua'an	173263		92974	80289	138467	21538
南平市	**Nanping**	**2702915**	**83115**	**1192158**	**1427642**	**1262346**	**1129389**
南平市辖区	District under Nanping	472803	4505	236599	231699	205467	278728
邵武市	Shaowu	478554	18639	282403	177512	230555	139711
武夷山市	Wuyishan	609552	8350	115272	485930	112104	212571
建瓯市	Jian'ou	295426	2470	162898	130058	222360	169934
建阳市	Jianyang	327605	7265	159306	161034	219755	61523
顺昌县	Shunchang	117813	5965	56849	54999	79339	103371
浦城县	Pucheng	277767	14650	129219	133898	100206	71782
光泽县	Guangze	72058	19467	37886	14705	42698	36093
松溪县	Songxi	36467	1186	6689	28592	34770	47544
政和县	Zhenghe	14870	618	5037	9215	15092	8132
龙岩市	**Longyan**	**2239049**	**5082**	**1283018**	**950949**	**1062607**	**1127056**
龙岩市辖区	District under Longyan	1047327	2832	617723	426772	547440	594156
漳平市	Zhangping	287407	1150	163197	123060	82251	141225
长汀县	Changting	189094		122487	66607	177088	104477
永定县	Yongding	148916		62068	86848	67564	80034
上杭县	Shanghang	228251		96794	131457	83667	85323
武平县	Wuping	170933		128577	42356	25458	27751
连城县	Liancheng	167121	1100	92172	73849	79139	94090
宁德市	**Ningde**	**1810001**	**5192**	**1075050**	**729759**	**827483**	**1274473**
宁德市辖区	District under Ningde	724704	680	563040	160984	150641	405382
福安市	Fu'an	284250	300	139104	144846	77577	169695
福鼎市	Fuding	281762		161796	119966	209976	204867
霞浦县	Xiapu	197046	1995	69598	125453	82807	151346
古田县	Gutian	71025	1090	21278	48657	53581	67916
屏南县	Pingnan	62902		20312	42590	114103	7091
寿宁县	Shouning	67468		34581	32887	46353	81648
周宁县	Zhouning	62317	1127	28075	33115	30521	18906
柘荣县	Zherong	58527		37266	21261	61924	167622

20-7 房地产开发投资（2008年）

Investment in Real Estate Development , 2008

单位：万元 (10000 yuan)

地区	Area	房地产投资 Investment in Real Estate Development	按工程用途分 By use of Project				本年新增固定资产 Newly Increased Fixed Assests	本年住宅竣工面积（平方米） Floor Space of Completed Residential Buildings (sq.m)
			住宅 Residential Buildings	办公楼 Office Buildings	商业营业用房 Houses for Business Use	其他 Other		
福州市	**Fuzhou**	**3136079**	**2239851**	**28085**	**158889**	**709254**	**678775**	**2946823**
福州市辖区	District under Fuzhou	2407009	1769587	25838	119369	492215	420238	1582720
福清市	Fuqing	206267	165216	14	15445	25592	27416	207324
长乐市	Changle	104910	89417	1000	2558	11935	40490	244653
闽侯县	Minhou	162754	68654		3995	90105	47801	191740
连江县	Lianjiang	147792	67777	105	9471	70439	57314	256295
罗源县	Luoyuan	40963	27712	1128	96	12027	41516	193845
闽清县	Minqing	6652	4747		1002	903	14319	55788
永泰县	Yongtai	19828	12557		1735	5536	4936	43291
平潭县	Pintan	39904	34184		5218	502	24745	171167
厦门市	**Xiamen**	**3270160**	**2106927**	**180017**	**265913**	**717303**	**1177765**	**3679807**
莆田市	**Putian**	**630773**	**384268**	**8875**	**65470**	**172160**	**183186**	**759255**
莆田市辖区	District under Putian	521987	351746	8670	62740	98831	161973	626211
仙游县	Xianyou	108786	32522	205	2730	73329	21213	133044
三明市	**Sanming**	**665870**	**363047**	**3030**	**64223**	**235570**	**162355**	**803968**
三明市辖区	District under Sanming	161474	92360	1010	8649	59455	39150	205835
永安市	Yongan	113099	61838	632	13265	37364	12860	100970
明溪县	Mingxi	20101	19050			1051		
清流县	Qingliu	14820	5957	742	792	7329	1930	8400
宁化县	Ninghua	72273	23175	275	9007	39816	11850	30000
大田县	Datian	42722	11887		3253	27582	2457	11386
尤溪县	Youxi	66805	60679		210	5916	5938	30900
沙县	Shaxian	120651	58767	371	18780	42733	62897	278445
将乐县	Jiangle	21732	12564		7074	2094	5616	37660
泰宁县	Taining	16860	4350		1910	10600	11665	62272
建宁县	Jianning	15333	12420		1283	1630	7992	38100
泉州市	**Quanzhou**	**1348713**	**859509**	**13106**	**116416**	**359682**	**435291**	**1789719**
泉州市辖区	District under Quanzhou	578941	411883	779	39692	126587	117574	504378
石狮市	Shishi	121880	70089	4461	13638	33692	22457	58222
晋江市	Jinjiang	279317	134944	2630	20246	121497	69075	254006
南安市	Nan'an	127530	78479	110	17343	31598	145885	681931
惠安县	Huian	95844	71875	915	9291	13763	34166	105793
安溪县	Anxi	85133	54618	4211	9208	17096	27246	115815
永春县	Yongchun	27384	14608		2511	10265	5928	
德化县	Dehua	32684	23013		4487	5184	12960	69574
漳州市	**Zhangzhou**	**1120375**	**666756**	**2907**	**57835**	**392877**	**390274**	**1509093**
漳州市辖区	District under Zhangzhou	613707	373844	1956	29736	208171	195168	692458

20-7 续表

Continued

单位：万元 (10000 yuan)

地区	Area	房地产投资 Investment in Real Estate Development	按工程用途分 By use of Project 住宅 Residential Buildings	办公楼 Office Buildings	商业营业用房 Houses for Business Use	其他 Other	本年新增固定资产 Newly Increased Fixed Assests	本年住宅竣工面积（平方米） Floor Space of Completed Residential Buildings (sq.m)
龙海市	Longhai	252109	132239	325	8807	110738	80579	316136
云霄县	Yunxiao	35559	29090		100	6369	1085	10000
漳浦县	Zhangpu	38652	25039		4797	8816	7093	70963
诏安县	Zhao'an	21081	6053		1152	13876	13716	93517
长泰县	Changtai	87881	42796	580	2998	41507	53629	132476
东山县	Dongshan	38536	31679		5790	1067	16238	99999
南靖县	Nanjing	6668	4729	31	145	1763	6288	42868
平和县	Pinghe	11127	10585	15	91	436	6342	29138
华安县	Hua'an	15055	10702		4219	134	10136	21538
南平市	**Nanping**	**391628**	**287915**	**1537**	**26424**	**75752**	**235008**	**914049**
南平市辖区	District under Nanping	108820	80982	334	7756	19748	60109	220228
邵武市	Shaowu	63308	41812	10	2606	18880	33629	139711
武夷山市	Wuyishan	52727	46162		4642	1923	22337	80071
建瓯市	Jian'ou	34872	20163	294	2548	11867	33828	167934
建阳市	Jianyang	47476	45545	199	806	926	11227	42623
顺昌县	Shunchang	19756	14574		1873	3309	16541	102211
浦城县	Pucheng	30320	18573		2926	8821	27706	71782
光泽县	Guangze	7413	4373	200	305	2535	7110	35373
松溪县	Songxi	20625	10794		2177	7654	19376	47064
政和县	Zhenghe	6311	4937	500	785	89	3145	7052
龙岩市	**Longyan**	**401362**	**213337**	**8315**	**28986**	**150724**	**284380**	**983512**
龙岩市辖区	District under Longyan	231146	109626	4818	14787	101915	185054	578436
漳平市	Zhangping	49868	24398	474	3722	21274	19245	107525
长汀县	Changting	44075	36610		5514	1951	43641	104477
永定县	Yongding	12069	8424	299	1392	1954	11675	61959
上杭县	Shanghang	24790	18656	1345	2217	2572	6973	40294
武平县	Wuping	21304	5060	1379	423	14442	5115	27751
连城县	Liancheng	18110	10563		931	6616	12677	63070
宁德市	**Ningde**	**325961**	**237674**	**1516**	**24552**	**62219**	**207757**	**842129**
宁德市辖区	District under Ningde	95964	77436	17	6232	12279	67858	387230
福安市	Fu'an	53811	41712	238	8147	3714	9925	31897
福鼎市	Fuding	54724	44144	117	3628	6835	43293	183485
霞浦县	Xiapu	66802	33867	874	2186	29875	66298	151346
古田县	Gutian	29226	25717		2184	1325	11554	57926
屏南县	Pingnan	9590	4285		587	4718	935	7091
寿宁县	Shouning	4712	3430	70	1212		7608	20328
周宁县	Zhouning	5807	1928	200	206	3473	286	2826
柘荣县	Zherong	5325	5155		170			

20-8 城镇单位在岗职工平均工资（2008年）

Average Annual Wages of Staff and Worker on the Job in Urban Areas, 2008

单位：元 (yuan)

地区	Area	在岗职工平均工资 Total Wages of Staff and Workers on the Job	国有单位 State-Owned Units	城镇集体单位 Urban Collective-Owned Unit	其他单位 Units of Other Types of Ownerships	在岗职工平均工资比上年增长(%) Increase Rate in 2008over 2007(%)
福州市	**Fuzhou**	**27521**	**35373**	**20181**	**23679**	**14.9**
福州市辖区	District under Fuzhou	30305	38584	20346	25843	16.6
福清市	Fuqing	22668	30119	21912	21337	8.9
长乐市	Changle	26437	31234	24910	22567	14.2
闽侯县	Minhou	24355	33626	12529	20728	8.8
连江县	Lianjiang	23130	31531	18047	18244	13.7
罗源县	Luoyuan	24475	28546	27509	19391	22.2
闽清县	Minqing	24806	29991	19007	19950	10.2
永泰县	Yongtai	22666	24437	17558	14527	16.0
平潭县	Pintan	21845	23269	17657	17887	15.8
厦门市	**Xiamen**	**32343**	**49493**	**26812**	**27487**	**11.7**
莆田市	**Putian**	**21853**	**28351**	**18713**	**18621**	**19.4**
莆田市辖区	District under Putian	22013	29252	18681	18776	18.3
仙游县	Xianyou	21108	25346	19016	17786	26.1
三明市	**Sanming**	**24181**	**24642**	**20409**	**23844**	**13.2**
三明市辖区	District under Sanming	28608	28148	18287	29867	18.0
永安市	Yongan	23251	24968	21132	19116	11.3
明溪县	Mingxi	22869	24293	19438	15209	10.6
清流县	Qingliu	21366	23665	22155	15609	13.5
宁化县	Ninghua	23782	24719	15315	13432	15.8
大田县	Datian	20026	22257	33192	13678	10.5
尤溪县	Youxi	21566	22444	21120	18828	1.6
沙县	Shaxian	21684	24036	17022	19875	6.6
将乐县	Jiangle	22100	24409	31763	15168	15.0
泰宁县	Taining	20746	21986	19726	18249	10.7
建宁县	Jianning	21968	21889	32240	16298	12.1
泉州市	**Quanzhou**	**22225**	**34445**	**24314**	**19586**	**11.6**
泉州市辖区	District under Quanzhou	22997	35216	21361	18574	12.7
石狮市	Shishi	20893	45268	28777	16992	12.2
晋江市	Jinjiang	22562	42740	23150	21233	10.6
南安市	Nan'an	21610	31446	25141	15425	10.1
惠安县	Huian	21858	34813	22395	20352	10.3
安溪县	Anxi	20260	27507	25802	16200	12.6
永春县	Yongchun	21789	28075	24027	17537	16.8
德化县	Dehua	19968	29710	17553	14086	11.2
漳州市	**Zhangzhou**	**22270**	**25375**	**18819**	**20195**	**23.6**
漳州市辖区	District under Zhangzhou	25905	31609	18381	21842	23.6
龙海市	Longhai	25210	29160	24868	24064	16.4

20-8 续表

Continued

单位：元　　　　(yuan)

地区	Area	在岗职工平均工资 Total Wages of Staff and Workers on the Job	国有单位 State-Owned Units	城镇集体单位 Urban Collective-Owned Unit	其他单位 Units of Other Types of Ownerships	在岗职工平均工资比上年增长(%) Increase Rate in 2008over 2007(%)
云霄县	Yunxiao	18193	19606	13127	14509	26.6
漳浦县	Zhangpu	17237	18761	18114	15874	38.9
诏安县	Zhao'an	18519	20166	17324	16185	36.7
长泰县	Changtai	19892	27129	21935	17637	23.9
东山县	Dongshan	19323	22958	18457	13914	24.8
南靖县	Nanjing	21117	27033	16798	18505	11.5
平和县	Pinghe	18698	19680	19811	16514	27.7
华安县	Hua'an	21973	25951	21450	17999	4.5
南平市	**Nanping**	**22377**	**26054**	**17748**	**18276**	**17.4**
南平市辖区	District under Nanping	24809	29179	20034	20872	15.3
邵武市	Shaowu	21507	27758	18709	17413	14.5
武夷山市	Wuyishan	21183	24738	16470	16840	19.5
建瓯市	Jian'ou	20539	23945	14289	16316	14.6
建阳市	Jianyang	22039	24306	16688	18203	21.0
顺昌县	Shunchang	19359	23933	16771	15305	20.3
浦城县	Pucheng	22998	25490	22069	16676	17.9
光泽县	Guangze	20765	25888	8727	17169	25.9
松溪县	Songxi	21982	22324	17712	10099	21.7
政和县	Zhenghe	23313	23885	16576	20879	19.5
龙岩市	**Longyan**	**24053**	**27373**	**22997**	**21189**	**16.9**
龙岩市辖区	District under Longyan	28077	35308	21514	24357	22.0
漳平市	Zhangping	24672	25810	31451	21693	19.1
长汀县	Changting	16429	22503	17362	13671	8.3
永定县	Yongding	23015	23337	28311	21095	14.9
上杭县	Shanghang	25141	24825	27328	25269	15.4
武平县	Wuping	20482	20961	18026	19853	4.4
连城县	Liancheng	18192	20887	21020	11630	9.7
宁德市	**Ningde**	**23314**	**24088**	**19699**	**21889**	**17.7**
宁德市辖区	District under Ningde	27504	29941	25855	24196	16.0
福安市	Fu'an	21953	21426	18465	24139	18.9
福鼎市	Fuding	23372	23423	18028	25173	15.5
霞浦县	Xiapu	20543	22705	17107	14218	19.6
古田县	Gutian	22035	24187	19218	13087	15.2
屏南县	Pingnan	20923	22597	23344	12244	24.3
寿宁县	Shouning	18752	18729	26863	17108	11.1
周宁县	Zhouning	19013	19265	13323	20321	11.0
柘荣县	Zherong	23854	26554	22348	17064	35.1

20–9 农民人均纯收入及生活消费支出（2008年）

Peasants' Net Income and Consumption Expenditure Per Capita , 2008

单位：元 (yuan)

地区	Area	农民人均纯收入 Per Capita Net Income of Rural Residence	人均生活消费支出 Per Capita Living Expenditure	#食品 Food	#衣着 Clothing	#居住 Residence	农民人均纯收入比上年增长(%) Increase Rate in 2008 over 2007(%)
福州市	**Fuzhou**	**7142**	**5080**	**2378**	**331**	**742**	**13.6**
福州市辖区	District under Fuzhou	9617	6051	2881	425	739	15.5
福清市	Fuqing	8631	5586	2609	342	811	13.4
长乐市	Changle	8310	5505	2374	521	833	12.1
闽侯县	Minhou	6568	4727	2332	285	931	16.0
连江县	Lianjiang	6481	4991	2476	250	721	13.1
罗源县	Luoyuan	5901	5907	2886	487	987	13.2
闽清县	Minqing	5951	4145	1953	214	531	10.6
永泰县	Yongtai	5197	3961	2012	172	509	12.6
平潭县	Pintan	5464	4168	1563	235	674	12.2
厦门市	**Xiamen**	**8475**	**6427**	**2663**	**333**	**1095**	**11.0**
莆田市	**Putian**	**6436**	**4770**	**2259**	**224**	**793**	**14.4**
莆田市辖区	District under Putian	6732	5055	2400	197	871	14.4
仙游县	Xianyou	5423	3796	1778	317	527	14.5
三明市	**Sanming**	**5853**	**4142**	**1930**	**244**	**534**	**13.8**
三明市辖区	District under Sanming	6796	5385	2417	325	535	13.7
永安市	Yongan	6236	5323	2437	353	696	12.8
明溪县	Mingxi	5776	4173	2013	345	506	13.1
清流县	Qingliu	5639	3636	1750	181	734	12.8
宁化县	Ninghua	5238	4005	1995	183	613	14.4
大田县	Datian	5675	4109	1981	310	585	13.4
尤溪县	Youxi	5928	4126	1973	218	304	13.8
沙县	Shaxian	6680	5133	2217	316	600	14.8
将乐县	Jiangle	5751	3218	1455	153	456	14.6
泰宁县	Taining	5689	3937	1785	189	638	13.9
建宁县	Jianning	5246	3107	1427	172	336	15.4
泉州市	**Quanzhou**	**7973**	**5721**	**2431**	**337**	**1025**	**10.1**
泉州市辖区	District under Quanzhou	7533	4991	2308	305	576	12.5
石狮市	Shishi	10799	7888	3248	453	1508	7.9
晋江市	Jinjiang	9202	7981	3268	553	1416	6.8
南安市	Nan'an	8061	5407	2356	231	1005	11.2
惠安县	Huian	8104	5057	2016	466	560	10.5
安溪县	Anxi	7118	5375	2097	225	1255	10.6
永春县	Yongchun	6742	4278	1987	298	670	10.3
德化县	Dehua	6397	5052	2036	204	1596	10.5
漳州市	**Zhangzhou**	**6506**	**4798**	**2271**	**223**	**922**	**14.2**
漳州市辖区	District under Zhangzhou	7003	5553	2352	238	1449	14.5
龙海市	Longhai	6546	5356	2620	278	825	14.9

20-9 续表

Continued

单位：元 (yuan)

地区	Area	农民人均纯收入 Per Capita Net Income of Rural Residence	人均生活消费支出 Per Capita Living Expenditure	#食品 Food	#衣着 Clothing	#居住 Residence	农民人均纯收入比上年增长(%) Increase Rate in 2008 over 2007(%)
云霄县	Yunxiao	5983	3410	1897	193	394	12.0
漳浦县	Zhangpu	6631	4564	2046	216	971	13.8
诏安县	Zhao'an	6020	4527	2183	160	916	15.2
长泰县	Changtai	6430	5458	2603	252	776	15.1
东山县	Dongshan	7001	4633	2516	241	482	12.5
南靖县	Nanjing	6190	4576	2209	262	766	14.5
平和县	Pinghe	6228	4541	2011	139	1225	14.6
华安县	Hua'an	6797	4990	2217	244	1160	15.1
南平市	**Nanping**	**5712**	**4072**	**1925**	**289**	**535**	**12.9**
南平市辖区	District under Nanping	6412	4611	2064	363	662	14.0
邵武市	Shaowu	6520	5178	2335	243	1061	14.3
武夷山市	Wuyishan	6507	4357	2060	429	285	13.8
建瓯市	Jian'ou	6639	4132	1948	318	647	13.6
建阳市	Jianyang	5819	4349	2077	309	624	14.2
顺昌县	Shunchang	5763	3984	1918	252	536	12.5
浦城县	Pucheng	5663	3518	1794	238	514	13.5
光泽县	Guangze	4956	3611	1672	301	478	12.3
松溪县	Songxi	4193	3662	1714	253	332	12.6
政和县	Zhenghe	4380	3481	1739	177	253	12.1
龙岩市	**Longyan**	**5775**	**4486**	**2161**	**221**	**584**	**13.5**
龙岩市辖区	District under Longyan	8010	6020	2851	387	748	13.4
漳平市	Zhangping	5786	3768	1570	260	490	12.4
长汀县	Changting	4910	4172	2008	122	768	14.6
永定县	Yongding	6326	4783	2470	314	447	14.0
上杭县	Shanghang	5194	4507	2409	140	432	13.9
武平县	Wuping	5309	4434	2035	127	675	12.6
连城县	Liancheng	5288	3901	1872	238	507	13.8
宁德市	**Ningde**	**5404**	**3766**	**1842**	**248**	**667**	**15.3**
宁德市辖区	District under Ningde	5381	3406	1843	175	794	15.0
福安市	Fu'an	5775	4298	2132	418	635	16.3
福鼎市	Fuding	5587	4692	2160	297	944	17.3
霞浦县	Xiapu	5880	4158	2068	221	720	16.6
古田县	Gutian	6277	3720	1763	182	595	17.1
屏南县	Pingnan	4819	3148	1488	322	410	13.1
寿宁县	Shouning	4845	3779	1861	184	752	13.2
周宁县	Zhouning	5070	3491	1687	261	483	14.8
柘荣县	Zherong	4918	3117	1512	156	663	13.1

20-10 地方财政收入（2008年）

Budgetary Revenue of Local Government,2008

单位：万元 (10000 yuan)

地区	Area	地方财政收入 Budgetary Revenue of Local Government	#增值税 Value-added Tax	#营业税 Business Tax	#企业所得税 Enterprises' Income Tax	#个人所得税 Individual Income Tax
福州市	**Fuzhou**	**1688559**	**226727**	**484440**	**206027**	**113854**
福州市辖区	District under Fuzhou	1132545	125444	359828	150513	85480
福清市	Fuqing	166651	29813	32505	16304	8351
长乐市	Changle	100117	21354	17328	12305	6741
闽侯县	Minhou	130223	26469	29396	13009	4731
连江县	Lianjiang	63195	7874	21005	5815	3575
罗源县	Luoyuan	30337	3980	7784	1385	2272
闽清县	Minqing	27992	8993	2610	2092	1650
永泰县	Yongtai	13348	1495	3649	2006	443
平潭县	Pintan	24151	1305	10335	2598	611
厦门市	**Xiamen**	**2202343**	**349807**	**671879**	**284615**	**111978**
莆田市	**Putian**	**295550**	**47951**	**78475**	**30605**	**13437**
莆田市辖区	District under Putian	258441	42790	69543	27152	11954
仙游县	Xianyou	37109	5161	8932	3453	1483
三明市	**Sanming**	**329580**	**77089**	**73373**	**24763**	**19518**
三明市辖区	District under Sanming	118858	36785	22153	7839	5786
永安市	Yongan	63615	11940	16379	5287	4253
明溪县	Mingxi	6380	1204	1876	361	451
清流县	Qingliu	8008	1853	1755	768	817
宁化县	Ninghua	14682	1716	3268	542	770
大田县	Datian	26310	6440	6060	2554	1897
尤溪县	Youxi	26139	6097	4656	3070	1806
沙县	Shaxian	33417	5276	9623	2694	1850
将乐县	Jiangle	16189	3695	3233	853	731
泰宁县	Taining	9326	1209	2590	477	602
建宁县	Jianning	6656	874	1780	318	555
泉州市	**Quanzhou**	**1371713**	**269326**	**298909**	**183539**	**88253**
泉州市辖区	District under Quanzhou	443964	73362	123651	62325	27340
石狮市	Shishi	140126	25972	32193	17785	10158
晋江市	Jinjiang	327557	92734	58387	50622	22920
南安市	Nan'an	138448	28684	27592	19580	12242
惠安县	Huian	143553	16686	26489	16652	6937
安溪县	Anxi	86916	17445	13173	7781	3705
永春县	Yongchun	50246	6076	11781	2937	2469
德化县	Dehua	40903	8367	5643	5857	2482
漳州市	**Zhangzhou**	**604859**	**93769**	**128561**	**59388**	**25935**
漳州市辖区	District under Zhangzhou	272862	30879	62433	31222	13238
龙海市	Longhai	142998	34434	22635	15520	5149

20-10 续表

Continued

单位：万元 (10000 yuan)

地区	Area	地方财政收入 Budgetary Revenue of Local Government	#增值税 Value-added Tax	#营业税 Business Tax	#企业所得税 Enterprises' Income Tax	#个人所得税 Individual Income Tax
云霄县	Yunxiao	18416	928	5920	822	762
漳浦县	Zhangpu	41557	6070	9382	3326	1669
诏安县	Zhao'an	21612	1586	3503	521	562
长泰县	Changtai	24029	4806	6987	1859	1310
东山县	Dongshan	21685	2554	5332	1231	579
南靖县	Nanjing	31839	7565	7196	2888	1407
平和县	Pinghe	17424	2261	3207	698	685
华安县	Hua'an	12437	2686	1966	1301	574
南平市	**Nanping**	**280461**	**44586**	**75135**	**25900**	**14704**
南平市辖区	District under Nanping	95579	18041	22547	12341	6678
邵武市	Shaowu	39023	6711	9733	3586	1673
武夷山市	Wuyishan	30277	2003	10496	3625	1011
建瓯市	Jian’ou	30450	3815	9980	1712	1590
建阳市	Jianyang	27125	4473	7954	1503	1128
顺昌县	Shunchang	15440	4073	3118	1007	547
浦城县	Pucheng	20021	2086	5676	807	769
光泽县	Guangze	9540	1443	1959	619	784
松溪县	Songxi	6724	935	1909	307	225
政和县	Zhenghe	6282	1006	1763	393	299
龙岩市	**Longyan**	**462810**	**97239**	**83294**	**57230**	**24635**
龙岩市辖区	District under Longyan	264497	61146	50460	23022	12624
漳平市	Zhangping	30169	6553	6376	4061	1749
长汀县	Changting	20236	3441	5753	1068	971
永定县	Yongding	51808	16775	6595	5684	2499
上杭县	Shanghang	60725	4919	6596	19637	4572
武平县	Wuping	17209	1909	3399	1331	1071
连城县	Liancheng	18166	2496	4115	2427	1149
宁德市	**Ningde**	**242153**	**34632**	**75024**	**20990**	**14183**
宁德市辖区	District under Ningde	73580	5698	29485	5503	4413
福安市	Fu'an	51312	12540	12241	5200	2362
福鼎市	Fuding	45428	4895	14608	3632	3123
霞浦县	Xiapu	20503	1438	7203	1126	935
古田县	Gutian	21794	3434	4726	3510	1186
屏南县	Pingnan	9245	1708	2541	272	1353
寿宁县	Shouning	7225	2008	1543	586	313
周宁县	Zhouning	8055	1841	1611	957	265
柘荣县	Zherong	5011	1070	1066	204	233

20–11 财政支出（2008年）

Budgetary Expenditures of Local Government,2008

单位：万元 (10000 yuan)

地区	Area	地方财政支出 Budgetary Expenditure	#一般公共服务支出 Expenditure for General Public Service	#教育支出 Expenditure for Education	#科学技术支出 Expenditure for Science	#农林水事务支出 Expenditure for Agriculture Forestry and Water Conservancey
福州市	**Fuzhou**	**1781952**	**250979**	**393878**	**28843**	**84192**
福州市辖区	District under Fuzhou	993916	118110	181380	21108	21126
福清市	Fuqing	203201	29819	56111	2881	14796
长乐市	Changle	122991	21982	35344	1907	7649
闽侯县	Minhou	125135	20947	36473	1123	12082
连江县	Lianjiang	116981	22942	26722	1121	9663
罗源县	Luoyuan	51798	13495	11883	155	4635
闽清县	Minqing	49948	6459	13659	160	4106
永泰县	Yongtai	53039	8871	16761	240	6140
平潭县	Pintan	64943	8354	15545	148	3995
厦门市	**Xiamen**	**2380896**	**411653**	**339324**	**83370**	**70631**
莆田市	**Putian**	**455274**	**72827**	**159025**	**7984**	**38391**
莆田市辖区	District under Putian	359207	59343	116065	7436	27849
仙游县	Xianyou	96067	13484	42960	548	10542
三明市	**Sanming**	**530180**	**96761**	**135171**	**8354**	**66854**
三明市辖区	District under Sanming	122814	26207	26888	3010	9554
永安市	Yongan	71632	12322	11953	963	8229
明溪县	Mingxi	21962	3507	5826	379	3634
清流县	Qingliu	29238	3956	6946	538	5010
宁化县	Ninghua	46739	6958	13569	610	6930
大田县	Datian	49464	7102	16068	247	6850
尤溪县	Youxi	53677	10754	18186	425	8162
沙县	Shaxian	43286	10751	13907	869	4187
将乐县	Jiangle	29910	5438	6770	440	3716
泰宁县	Taining	31541	5205	7300	483	4851
建宁县	Jianning	29917	4561	7758	390	5731
泉州市	**Quanzhou**	**1613540**	**270965**	**423081**	**33956**	**127236**
泉州市辖区	District under Quanzhou	451474	95468	102884	12935	22717
石狮市	Shishi	168036	22245	25449	2655	7979
晋江市	Jinjiang	350586	40196	77200	8620	33779
南安市	Nan'an	179562	26009	54197	2432	16991
惠安县	Huian	178562	28260	61774	4431	14134
安溪县	Anxi	134211	33129	52307	728	11326
永春县	Yongchun	84494	15950	30590	967	11069
德化县	Dehua	66615	9708	18680	1188	9241
漳州市	**Zhangzhou**	**922578**	**150421**	**167884**	**12770**	**60821**
漳州市辖区	District under Zhangzhou	293805	52937	36438	5159	14672
龙海市	Longhai	184305	21928	28643	2632	8416

20-11 续表

Continued

单位：万元 (10000 yuan)

地区	Area	地方财政支出 Budgetary Expenditure	#一般公共服务支出 Expenditure for General Public Service	#教育支出 Expenditure for Education	#科学技术支出 Expenditure for Science	#农林水事务支出 Expenditure for Agriculture Forestry and Water Conservancey
云霄县	Yunxiao	51268	8555	15030	734	4299
漳浦县	Zhangpu	90842	15026	21459	437	6202
诏安县	Zhao'an	53501	9812	13771	906	3033
长泰县	Changtai	45793	9023	7768	806	6333
东山县	Dongshan	61252	8317	7678	255	2549
南靖县	Nanjing	59903	9534	14497	871	7391
平和县	Pinghe	50776	9952	15028	520	3801
华安县	Hua'an	31133	5337	7572	450	4125
南平市	**Nanping**	**557180**	**84457**	**129284**	**7198**	**66956**
南平市辖区	District under Nanping	135932	22492	26050	2237	12054
邵武市	Shaowu	68032	10944	14820	641	7029
武夷山市	Wuyishan	60366	7095	11943	934	10931
建瓯市	Jian'ou	66076	9517	18546	1309	7091
建阳市	Jianyang	52537	8824	14244	735	6035
顺昌县	Shunchang	37627	7266	9910	192	4076
浦城县	Pucheng	54274	6235	13677	403	8471
光泽县	Guangze	30006	4356	6286	244	4537
松溪县	Songxi	25335	3987	6468	136	3243
政和县	Zhenghe	26995	3741	7340	367	3489
龙岩市	**Longyan**	**682233**	**105715**	**164817**	**9935**	**70380**
龙岩市辖区	District under Longyan	271430	44773	50157	4584	20193
漳平市	Zhangping	54903	11370	14790	340	6161
长汀县	Changting	55798	6952	15672	846	6274
永定县	Yongding	88598	10246	22900	1511	8882
上杭县	Shanghang	103813	13761	32601	823	13302
武平县	Wuping	55918	10102	14782	974	9519
连城县	Liancheng	51773	8511	13915	857	6049
宁德市	**Ningde**	**548023**	**93314**	**128785**	**4186**	**51987**
宁德市辖区	District under Ningde	133776	33675	25380	1594	9792
福安市	Fu'an	84894	12287	21296	378	8932
福鼎市	Fuding	89210	10762	20716	760	10337
霞浦县	Xiapu	68136	9297	16654	219	5073
古田县	Gutian	55482	7131	13919	210	6576
屏南县	Pingnan	30564	4875	7190	290	3780
寿宁县	Shouning	34528	5213	10112	196	3130
周宁县	Zhouning	29501	5368	8726	99	2291
柘荣县	Zherong	21932	4706	4792	440	2076

20–12 农作物播种面积（2008年）
Sown Areas of Farm Crops,2008

单位：千公顷 (1000 hectares)

项目	Item	农作物播种面积 Sown Areas of Farm Crops	粮食作物 Grain Crops	春收粮食播种面积 Sown Areas of Spring Harvested Farm Crops	夏收粮食播种面积 Sown Area of Summer Harve- sted Farm Crops	秋收粮食播种面积 Sown Area of Autumn Harve- sted Farm Crops	非粮作物 Non-grain Crops
福州市	**Fuzhou**	**260.43**	**121.95**	**8.53**	**25.55**	**87.86**	**138.49**
福州市辖区	District under Fuzhou	16.65	2.26	0.01	0.34	1.92	14.39
福清市	Fuqing	52.69	24.82	1.42	7.41	15.98	27.87
长乐市	Changle	32.77	18.25	2.41	6.74	9.10	14.51
闽侯县	Minhou	37.70	15.42	1.14	2.74	11.54	22.28
连江县	Lianjiang	22.09	11.27	0.57	2.84	7.86	10.82
罗源县	Luoyuan	14.14	9.36	0.19	0.41	8.76	4.78
闽清县	Minqing	31.65	13.03	0.36	2.00	10.67	18.62
永泰县	Yongtai	39.18	21.89	2.03	2.87	16.98	17.29
平潭县	Pintan	13.56	5.65	0.40	0.20	5.05	7.91
厦门市	**Xiamen**	**28.43**	**7.87**	**1.14**	**2.62**	**4.12**	**20.56**
莆田市	**Putian**	**105.32**	**53.38**	**2.29**	**17.98**	**33.11**	**51.94**
莆田市辖区	District under Putian	63.01	28.47	1.49	9.56	17.42	34.55
仙游县	Xianyou	42.31	24.92	0.80	8.42	15.69	17.39
三明市	**Sanming**	**401.70**	**213.03**	**11.44**	**33.66**	**167.92**	**188.67**
三明市辖区	District under Sanming	13.27	5.67	0.17	0.63	4.87	7.60
永安市	Yongan	36.80	19.45	0.93	4.39	14.13	17.35
明溪县	Mingxi	28.46	17.91	1.30	2.97	13.64	10.56
清流县	Qingliu	29.01	16.19	1.08	3.34	11.77	12.82
宁化县	Ninghua	64.15	37.18	1.61	3.73	31.84	26.97
大田县	Datian	54.84	25.76	3.16	5.95	16.65	29.08
尤溪县	Youxi	63.80	32.88	2.31	6.19	24.38	30.92
沙县	Shaxian	27.62	15.62	0.31	3.37	11.94	12.00
将乐县	Jiangle	24.63	14.55	0.27	0.75	13.54	10.08
泰宁县	Taining	22.08	12.25	0.27	0.80	11.19	9.83
建宁县	Jianning	37.03	15.57	0.04	1.54	13.99	21.46
泉州市	**Quanzhou**	**252.33**	**160.07**	**17.28**	**49.62**	**93.16**	**92.26**
泉州市辖区	District under Quanzhou	22.32	12.97	0.95	4.79	7.23	9.35
石狮市	Shishi	5.39	2.78	0.38	0.58	1.83	2.61
晋江市	Jinjiang	29.02	14.01	1.50	4.33	8.18	15.01
南安市	Nan'an	54.35	34.90	2.76	14.06	18.07	19.45
惠安县	Huian	41.28	26.14	3.15	7.38	15.61	15.14
安溪县	Anxi	43.51	31.47	2.84	10.93	17.71	12.03
永春县	Yongchun	32.53	23.07	2.54	7.46	13.07	9.46
德化县	Dehua	23.94	14.73	3.17	0.09	11.46	9.21
漳州市	**Zhangzhou**	**251.85**	**111.98**	**7.63**	**45.24**	**59.11**	**139.87**
漳州市辖区	District under Zhangzhou	7.09	1.37	0.08	0.46	0.83	5.72

20-12 续表

Continued

单位：千公顷　　　　(1000 hectares)

项目	Item	农作物播种面积 Sown Areas of Farm Crops	粮食作物 Grain Crops	春收粮食播种面积 Sown Areas of Spring Harvested Farm Crops	夏收粮食播种面积 Sown Area of Summer Harve- sted Farm Crops	秋收粮食播种面积 Sown Area of Autumn Harve- sted Farm Crops	非粮作物 Non-grain Crops
龙海市	Longhai	36.85	15.16	2.04	6.18	6.94	21.69
云霄县	Yunxiao	25.45	15.20	0.92	6.75	7.53	10.25
漳浦县	Zhangpu	62.52	31.43	2.82	11.84	16.77	31.10
诏安县	Zhao'an	34.44	18.99	0.97	8.53	9.49	15.45
长泰县	Changtai	18.70	5.09	0.03	2.14	2.91	13.61
东山县	Dongshan	6.33	1.40	0.13	0.15	1.12	4.94
南靖县	Nanjing	22.63	7.80	0.18	2.97	4.64	14.83
平和县	Pinghe	29.31	12.97	0.41	5.46	7.10	16.33
华安县	Hua'an	8.53	2.58	0.05	0.77	1.76	5.95
南平市	**Nanping**	**415.88**	**243.86**	**6.57**	**35.38**	**201.91**	**172.03**
南平市辖区	District under Nanping	32.99	17.85	0.56	3.54	13.75	15.14
邵武市	Shaowu	56.35	36.67	1.53	9.72	25.42	19.69
武夷山市	Wuyishan	36.66	22.25	1.01	1.60	19.65	14.41
建瓯市	Jian'ou	68.77	37.71	0.57	6.80	30.35	31.06
建阳市	Jianyang	51.94	32.25	0.40	4.56	27.28	19.69
顺昌县	Shunchang	24.75	14.25	0.28	1.47	12.50	10.50
浦城县	Pucheng	80.59	42.63	1.55	4.01	37.07	37.96
光泽县	Guangze	23.29	14.66	0.28	0.30	14.08	8.63
松溪县	Songxi	18.53	11.03	0.31	1.24	9.48	7.50
政和县	Zhenghe	22.01	14.56	0.09	2.14	12.33	7.45
龙岩市	**Longyan**	**285.50**	**167.16**	**6.54**	**54.01**	**106.61**	**118.34**
龙岩市辖区	District under Longyan	25.15	14.06	0.48	4.10	9.48	11.10
漳平市	Zhangping	24.45	13.22	0.29	3.81	9.12	11.23
长汀县	Changting	54.47	32.69	2.22	11.04	19.42	21.78
永定县	Yongding	30.32	16.80	0.37	5.69	10.74	13.51
上杭县	Shanghang	50.76	27.94	0.18	9.55	18.21	22.82
武平县	Wuping	54.99	35.65	0.70	12.02	22.93	19.34
连城县	Liancheng	45.37	26.81	2.30	7.80	16.71	18.56
宁德市	**Ningde**	**219.23**	**130.98**	**14.55**	**11.72**	**104.71**	**88.25**
宁德市辖区	District under Ningde	18.58	11.61	0.54	1.50	9.57	6.97
福安市	Fu'an	40.54	21.63	3.08	3.28	15.27	18.91
福鼎市	Fuding	30.05	16.56	2.04	2.18	12.34	13.49
霞浦县	Xiapu	30.12	17.01	1.86	4.00	11.16	13.10
古田县	Gutian	34.02	25.60	1.12	0.23	24.25	8.42
屏南县	Pingnan	17.25	10.63	1.17	0.01	9.45	6.62
寿宁县	Shouning	19.59	11.67	1.54	0.18	9.94	7.92
周宁县	Zhouning	12.58	7.93	1.35	0.10	6.47	4.65
柘荣县	Zherong	16.51	8.34	1.84	0.24	6.25	8.17

20-13 主要农产品产量（2008年）

Output of Major Agricultural Products,2008

单位：吨 (ton)

地区	Area	粮食 Grain Crops	油料 Oil-bearing	甘蔗 Sugercane	茶叶 Tea	水果 Fruit	肉类 Meat	水产品 Aquatic Products
福州市	**Fuzhou**	**637721**	**44819**	**26470**	**15011**	**320489**	**229936**	**1648255**
福州市辖区	District under Fuzhou	12576	5		1315	19160	16709	144296
福清市	Fuqing	133417	29187	558	89	56698	100111	286016
长乐市	Changle	100712	1273	1338	77	18412	24119	109756
闽侯县	Minhou	84145	554	10657	479	41567	36041	31000
连江县	Lianjiang	52823	956	1846	4190	32849	10067	621500
罗源县	Luoyuan	46236	280		4634	7343	7113	118000
闽清县	Minqing	63799	901	895	1049	69915	11198	6295
永泰县	Yongtai	117949	2543	11176	3178	72784	18170	5806
平潭县	Pintan	26064	9120			1761	6408	325586
厦门市	**Xiamen**	**43444**	**9685**	**3725**	**1356**	**26850**	**62781**	**39478**
莆田市	**Putian**	**303447**	**41154**	**95822**	**3381**	**168571**	**115882**	**685374**
莆田市辖区	District under Putian	157588	28787	30639	334	110258	88234	670662
仙游县	Xianyou	145859	12367	65183	3047	58313	27648	14712
三明市	**Sanming**	**1129703**	**22148**	**44672**	**23973**	**847113**	**145002**	**64023**
三明市辖区	District under Sanming	29980	453	211	219	117900	10850	2776
永安市	Yongan	107381	2298	12882	1371	96204	22382	8420
明溪县	Mingxi	90669	2355	638	1474	35326	4894	4024
清流县	Qingliu	82414	3158	5164	922	41454	7622	9123
宁化县	Ninghua	204734	5603	446	1617	46929	14805	7177
大田县	Datian	120088	2056	21016	5032	83424	20358	2860
尤溪县	Youxi	159655	1063	864	7509	147955	17433	6206
沙县	Shaxian	89495	1634	1843	4204	136290	25219	6231
将乐县	Jiangle	85007	1412	1397	330	40968	8157	3999
泰宁县	Taining	64332	1793	190	524	22521	6670	9012
建宁县	Jianning	95947	323	21	771	78142	6612	4195
泉州市	**Quanzhou**	**812022**	**55456**	**8421**	**44949**	**455855**	**222419**	**980126**
泉州市辖区	District under Quanzhou	64110	8452	2310	337	20365	23200	121601
石狮市	Shishi	12503	1550			989	2261	351952
晋江市	Jinjiang	70988	7320			5885	23586	199015
南安市	Nan'an	191043	14082	2228	434	73029	55753	37030
惠安县	Huian	119060	22381		8	12174	33478	266021
安溪县	Anxi	144617	1520	1775	35830	26078	37149	1701
永春县	Yongchun	123160	139	2108	7696	255074	22476	1185
德化县	Dehua	86541	12		644	62261	24516	1621
漳州市	**Zhangzhou**	**643457**	**34815**	**399540**	**42481**	**2402302**	**242146**	**1381529**
漳州市辖区	District under Zhangzhou	5774	385	41528	251	88407	58248	17298

注：本表粮食产量中的稻谷产量为原报面积推算的抽样调查数，非稻谷部分产量为全面统计数.各设区市数为所辖县(市、区)汇总数。
Note:The grain output in this table is calculated on spot check basis.

20–13 续表

Continued

单位：吨 (ton)

地区	Area	粮食 Grain Crops	油料 Oil-bearing	甘蔗 Sugercane	茶叶 Tea	水果 Fruit	肉类 Meat	水产品 Aquatic Products
龙海市	Longhai	95232	2427	13530	69	101514	40979	330197
云霄县	Yunxiao	94872	3566	2805	481	168606	11570	158929
漳浦县	Zhangpu	187011	15784	29385	397	322546	32579	332160
诏安县	Zhao'an	103836	4587	9139	6125	146223	12835	226425
长泰县	Changtai	27305	2392	213784	3025	80453	18551	17000
东山县	Dongshan	7465	2746			12064	3576	280525
南靖县	Nanjing	40904	809	6565	10606	418415	30023	10045
平和县	Pinghe	66291	1941	2038	8187	971898	20558	6637
华安县	Hua'an	14767	178	80766	13340	92176	13227	2313
南平市	**Nanping**	**1380021**	**25663**	**81713**	**43368**	**684602**	**234518**	**79665**
南平市辖区	District under Nanping	89215	968	1155	1295	90973	78838	8067
邵武市	Shaowu	203386	4989	3274	6855	39412	18845	15284
武夷山市	Wuyishan	133552	2102	4892	8918	28573	12340	7542
建瓯市	Jian'ou	206106	3620	33020	8224	262894	16257	14233
建阳市	Jianyang	210231	1061	4915	2357	75477	9456	7260
顺昌县	Shunchang	75108	873	1461	116	114562	6968	5104
浦城县	Pucheng	232046	9178	5139	1384	21591	16237	13916
光泽县	Guangze	84712	1370	181	706	3231	66474	3200
松溪县	Songxi	62106	1060	6705	4050	30482	4563	3549
政和县	Zhenghe	83559	442	20971	9463	17407	4540	1510
龙岩市	**Longyan**	**931936**	**15934**	**15662**	**10114**	**353370**	**409191**	**51345**
龙岩市辖区	District under Longyan	84813	2401	2099	1037	41869	114725	5850
漳平市	Zhangping	74505	441	1272	3519	45967	21611	6511
长汀县	Changting	176913	4356	8148	1326	41320	52368	8286
永定县	Yongding	93434	976	1636	1006	110539	58144	5130
上杭县	Shanghang	157342	1441	579	835	32638	78369	9248
武平县	Wuping	190582	2364	986	1933	32194	49956	6261
连城县	Liancheng	154348	3955	942	458	48843	34018	10059
宁德市	**Ningde**	**640313**	**4303**	**33023**	**62635**	**274540**	**73758**	**612175**
宁德市辖区	District under Ningde	58383	432	3797	5362	19644	14542	125282
福安市	Fu'an	103019	908	21576	18028	131906	18153	56118
福鼎市	Fuding	76610	436	2669	12892	10918	7189	134680
霞浦县	Xiapu	78018	1522	2481	3856	14886	7043	273781
古田县	Gutian	138632	104		1495	75490	8164	16257
屏南县	Pingnan	56253			1289	11285	6280	2130
寿宁县	Shouning	57688	29		11384	7094	4753	1564
周宁县	Zhouning	39879	65	2500	5847	2620	3937	1480
柘荣县	Zherong	31831	807		2482	697	3697	883

20–14 规模以上工业总产值（2008年）

Gross Output Value of Industrial Enterprises above Designated Size, 2008

单位：亿元 (100 million yuan)

地区	Area	工业总产值 Total	轻工业 Light Industy	重工业 Heavy Industry	工业总产值指数（以上年为100） Index(Previous Year=100)
福州市	**Fuzhou**	**3276.52**	**1305.32**	**1971.21**	**118.7**
福州市辖区	District under Fuzhou	1303.15	530.11	773.04	118.4
福清市	Fuqing	845.14	236.67	608.47	119.3
长乐市	Changle	590.02	389.63	200.38	116.2
闽侯县	Minhou	233.07	77.64	155.42	110.5
连江县	Lianjiang	108.42	42.20	66.21	133.5
罗源县	Luoyuan	90.25	11.20	79.05	144.2
闽清县	Minqing	76.98	5.65	71.32	114.3
永泰县	Yongtai	18.51	10.26	8.26	120.2
平潭县	Pintan	10.99	1.95	9.04	168.0
厦门市	**Xiamen**	**2978.07**	**938.93**	**2039.13**	**107.6**
莆田市	**Putian**	**800.42**	**586.35**	**214.08**	**128.1**
莆田市辖区	District under Putian	698.12	512.04	186.08	128.1
仙游县	Xianyou	102.30	74.31	28.00	128.6
三明市	**Sanming**	**877.88**	**200.87**	**677.01**	**137.5**
三明市辖区	District under Sanming	342.96	26.33	316.63	145.2
永安市	Yongan	169.36	56.10	113.26	129.0
明溪县	Mingxi	17.30	6.57	10.72	139.4
清流县	Qingliu	19.49	3.40	16.09	139.3
宁化县	Ninghua	20.78	5.10	15.68	149.9
大田县	Datian	58.71	6.41	52.30	139.9
尤溪县	Youxi	57.14	27.99	29.15	127.6
沙县	Shaxian	121.90	49.15	72.75	135.2
将乐县	Jiangle	31.85	4.49	27.36	127.6
泰宁县	Taining	19.88	5.07	14.80	132.6
建宁县	Jianning	18.52	10.25	8.26	129.3
泉州市	**Quanzhou**	**4271.40**	**2678.56**	**1592.84**	**125.0**
泉州市辖区	District under Quanzhou	1121.07	651.28	469.78	125.5
石狮市	Shishi	394.90	356.40	38.49	124.3
晋江市	Jinjiang	1335.50	1020.12	315.38	118.4
南安市	Nan'an	521.63	161.81	359.82	129.8
惠安县	Huian	410.03	242.77	167.27	129.7
安溪县	Anxi	278.20	100.00	178.20	145.8
永春县	Yongchun	115.57	76.82	38.75	128.9
德化县	Dehua	94.50	69.35	25.15	118.6
漳州市	**Zhangzhou**	**1244.26**	**650.50**	**593.76**	**125.3**

注：本表工业总产值指数为现价工业总产值指数。

Note:Index of Industrial Output Value in this table is acculated according to the current price.

20–14 续表

Continued

单位：亿元 (100 million yuan)

地区	Area	工业总产值 Total	轻工业 Light Industy	重工业 Heavy Industry	工业总产值指数（以上年为100） Index(Previous Year=100)
漳州市辖区	District under Zhangzhou	324.48	139.44	185.04	120.5
龙海市	Longhai	485.07	227.00	258.06	122.2
云霄县	Yunxiao	33.46	19.98	13.49	158.0
漳浦县	Zhangpu	61.20	41.95	19.25	120.8
诏安县	Zhao'an	52.19	41.33	10.87	137.7
长泰县	Changtai	78.85	45.17	33.68	135.8
东山县	Dongshan	48.08	35.28	12.80	120.8
南靖县	Nanjing	108.93	80.62	28.31	126.8
平和县	Pinghe	26.79	14.17	12.62	150.8
华安县	Hua'an	25.21	5.57	19.64	160.3
南平市	**Nanping**	**526.67**	**216.10**	**310.57**	**126.1**
南平市辖区	District under Nanping	196.48	73.17	123.31	113.3
邵武市	Shaowu	90.85	33.14	57.71	133.0
武夷山市	Wuyishan	20.22	14.26	5.96	137.4
建瓯市	Jian’ou	56.06	26.26	29.80	136.2
建阳市	Jianyang	59.95	23.54	36.41	144.4
顺昌县	Shunchang	33.01	2.90	30.11	117.5
浦城县	Pucheng	31.28	18.91	12.37	135.2
光泽县	Guangze	21.80	14.32	7.47	141.8
松溪县	Songxi	8.81	4.94	3.87	131.4
政和县	Zhenghe	8.21	4.67	3.54	149.8
龙岩市	**Longyan**	**716.12**	**204.67**	**511.46**	**132.5**
龙岩市辖区	District under Longyan	414.29	123.60	290.69	128.0
漳平市	Zhangping	50.23	8.17	42.06	137.8
长汀县	Changting	39.80	30.26	9.54	145.6
永定县	Yongding	69.61	8.03	61.58	139.8
上杭县	Shanghang	79.08	12.16	66.92	130.5
武平县	Wuping	23.98	8.87	15.11	145.7
连城县	Liancheng	39.13	13.57	25.56	148.9
宁德市	**Ningde**	**521.46**	**119.79**	**401.66**	**137.0**
宁德市辖区	District under Ningde	52.27	11.42	40.85	119.2
福安市	Fu'an	226.97	21.28	205.69	139.0
福鼎市	Fuding	99.49	41.53	57.95	141.8
霞浦县	Xiapu	24.10	11.74	12.36	147.6
古田县	Gutian	39.06	13.93	25.13	134.8
屏南县	Pingnan	16.51	7.11	9.40	137.2
寿宁县	Shouning	19.20	1.67	17.54	144.5
周宁县	Zhouning	19.45	1.33	18.12	146.0
柘荣县	Zherong	24.40	9.77	14.63	146.8

20–15 规模以上工业企业主要财务指标（2008年）

Finacial Indicators of Industrial Enterprises above Designated Size, 2008

单位：万元 (10000 yuan)

地区	Area	固定资产净值年末数 Net Value of Fixed Assets at the Year-end	流动资产年末数 Annual Average Balance of Circulating Funds	主营业务收入 Sale of Products	利润总额 Total Profits	利税总额 Total Pre-tax Profits
福州市	**Fuzhou**	**8226136**	**11422965**	**29889665**	**1597266**	**2330004**
福州市辖区	District under Fuzhou	2311504	5218926	11398494	492780	771711
福清市	Fuqing	1496915	2481171	7832402	624534	706197
长乐市	Changle	1773529	2037267	5645097	171802	273547
闽侯县	Minhou	616116	890349	2069422	78551	211190
连江县	Lianjiang	926123	259679	1017243	-5302	58488
罗源县	Luoyuan	355859	293680	873874	86663	108051
闽清县	Minqing	531365	149281	760339	123841	160507
永泰县	Yongtai	88288	46936	185191	6683	16606
平潭县	Pintan	126438	45676	107602	17715	23707
厦门市	**Xiamen**	**6561633**	**14011631**	**29389402**	**1196866**	**2056102**
莆田市	**Putian**	**1485269**	**2393206**	**7715048**	**249710**	**472298**
莆田市辖区	District under Putian	1320682	2110686	6712116	235990	438700
仙游县	Xianyou	164588	282520	1002932	13720	33598
三明市	**Sanming**	**2773437**	**2825063**	**8451197**	**245930**	**639680**
三明市辖区	District under Sanming	891204	1171508	3284176	102915	250973
永安市	Yongan	471110	436833	1634120	46961	116833
明溪县	Mingxi	50899	48333	166453	10224	17544
清流县	Qingliu	48009	68665	179006	10516	20362
宁化县	Ninghua	64856	35990	201014	9348	20276
大田县	Datian	132363	184859	577042	18014	56623
尤溪县	Youxi	379336	242666	530532	-3572	25711
沙县	Shaxian	445203	474942	1192478	20713	58043
将乐县	Jiangle	151890	77119	308479	8643	27758
泰宁县	Taining	82389	37312	194510	10034	23278
建宁县	Jianning	56179	46835	183387	12135	22279
泉州市	**Quanzhou**	**9207546**	**14284864**	**40955360**	**3894361**	**5648161**
泉州市辖区	District under Quanzhou	1724556	3627747	10007751	840952	1190674
石狮市	Shishi	905859	1465769	3915870	318236	458106
晋江市	Jinjiang	3348356	5655270	13159930	1175014	1764658
南安市	Nan'an	1273026	1863397	5076482	505637	679621
惠安县	Huian	753019	692016	3984457	335734	509901
安溪县	Anxi	739840	461939	2745553	539049	711332
永春县	Yongchun	248365	269607	1141469	132157	245340
德化县	Dehua	214525	249119	923848	47583	88529
漳州市	**Zhangzhou**	**3127104**	**4999406**	**11556873**	**556749**	**936097**
漳州市辖区	District under Zhangzhou	400513	1333122	2866340	176405	279935
龙海市	Longhai	1455305	2096212	4469357	171022	301455

20-15 续表

Continued

单位：万元 (10000 yuan)

地区	Area	固定资产净值年末数 Net Value of Fixed Assets at the Year-end	流动资产年末数 Annual Average Balance of Circulating Funds	主营业务收入 Sale of Products	利润总额 Total Profits	利税总额 Total Pre-tax Profits
云霄县	Yunxiao	74247	87448	323661	16549	23431
漳浦县	Zhangpu	214864	258259	585979	17658	40945
诏安县	Zhao'an	92302	106775	519602	13757	39827
长泰县	Changtai	253944	374563	757805	30136	52488
东山县	Dongshan	96711	147652	470357	14301	35785
南靖县	Nanjing	148764	414292	1054169	80319	107779
平和县	Pinghe	85924	71793	266037	23368	31730
华安县	Hua'an	304530	109291	243566	13233	22722
南平市	**Nanping**	**1770628**	**1898781**	**4843375**	**235766**	**412345**
南平市辖区	District under Nanping	710907	757375	1706363	92979	149367
邵武市	Shaowu	245378	290173	875015	18531	47697
武夷山市	Wuyishan	65949	70072	185725	12305	22009
建瓯市	Jian’ou	181824	199009	535796	32515	58266
建阳市	Jianyang	117138	218068	550328	41336	57310
顺昌县	Shunchang	189285	128870	327729	2755	17570
浦城县	Pucheng	85359	79668	283819	7002	16790
光泽县	Guangze	127084	87901	215693	24086	29596
松溪县	Songxi	20576	34203	79519	2851	6384
政和县	Zhenghe	27128	33444	83389	1405	7358
龙岩市	**Longyan**	**2268167**	**3359214**	**6852221**	**833411**	**1565424**
龙岩市辖区	District under Longyan	999541	1781691	3906309	370325	952348
漳平市	Zhangping	261822	230469	488766	41432	72199
长汀县	Changting	123569	140042	377105	14861	27617
永定县	Yongding	445965	215055	683105	72672	106981
上杭县	Shanghang	232147	812362	787211	274013	303827
武平县	Wuping	95915	78364	230963	13664	26915
连城县	Liancheng	109208	101230	378762	46445	75538
宁德市	**Ningde**	**1823772**	**1635951**	**4793913**	**162478**	**348303**
宁德市辖区	District under Ningde	253414	202476	406961	23773	33248
福安市	Fu'an	713503	758548	2091198	24611	95820
福鼎市	Fuding	179621	340157	934989	44405	88166
霞浦县	Xiapu	54683	64974	236900	22888	31151
古田县	Gutian	88256	67826	349791	24439	35443
屏南县	Pingnan	226863	51480	165010	3097	15898
寿宁县	Shouning	105281	52087	182637	4519	15498
周宁县	Zhouning	152979	38138	189721	11856	21664
柘荣县	Zherong	49172	60266	236707	2890	11415

20–16 运输邮电基本情况（2008年）

Basic Indicators of Transportation and Post, 2008

单位：公里 (km)

地区	Area	邮路单程长度 Length of Postal Route	农村投递路线总长度 Rural Delivery Routes	公路通车里程 Length of Highways in Operation
福州市	**Fuzhou**	**39550**	**10304**	**9761**
福州市辖区	District under Fuzhou	37913	1344	746
福清市	Fuqing	223	1357	1534
长乐市	Changle	49	1038	951
闽侯县	Minhou	291	1544	1309
连江县	Lianjiang	321	1192	1002
罗源县	Luoyuan	159	862	817
闽清县	Minqing	186	921	1297
永泰县	Yongtai	300	1395	1597
平潭县	Pintan	108	651	508
厦门市	**Xiamen**	**76080**	**5364**	**1837**
莆田市	**Putian**	**1629**	**4580**	**5186**
莆田市辖区	District under Putian	1359	2830	3205
仙游县	Xianyou	270	1750	1981
三明市	**Sanming**	**3718**	**10383**	**13315**
三明市辖区	District under Sanming	1290	469	1122
永安市	Yongan	290	1206	1218
明溪县	Mingxi	227	548	986
清流县	Qingliu	318	872	831
宁化县	Ninghua	203	1313	1454
大田县	Datian	231	1425	1356
尤溪县	Youxi	503	1707	2217
沙县	Shaxian	242	779	1165
将乐县	Jiangle	97	955	1050
泰宁县	Taining	176	631	877
建宁县	Jianning	141	478	1038
泉州市	**Quanzhou**	**6013**	**18283**	**13920**
泉州市辖区	District under Quanzhou	3982	2057	1252
石狮市	Shishi	30	201	334
晋江市	Jinjiang	620	6079	1230
南安市	Nan'an	40	5015	2396
惠安县	Huian	31	1308	654
安溪县	Anxi	594	1539	3351
永春县	Yongchun	196	981	2554
德化县	Dehua	520	1103	2149
漳州市	**Zhangzhou**	**2429**	**8514**	**10024**
漳州市辖区	District under Zhangzhou	958	1189	540
龙海市	Longhai	194	1781	1368

20-16 续表

Continued

单位：公里 (km)

地区	Area	邮路单程长度 Length of Postal Route	农村投递路线总长度 Rural Delivery Routes	公路通车里程 Length of Highways in Operation
云霄县	Yunxiao	96	510	596
漳浦县	Zhangpu	334	1120	1099
诏安县	Zhao'an	271	827	978
长泰县	Changtai	104	286	894
东山县	Dongshan	44	397	268
南靖县	Nanjing	66	997	1954
平和县	Pinghe	205	934	1178
华安县	Hua'an	157	473	1150
南平市	**Nanping**	**5118**	**10469**	**13441**
南平市辖区	District under Nanping	2567	1452	1685
邵武市	Shaowu	411	834	1402
武夷山市	Wuyishan	249	813	1067
建瓯市	Jian'ou	189	1333	2264
建阳市	Jianyang	236	1391	1327
顺昌县	Shunchang	415	900	1146
浦城县	Pucheng	584	1258	1838
光泽县	Guangze	189	523	820
松溪县	Songxi	80	691	762
政和县	Zhenghe	198	1274	1030
龙岩市	**Longyan**	**4501**	**8317**	**11834**
龙岩市辖区	District under Longyan	1864	1253	1853
漳平市	Zhangping	544	1855	1930
长汀县	Changting	469	1564	2098
永定县	Yongding	242	1006	1475
上杭县	Shanghang	637	1139	1745
武平县	Wuping	541	885	1175
连城县	Liancheng	204	615	1558
宁德市	**Ningde**	**2908**	**12100**	**92900**
宁德市辖区	District under Ningde	1064	1301	1084
福安市	Fu'an	410	2028	1509
福鼎市	Fuding	300	1557	1178
霞浦县	Xiapu	348	1813	1065
古田县	Gutian	91	1469	1284
屏南县	Pingnan	261	852	777
寿宁县	Shouning	314	1230	1125
周宁县	Zhouning	61	896	757
柘荣县	Zherong	59	954	507

20–17 普通教育教师及在校学生数（2008年）

Number of Teachers and Students Enrollment in Regular Schools,2008

单位：人 (person)

项目	Item	专任教师数 Full-time Teachers			在校生数 Students Enrollment		
		普通高中 Regular Senior Secondary Schools	普通初中 Regular Junior Secondary Schools	小学 Primary Schools	普通高中 Regular Senior Secondary School	普通初中 Regular Junior Secondary Schools	小学 Primary Schools
福州市	**Fuzhou**	**9197**	**17377**	**26524**	**130044**	**266686**	**462635**
福州市辖区	District under Fuzhou	3159	4921	7483	42425	70639	155668
福清市	Fuqing	1938	3546	5127	29756	65390	100946
长乐市	Changle	767	1625	2383	12085	27025	42780
闽侯县	Minhou	706	1580	2344	8887	22248	43139
连江县	Lianjiang	829	1593	2540	10834	17580	32725
罗源县	Luoyuan	276	738	1207	4094	11527	11972
闽清县	Minqing	438	1067	1794	5034	10629	20072
永泰县	Yongtai	386	905	1502	5437	14936	21129
平潭县	Pintan	698	1402	2144	11492	26712	34204
厦门市	**Xiamen**	**3405**	**5445**	**9246**	**44580**	**76109**	**176167**
莆田市	**Putian**	**5283**	**8709**	**16198**	**73064**	**142791**	**228712**
莆田市辖区	District under Putian	3708	5905	11223	50519	88518	148790
仙游县	Xianyou	1575	2804	4975	22545	54273	79922
三明市	**Sanming**	**3910**	**8290**	**14099**	**57729**	**103496**	**164587**
三明市辖区	District under Sanming	509	886	1403	8116	11802	21967
永安市	Yongan	533	1004	1669	6102	11543	20868
明溪县	Mingxi	179	329	638	2051	3387	7562
清流县	Qingliu	162	468	711	2572	4660	8655
宁化县	Ninghua	501	856	1677	7996	11827	17988
大田县	Datian	484	1225	1564	7800	18629	18481
尤溪县	Youxi	664	1523	2454	10863	19670	24764
沙县	Shaxian	313	770	1460	4803	8728	17757
将乐县	Jiangle	242	511	880	3147	5357	10168
泰宁县	Taining	152	311	796	1904	3547	7752
建宁县	Jianning	171	407	847	2375	4346	8625
泉州市	**Quanzhou**	**10806**	**20461**	**30393**	**160614**	**360099**	**531863**
泉州市辖区	District under Quanzhou	2383	3710	5359	32056	58194	80449
石狮市	Shishi	612	984	1645	8563	17200	41093
晋江市	Jinjiang	1759	3342	4807	28439	65490	147089
南安市	Nan'an	2262	4208	5764	32692	78633	90664
惠安县	Huian	1319	2792	3598	19109	50896	56177
安溪县	Anxi	1205	2918	5077	21413	57299	64598
永春县	Yongchun	725	1531	2493	10367	18870	33396
德化县	Dehua	541	976	1650	7975	13517	18397
漳州市	**Zhangzhou**	**6404**	**12461**	**20005**	**92740**	**179714**	**348376**
漳州市辖区	District under Zhangzhou	1107	1709	2074	15794	23464	45556

20–17 续表

Continued

单位：人　　(person)

项目	Item	专任教师数 Full-time Teachers			在校生数 Students Enrollment		
		普通高中 Regular Senior Secondary Schools	普通初中 Regular Junior Secondary Schools	小学 Primary Schools	普通高中 Regular Senior Secondary School	普通初中 Regular Junior Secondary Schools	小学 Primary Schools
龙海市	Longhai	1132	2178	3168	17557	32848	58046
云霄县	Yunxiao	578	1092	2138	7478	17988	33782
漳浦县	Zhangpu	1050	2458	3064	15714	28815	53238
诏安县	Zhao'an	636	1262	2338	9417	24492	44705
长泰县	Changtai	277	553	902	3985	5955	12825
东山县	Dongshan	316	471	907	4604	8248	13388
南靖县	Nanjing	472	872	1684	6447	10589	22659
平和县	Pinghe	634	1410	2806	8998	22167	53282
华安县	Hua'an	185	427	808	2491	4543	9607
南平市	**Nanping**	**3826**	**7958**	**16140**	**54897**	**110492**	**195614**
南平市辖区	District under Nanping	597	1313	2488	7817	17463	32409
邵武市	Shaowu	397	794	1661	6245	11295	18168
武夷山市	Wuyishan	241	678	1313	3951	7493	13576
建瓯市	Jian'ou	572	1187	2468	8826	17074	32450
建阳市	Jianyang	406	844	1711	5430	12332	21275
顺昌县	Shunchang	394	770	1291	5150	9762	12706
浦城县	Pucheng	446	939	2185	6082	14533	27466
光泽县	Guangze	261	316	896	3163	5845	10793
松溪县	Songxi	250	421	905	3668	4816	10545
政和县	Zhenghe	262	696	1222	4565	9879	16226
龙岩市	**Longyan**	**5603**	**8826**	**12439**	**77895**	**111340**	**166028**
龙岩市辖区	District under Longyan	913	1350	2009	11653	15630	33976
漳平市	Zhangping	533	821	1529	7704	8676	14740
长汀县	Changting	735	1347	2103	12040	20945	31987
永定县	Yongding	1133	1535	2168	14493	12613	24732
上杭县	Shanghang	941	1418	1743	13425	21404	25337
武平县	Wuping	668	1133	1549	8905	15475	19595
连城县	Liancheng	680	1222	1338	9675	16597	15661
宁德市	**Ningde**	**4097**	**9213**	**15303**	**57265**	**162209**	**197482**
宁德市辖区	District under Ningde	611	1292	2110	8379	22214	22946
福安市	Fu'an	754	1745	2761	11079	35654	41706
福鼎市	Fuding	728	1628	2603	9916	28318	35875
霞浦县	Xiapu	502	1270	2042	7063	20377	28297
古田县	Gutian	593	1113	1788	7757	16831	18161
屏南县	Pingnan	195	587	1026	2764	7751	8762
寿宁县	Shouning	297	738	1428	4200	14851	22349
周宁县	Zhouning	260	580	1001	3467	11217	12415
柘荣县	Zherong	157	260	544	2640	4996	6971

20-18 社会消费品零售总额（2008年）

Total Retail Sales of Consumer Goods ,2008

单位：万元 (10000 yuan)

地区	Area	社会消费品零售总额 Total Retail Sales of Consumer Goods
福州市	**Fuzhou**	**11343731**
福州市辖区	District under Fuzhou	8265793
福清市	Fuqing	1133407
长乐市	Changle	506640
闽侯县	Minhou	406226
连江县	Lianjiang	303882
罗源县	Luoyuan	171572
闽清县	Minqing	164015
永泰县	Yongtai	165082
平潭县	Pintan	227116
厦门市	**Xiamen**	**4189207**
莆田市	**Putian**	**2061362**
莆田市辖区	District under Putian	1716594
仙游县	Xianyou	344768
三明市	**Sanming**	**1829244**
三明市辖区	District under Sanming	499028
永安市	Yongan	369132
明溪县	Mingxi	60306
清流县	Qingliu	69180
宁化县	Ninghua	113276
大田县	Datian	151152
尤溪县	Youxi	166001
沙县	Shaxian	178558
将乐县	Jiangle	81380
泰宁县	Taining	74678
建宁县	Jianning	66553
泉州市	**Quanzhou**	**9061139**
泉州市辖区	District under Quanzhou	2366371
石狮市	Shishi	1432053
晋江市	Jinjiang	1811647
南安市	Nan'an	1273071
惠安县	Huian	877109
安溪县	Anxi	671251
永春县	Yongchun	359756
德化县	Dehua	269880
漳州市	Zhangzhou	3637827
漳州市辖区	District under Zhangzhou	1155457
龙海市	Longhai	641193
云霄县	Yunxiao	234454
漳浦县	Zhangpu	456682
诏安县	Zhao'an	323371
长泰县	Changtai	107102
东山县	Dongshan	180090
南靖县	Nanjing	205259
平和县	Pinghe	269960
华安县	Hua'an	64260
南平市	**Nanping**	**2088797**
南平市辖区	District under Nanping	534170
邵武市	Shaowu	339903
武夷山市	Wuyishan	190740
建瓯市	Jian'ou	262955
建阳市	Jianyang	194788
顺昌县	Shunchang	135291
浦城县	Pucheng	192392
光泽县	Guangze	81402
松溪县	Songxi	76291
政和县	Zhenghe	80866
龙岩市	**Longyan**	**2083577**
龙岩市辖区	District under Longyan	869336
漳平市	Zhangping	208133
长汀县	Changting	191633
永定县	Yongding	248968
上杭县	Shanghang	226422
武平县	Wuping	161822
连城县	Liancheng	177263
宁德市	**Ningde**	**1985562**
宁德市辖区	District under Ningde	356056
福安市	Fu'an	434956
福鼎市	Fuding	359738
霞浦县	Xiapu	307944
古田县	Gutian	233698
屏南县	Pingnan	76696
寿宁县	Shouning	98573
周宁县	Zhouning	69260
柘荣县	Zherong	48641

企业概况

21

General Situation of Enterprises

简要说明

本篇资料的主要内容及来源

本篇内容包括工业、建筑业和贸易企业的主要企业名录以及主要企业集团名录。

销售额前 300 家工业企业由省统计局工业交通处整理提供，建筑业总产值前 300 家建筑企业由省统计局国民经济投资统计处提供，主营业务收入前 300 家贸易企业由省统计局贸易外经统计处提供，业务收入前 100 家企业集团和资产总额前 100 家集团由国国家统计局队福建调查总队统计监测处整理和提供。

Brief Introduction

Main Content and Source of Data

Data in This chapter covers the mainly Enterprise (Group) directories of Industrial Enterprises, Construction Enterprises, Sales Enterprises and Enterprise Group.

Data on Industrial Enterprises before the three hundredth by Sales compiled and provided by the Division of Industry and Transport Statistics of Fujian Provincial Bureau of Statistics. Data on Construction Enterprises before the three hundredth by Output Value Completed by self compiled and provided by the Division of Investment and Construction Statistics. data on Sales Enterprises before the three hundredth by Main Operating Income compiled and provided by the Division of Trade and External Economic Relations Statistics .data on Enterprise Groups before one hundredth by Business Income and Enterprise Group before one hundredth by Assets compiled and provided by the Department of Monitoring Statistics, NBS survey office in Fujian.

21-1 主营业务收入前300家工业企业(2008年)

Industrial Enterprises before the three hundredth by Sales,2008

位次 No.	企业名称 Name	位次 No.	企业名称 Name
1	福建省电力有限公司	51	厦门TDK有限公司
2	福建捷联电子有限公司	52	英博雪津啤酒有限公司
3	戴尔（厦门）有限公司	53	国电福州发电有限公司
4	戴尔（中国）有限公司	54	林德(中国)叉车有限公司
5	福建省三钢(集团)有限责任公司	55	福建省安溪集荣矿业有限公司
6	福建联合石油化工有限公司	56	福建大唐国际宁德发电有限公司
7	友达光电（厦门）有限公司	57	福建凯西不锈钢有限公司
8	翔鹭石化企业(厦门)有限公司	58	福建加多宝饮料有限公司
9	龙岩烟草工业有限公司	59	福建南平太阳电缆股份有限公司
10	华阳电业有限公司	60	福建百宏聚纤科技实业有限公司
11	厦门烟草工业有限责任公司	61	福建华电可门发电有限公司
12	厦门太古飞机工程有限公司	62	福建省长乐市供电有限公司
13	泉州福海粮油工业有限公司	63	福建省长乐市金源纺织有限公司
14	厦门厦工机械股份有限公司	64	中铝瑞闽铝板带有限公司
15	南靖万利达科技有限公司	65	福建亿鑫钢铁有限公司
16	福建三安钢铁有限公司	66	厦门多威电子有限公司
17	厦门正新橡胶工业有限公司	67	福建省南平铝业有限公司
18	厦门金龙联合汽车工业有限公司	68	鸿一粮油资源股份有限公司
19	泉州市三兴体育用品有限公司	69	南安电力总公司
20	正兴车轮集团有限公司	70	厦门钨业股份有限公司
21	福建紫金矿业股份有限公司	71	厦门正新海燕轮胎有限公司
22	漳州灿坤实业有限公司	72	长乐力恒锦纶科技有限公司
23	福建省晋江市电力有限责任公司	73	福建柒牌集团有限公司
24	福建吴航不锈钢制品有限公司	74	福建省安溪新田矿产开发有限公司
25	东南（福建）汽车工业有限公司	75	祥兴(福建)箱包集团有限公司
26	日立数字映像（中国）有限公司	76	厦门众达钢铁有限公司
27	福建鑫海冶金有限公司	77	厦门建松电器有限公司
28	龙工（福建）机械有限公司	78	安踏（中国）有限公司
29	厦门华侨电子股份有限公司	79	福州大通机电有限公司
30	厦门松下电子信息有限公司	80	夏新电子有限公司
31	明达实业(厦门)有限公司	81	宏远纺织（泉州）有限公司
32	厦门翔鹭化纤股份有限公司	82	福建龙净环保股份有限公司
33	厦门ABB开关有限公司	83	福建省马尾造船股份有限公司
34	华映光电股份有限公司	84	泉州鸿星尔克体育用品有限公司
35	厦门金龙旅行车有限公司	85	福建南平南孚电池有限公司
36	福建省安溪荣德选矿厂	86	厦门通士达照明有限公司
37	联想移动通信科技有限公司	87	石狮市富贵鸟集团公司
38	福建金纶石化纤维实业有限公司	88	福建省新威电子工业有限公司
39	福建佳通轮胎有限公司	89	厦门中禾实业有限公司
40	厦门船舶重工股份有限公司	90	厦门ABB低压电器设备有限公司
41	华能国际电力股份有限公司福州电厂	91	中宇建材集团有限公司
42	厦门银鹭食品有限公司	92	福建省圣农实业有限公司
43	宸鸿科技（厦门）有限公司	93	福建省安溪闽华电池有限公司
44	厦门厦顺铝箔有限公司	94	莆田市华港制油有限公司
45	福州福大自动化科技有限公司	95	福州奋安铝业有限公司
46	腾龙特种树脂(厦门)有限公司	96	福建省石狮市电力联营公司
47	厦门华夏国际电力发展有限公司	97	锐珂(厦门)医疗器材有限公司
48	福建省闽发铝业有限公司	98	福建康宏股份有限公司
49	路达（厦门）工业有限公司	99	福建星网锐捷股份有限公司
50	中国国际钢铁制品有限公司	100	福建省青山纸业股份有限公司

21-1 续表1

Continued

位次 No.	企业名称 Name	位次 No.	企业名称 Name
101	福耀玻璃工业集团股份有限公司	151	福耀集团（福建）工程玻璃有限公司
102	达运精密工业（厦门）有限公司	152	福建振云塑业股份有限公司
103	福建统一马口铁有限公司	153	泉州天宇化纤织造实业有限公司
104	福建亚通新材料科技股份有限公司	154	厦门进雄企业有限公司
105	利胜电光源（厦门）有限公司	155	石狮市益兴针织服装有限公司
106	南方铝业(中国)有限公司	156	莆田市东南香米业发展有限公司
107	龙岩卓龙钢铁有限公司	157	飞毛腿（福建）电子有限公司
108	漳州中集集装箱有限公司	158	厦门中盛粮油企业有限公司
109	福建省南纸股份有限公司	159	长乐市长源纺织有限公司
110	厦门正新实业有限公司	160	福建源盛纺织服装城有限公司
111	明达工业(福建)有限公司	161	三六一度(福建)体育用品有限公司
112	斯舒郎体育用品有限公司	162	虎都（中国）服饰有限公司
113	石狮市大帝集团有限公司	163	福建新龙马汽车股份有限公司永安汽车厂
114	福建太平洋电力有限公司	164	福建缔邦实业有限公司
115	福建贵人鸟体育用品有限公司	165	福建新大陆电脑股份有限公司
116	福建省闽光新型材料有限公司	166	漳州蒙发利实业有限公司
117	福建煤电股份有限公司	167	福建省明光新型材料有限公司
118	福建水口发电有限公司	168	诚丰家具(中国)有限公司
119	福建省福清供电有限公司	169	才子服饰股份有限公司
120	福建省邵武化肥厂	170	大亚木业（福建）有限公司
121	福建乔丹体育用品有限公司	171	福建永强力加动力设备有限公司
122	福建中日达金属有限公司	172	蜡笔小新(福建)食品工业有限公司
123	钛积光电（厦门）有限公司	173	安踏(泉州)体育用品有限公司
124	福建福得自动化科技有限公司	174	福建省长乐市创造者锦纶实业有限公司
125	恒安（中国）卫生用品有限公司	175	泉州匹克鞋业有限公司
126	晋江市锦福化纤聚合有限公司	176	福建省龙岩发电有限责任公司
127	三六一度(中国)有限公司	177	福建省三明钢铁厂小蕉轧钢厂
128	福建省东南造船厂	178	厦门蒙发利科技(集团)有限公司
129	福建三宝特钢有限公司	179	福建三宝钢铁有限公司
130	福建松立带钢有限公司	180	漳州新福达底盘有限公司
131	福建省经纬集团有限公司	181	闽清金盛钢业有限公司
132	福建三钢（集团）三明化工有限责任公司	182	福建省长乐市华源纺织有限公司
133	连江清禄鞋业有限公司	183	诺尔起重设备(中国)有限公司
134	福建华映显示科技有限公司	184	福州通尔达电线电缆有限公司
135	福建省长乐市正隆纺织有限公司	185	长乐力源锦纶实业有限公司
136	福建省长乐市金沙港针纺实业有限公司	186	泉州红瑞兴纺织有限公司
137	厦门金鹭特种合金有限公司	187	恒安（中国）纸业有限公司
138	九牧王（中国）有限公司	188	漳州金龙客车有限公司
139	国电泉州发电有限公司	189	龙工（福建）桥箱有限公司
140	厦门太古可口可乐饮料有限公司	190	福建福马食品集团有限公司
141	厦门钢宇工业有限公司	191	捷太格特转向系统（厦门）有限公司
142	福建省长乐市宏顺型材有限公司	192	长乐市聚泉食品有限公司
143	龙岩卓鹰制铁有限公司	193	闽东赛岐经济开发区福华轧钢有限公司
144	劲霸男装股份有限公司	194	福建鼎盛五金制品有限公司
145	福建锦江科技有限公司	195	厦门宏发电声股份有限公司
146	福建省福抗药业股份有限公司	196	福建元盛食品工业有限公司
147	福建省长乐市金磊纺织有限公司	197	兴业皮革科技股份有限公司
148	福建世纪印福粮油工业有限公司	198	福建凯景钢铁开发有限公司
149	利郎(中国)有限公司	199	飞毛腿（福建）电池有限公司
150	现代时装（厦门）有限公司	200	福建鑫华股份有限公司

21-1 续表2

Continued

位次 No.	企业名称 Name	位次 No.	企业名称 Name
201	福建宝德集团有限公司	251	日本电产三协(福州)有限公司
202	升兴（福建）集团有限公司	252	喜得龙（中国）有限公司
203	泉州船舶工业有限公司	253	福建鸿星沃登卡集团有限公司
204	福建福安东大电机有限公司	254	福建湄洲湾氯碱工业有限公司
205	厦门迈昕电子科技有限公司	255	福建恒利集团有限公司
206	石狮市雄豹狼服装发展有限公司	256	福建福贞金属包装有限公司
207	福建燕京啤酒股份有限公司	257	厦门市三安光电科技有限公司
208	福建田源生物蛋白科技有限公司	258	盖奇（中国）织染服饰有限公司
209	明达玻璃（厦门）有限公司	259	福建闽光冶炼有限公司
210	福建达利食品集团有限公司	260	福建紫山集团股份有限公司
211	福建省晋江市浩沙制衣有限公司	261	福建省福安市供电有限公司
212	金冠(中国）食品有限公司	262	福建省晋江协隆陶瓷有限公司
213	莆田市天下农庄食品发展有限公司	263	福州茶花家居塑料日用品有限公司
214	锦兴（福建）化纤纺织实业有限公司	264	恒发(福建)轻工业发展有限公司
215	福建协丰鞋业有限公司	265	福建上润精密仪器有限公司
216	厦门厦工桥箱有限公司	266	福建冠福现代家用股份有限公司
217	福建南纺股份有限公司	267	福建省东南电化股份有限公司
218	双翔（福建）电子有限公司	268	福建泉州南星大理石有限公司
219	柯达（中国）股份有限公司厦门分公司	269	溪石集团发展有限公司
220	福建省长乐市金鑫纺织有限公司	270	福建省辉煌水暖集团有限公司
221	福建省龙海市供电有限公司	271	辅讯光电（厦门）有限公司
222	福建七匹狼实业股份有限公司	272	莆田德信电子有限公司
223	威兰西（中国）服饰有限公司	273	泉州市金华油脂食品有限公司
224	厦门银祥肉业有限公司	274	福建省台福食品有限公司
225	福建省万达汽车玻璃工业有限公司	275	高时（厦门）石业有限公司
226	福建省安溪供电有限公司	276	福建金牛水泥有限公司
227	石狮市吉祥鸟鞋业有限公司	277	贝莱胜电子（厦门）有限公司
228	冠捷电子（福建）有限公司	278	闽侯闽兴编织品有限公司
229	泉州嘉禾食品有限公司	279	泉州鸿绮轻工有限公司
230	厦门富士电气化学有限公司	280	莆田市集友艺术框业有限公司
231	宁德市泰格动力机械有限公司	281	九牧集团有限公司
232	厦门海莱照明有限公司	282	漳州三川钢管制品有限公司
233	安波电机(福州)有限公司	283	福建日立工机有限公司
234	福建省长乐市华威化纤有限公司	284	福建德尔惠体育用品有限公司
235	厦门百穗行科技股份有限公司	285	福建省晋江优兰发纸业有限公司
236	福建海壹食品饮料有限公司	286	福建省冠海造船工业有限公司
237	福建省足友体育用品有限公司	287	晋江市恒达陶瓷有限公司
238	石狮市猛士达鞋业有限公司	288	福建通达集团有限公司
239	福建德盛特钢有限公司	289	厦门立达信光电有限公司
240	福建三农集团股份有限公司	290	晋江市佳福化纤实业有限公司
241	漳州新格有色金属有限公司	291	福建森宝食品集团股份有限公司
242	飞亚世（石狮）体育用品有限公司	292	申鹭达集团有限公司
243	莆田新飞天鞋业有限公司	293	福建省莆田市德基电子有限公司
244	福建省惠安县供电有限责任公司	294	福建欧美龙体育用品有限公司
245	福建省长乐市金鹤毛绒有限公司	295	晋江市三福纺织实业有限公司
246	石狮市凯而来体育用品有限公司	296	石狮市希尼亚服装织造有限公司
247	福建雨丝梦洋伞实业有限公司	297	福建省联盛纸业有限责任公司
248	福建省晋江市国辉鞋服有限公司	298	晋江市天守服装织造有限公司
249	瑞声达听力技术（中国）有限公司	299	福州翔隆纺织有限公司
250	福建德和铁塔设备制造有限公司	300	福建省东升石材股份有限公司

21−2 建筑业总产值前300家建筑企业(2008年)

Construction Enterprises before the three hunderdth by Output Value Completed by self,2008

位次 No.	企业名称 Name	位次 No.	企业名称 Name
1	福建省闽南建筑工程有限公司	51	福建亨立建设集团有限公司
2	中建七局第三建筑有限公司	52	福建省九建建筑工程有限公司
3	福建建工集团总公司	53	福建省同源建设工程有限公司
4	福建省九龙建设集团有限公司	54	福建成森建设集团有限公司
5	福建六建建设集团有限公司	55	福建恒亿建设集团有限公司
6	福建省八方建筑工程有限公司	56	福建发展建设有限公司
7	福建七建集团有限公司	57	福建省土木建设实业有限公司
8	福建恒盛建筑集团有限公司	58	福建省融旗建设工程有限公司
9	中铁十七局集团第六工程有限公司	59	宁德市海军第六工程建筑处
10	福建省永泰建筑工程公司	60	福建省中大工程建设有限公司
11	福建省惠五建设工程有限公司	61	福建省华航建设工程有限公司
12	福建省泷澄建设集团有限公司	62	厦门市吉兴建筑工程有限公司
13	福建省中马建设工程有限公司	63	福建省惠三建设发展有限公司
14	福建省海天建设工程有限公司	64	福建路桥建设有限公司
15	福建省海坛隧道工程有限公司	65	福建省长乐市新纪建筑工程有限责任公司
16	福建省隆盛建设工程有限公司	66	福建省莆田市东风建筑工程有限公司
17	中交一公局厦门工程有限公司	67	福建九鼎建设工程有限公司
18	厦门中联建设工程有限公司	68	福建省闽西交通工程有限公司
19	福建省第五建筑工程公司	69	福建省惠建发建设工程有限公司
20	福建省惠东建筑工程有限公司	70	厦门中宸集团有限公司
21	中国水利水电第十六工程局有限公司	71	福建省高华建设工程有限公司
22	福建鑫泰建筑集团有限公司	72	厦门思总建设有限公司
23	中铁二十四局集团福建铁路建设有限公司	73	福州市东岱建筑工程有限公司
24	福建二建集团公司	74	厦门市广厦工程建设有限公司
25	福州市第三建筑工程公司	75	福建章诚隆建设工程有限公司
26	葛洲坝集团第六工程有限公司	76	厦门市政工程公司
27	福建工业设备安装有限公司	77	大成工程股份有限公司
28	厦门市建安集团有限公司	78	福建省来宝建筑工程开发公司
29	福建三建工程有限公司	79	华盛置业集团建设工程有限公司
30	福建地矿建设集团公司	80	福建巨岸建设工程有限公司
31	福建省榕源建设工程有限公司	81	福建省第一电力建设公司
32	福建省安泰建筑工程有限公司	82	福建四海建设有限公司
33	福建省源昌工程建设有限公司	83	莆田市建筑安装工程公司
34	福建省第一建筑工程公司	84	福建省高速公路养护工程有限公司
35	福建省隧道工程有限公司	85	福建省交建集团工程有限公司
36	福建登凯成龙建设集团有限公司	86	福建省南安市第一建设有限公司
37	中铁二十二局集团第三工程有限公司	87	厦门吉昌建筑工程有限公司
38	福建省恒基建设股份有限公司	88	福建省亿兴建筑工程有限公司
39	福建省邮电工程有限公司	89	福建向荣建设集团有限公司
40	福建宏盛建设集团有限公司	90	厦门安能建设有限公司
41	福建省第二电力建设公司	91	福建广平市政工程有限公司
42	福建卓越建设工程开发有限公司	92	福建璟榕工程建设发展有限公司
43	福建联美建设集团有限公司	93	福建省闽清第一建筑工程公司
44	福建省高德工程建设有限公司	94	福州铁建建筑有限公司
45	福州亿力电力工程有限公司	95	福建省浦口建筑工程有限公司
46	福建省水利水电工程局有限公司	96	莆田市建筑工程公司
47	福建省第一公路工程公司	97	福建煤炭工业基本建设有限公司
48	福建闽能建设工程有限公司	98	厦门市路桥机械有限公司
49	福州建工集团总公司	99	福建省晓沃建设工程有限公司
50	福建省杭辉建设工程有限公司	100	厦门安力电力工程有限公司

21-2 续表1

Continued

位次 No.	企业名称 Name	位次 No.	企业名称 Name
101	福建第二公路工程有限公司	151	厦门地山市政工程有限公司
102	福建省利恒建设工程有限公司	152	福建士鼎钢铁有限公司
103	莆田市涵城建筑工程有限公司	153	福建省上杭县亿鑫钢业有限公司
104	福建省永富建筑工程有限公司	154	福建省金正建筑工程有限公司
105	福建城建建设有限公司	155	福建金宇工程有限公司
106	厦门电力工程集团有限公司	156	厦门准信机电工程有限公司
107	福建兴艺建设集团有限公司	157	福建红建工程有限公司
108	福州市第一建筑工程公司	158	福建省闽清县第三建筑工程公司
109	泉州亿兴电力建设有限公司	159	福建省永旺建设工程有限公司
110	福建省永泰县第三建筑工程公司	160	福建福阳建筑工程有限公司
111	厦门辉煌装修工程有限公司	161	福建省顺安建筑工程有限公司
112	厦门市嘉颐建筑工程股份有限公司	162	厦门东科工程建设有限公司
113	福建宏峰水利水电建筑工程有限公司	163	福建三元达通讯股份有限公司
114	福建兴万祥建设集团有限公司	164	厦门龙达建设集团有限公司
115	泉州市亿民建设发展有限公司	165	福建永清华建设工程有限公司
116	福建实联建筑工程有限公司	166	福建省琯头建筑工程有限公司
117	福建省晋江市电力劳动服务有限公司	167	福建联发建设工程有限公司
118	福建省惠安房屋建造实业公司	168	福建省亿鑫建设有限公司
119	漳州新源电力工程有限公司	169	福建省远大工程建设有限公司
120	福建联泰建设工程有限公司	170	合程(厦门)建筑装饰工程有限公司
121	福建省泉州市建筑工程有限公司	171	福建省闽楚建设工程有限公司
122	福建闽发建筑工程有限公司	172	福建省邵武三建工程有限公司
123	福建省潮兴建设工程有限公司	173	福建省金泉建设工程有限公司
124	福建霞浦金城建设有限公司	174	厦门宗顺建筑工程有限公司
125	长乐市建筑工程总公司	175	莆田市飞阳建筑工程有限公司
126	福建省莆田市电力工程有限公司	176	福州第七建筑工程有限公司
127	厦门环海华建筑工程有限公司	177	福建纵横建筑工程有限公司
128	厦门市同安区第一建筑工程公司	178	厦门大学建筑工程公司
129	福建省吴航建筑工程有限公司	179	福建省莆田市联发建筑工程有限公司
130	福建省龙芝建筑工程有限公司	180	福州三桥建筑工程有限公司
131	厦门开联装饰工程有限公司	181	龙岩亿力电力工程有限公司
132	福建省惠一建设工程有限公司	182	厦门市万安实业有限公司
133	福建省福圣建设有限公司	183	福建省环宇建筑工程有限公司
134	福建中择建设有限公司	184	福建鑫九洲建筑工程有限公司
135	福建华通路桥建设有限公司	185	厦门市莲湖建筑工程有限公司
136	福建省成信工程有限公司	186	福建省龙洲建筑工程有限公司
137	福建省仁宏机电保温工程有限公司	187	福建中顺建筑工程有限公司
138	福建省中嘉建设有限公司	188	福建省东昇建设工程有限公司
139	福建省世新工程营造有限公司	189	石狮市亿力实业有限责任公司
140	福建省透堡建筑工程有限公司	190	福建省亿方建筑工程有限公司
141	福建华星建设工程有限公司	191	福建省昌源建筑工程有限公司
142	福建蓝桥建筑工程有限公司	192	福建省上杭鸿阳矿山工程有限公司
143	福建天虹建设工程有限公司	193	福建省汀江水电工程有限公司
144	福建弘祥建设工程有限公司	194	三明亿源电力工程建设有限公司
145	福建省上杭县富达矿建工程有限公司	195	厦门纵横集团建设开发有限公司
146	福建省榕圣市政工程股份有限公司	196	华宇(福建)置业集团总公司
147	福建新纪建设集团有限公司	197	福建省金恒昌建筑工程有限公司
148	福建景翔建设工程有限公司	198	福建闽通建设集团有限公司
149	福州联丰建筑装饰工程有限公司	199	福建麒麟建设工程有限公司
150	福建省林业工程承包公司	200	福建省桃城建设工程有限公司

21–2 续表2

Continued

位次 No.	企业名称 Name	位次 No.	企业名称 Name
201	志品福州技术工程有限公司	251	泉州市丰泽建筑工程有限公司
202	福建华通电讯工程有限公司	252	厦门双运建筑工程有限公司
203	福建省隆恩建设集团有限公司	253	福建宏大建设工程有限公司
204	龙岩市西安建筑工程有限公司	254	福建省鑫景建筑工程有限公司
205	福建贯顺建设工程有限公司	255	福建省安立信实业集团有限公司
206	神州建设有限公司	256	福建八建建筑工程有限公司
207	福建省中城建设工程有限公司	257	福建省泉州市第一建筑工程公司
208	永同昌建设集团有限公司	258	福建省燕城建设工程有限公司
209	莆田市城厢区建筑工程公司	259	福建省华丰建设工程有限公司
210	福建省锦秋建筑工程有限公司	260	福建恒声建设发展有限公司
211	福建永东南建设工程公司	261	福建中森建设有限公司
212	福州青隆建筑工程有限公司	262	厦门龙安盛装修工程有限公司
213	福建昌鑫建设工程有限公司	263	福建省科丰电讯工程有限公司
214	厦门市聚雄市政工程有限公司	264	福建宏基建设工程有限公司
215	福建省正泰建设工程有限公司	265	武夷山市东晖建设工程有限公司
216	福建省华辉建设发展有限公司	266	福建省城乡建设工程有限公司
217	福建市政建设有限公司	267	福建省华能保温安装发展有限公司
218	福建鹏兴建设工程有限公司	268	永安市宏盛工程有限公司
219	福建祥瑞建设发展有限公司	269	福建省五建装修装饰工程公司
220	长乐市电力服务公司	270	福建省港口工程公司
221	福州闽邑建筑工程有限公司	271	龙岩永强岩土工程有限公司
222	福建省金建建设工程有限公司	272	福建邮科通信技术有限公司
223	福建省南平闽延电力建设有限公司	273	福建元宏建筑工程有限公司
224	福建省金通建设集团有限公司	274	三明市第一建筑工程公司
225	厦门柏事特信息科技有限公司	275	福建省天闽建筑装饰有限公司
226	福建南阳建筑工程有限公司	276	福建歌楠雅建设工程有限公司
227	厦门市特水集团有限公司	277	福鼎市市政工程有限公司
228	中泛建设集团有限公司	278	福建省霞浦恒晟建设工程有限公司
229	万友消防工程集团有限公司	279	福建省华峰建筑发展有限公司
230	泉州市宝洲电力建设有限公司	280	福建省昌昇建工有限公司
231	福建省东日工程有限公司	281	福建省九天建设工程有限公司
232	福建省电力工程承包公司	282	厦门市广科建设有限公司
233	福清市第二建筑工程公司	283	福建省永辉霞建设工程有限公司
234	福州市建筑安装工程公司	284	福州仓建建筑工程有限公司
235	福鼎市第三建筑工程有限公司	285	福建省长汀县第一建筑工程有限公司
236	厦门海投工程建设公司	286	厦门市中林建设工程有限公司
237	莆田市华润建设工程有限公司	287	莆田市秀湄建筑工程有限公司
238	福州市第二建筑工程公司	288	福建亿达建筑工程有限公司
239	福建省上杭县光源建筑工程有限公司	289	福建省宁德市水利电力工程局
240	福建三钢冶金建设有限公司	290	福建省上杭县灿兴矿建有限公司
241	福建省凯第建筑工程有限公司	291	福建省地质工程公司
242	厦门思明第三建筑工程有限公司	292	龙岩市东肖建筑工程有限公司
243	福清市三建建筑工程有限公司	293	福建福华建设工程有限公司
244	福建省泉发建设工程有限公司	294	福建志海建设有限公司
245	厦门东方设计装修工程有限公司	295	福建省金杭市政工程有限公司
246	福建东陵建筑工程有限公司	296	福建省福鑫矿业投资集团有限公司
247	福建径坊建造工程有限公司	297	厦门鲁班源屋营造有限公司
248	福建立盛建筑有限公司	298	厦门市港龙装修工程有限公司
249	福建省鑫炎建筑工程有限公司	299	福建省长龙建筑工程有限公司
250	福建省东兴建筑工程有限公司	300	福建新华源建筑工程有限公司

21-3 主营业务收入前300家贸易企业(2008年)

Sales Enterprises before the three Hundredth by Main Operating Income,2008

位次 No.	企业名称 Name	位次 No.	企业名称 Name
1	厦门建发股份有限公司	51	厦门展志投资有限公司
2	中石化森美(福建)石油有限公司	52	福建同春药业股份有限公司
3	厦门国贸集团股份有限公司	53	福建省新世纪经贸发展有限公司
4	福建恒安集团厦门商贸有限公司	54	沃尔玛深国投百货有限公司福州山姆会员商店
5	厦门象屿集团有限公司	55	厦门英南进出口有限公司
6	中国石油化工股份有限公司福建石油分公司	56	厦门航空开发股份有限公司
7	福建省烟草公司泉州分公司	57	住重中骏（厦门）建机有限公司
8	福建省烟草公司福州分公司	58	福建陆地石油有限公司
9	厦门信达股份有限公司	59	厦门华特集团有限公司
10	福建省农资集团公司	60	中国石油天然气股份有限公司福建福州销售分公司
11	福建省烟草公司漳州分公司	61	莆田市宏发钢材交易市场有限公司
12	厦门安踏贸易有限公司	62	泉州闽中燃港丰石化有限公司
13	福建永辉集团有限公司	63	厦门青岛啤酒东南营销有限公司
14	福建省烟草公司三明市公司	64	厦门兴海龙石油有限公司
15	厦门夏商贸易有限公司	65	厦门市旺紫洲工贸有限公司
16	嘉晟对外贸易有限公司	66	福州轻工业进出口有限公司
17	漳州新鑫贸易有限公司	67	福建炼油化工有限公司
18	厦门路桥工程物资有限公司	68	福建厦门医药采购供应站
19	福建省烟草公司南平市公司	69	泉州新华都购物广场有限公司
20	福建省龙岩烟草分公司	70	厦门国贸化纤有限公司
21	厦门市烟草公司	71	福大自动化科技有限公司
22	厦门市中信隆进出口有限公司	72	福建九州通医药有限公司
23	厦门明鑫达贸易发展有限公司	73	三明市永达物资贸易有限公司
24	福建亿力电力物资有限公司	74	中国石油天然气股份有限公司泉州销售分公司
25	福建凯西钢铁集团有限公司	75	厦门夏商农产品集团有限公司
26	永恩投资(集团)有限公司	76	福建超大畜牧业有限公司
27	福建新华发行（集团）有限公司	77	福建申泰邮电器材有限公司
28	厦门海益国际贸易有限公司	78	福建东百集团股份有限公司
29	福州闽台茶业有限公司	79	厦门海翼厦工金属材料有限公司
30	厦门华澄集团有限公司	80	中国卷烟销售公司厦门卷烟调拨站
31	福州华闽进出口有限公司	81	福建省大东石油化工有限公司
32	晋江市进出口有限公司	82	福建省格力空调销售有限责任公司
33	厦门七匹狼服装营销有限公司	83	厦门中宝汽车有限公司
34	福建省烟草公司宁德分公司	84	厦门富山诚达百货商业广场有限公司
35	厦门鑫东森集团有限公司	85	厦门海宏物流有限公司
36	厦门集力发展股份有限公司	86	福建省高速公路华陆管理有限公司
37	厦门象屿宝发有限公司	87	厦门骏泰通用机械有限公司
38	厦门海沧经济贸易发展总公司	88	福建省旅游贸易有限公司
39	福建省烟草公司莆田市公司	89	厦门拓兴成贸易有限公司
40	福州国美电器有限公司	90	厦门市鹭甬石油化工有限公司
41	龙岩鸿裕贸易有限公司	91	厦门凯昇贸易有限公司
42	厦门育哲进出口有限公司	92	福建新吉福企业有限公司
43	厦门嘉联恒进出口有限公司	93	泉州五矿（集团）公司
44	厦门市中鹭达进出口有限公司	94	厦门森宝集团有限公司
45	福建和盛集团有限公司	95	石狮市龙整进出口贸易有限公司
46	厦门成大进出口贸易有限公司	96	福建省建州闽光物资有限公司
47	中国航空技术进出口厦门公司	97	福建新华都购物广场股份有限公司
48	国投京闽（福建）工贸有限公司	98	泉州市华田工贸有限公司
49	福州喜盈门实业有限公司	99	福州中宝销售服务有限公司
50	福建省泉州万国发展有限公司	100	福建永乐商业家电有限公司

21-3 续表1

Continued

位次 No.	企业名称 Name	位次 No.	企业名称 Name
101	福建省五金矿产厦门进出口公司	151	中骏重工（厦门）有限公司
102	福建福泰钢铁有限公司	152	福建省石狮市长江实业有限公司
103	福建闽钢实业发展有限公司	153	厦门永商家电有限公司
104	福州华物实业(集团)有限公司	154	厦门卓信行进出口有限公司
105	厦门市天虹商场有限公司	155	福州涟盛贸易有限公司
106	中国航空油料有限公司福建分公司	156	福州神州数码有限公司
107	泉州化建物流的限公司	157	厦门国美电器有限公司
108	泉州福宝汽车销售服务有限公司	158	福州玖玖丰田汽车销售服务有限公司
109	福建省医药（集团）有限责任公司	159	福州麦多万嘉超市有限公司
110	福建中邮普奉送移动通信设备有限公司	160	厦门佳事通贸易有限公司
111	厦门钟易进出口贸易有限公司	161	福州常春药业有限公司
112	中国石油天然气股份有限公司福建省漳州销售分公司	162	厦门市荣鑫行化工有限公司
113	福建浩伦东方资源物产有限公司	163	福州中城大洋百货有限公司
114	福建省三农酸钙有限责任公司	164	华融实业有限公司
115	厦门华闽进出口有限公司	165	厦门厦商集团有限公司
116	福建省莆田市华闽进出口有限公司	166	厦门信和达电子有限公司
117	三明市物资再生利用有限公司	167	厦门华润燃气有限公司
118	五矿钢铁福州有限公司	168	福州瑞联贸易有限公司
119	中国石油天然气股份有限公司福建厦门销售分公司	169	福州开发区福燃煤炭运销有限公司
120	福建吉马集团有限公司	170	福州开发区高龙物流有限公司
121	厦门锦厦科技有限公司	171	厦门康新农资有限公司
122	福州曼伯罗食品有限公司	172	厦门中马进出口有限公司
123	泉州市烟草公司城区分公司	173	厦门金华南进出口有限公司
124	厦门森那美信昌机器工程有限公司	174	厦门大嘉企业有限公司
125	弘商物资有限公司	175	福建省惠安县进出口贸易公司
126	福建苏宁电器有限公司	176	福州永力通汽车贸易有限公司
127	厦门银鹭集团有限公司	177	福建省优拓贸易有限公司
128	厦门海润出口有限公司	178	福州中升丰田汽车销售有限公司
129	中国轻鑫工程厦门有限公司	179	福州达爵贸易有限公司
130	福建中鹭医药有限公司	180	厦门福厦苏宁电器有限公司
131	厦门中兵贸易有限公司	181	重庆海尔家电销售有限公司福州分公司
132	厦门中舜进出口有限公司	182	福建省饲料工业公司
133	龙岩瑞荣通用金属材料有限公司	183	厦工机械销售有限公司
134	福建中闽化工有限公司	184	福建阳光实业发展股份有限公司
135	BP（福建）石油有限公司	185	厦门肯德基有限公司
136	福建省南安市苏闽石油公司	186	厦门好聚合进出口有限公司
137	福建省榕江进出口公司	187	福建小松工程机械有限公司
138	厦门森宝电子科技集团有限公司	188	厦门中谷粮油贸易有限公司
139	厦门良和钢铁销售有限公司	189	厦门协力粮油食品进出口有限公司
140	福建省漳州市对外贸易公司	190	厦门市海德信进出口有限公司
141	加怡（福建）进出口贸易有限公司	191	泉州宝闽钢材有限公司
142	厦门天润贸易有限公司	192	福州展志钢铁有限公司
143	福州之星汽车贸易有限公司	193	福建省晋江市金煌建材有限公司
144	福建神福能源发展有限公司	194	福建鹭岛海鸥实业有限公司
145	福州南洋金象珠宝首饰有限公司	195	福安市医药有限公司
146	厦门高熙有限公司	196	福州恒瑞金属材料有限公司
147	厦门鹭燕医药有限公司	197	福建省福维尔进出口有限公司
148	福建新华都综合百货有限公司	198	福州意玛贸易有限公司
149	本钢钢铁销售有限公司	199	福州周大生珠宝首饰有限公司
150	厦门古龙进出口有限公司	200	厦门市盈众汽车销售有限公司

21–3 续表2

Continued

位次 No.	企业名称 Name	位次 No.	企业名称 Name
201	厦门国贸实业有限公司	251	厦门塞尔福汽车有限公司
202	福建驿缘通信设备有限公司	252	福州恒翔贸易有限公司
203	福建漳诏高速公路服务有限公司漳州分公司	253	厦门市信达安贸易有限公司
204	福建省丰吉汽车贸易有限公司	254	厦门森宝食品贸易有限公司
205	泉州嘉太中外名酒有限公司	255	福建省润通汽车销售服务有限公司
206	福州中升雷克萨斯汽车销售有限公司	256	福建省泉州市对外贸易公司
207	福建省医药公司	257	百胜餐饮（福州）有限公司
208	厦门宇信兴业进出口贸易有限公司	258	厦门鑫通贸易有限公司
209	泉州市泉港区爱德利贸易有限公司	259	中国石油福建龙岩销售分公司
210	福州建发实业有限公司	260	福建瑞宏经贸有限公司
211	福建荣强贸易有限公司	261	厦门市国光工贸发展有限公司
212	南安市中油油品经销有限公司	262	片仔癀漳州市医药有限公司
213	福建吉马经贸有限公司	263	广州旺旺食品有限公司福州分公司
214	厦门新五菱汽车销售有限公司	264	联强国际贸易（中国）有限公司福州分公司
215	厦门俊永商贸有限公司	265	福建福日实业发展有限公司
216	厦门中达丰田汽车服务有限公司	266	厦门市华东海石油仓储有限公司
217	泉州市粮油食品进出口公司	267	厦门湄州进出口有限公司
218	厦门振华实业公司	268	福州嘉利德斯汽车贸易有限公司
219	福建省泉州市侨乡建材公司	269	泉州招商石化有限公司
220	厦门市明穗粮油贸易有限公司	270	长乐市对外贸易公司
221	福建省鹭明鑫能源发展有限公司	271	厦门外图进出口有限公司
222	福建省莆田富力进出口有限公司	272	厦门宏仁医药有限公司
223	福宁高速公路服务有限公司	273	福建省金属材料有限公司
224	厦门市立达信进出口有限公司	274	石狮中油通用石油销售有限公司
225	泉州市七匹狼体育用品有限公司	275	厦门仲盛贸易有限公司
226	厦门银祥食品有限公司	276	福州保税区东港实业有限公司
227	厦门中升丰田汽车销售服务有限公司	277	福州市粮食购销有限公司
228	福建同发食品集团有限公司	278	厦门昌和贸易发展有限公司
229	福建东南医药有限公司	279	厦门空港航星汽车维修服务有限公司
230	漳州市益信物资有限公司	280	福建三明市外贸发展有限公司
231	厦门兴大进出口贸易有限公司	281	宁德市烟草公司福鼎分公司
232	厦门三峡国际贸易有限公司	282	福州蒙鑫贸易有限公司
233	泉州鹏润国美电器有限公司	283	福州中机中泰汽车销售有限公司
234	三明三化联合化肥销售有限公司	284	福建天宝矿业集团股份有限公司
235	福州计通信息技术有限公司	285	福州联合实业有限公司
236	龙海市多棱物资回收有限公司	286	福建泉州市华远电讯有限公司
237	海富特（福州）进出口有限公司	287	三明市永兴物资贸易有限公司
238	福建鑫三元商贸有限公司	288	漳州市国立贸易有限公司
239	福州恒源液化石油气有限公司	289	福建宏图三胞科技发展有限公司
240	厦门信达诺汽车销售服务有限公司	290	福建新中冠计算机系统工程有限公司
241	福建远洋渔业集团公司	291	厦门大邦通商汽车贸易有限公司
242	福州家乐福商业有限公司	292	福建省储备粮管理有限公司
243	厦门市四美达科技发展有限公司	293	福建省化工建材有限公司
244	福建省煤炭进出口公司	294	漳州市宏晖工贸有限公司
245	厦门市鹭欣嘉贸易有限公司	295	厦门格朗经贸有限公司
246	厦门科华恒盛股份有限公司	296	厦门合胜贸易有限公司
247	福建闽迈特五矿有限责任公司	297	福建省永春县对外贸易公司
248	福建省盐业公司	298	漳州宝鼎贸易有限公司
249	福建省燃料有限责任公司	299	厦门钢立投资有限公司
250	福建紫金建材集团有限公司	300	福建省漳州市东厦物资有限公司

21-4 业务收入前100家企业集团(2008年)

Enterprise Groups before one hundredth by Business Income,2008

位次 No.	企业名称 Name	位次 No.	企业名称 Name
1	厦门建发集团	51	福建泰格动力机械集团
2	福建省冶金(控股)有限责任公司	52	石狮市富贵鸟集团
3	厦门国贸控股有限公司	53	福建吉马集团
4	厦门机电集团	54	厦门市东方龙集团
5	厦门象屿集团	55	中宇建材集团
6	紫金矿业集团	56	福建省建材(控股)有限责任公司
7	福建省煤炭工业集团	57	福建省圣农集团
8	厦门夏商集团	58	福建东百集团
9	福建建工集团	59	福建新大陆科技集团
10	厦门路桥建设集团	60	福建实达电脑集团
11	恒安集团	61	福建新华发行集团
12	福建龙工集团	62	厦门市建安集团
13	福建省船舶工业集团	63	厦门公交集团
14	福耀玻璃工业集团	64	福建省烟山集团
15	福建省电子信息集团	65	福建三安集团
16	万利达集团	66	厦门银祥集团
17	福建永辉集团	67	南益集团
18	福建省轻纺(控股)有限责任公司	68	福建地矿建设集团
19	厦门轻工集团	69	惠尔康集团
20	福建省亿力电力集团	70	石狮市大帝集团
21	厦门港务控股集团	71	福建财茂集团
22	福建省汽车工业集团	72	福建省海新集团
23	厦门海沧投资总公司	73	石狮市健健集团
24	福建省交通运输(控股)有限责任公司	74	福建德和集团
25	永恩集团	75	福建省浔兴集团
26	福建省农资集团	76	福州华物实业集团
27	厦门银鹭集团	77	福建金冠集团
28	福州建工集团	78	厦门水务集团
29	百宏(中国)集团	79	福建凤竹集团
30	福建三木集团	80	厦门森宝集团
31	中国(福建)对外贸易中心集团	81	福建旷远集团
32	福建永大集团	82	福建安波电机集团
33	新华都实业集团	83	福建紫山集团
34	福建六建建设集团	84	福建省物资集团
35	福建省创世纪投资集团	85	福建中旅集团
36	厦门国际航空港集团	86	福建三农集团
37	福建石油化工集团	87	福建万兴隆集团
38	正兴车轮集团	88	泉州五矿集团
39	福建省机电(控股)有限责任公司	89	福建泉州美岭集团
40	福建经纬集团	90	福建漳州发展股份有限公司
41	福建大丰投资集团	91	福建标新易开盖集团
42	福建和盛集团	92	福建优兰花集团
43	福建柒牌集团	93	福建向荣建设集团
44	福建恒盛建筑集团	94	福建省黎明企业集团
45	厦门经济特区房地产开发集团	95	九牧集团
46	福建宏远集团	96	福建恒利集团
47	福建七匹狼集团	97	福建省荣泰物流集团
48	福建天成集团	98	福建立达信集团
49	福建二建建设集团	99	福建成森建设集团
50	泉州匹克集团	100	福建省医药集团

21－5 资产总额前100家集团(2008年)

Enterprise Groups before one hundredth by Business Income,2008

位次 No.	企业名称 Name	位次 No.	企业名称 Name
1	厦门路桥建设集团	51	福建永大集团
2	福建省冶金(控股)有限责任公司	52	福建德和集团
3	厦门建发集团	53	福建永辉集团
4	紫金矿业集团	54	福建省机电(控股)有限责任公司
5	厦门机电集团	55	福建新华发行集团
6	福建省煤炭工业集团	56	福建新大陆科技集团
7	厦门港务控股集团	57	福建省农资集团
8	厦门国贸控股有限公司	58	福建经纬集团
9	新华都实业集团	59	福建省圣农集团
10	福耀玻璃工业集团	60	福建凤竹集团
11	厦门火炬集团	61	石狮市健健集团
12	恒安集团	62	福建天成集团
13	福建省船舶工业集团	63	福建省浔兴集团
14	厦门经济特区房地产开发集团	64	福建国航远洋运输（集团）
15	厦门海沧投资总公司	65	神州学人集团
16	福建省亿力电力集团	66	福建实达电脑集团
17	福建省轻纺(控股)有限责任公司	67	厦门公交集团
18	福建龙工集团	68	福建东百集团
19	厦门象屿集团	69	福建吉马集团
20	福建省交通运输(控股)有限责任公司	70	福建太禹集团
21	福建建工集团	71	福建地矿建设集团
22	厦门轻工集团	72	福建漳州发展股份有限公司
23	福建省汽车工业集团	73	新东阳企业集团
24	福建七匹狼集团	74	福建六建建设集团
25	福建省电子信息集团	75	惠尔康集团
26	厦门国际航空港集团	76	福建二建建设集团
27	福州建工集团	77	福建中旅集团
28	百宏(中国)集团	78	福建省成龙集团
29	厦门水务集团	79	福建龙溪轴承集团
30	福建中庚实业集团	80	福建联众集团
31	福建投资企业集团	81	福建向荣建设集团
32	万利达集团	82	厦门华远建设集团
33	厦门夏商集团	83	福建大创水电集团
34	福建石油化工集团	84	福建春驰水泥集团
35	福建省华兴集团	85	福建省丰泉环保集团
36	正兴车轮集团	86	泉州正大集团
37	福建投资开发总公司	87	厦门涌泉集团
38	福建和盛集团	88	菲莉(福建)集团
39	福建三安集团	89	福州聚春园集团
40	福建三木集团	90	福建省创世纪投资集团
41	厦门源昌集团	91	中宇建材集团
42	明发集团	92	石狮市富贵鸟集团
43	福建正荣集团	93	厦门银祥集团
44	中国(福建)对外贸易中心集团	94	福建大丰投资集团
45	南益集团	95	九牧集团
46	漳州片仔癀集团	96	石狮市大帝集团
47	永恩集团	97	辉煌水暖集团
48	福建省建材(控股)有限责任公司	98	武夷山旅游集团
49	厦门银鹭集团	99	泉州港务集团
50	宝龙集团	100	福建省烟山集团

海峡西岸经济区主要经济指标

22

The Main Economy and Social Indicators of the region in the West Side of the Straits Economic Area

简要说明

本篇资料的主要内容及来源

本篇资料反映了海峡西岸经济区各设区的市经济社会发展基本情况，主要包括行政区划、人口、地区生产总值及其构成、劳动工资、财政、农业、工业、投资、建筑业、交通运输、国内贸易、进出口、价格指数等方面的资料。

本篇资料由江西省统计局、浙江省统计局、广东省统计局和福建省统计局综合统计处整理提供。

Brief Introduction

Main Content and Source of Data

Data in this chapter reflect the basic socio economic development of some Urban districts of the region In the west side of the Straits Economic Area, mainly including divisions of administrative areas, population, GDP and its components, wages, finance, agriculture, industry, investment, construction industry, communications, domestic trade, exports and imports, price indices and livelihood etc.

Data in this chapter are compiled and provided by the Division of Comprehensive Statistics of Jiangxi, Zhejiang, Guangdong and the Divison of Comprehensive Satatistics of the Fujian Provincial Bureau of Statistics.

22–1 海峡西岸经济区各市生产总值、规模以上工业增加值

The GDP and Value-added of Industrial Enterprises above Designated Size of Main region in the West Side of the Straits Economic Area

单位：亿元　　(100 million yuan)

地区	Area	地区生产总值 Gross Domestic Product				工业增加值 Gross Industrial Value-added			
		2007		2008		2007		2008	
		总计 Total	比上年增长(%) Ratio(%)	总计 Total	比上年增长(%) Ratio(%)	总计 Total	比上年增长(%) Ratio(%)	总计 Total	比上年增长(%) Ratio(%)
总计	**Total**	**16136.47**	**15.2**	**18887.27**	**12.6**	**5766.99**	**22.0**	**6890.53**	**17.8**
福州市	Fuzhou	1974.58	15.1	2284.16	13.0	744.55	21.6	805.18	17.0
厦门市	Xiamen	1387.85	16.6	1560.02	11.1	661.53	16.9	680.36	12.0
莆田市	Putian	511.70	16.5	609.96	15.0	223.40	23.6	281.01	22.2
三明市	Sanming	545.69	15.5	666.92	14.2	200.28	23.4	271.13	24.8
泉州市	Quanzhou	2283.70	15.9	2705.29	14.1	1037.39	21.7	1207.27	19.1
漳州市	Zhangzhou	854.81	15.1	1002.02	13.6	265.37	21.8	310.63	20.4
南平市	Nanping	466.58	15.0	559.14	14.1	126.86	22.6	158.75	20.3
龙岩市	Longyan	553.44	15.8	672.85	14.5	229.11	26.7	287.09	18.6
宁德市	Ningde	457.46	16.6	542.67	14.6	110.21	36.4	140.30	25.8
温州市	Wenzhou	2158.91	14.3	2424.29	8.5	830.07	15.8	881.27	5.5
丽水市	Lishui	433.94	15.9	505.68	11.8	143.18	24.7	198.81	23.3
衢州市	Quzhou	478.50	16.5	580.05	13.0	151.72	22.8	203.21	20.5
汕头市	Shantou	850.10	13.0	974.78	10.5	264.29	16.4	322.28	18.0
梅州市	Meizhou	410.62	12.5	477.88	10.2	109.25	16.3	127.04	9.5
潮州市	Chaozhou	380.20	14.2	442.76	12.0	115.35	23.8	131.25	14.5
揭阳市	Jieyang	585.90	18.1	725.03	16.0	156.23	40.7	214.73	36.7
上饶市	Shangrao	528.12	13.7	628.34	13.5	134.17	38.1	178.99	26.5
鹰潭市	Yingtan	204.78	14.0	256.61	14.2	123.20	20.8	143.48	22.1
抚州市	Fuzhou	367.92	14.0	434.05	14.2	93.31	30.5	114.60	22.1
赣州市	Ganzhou	701.68	13.5	834.77	13.2	173.09	28.7	233.15	22.3

22–2 海峡西岸经济区各市全社会固定资产投资

Total Investment in Fixed Assets in the West Side of the Straits Economic Area

地区	Area	全社会固定资产投资（亿元） Total Investment in Fixed Assets(100 million yuan)			
		2007		2008	
		总计 Total	比上年增长(%) Ratio(%)	总计 Total	比上年增长(%) Ratio(%)
总计	**Total**	**7275.49**	**31.0**	**8801.92**	**21.0**
福州市	Fuzhou	1001.45	36.7	1252.71	25.1
厦门市	Xiamen	927.70	40.1	931.38	0.4
莆田市	Putian	240.93	45.9	301.83	25.3
三明市	Sanming	363.14	50.5	512.74	41.2
泉州市	Quanzhou	695.11	40.6	860.66	23.8
漳州市	Zhangzhou	327.04	36.6	441.40	35.0
南平市	Nanping	299.48	38.7	396.29	32.3
龙岩市	Longyan	248.63	50.8	322.61	29.8
宁德市	Ningde	181.31	14.8	237.22	30.8
温州市	Wenzhou	737.03	14.2	758.12	2.9
丽水市	Lishui	237.26	6.8	248.85	4.9
衢州市	Quzhou	317.00	15.9	361.17	13.9
汕头市	Shantou	206.96	17.1	261.36	26.3
梅州市	Meizhou	137.73	6.2	141.64	14.0
潮州市	Chaozhou	121.04	10.3	128.31	6.2
揭阳市	Jieyang	201.29	32.4	265.79	32.0
上饶市	Shangrao	411.04	29.1	515.40	25.4
鹰潭市	Yingtan	95.00	30.0	128.17	64.3
抚州市	Fuzhou	226.05	42.5	336.27	48.8
赣州市	Ganzhou	300.30	34.7	400.00	33.0

22–3 海峡西岸经济区各市社会消费品零售总额、进出口总额

Total Retail Sales of Consumer Goods and Total Exports and Imports in the West Side of the Straits Economic Area

地区	Area	社会消费品零售总额（亿元） Total Retail Sales of Consumer Goods(100 million yuan)				海关进出口总额（亿美元） Total Exports and Imports(customs)			
		2007		2008		2007		2008	
		总计 Total	比上年增长(%) Ratio(%)	总计 Total	比上年增长(%) Ratio(%)	总计 Total	比上年增长(%) Ratio(%)	总计 Total	比上年增长(%) Ratio(%)
总计	**Total**	**6038.67**	**17.8**	**7290.02**	**20.7**	**1025.44**	**19.4**	**1176.53**	**14.7**
福州市	Fuzhou	940.99	21.3	1134.37	20.6	186.52	18.4	203.20	8.9
厦门市	Xiamen	362.05	15.0	418.92	15.7	397.83	21.3	453.90	14.1
莆田市	Putian	172.86	18.5	206.14	19.3	21.56	26.2	23.20	7.6
三明市	Sanming	149.28	18.5	182.92	22.5	8.71	44.0	7.90	-9.3
泉州市	Quanzhou	755.66	16.8	906.11	19.9	61.64	12.3	85.00	37.9
漳州市	Zhangzhou	302.28	17.0	363.78	20.3	46.49	9.0	53.20	14.4
南平市	Nanping	174.40	15.6	208.88	19.8	6.26	20.2	7.60	21.4
龙岩市	Longyan	167.72	15.0	208.36	24.2	2.71	37.6	5.40	99.3
宁德市	Ningde	162.64	16.3	198.56	22.1	6.18	41.1	8.80	42.4
温州市	Wenzhou	906.46	16.3	1082.95	19.5	122.48	23.8	139.92	14.3
丽水市	Lishui	169.07	16.1	202.98	20.1	8.43	48.2	12.68	50.4
衢州市	Quzhou	179.45	16.6	215.61	20.2	10.61	65.8	13.25	24.9
汕头市	Shantou	473.21	18.1	569.16	20.3	61.10	12.9	62.98	3.1
梅州市	Meizhou	184.04	19.0	228.03	23.9	5.28	13.8	7.63	44.5
潮州市	Chaozhou	141.52	19.8	170.63	20.6	21.96	-4.3	22.56	2.7
揭阳市	Jieyang	208.92	23.3	265.29	27.0	20.87	23.6	24.63	18.0
上饶市	Shangrao	186.92	18.3	231.51	23.9	3.02	68.2	5.57	85.7
鹰潭市	Yingtan	49.50	17.4	61.27	23.8	22.06	76.3	23.61	7.0
抚州市	Fuzhou	135.46	17.1	167.61	23.7	2.57	96.4	2.71	5.7
赣州市	Ganzhou	216.24	17.1	266.95	23.5	9.16	32.4	12.79	39.6

22–4 海峡西岸经济区各市进口总额、出口总额

Total Exports and Imports in the West Side of the Straits Economic Area

单位：亿美元 (100 million USD)

地区	Area	进口总额 Imports				出口总额 Exports			
		2007		2008		2007		2008	
		总计 Total	比上年增长(%) Ratio(%)	总计 Total	比上年增长(%) Ratio(%)	总计 Total	比上年增长(%) Ratio(%)	总计 Total	比上年增长(%) Ratio(%)
总计	**Total**	**322.98**	**18.2**	**360.84**	**11.7**	**708.08**	**20.9**	**812.26**	**14.7**
福州市	Fuzhou	63.31	10.4	67.30	6.3	123.09	12.8	135.87	10.4
厦门市	Xiamen	142.28	15.8	159.90	12.4	255.54	24.6	293.94	15.0
莆田市	Putian	6.00	39.9	6.00		15.48	21.0	17.16	10.8
三明市	Sanming	0.62	-7.5	0.90	45.2	8.09	50.6	7.00	-13.5
泉州市	Quanzhou	18.70	28.6	27.10	44.9	49.80	23.4	57.95	16.4
漳州市	Zhangzhou	12.31	-4.0	14.40	17.0	34.17	14.6	38.76	13.4
南平市	Nanping	1.23	33.7	1.30	5.7	5.03	17.2	6.33	26.0
龙岩市	Longyan	0.28	-31.7	0.80	185.7	2.44	56.5	4.59	87.9
宁德市	Ningde	0.42	147.1	0.60	42.9	5.75	36.7	8.25	43.4
温州市	Wenzhou	21.00	15.8	20.89	-0.6	101.48	25.6	119.04	17.3
丽水市	Lishui	0.94	436.9	2.37	151.8	7.49	36.8	10.31	37.7
衢州市	Quzhou	3.39	92.6	4.26	25.7	7.22	55.7	8.99	24.6
汕头市	Shantou	21.98	13.9	19.75	-10.1	39.12	12.3	43.23	10.5
梅州市	Meizhou	0.92	10.6	1.84	101.0	4.36	14.4	2.78	32.6
潮州市	Chaozhou	4.27	-13.5	4.73	11.6	16.67	-1.8	17.50	0.5
揭阳市	Jieyang	3.18	16.6	3.65	14.8	17.69	25.0	20.98	18.6
上饶市	Shangrao	0.18	21.3	0.80	342.1	2.84	72.5	4.77	70.0
鹰潭市	Yingtan	19.52	112.6	21.20	8.6	2.54	-23.9	2.41	-5.0
抚州市	Fuzhou					2.56	100.7	2.67	4.5
赣州市	Ganzhou	2.45	27.0	3.05	24.8	6.71	34.5	9.73	45.0

22–5 海峡西岸经济区各市实际利用外商直接投资、地方财政一般预算收入

Foreign Capital Actually Used and General Budgetary Revenue of Local Government in the West Side of the Straits Economic Area

地区	Area	实际利用外资（亿美元） Foreign Capital Actually Used (100 million USD)				地方财政一般预算收入（亿元） General Budgetary Revenue of Local Government (100 million yuan)			
		2007		2008		2007		2008	
		总计 Total	比上年增长(%) Ratio(%)	总计 Total	比上年增长(%) Ratio(%)	总计 Total	比上年增长(%) Ratio(%)	总计 Total	比上年增长(%) Ratio(%)
总计	**Total**	**64.52**	**27.4**	**80.42**	**24.6**	**1046.20**	**28.2**	**1249.70**	**19.4**
福州市	Fuzhou	7.00	6.0	10.02	43.1	146.56	26.8	168.86	15.2
厦门市	Xiamen	12.72	33.2	20.42	60.6	186.53	37.0	220.23	18.1
莆田市	Putian	1.20	18.2	1.30	8.3	23.82	28.8	29.56	24.1
三明市	Sanming	0.54	5.0	0.66	23.4	27.49	24.8	32.96	19.9
泉州市	Quanzhou	12.75	17.9	17.00	33.3	114.61	23.2	137.17	19.7
漳州市	Zhangzhou	4.50	12.4	5.01	11.1	47.41	35.2	60.49	27.6
南平市	Nanping	0.48	18.3	0.59	22.5	23.89	29.7	28.05	17.4
龙岩市	Longyan	1.20	55.4	1.34	11.7	36.66	28.7	46.28	26.2
宁德市	Ningde	0.22	0.1	0.38	76.1	20.18	28.3	24.22	20.0
温州市	Wenzhou	6.18	33.5	2.62	-57.6	157.03	21.9	180.15	14.7
丽水市	Lishui	0.22	15.9	0.81	264.3	32.66	31.0	36.15	10.7
衢州市	Quzhou	0.41	1.8	0.58	43.3	29.35	24.8	34.39	17.2
汕头市	Shantou	1.72	22.9	1.94	13.0	42.49	21.7	51.22	20.6
梅州市	Meizhou	1.13	37.1	1.29	14.3	22.97	25.9	27.11	18.0
潮州市	Chaozhou	0.58	21.0	0.70	20.7	13.50	26.8	16.02	18.8
揭阳市	Jieyang	1.31	39.8	1.91	45.5	17.32	25.9	22.37	29.1
上饶市	Shangrao	2.61	40.6	3.01	15.0	32.06	26.2	36.70	14.3
鹰潭市	Yingtan	0.80	-0.5	1.02	20.5	12.54	46.8	16.30	30.3
抚州市	Fuzhou	1.47	25.4	1.52	3.1	20.20	44.7	26.00	29.0
赣州市	Ganzhou	7.48	10.7	8.30	11.0	38.93	27.8	55.47	42.5

22–6 海峡西岸经济区各市城镇居民人均可支配收入、农村居民人均纯收入

Per Capita Disposable Income in the West Side of the Straits Economic Area

单位：元 (yuan)

地区	Area	城镇居民人均可支配收入 Per Capita Disposable Income in Urban Areas				农民人均可支配收入 Per Capita Disposable Income in Rural Areas			
		2007		2008		2007		2008	
		总计 Total	比上年增长(%) Ratio(%)	总计 Total	比上年增长(%) Ratio(%)	总计(或小计) Total	比上年增长(%) Ratio(%)	总计 Total	比上年增长(%) Ratio(%)
福州市	Fuzhou	16642	17.1	19009	16.0	6286	12.4	7142	13.6
厦门市	Xiamen	21503	16.2	23948	11.4	7637	11.3	8475	11.0
莆田市	Putian	14351	16.9	16495	16.2	5628	14.3	6436	14.4
三明市	Sanming	14246	14.1	16013	13.8	5141	12.5	5853	13.8
泉州市	Quanzhou	18097	13.3	20420	12.8	7244	9.7	7973	10.1
漳州市	Zhangzhou	14153	13.1	16023	15.9	5696	12.2	6506	14.2
南平市	Nanping	13161	16.6	15098	16.4	5059	14.7	5712	12.9
龙岩市	Longyan	14128	17.2	15689	13.4	5086	13.2	5775	13.5
宁德市	Ningde	12504	16.4	13936	11.5	4687	14.1	5404	15.3
温州市	Wenzhou	20922	10.4	22851	9.2	8591	13.9	9469	10.2
丽水市	Lishui	15910	14.0	17710	11.3	4373	13.0	5050	15.5
衢州市	Quzhou	16388	12.7	18069	10.3	6071	13.3	6843	12.7
汕头市	Shantou	11716	7.0	12542	7.0	4581	4.0	4885	6.6
梅州市	Meizhou	10802	16.7	12109	12.1	4613	5.6	5038	9.2
潮州市	Chaozhou	10391	8.5	11320	8.9	4599	6.5	4977	8.2
揭阳市	Jieyang	10751	9.0	11757	9.4	4561	5.2	4926	8.0
上饶市	Shangrao	11341	15.4	12676	11.8	3902	10.7	4353	11.6
鹰潭市	Yingtan	11290	17.0	12808	13.4	4406	13.4	5100	15.8
抚州市	Fuzhou	11101	17.7	12293	10.7	4096	14.9	4718	15.2
赣州市	Ganzhou	10540	15.2	11834	12.3	3271	9.0	3570	9.1

《福建统计年鉴-2009》光盘（CD-ROM）介绍

《福建统计年鉴-2009》（光盘）刻录了2009年福建省国民经济和社会发展情况的全部资料。该盘系统刻录了2009年福建省全省及各地区、各部门经济、社会和科技各方面大量的统计数据，以及建国以来全省国民经济主要指标的历年数据。

《福建统计年鉴-2009》内容分为22部分，即：1.综合；2.国民经济核算；3.人口、就业与职工工资；4.固定资产投资；5.能源；6.人民生活；7.价格指数；8.城市概况；9.财政金融；10.农业；11.工业；12.建筑业；13.交通运输与邮电通信业；14.批发零售与住宿餐饮业；15.对外贸易与旅游；16.科技与教育；17.文化、出版、体育与卫生；18.环境保护与其他社会活动；19.企业集团和企业景气指数；20.市县国民经济主要指标；21.企业概况；22.海峡西岸经济区主要经济指标等。同时，各篇末还附有《主要统计指标解释》。

《福建统计年鉴—2009》（光盘）根据不同用户，分为中英文双语版、中文版、英文版三个版本，操作简便，还设有转换Excel文件功能。

Introduction to CD-ROM

Fujian Statistical Yearbook 2009 (CD-ROM) is an annual statistics publication, which covers very comprehensive data in 2009 and some selected data in previous years since 1949 at provincial and regional levels and in different departments and therefore, reflects various aspects of social and economic development in Fujian province.

The CD-ROM contains the following twenty-two parts ：1.General Survey；2.National Economy Accounting；3. Population,Employment and Wages；4.Investment in Fixed Assets；5. Energy；6. People's Living Conditions；7.Price Indices；8.General Survey of Cities；9.Finance；10.Agriculture；11.Industry； 12.Construction；13. Transportation, Postal and Telecommunication Services；14.Wholesale,Retail Trades, Hotels and Catering Services；15 Foreign Trade and International Tourism；16.Science and Education17.Culture,Publishing,Sports,and Public Health；18. Environment Protection and Others；19. Enterprise Groups and Enterprise Climate Index；20.Main Economic Indicators of City Prefecture and County；21. General Situation of Enterprises；22.The Main Economy and Social Indicators of the region in the West Side of the Straits Economic Area etc.In explanatory notes on main statistical indicators at the end of each part

Fujian Statistical Yearbook 2009 (CD-ROM) is compiled in Chinese and English，Chinese，English and is easy to used. The tables in the CD-ROM can be converted to Excel documents

光盘（CD-ROM）操作说明

系统要求：Windows98 及以上版本 IE5.0 以上浏览器

显示设置：建议使用 800×600 像素分辨率

运行方法：光盘插入驱动器后自动运行，或直接运行 INDEX.HTM 文件

How to use the CD-ROM

System Requirement: Windows 98 or above versions, IE5.0 or above browers.

Monitor: 800*600 resolution suggested.

How to Star: The CD-ROM will run automatically once inserted into the driver or run INDEX.HTM.